D1241603

UN SIÈCLE DE MÉTRO EN 14 LIGNES

UN SIÈCLE DE MÉTRO EN 14 LIGNES
De Bienvenüe à Météor

par Jean Tricoire

Direction artistique : Yvan Daviddi
Maquette, infographies et coordination : Dominique Paris
Réviseurs : Anne Pernot et Jacques Rossetti

11 rue de Milan
75440 PARIS CEDEX 09

Dépôt légal : 4e trimestre 2000
ISBN : 2-902 808-87-9

Jean TRICOIRE
Département du patrimoine de la RATP

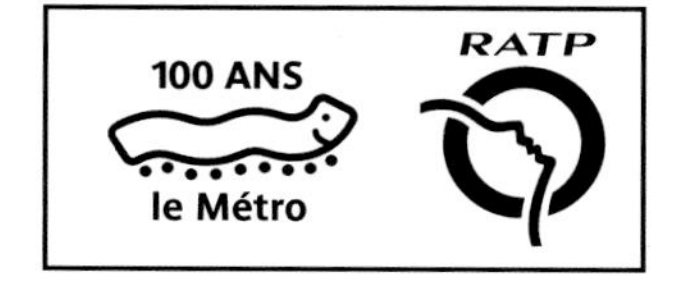

UN SIÈCLE DE MÉTRO EN 14 LIGNES

De Bienvenüe à Météor

METRO

Préface

En cent ans et quatorze lignes, c'est tout un univers qui s'est créé en dessous et parfois au dessus de Paris et des communes qui l'entourent. Chacun en connaît une portion et en garde des souvenirs qui peuvent remonter à l'enfance. Mais de cette ville dans la ville, il est difficile d'en connaître toutes les facettes.

Faire découvrir le métro de Paris dans la plupart de ses dimensions, répondre aux questions que se posent ceux qui fréquentent notre réseau ou qui y travaillent, montrer des aspects méconnus de ce moyen de transport, tel est donc l'objectif de cet ouvrage très complet.

Je souhaite que les différentes opérations que nous organisons pour célébrer le centenaire du métro, et en particulier ce livre conçu avec La Vie du Rail, permettent à tous de mieux le découvrir. Le métro de Paris n'a pas été le premier, mais il a su ensuite, non seulement être un précurseur, mais devenir et rester la référence en matière de transport urbain.

L'an 2000 est donc pour Paris et la RATP l'occasion de célébrer les 100 ans du métro parisien, les 100 ans d'une modernité sans cesse renouvelée au service de Paris et de sa région et les 100 ans de vie quotidienne des parisiens et franciliens avec et autour de leur métro.

Jean-Paul BAILLY
Président directeur général de la RATP

LE RÉSEAU

CHAPITRE I

La constitution du réseau

En Europe, alors que Londres, Budapest et Glasgow exploitaient un réseau de métro plus ou moins important dès les dernières décennies du XIXe siècle, Paris n'en possédait pas encore au début de 1900. Cette année-là cependant, le 19 juillet, une première ligne fut enfin ouverte au public entre Porte Maillot et Porte de Vincennes. Premiers kilomètres qui allaient en annoncer beaucoup d'autres, mais dont la gestation fut des plus difficiles.

Les transports parisiens au temps de la traction animale.

Le métro, un besoin vital

Les historiens ont coutume de faire remonter au XVIIe siècle les premiers essais d'organisation d'un transport collectif à Paris avec les « carrosses à cinq sols » imaginés par le mathématicien et philosophe Blaise Pascal. Pendant 15 ans, de 1662 à 1677, ces véhicules transportèrent les voyageurs sur des itinéraires fixes à des horaires prévus à l'avance.

Cette expérience terminée – elle vint sans doute trop tôt –, il fallut attendre le début du XIXe siècle pour que s'organise à nouveau un service régulier de transport à Paris avec les fameux omnibus de Stanislas Baudry. Si, une fois encore, l'expérience se révéla financièrement difficile, le concept était admis et les compagnies de transport proliférèrent; il y en avait une dizaine en 1830.

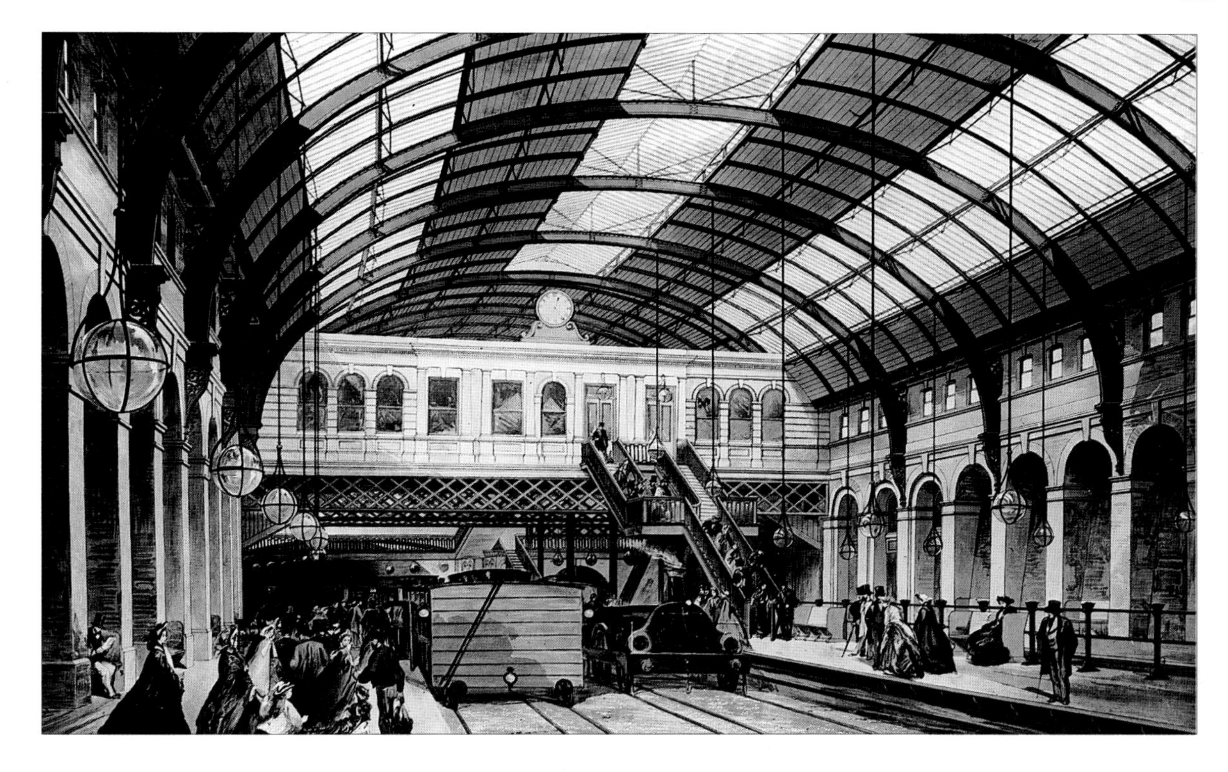

Le métro de Londres : un exemple à suivre ?

Au début de la seconde moitié du XIXe siècle, face à l'augmentation de la circulation dans une ville en pleine expansion démographique, industrielle et commerciale – on évoque même un début d'activité touristique –, l'organisation des transports allait occuper une place primordiale dans les décisions prises au plus haut niveau, notamment sous le Second Empire.

Sous la haute main du préfet de la Seine, le baron Georges Haussmann, d'importants travaux d'aménagement et d'embellissement de la capitale furent entrepris. Deux ingénieurs furent chargés de ces travaux : Eugène Belgrand pour les premiers, Adolphe Alphand pour les seconds. Le percement de grandes artères, qui furent plus tard si utiles au métro, modifia complètement l'aspect de certains quartiers de Paris. Ces nouvelles voiries facilitèrent la circulation en constante augmentation ; celle-ci devint cependant de plus en plus anarchique dans les quartiers centraux, pénalisant gravement les transports de surface. On rechercha donc un autre moyen pour répondre aux besoins croissants de déplacement des Parisiens. La toute nouvelle technique du chemin de fer apparut comme la solution pour assurer une meilleure desserte.

Le chemin de fer avait fait son apparition en région parisienne dès août 1837 avec l'inauguration de la ligne Paris - Le Pecq. On ne savait pas à l'époque si cette technique pouvait rendre de grands services à la population, on était donc ici plutôt en présence d'une ligne « touristique » qui devait permettre aux Parisiens d'aller s'aérer à la campagne. En revanche, elle apparut très utile au transport des marchandises. En 1845, le premier projet de chemin de fer à Paris – le projet de Kerizouet – prévoyait de relier les Halles centrales aux gares de Lyon et du Nord. Il fut rejeté par le conseil municipal et abandonné définitivement après la Révolution de 1848.

La première réalisation ferroviaire d'envergure pour Paris fut la Petite Ceinture, ouverte au trafic voyageurs et marchandises entre 1851 et 1867. On attendait beaucoup de cette ligne ceinturant le « nouveau » Paris qui avait annexé les communes limitrophes en 1860. Mais les espoirs furent déçus et le problème demeura entier. Un projet de 1856,

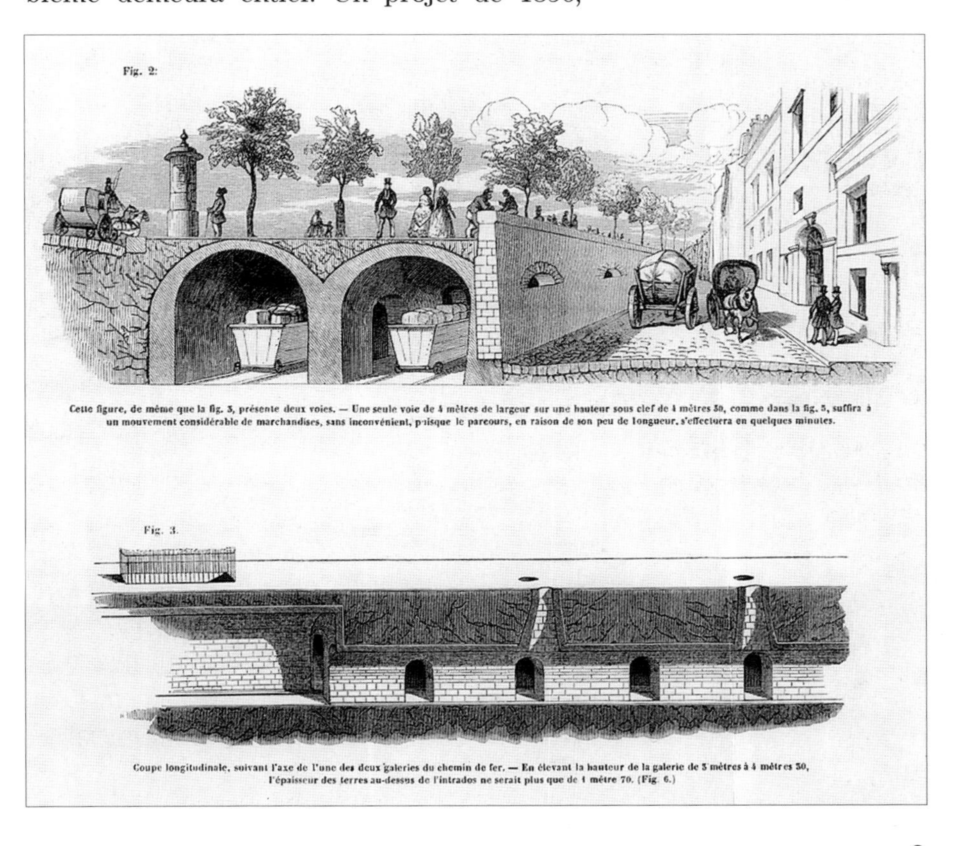

Le projet de Kerizouet (1845).

Avec la ligne d'Auteuil, la Petite Ceinture fut le premier chemin de fer urbain de Paris ; ici, la gare de Ménilmontant à la fin du XIXe siècle.

celui de Brame et Flachat, envisageait une desserte des Halles, en liaison avec la Petite Ceinture avec transport du personnel. Ce projet resta sans suite, les priorités du préfet Haussmann étant ailleurs.

L'Exposition universelle de 1867 mit au grand jour les carences graves des transports de surface. Le rail apparut plus que jamais comme la solution au transport de masse. De l'autre côté de la Manche, Londres avait mis en service en 1863 sa première ligne de chemin de fer métropolitain et on s'accordait à penser que l'exemple était à suivre rapidement.

À Londres, le parti pris fut celui de prolonger les lignes de chemin de fer dans le centre de l'agglomération. La première ligne qui se dessinait était une ligne circulaire *(Circle Line)* non périphérique, mais au contraire centrale, et dont le pouvoir d'attraction était sans commune mesure avec celui de la Petite Ceinture parisienne.

Le projet Brame et Flachat (1856).

Projets et querelles

Après la période difficile de la guerre de 1870, les projets de chemin de fer dans Paris se multiplièrent, chacun faisant preuve d'une imagination débordant parfois au-delà du raisonnable. On peut ainsi citer les projets de MM. Le Hir, Le Masson, Letellier, Guerbigny qui entraînèrent le conseil général de la Seine à se saisir du problème pour assurer un minimum de cohérence. Un projet fut établi en 1872 avec une ligne reliant la Bastille au bois de Boulogne et une autre entre Montrouge et les Halles, mais aucun candidat ne répondit à l'offre de concession. La dynamique était cependant lancée et plusieurs projets sérieux furent présentés : le projet Heuzé qui adoptait la solution aérienne en viaduc sur des voiries spécialement percées pour les lignes ; le projet Chrétien, lui aussi aérien mais établi sur les voiries existantes, les trains étant mus grâce à l'électricité ; le projet Vauthier avec ses lignes en aérien sur les anciens boulevards extérieurs et sur les quais ; ou le projet Garnier superposant les voies l'une sur l'autre sur un viaduc pour minimiser les emprises au sol. En juin 1880, une loi définissait les chemins

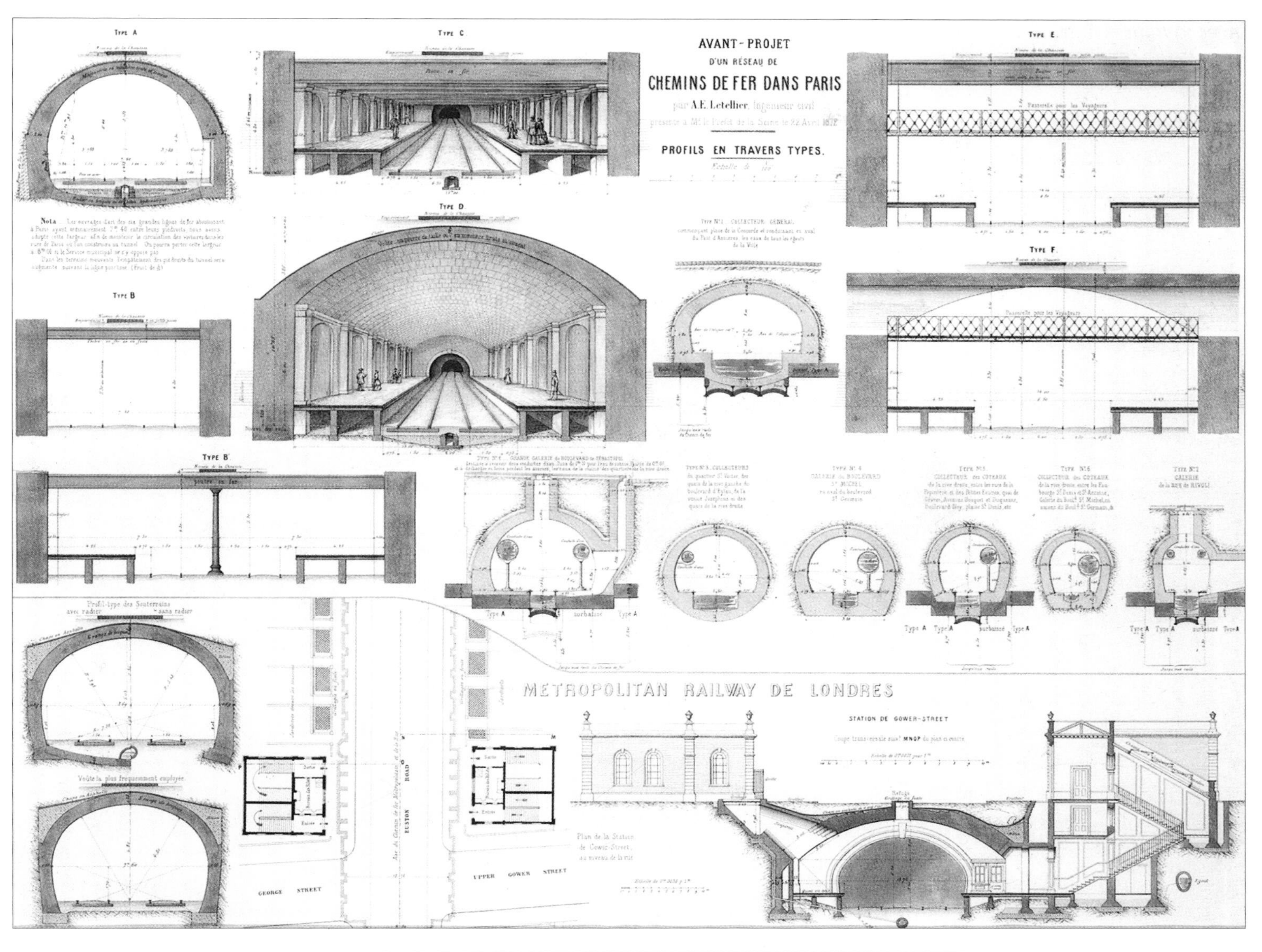

Le projet Letellier.

Le projet Heuzé.

Le projet Garnier.

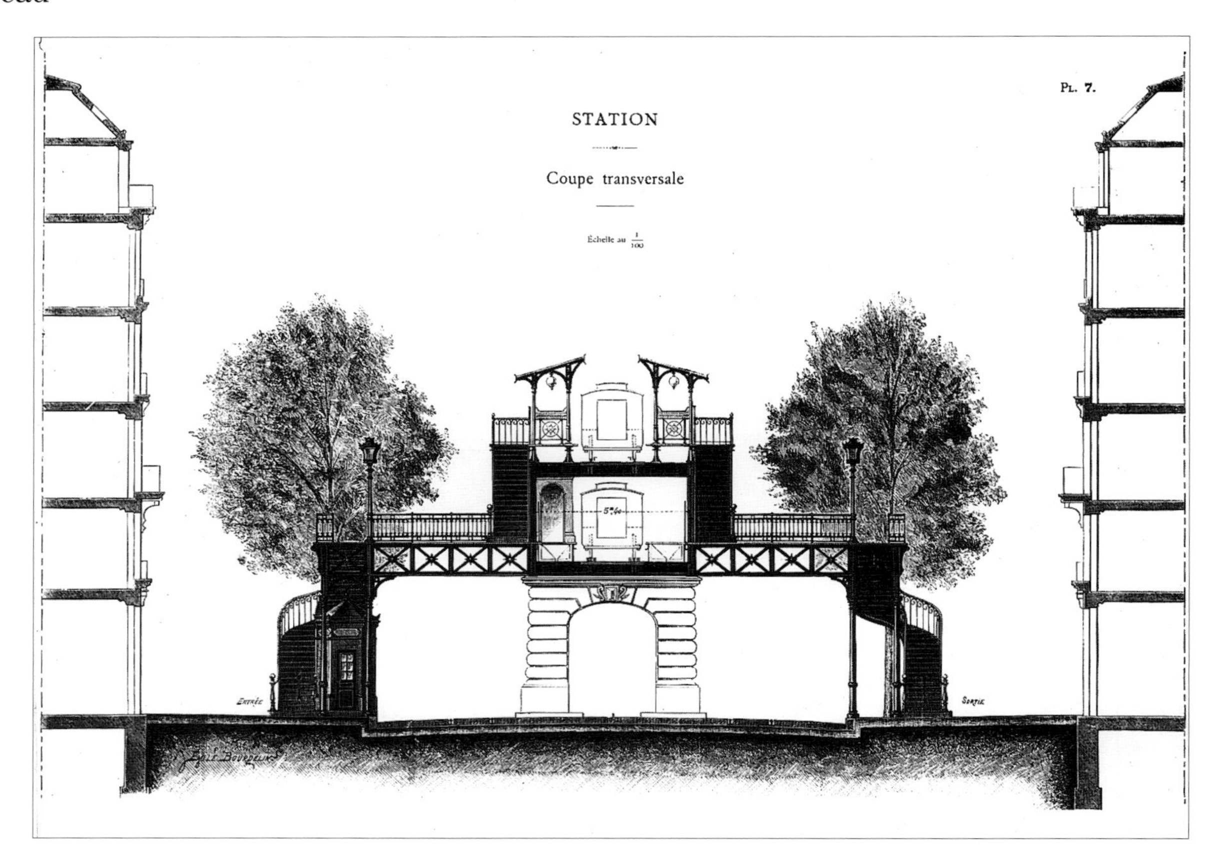

de fer d'intérêt local, laissant aux communes le soin de concéder les lignes devant desservir leur territoire. La Ville de Paris prit aussitôt à son compte les études d'un chemin de fer métropolitain. Suivant l'exemple londonien, un premier projet dressé par l'ingénieur Soulié dessinait un réseau à grand gabarit comprenant une ligne circulaire et une ligne transversale Nord-Sud, avec plusieurs embranchements, et raccordé aux lignes de chemin de fer.

L'affaire semblait bien engagée, le projet allait enfin pouvoir se réaliser, Paris ne serait pas trop en retard sur Londres, l'Exposition universelle de 1889 pourrait bénéficier du métro. Mais le Conseil d'État consulté par le ministre des Transports affirma, contre l'avis du Conseil des Ponts et Chaussées, le caractère général du réseau à construire, entraînant l'impossibilité de sa concession à la Ville de Paris. Cette décision fut très lourde de conséquences, puisque l'antagonisme allait retarder de 10 ans la réalisation d'un métro à Paris.

La question fondamentale qui se posait était la suivante : le métro serait-il un prolongement des grands réseaux dans Paris avec un rôle de desserte intra-muros ou un réseau au service exclusif de la capitale ? L'État se rangea au côté des grandes compagnies de chemin de fer et choisit la première option au contraire de la Ville de Paris qui défendit la seconde pour un métro municipal totalement indépendant des autres réseaux.

À nouveau, plusieurs projets furent présentés, l'imagination ne manquant pas. Certains méritent qu'on s'y arrête. Ainsi en est-il du projet de tramways tubulaires de M. Berlier en 1887 qui fit parler de lui ultérieurement : les véhicules mus par l'électricité se déplaçaient dans des tubes creusés par un bouclier.

Le projet Haag était semblable à celui de Heuzé avec ses viaducs établis sur de nouvelles voiries et abritant des boutiques. Celui de Villain et Dufresne était placé sous les quais de la rive droite. Et bien d'autres encore dont certains sont totalement farfelus, comme celui d'un certain Mazet faisant circuler des trains « gondoles » accrochés aux réverbères.

Le gouvernement ne resta pas inactif et en 1886 présenta, sous la signature du ministre des Travaux publics Baïhaut, un projet qu'on pourrait qualifier de synthèse, puisqu'il ménageait à la fois les intérêts des compagnies de chemin de fer et ceux de la ville. Ce projet comprenait une ligne circulaire reliant entre elles la plupart des gares parisiennes et deux lignes transversales, sensiblement Nord-Sud et Est-Ouest. Une fois encore, cette tentative n'eut aucun succès malgré d'interminables discussions entre les représentants des diverses parties, et l'Exposition de 1889 eut lieu sans le métro. À cette occasion, les visiteurs ne manquèrent pas de remarquer l'immense tour métallique qui allait désormais surplomber la capitale, tour construite par un certain ingénieur Gustave Eiffel.

En 1890-1891, Eiffel, justement, proposa à son tour un projet de métro pour Paris, sou-

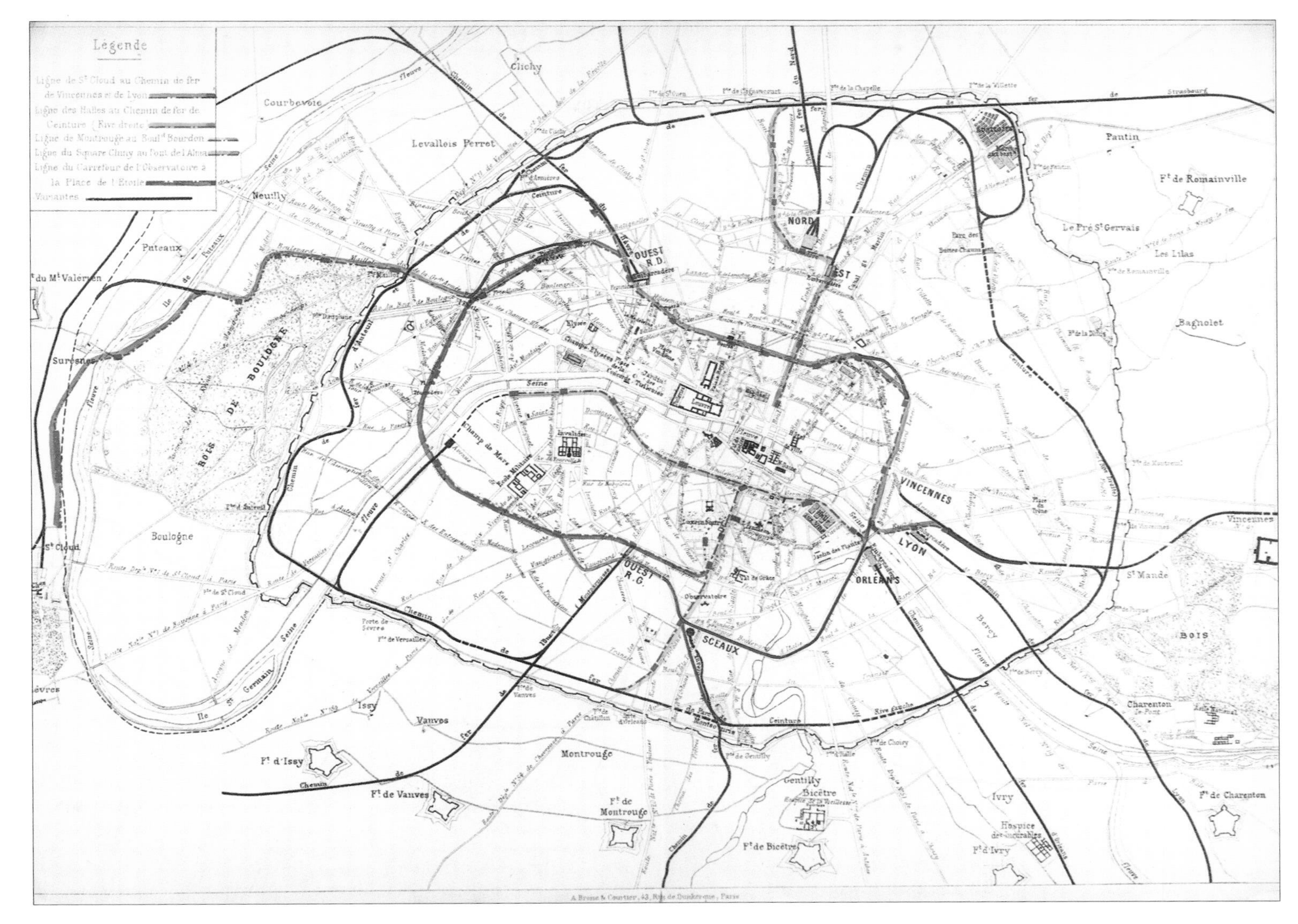

Le réseau envisagé dans le projet Soulié.

Le projet Le Châtelier.

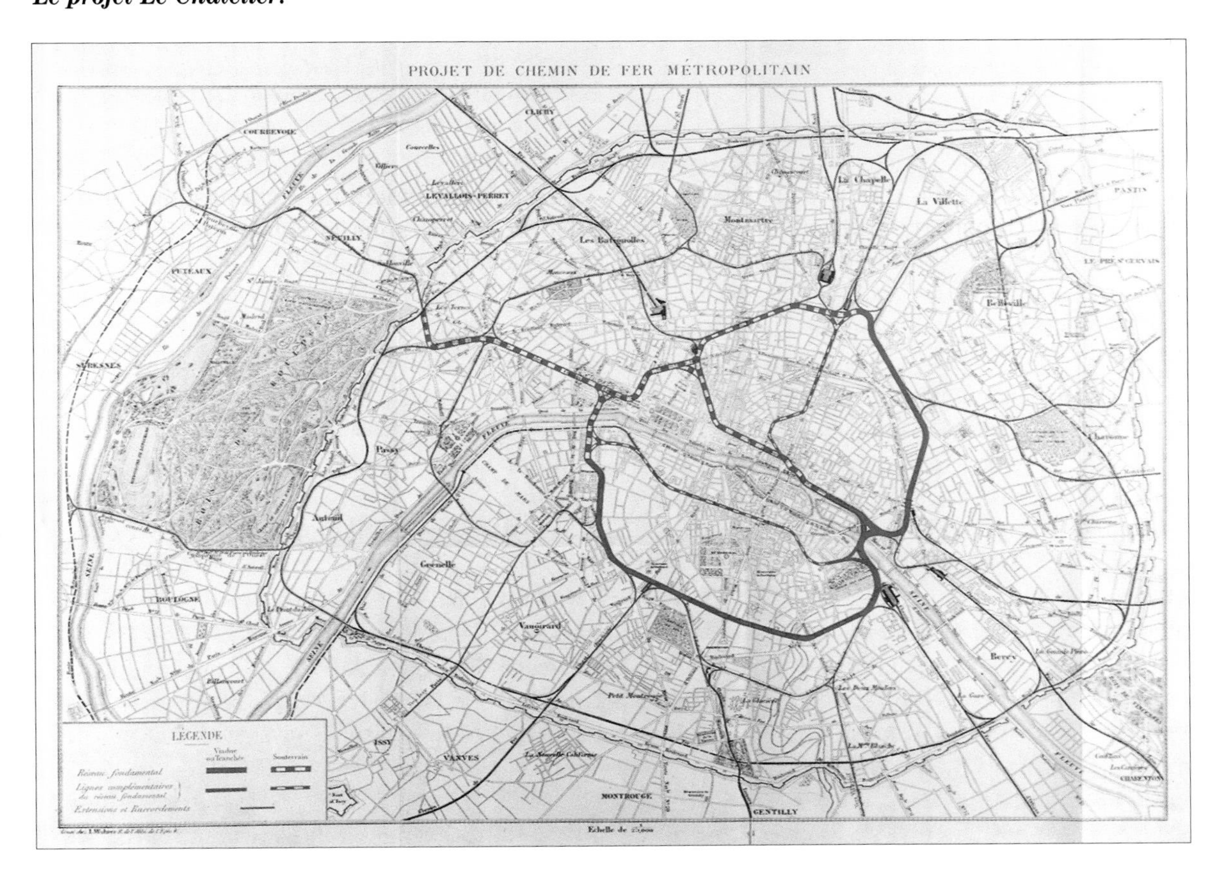

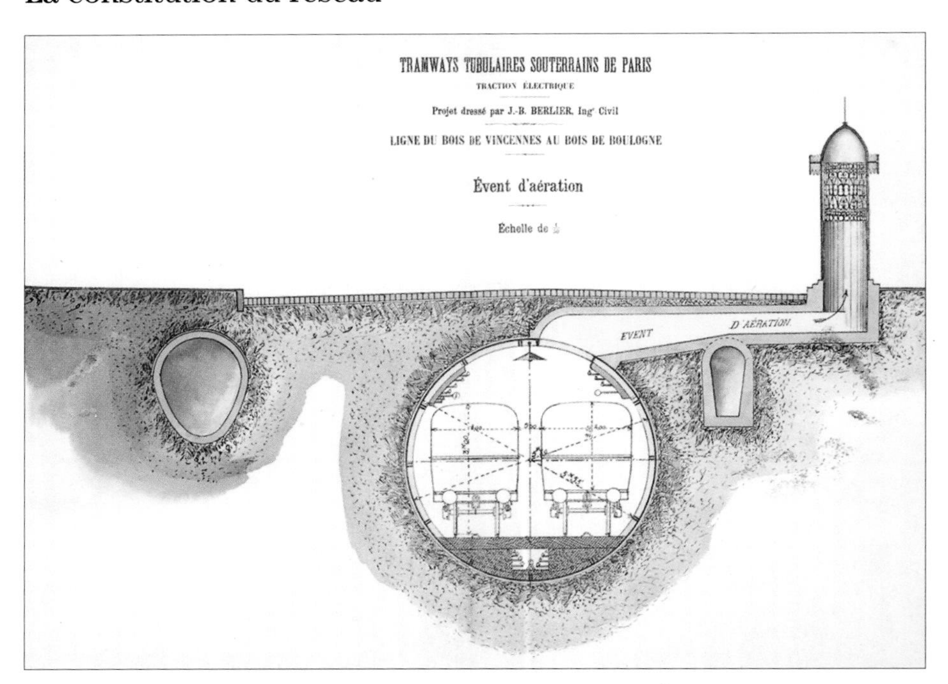

Le projet de tramways tubulaires de l'ingénieur Berlier (1887).

tenu ardemment par le préfet Alphand. Mais l'irréductible opposition de la Ville de Paris, défendant avec la dernière énergie un réseau exclusivement municipal, à petit gabarit et à voie étroite, fit échouer ce projet, d'autant qu'il fut associé à d'autres projets émanant directement des compagnies de chemin de fer qui se lançaient maintenant directement dans la bataille.

En 1892, l'État décida la tenue d'une Exposition universelle pour l'année 1900. Allait-on une fois de plus rater l'échéance et à l'aube du XXe siècle ne pas équiper Paris d'un métro, 37 ans après Londres? Assurément non, les compagnies de chemin de fer firent donc le siège des autorités pour imposer leur point de vue et prolonger leurs lignes dans la capitale. Le ministre des Travaux publics, Louis Barthou, présenta en 1894 un projet de trois lignes destinées à desservir la grande manifestation : Courcelles-Champ de Mars, Gare de Reuilly-Gare des Invalides et Place Médicis-Place Saint-Michel. Une fois encore, le conseil municipal rejeta ce projet sans même organiser un débat. Il désirait plus que tout un métro placé sous son seul contrôle, sans aucune soumission à une quelconque influence extérieure. Le préfet de la Seine, M. Poubelle, exprima à cette occasion le désir d'un chemin de fer « qu'il puisse tutoyer ». La situation paraissait donc irrémédiablement bloquée.

Le projet farfelu de Mazet.

1895 : le déblocage

C'est l'Exposition universelle de 1900 qui força la décision. Sans elle, le débat aurait pu se poursuivre indéfiniment. Face à l'urgence, l'État céda : le 22 novembre 1895, le gouvernement reconnaissait à la Ville de Paris le droit de réaliser un métropolitain régi par la loi de 1880 sur les chemins de fer d'intérêt local. En retour, la ville devait approuver la concession des trois lignes proposées par M. Barthou, ce qu'elle fit volontiers.

L'avant-projet de Paris fut dressé au début de 1896 par Edmond Huet, successeur d'Alphand comme directeur des Travaux, et Fulgence Bienvenüe, ingénieur en chef des Dérivations destinées à approvisionner Paris en eau. Il devait « suppléer à l'insuffisance des moyens de transport du Paris actuel et mettre en valeur les quartiers éloignés et les moins peuplés de la capitale ». Les bases en étaient un réseau à voie étroite de 1 m avec circulation de trains légers à traction électrique. La construction de l'infrastructure serait faite par la Ville de Paris et l'exploitation par un concessionnaire. Le réseau prévu comprenait trois lignes : une circulaire intérieure, une transversale Est-Ouest entre Porte Maillot et Ménilmontant et une transversale Nord-Sud entre Porte de Clignancourt et Porte d'Orléans, auxquelles on rajouta une ligne Gare de l'Est - Pont d'Austerlitz. Le projet de réseau fut adopté par le conseil municipal en avril 1896. Deux autres lignes furent rajoutées au projet, l'une entre Nation et Place d'Italie, l'autre entre les bois de Boulogne et de Vincennes (ligne du projet Berlier).

En 1897, la Ville de Paris retint, pour l'exploitation future du réseau, la Compagnie Générale de Traction de l'industriel belge Édouard Empain, établissement associé aux Établissements du Creusot. Il ne restait plus qu'à boucler complètement le projet définitif et ses caractéristiques techniques. C'est sur ce dernier point qu'intervint une nouvelle querelle qui fort heureusement fut beaucoup plus courte. Appliquant les prescriptions de la

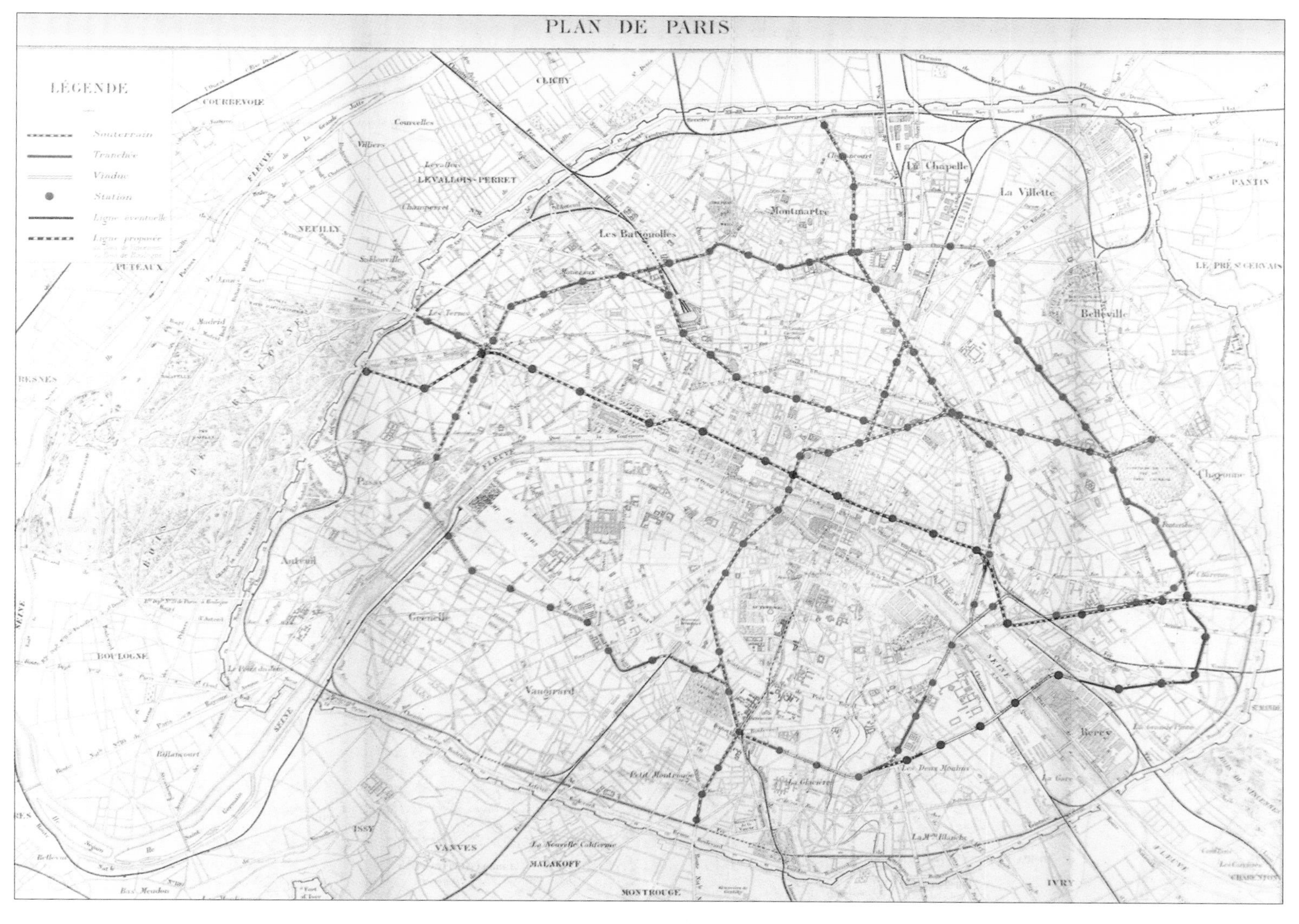

Le projet de la Ville de Paris de 1896.

loi de 1880, le gouvernement soumit le projet municipal à l'avis du Conseil des Ponts et Chaussées et du Conseil d'État.

Tout le monde s'accorda pour dire que, si le gabarit étroit, néanmoins porté de 1,90 m à 2,10 m, puis à 2,40 m, pouvait être gardé, l'écartement des voies devait être porté à celui, standard, de 1,44 m. Le réseau métropolitain serait préservé de toute circulation de chemins de fer à grand gabarit, mais a contrario ses rames pourraient circuler sur les voies des grands réseaux et notamment de la Petite Ceinture. Le conseil municipal accepta le projet et la concession en juillet 1897.

La loi du 30 mars 1898 ratifia l'ensemble de ces décisions et déclara « d'utilité publique, à titre d'intérêt local, l'établissement d'un chemin de fer métropolitain à traction électrique, destiné au transport des voyageurs et de leurs bagages à main ». Le réseau, long de 65 km, était constitué de six lignes, concédées à la Compagnie du chemin de fer métropolitain de Paris subrogeant la Compagnie Générale de Traction. Les lignes devaient être construites dans l'ordre indiqué ci-dessous :

- ligne A (1) de Porte de Vincennes à Porte Dauphine ;
- ligne B (2) circulaire par les anciens boulevards extérieurs, en tronc commun avec la ligne C entre Étoile et Villiers ;
- ligne C (3) de Porte Maillot à Ménilmontant, en tronc commun avec la ligne B entre Étoile et Villiers ;
- ligne D (4) de Porte de Clignancourt à Porte d'Orléans ;
- ligne E (5) raccordement du boulevard de Strasbourg au pont d'Austerlitz ;

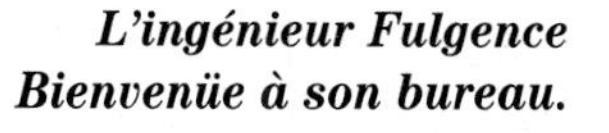
L'ingénieur Fulgence Bienvenüe à son bureau.

• ligne F (6) raccordement du cours de Vincennes à la place d'Italie.

Une convention annexée à la loi prévoyait la réalisation éventuelle de trois lignes supplémentaires :

• ligne G de la place Valhubert au quai de Conti, abandonnée en raison du prolongement du chemin de fer d'Orléans à la gare d'Orsay;

• ligne H (7) du Palais-Royal à la place du Danube;

• ligne I (8) d'Auteuil à Opéra.

La loi de 1898 stipulait que les infrastructures, c'est-à-dire les souterrains, tranchées et viaducs, ainsi que les quais des stations seraient construits par la ville, tandis que les superstructures le seraient par le concessionnaire exploitant, celui-ci étant également chargé de la construction des ateliers et des usines électriques, de la pose des voies et des équipements, de l'achat du matériel roulant, etc. Paris put ainsi ramener la concession à 35 ans au lieu de 75 ans et réduire ses charges grâce à la possibilité de se procurer les fonds à des taux plus bas que pour le privé.

La dépense pour la réalisation de l'infrastructure des six lignes s'élevait à 150 millions de francs, somme à laquelle il fallait ajouter 11,5 millions pour les expropriations de terrains et 3,5 millions de francs pour les frais d'émission de l'emprunt contracté par la ville pour financer ce projet, soit un total de 165 millions de francs. Toutefois, la modification du gabarit et l'obligation de réaliser de nouveaux ouvrages en regard du trafic entraînèrent un surcoût important. Ce furent au total quelque 140 millions de francs qui furent nécessaires à la réalisation des seules trois premières lignes (1, 2 et 3). Un second emprunt de 170 millions de francs fut sollicité par la ville pour réaliser dans la foulée les lignes 4, 5, 6, 7 et 8.

La Ville de Paris devait livrer au concessionnaire les trois lignes du premier réseau, soit 42 km de double voie, dans un délai de 8 ans. Les trois lignes suivantes devaient lui être remises dans un délai maximum de 5 ans après la livraison de la dernière ligne du premier réseau. Enfin, les deux dernières lignes devaient être livrées dans les 5 ans qui suivaient la remise de la dernière ligne du réseau précédent.

Le métro en chantier

L'immense tache de construction du métro commença dès 1898; il n'y avait pas de temps à perdre pour être prêt pour l'ouverture de l'Exposition universelle qui devait avoir lieu en avril 1900. C'était d'abord à la Ville de Paris de construire les ouvrages. Dans la continuité de l'avant-projet de 1896, Bienvenüe devint de facto l'ingénieur en chef des études et des travaux du métropolitain. Bien que restant en charge des dérivations, il devint officiellement chef du Service technique du métropolitain en avril 1898.

Fulgence Bienvenüe était né à Uzel, en Bretagne, le 27 janvier 1852. Ingénieur X Ponts (Polytechnique et Ponts et Chaussées) sorti en 1875, il devint ingénieur « ordinaire » à Alençon, dans l'Orne. Il s'attela rapidement

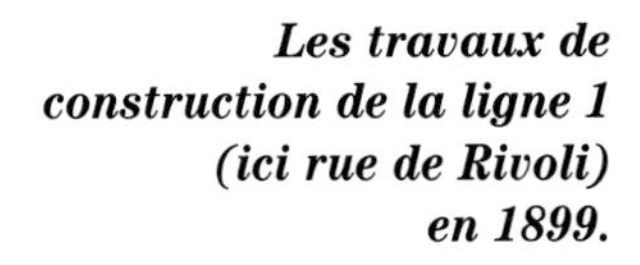
Les travaux de construction de la ligne 1 (ici rue de Rivoli) en 1899.

à la construction de plusieurs lignes de chemin de fer et c'est au cours de l'un de ces travaux qu'il perdit accidentellement son bras gauche en février 1881.

Trois ans plus tard, Bienvenüe vint s'installer à Paris et fut chargé du contrôle de l'exploitation des chemins de fer de l'Est, puis du Nord. En février 1886, nommé au service municipal de Paris, il devint responsable de l'aménagement et de l'assainissement des XIXe et XXe arrondissements de Paris. Dans le domaine des transports, il s'occupa de l'installation du funiculaire de Belleville, mis en service en 1891. À partir de cette année-là, il commença à s'occuper des dérivations de cours d'eau pour approvisionner la capitale. Et, à partir de 1896, il dirigea la réalisation du métropolitain.

Après études complémentaires, on s'aperçut que l'exploitation des lignes serait plus facile si elles étaient indépendantes les unes des autres. C'était là une condamnation des troncs communs à plusieurs lignes inspirés de l'exemple londonien. Aussi fut-il décidé :

- de faire aboutir la ligne 1 à la porte Maillot au lieu de la porte Dauphine ;
- d'intégrer le tronçon Porte Dauphine - Étoile à la ligne 2 Nord, celle ci étant détachée de la ligne 2 Sud (disparition de la ligne circulaire) ;
- de supprimer en conséquence le tronc commun aux lignes 2 et 3 entre Étoile et Villiers et reporter le terminus Ouest de cette dernière ligne à Villiers ;
- de réaliser une boucle terminale pour la ligne 2 Sud à Étoile.

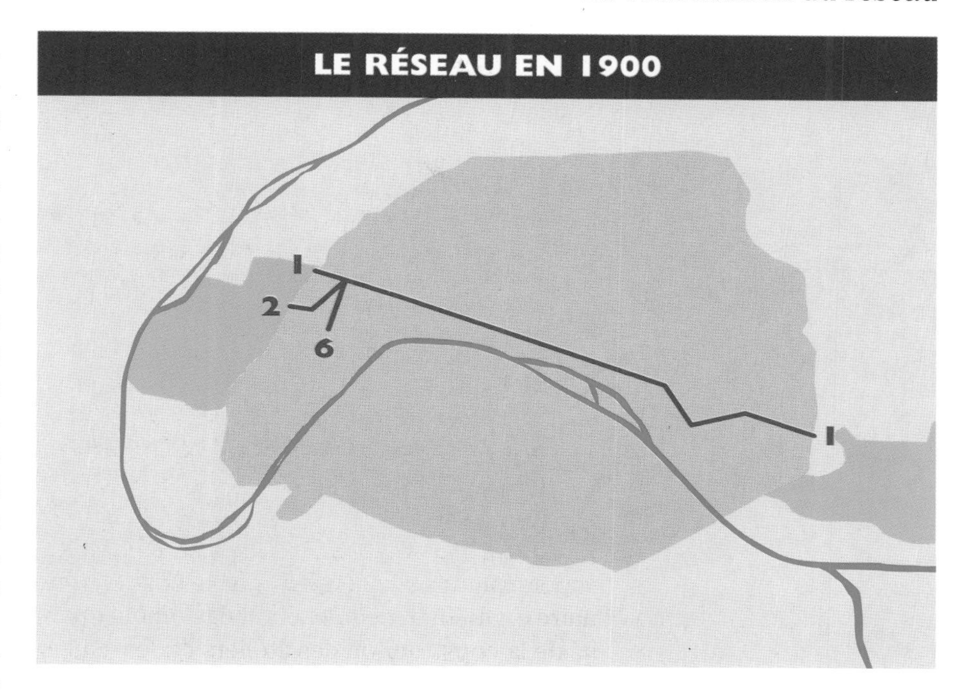

Sur demande expresse du ministre du Commerce, la Ville de Paris entreprit, outre ceux de la ligne 1, les travaux de construction des « embranchements » Porte Dauphine - Étoile et Étoile - Trocadéro. Malgré le rythme extraordinaire des travaux de construction (17 mois), la ligne Porte Maillot - Porte de Vincennes ne fut pas prête à temps pour l'inauguration de l'Exposition universelle qui eut lieu le 14 avril 1900. La ligne 1 fut mise en service le 19 juillet 1900. Les « embranchements », quant à eux, furent livrés au public dans les mois qui suivirent.

La grande aventure était lancée et les voyageurs parisiens furent au rendez-vous, la ligne 1. *(suite page 20)*

Les tramways bientôt en concurrence avec le métro ; ici les travaux de la ligne 3 devant la gare Saint-Lazare.

10 AOÛT 1903 : LA CATASTROPHE

Pour le jeune métro parisien, l'année 1902 avait été excellente. Le trafic de la ligne 1 avait enregistré une constante augmentation, tandis que la nouvelle ligne 2 qui devait relier la porte Dauphine à Nation avait été mise en service d'Étoile à Anvers en octobre. Par ailleurs, les travaux d'équipement du tronçon Anvers - Nation se passaient sans encombre, tandis que ceux de la ligne 3 se préparaient.
L'année 1903 commença sous les meilleurs auspices. En janvier, le service de la ligne 2 fut prolongé jusqu'à la station Rue de Bagnolet (auj. Alexandre Dumas), puis jusqu'à Nation en octobre. Après une ouverture très prudente, le métro semblait avoir déjà atteint son régime de croisière, malgré quelques petits incidents sans gravité sur des motrices de la ligne 2. C'est précisément sur cette ligne que survint, le 10 août 1903, la plus grande catastrophe qu'ait connu le métro de Paris. Ce drame allait entraîner la prise de mesures de sécurité strictes et exemplaires qui constituent aujourd'hui encore pour les lignes classiques les bases d'une exploitation en toute sécurité, où le hasard n'a pas sa place.

La catastrophe

Ce lundi 10 août 1903, venant de Dauphine, la rame 43 composée de huit voitures, dont deux motrices, arrivait à la station Barbès à 18h53. Là, un début d'incendie se déclara sous la motrice de tête (M 202). Les voyageurs furent évacués et l'incendie fut rapidement maîtrisé. Après avoir été relevés, les frotteurs de la motrice furent remis en service et la rame repartit sans voyageurs à 19h05. Les stations suivantes furent dépassées sans arrêt et, alors que la rame 43 approchait de la station Aubervilliers (auj. Stalingrad), l'incendie reprit de plus belle. À 19h08, la rame s'immobilisa à mi-quai à la station Combat (auj. Colonel Fabien), le courant de traction fut coupé et l'incendie une nouvelle fois éteint. Mais, dès la remise sous tension, il reprit, enflammant les palettes de bois destinées à isoler les frotteurs du 3e rail. Ne pouvant pas désolidariser les deux motrices et conduire de queue, le conducteur demanda le secours de la rame suivante – la 52 de quatre voitures – alors en station à Allemagne. Vidée de ses voyageurs et « surveillée » par deux agents de la voie, elle fut accouplée à la précédente et l'ensemble quitta la station Combat à 19h32, les frotteurs de la motrice M 202 toujours sous tension.

L'entrée du métro noircie par la fumée montre l'intensité de l'incendie.

À l'entrée de la station Ménilmontant, un nouveau court-circuit se produisit sur la motrice avariée qui s'embrasa instantanément. Le courant de traction fut interrompu à la sous-station Père-Lachaise, mais celles de Barbès et d'Étoile continuèrent à alimenter la ligne, le court-circuit et... l'incendie. Ce dernier fit fondre les fils d'éclairage entre Ménilmontant et Dauphine et provoqua une épaisse fumée noire qui asphyxia sept voyageurs dans la station.
À Couronnes, la station immédiatement en amont de l'incendie, eut lieu le drame. En effet, la rame de quatre voitures, bondée, qui suivait l'attelage avarié venait de s'arrêter au niveau du bureau du chef de station, alors que l'incendie se déclarait à Ménilmontant. Prévoyant le danger, les agents présents demandèrent aux voyageurs d'évacuer la rame. Des protestations fusèrent, demandant le remboursement des tickets, tandis que les quais étaient envahis par l'épaisse fumée noire venant de Ménilmontant, plongeant la station dans l'obscurité.
Vers 20 heures, la panique s'empara des voyageurs qui fuyant la fumée se dirigèrent vers le côté opposé à la sortie d'ailleurs pas totalement repérable. Une cinquantaine de corps furent retrouvés entassés là, tandis que d'autres victimes furent retrouvées sous le tunnel ou même dans la salle des billets de la station. Au total, 84 personnes périrent asphyxiées dans cette épouvantable catastrophe.

Les mesures prises

Au-delà de l'ampleur incroyable du drame humain, on s'aperçut très rapidement que le matériel roulant était dangereux, que l'alimentation électrique n'offrait pas toutes les garanties de sécurité, que le personnel en ligne était livré à lui-même et que l'exploitation du système était très précaire. Voilà qui faisait beaucoup pour un nouveau réseau de métro. Aussi la réaction fut immédiate. Il importait en effet de rétablir la confiance dans le métro (et rassurer les actionnaires de la CMP), et surtout d'appliquer de nouvelles règles dès la mise en service de la nouvelle ligne 3.
Bien qu'exploitée par une compagnie privée – la Compagnie du chemin de fer métropolitain de Paris –, le métro était sous l'autorité du préfet de police en ce qui concernait l'hygiène et la sécurité du public, les voies, gares, souterrains, matériels roulants, exploitation, etc. Aussi, dès le 19 août, le préfet Lépine adressa à la CMP plusieurs injonctions d'application urgente. Celles-ci peuvent être classées en trois catégories : A immédiates, B avec observations et propositions sous 15 jours, C applicables à partir du 1er novembre 1903.

Les injonctions A

La première injonction fut capitale. Elle instaurait la division des lignes en secteurs ayant chacun à leur tête un inspecteur ou un contrôleur chargé de prendre la direction des opérations en cas d'incident et de suivre et instruire les agents de son secteur. L'exploitation des lignes gagna en sécurité et en confiance, le personnel n'étant plus livré à lui-même.
La deuxième injonction rappella l'obligation pour les conducteurs d'isoler une motrice en court-circuit.

OURONNES ET SES CONSÉQUENCES

La troisième injonction invitait fermement la Compagnie à bien indiquer les sorties par des moyens lumineux. D'abord repérés par des lampes à pétrole, les sorties furent peu à peu dotées de motifs lumineux.
La pose de postes d'incendie provisoires, en attendant l'installation de robinets de secours, fut l'objet de la quatrième injonction.
Les cinquième et sixième injonctions relevèrent du même souci de sécurité en cas d'incendie. Aucun banc, ni appareil ne devait être en saillie, les bureaux de station furent encastrés dans la paroi du quai, les barrières ne devaient pas gêner l'écoulement des voyageurs; les portillons furent peu à peu rendus mobiles dans les deux sens pour prévenir toute panique.

Les injonctions B

Après la prise immédiate de mesures, on se devait de réfléchir sur les principaux points faibles concernant la sécurité afin de prévenir tout risque. Cinq points furent abordés donnant lieu chacun à une injonction. Le premier concerna le matériel roulant qui avait montré en la circonstance d'indéniables faiblesses constitutives. Désormais, les appareillages électriques devraient être totalement isolés et la loge de conduite rendue incombustible. La CMP décida, afin de réduire la sollicitation des motrices, de raccourcir à sept voitures la composition des trains les plus longs, et d'accoupler les deux motrices en tête afin de supprimer le gros câble qui amenait le 750 V à la motrice arrière en passant par toutes les voitures. Disposer de motrices désormais à bogies, plus longues et où la loge de conduite métallique offrirait une plus grande sécurité, telle était la voie semble-t-il toute tracée pour les matériels futurs. Surtout, l'apparition des systèmes de commande à « unités multiples » allait permettre, non plus d'alimenter deux, puis trois, motrices depuis celle de tête, mais seulement de la (les) commander depuis cette dernière.
La deuxième injonction B porta sur le remplacement de tous les matériaux combustibles par des matériaux ininflammables, tandis que la troisième obligeait à installer des robinets d'incendie.
La quatrième injonction, l'une des plus importantes, demandait l'installation d'un éclairage de secours protégé contre tout risque de détérioration. La fusion des câbles d'éclairage d'une partie de la ligne installés dans le tunnel et totalement vulnérables fut l'une des causes de la panique meurtrière de Couronnes. Cet éclairage protégé, indépendant du courant de traction, fut alimenté par des fils isolés et noyés dans le ballast; ils éclairaient notamment les nouveaux motifs SORTIE installés petit à petit dans les stations de métro.

Les injonctions C

Elles consistèrent en une vaste réflexion sur l'utilisation de l'électricité, qui ne fut finalement pas remise en cause, sur la création de voies de garage supplémentaires, sur l'aération des tunnels, sur la création de banquettes de circulation dans les tunnels — opération qui ne fut pas retenue. Cependant, sur le domaine de l'alimentation électrique, il fut décidé de scinder le rail de traction en plusieurs tronçons alimentés d'une façon distincte et de donner la possibilité de couper le courant depuis la ligne grâce à un circuit d'avertisseurs d'alarme.

Le Petit Journal

ADMINISTRATION, RÉDACTION ET ANNONCES
61, rue Lafayette, à Paris (9me)
LES MANUSCRITS NE SONT PAS RENDUS

5 cent. SIX PAGES 5 cent.
Le Supplément illustré 5 centimes
L'Agriculture moderne 5 cent. | La Mode du Petit Journal 10 cent.
H. MARINONI, Directeur de la Rédaction.

MERCREDI 12 AOUT 1903

DERNIÈRE ÉDITION

La Catastrophe du Métropolitain

84 MORTS

Après une nuit d'angoisses. — Terrible réveil. — Quatre-vingt-quatre cadavres. — Pompiers et agents. — L'asphyxie maîtresse du souterrain. — Le mur de la mort. — Première enquête. — Les sympathies officielles. — L'émotion dans Paris. — Récits de témoins.

Terrifiante découverte

L'enlèvement des morts

La reconnaissance des victimes

La dimension des dégagements des stations fut un sujet qui retint également l'attention de tous. Une injonction imposa à la CMP de les agrandir; quant à en multiplier leur nombre par station, la compagnie exploitante fit, dans beaucoup de cas, la sourde oreille.

Un « nouveau » métro

Dans les jours qui suivirent la catastrophe de Couronnes, les recettes accusèrent une baisse de 40 %. Les mesures prises allaient redonner confiance aux Parisiens et aux actionnaires. C'est la nouvelle ligne 3 qui allait en bénéficier la première.
Le point le plus spectaculaire fut la mise en circulation de trains de cinq voitures longues à bogies, dont trois motrices à loge métallique séparée du compartiment voyageurs encore en bois par un petit espace. La commande des motrices s'opérait par un système à « unités multiples ».
L'exploitation, quant à elle, se devait dorénavant de remplacer l'improvisation par la méthode. L'encadrement de chaque ligne, avec un service du Mouvement et un service de la Traction, agissait désormais avec tout le personnel des stations et des trains dans le cadre d'une réglementation stricte.

Adrien Bénard, le premier président du conseil d'administration de la CMP.

Près de 4 millions de personnes furent transportés dès le mois de décembre 1900. Très rapidement, les travaux de construction des lignes 2 Nord et 3 furent entrepris, puis ce fut au tour des lignes 2 Sud, 5, 4 et 6. En 1910, les six premières lignes du réseau déclarées d'utilité publique par la loi de 1898 étaient ouvertes avec un an d'avance sur les délais prévus. Face au succès que vint cependant endeuiller la catastrophe de Couronnes (voir encadré), les lignes 7 et 8 prévues à titre éventuel par la loi furent bien sûr déclarées d'utilité publique et entreprises.

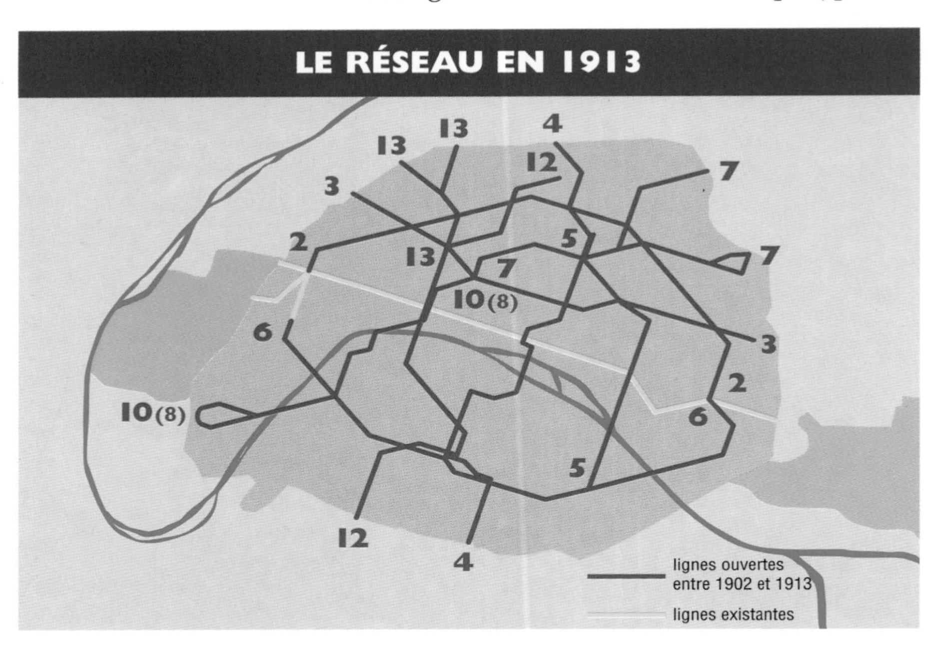

Dès 1901, la Ville de Paris s'était penchée sur la réalisation d'un réseau complémentaire du premier. Elle y trouvait là un intérêt financier pour elle-même, pour les voyageurs et pour les ouvriers touchés par le chômage. Avec les premières lignes, ce réseau complémentaire ne laisserait aucun point de Paris à plus de 400 m d'une station de métro et permettrait de relier deux points de la capitale sans effectuer plus de deux correspondances. Un plan fut établi par Bienvenüe ; il comprenait notamment les prolongements de la ligne 3 à l'Est et à l'Ouest, la réalisation d'une branche vers la porte de la Villette de la ligne 7 et plusieurs prolongements de cette ligne, la réalisation de la ligne 9 entre la porte de Saint-Cloud et Opéra et d'une ligne dite « Ceinture intérieure ».

Comme tout le monde pensait qu'il ne fallait pas s'arrêter en si bonne voie, il ne se passa pas une année sans qu'on ne construise un tronçon, qu'on établisse les projets de plusieurs autres, qu'on en déclare certains d'utilité publique ou qu'on en inaugure quelques-uns. Dans sa séance du 23 décembre 1907, le conseil municipal approuva le projet de convention à passer avec la Compagnie du chemin de fer métropolitain de Paris (CMP) pour la concession, à titre définitif ou à titre éventuel, à ladite compagnie, des nouvelles lignes suivantes :

- prolongement de la ligne 7 par les quais jusqu'à l'Hôtel de Ville et à la porte de la Villette ;
- prolongement de la ligne 3 à la porte des Lilas et à la porte de Champerret ;
- prolongement de la ligne 9 Porte de Saint-Cloud - Trocadéro à Opéra ;
- embranchement de Saint-Augustin à la porte des Ternes, avec prolongement éventuel à la porte Maillot ;
- embranchement de la Bastille à la porte de Picpus ;
- embranchement de la ligne 8 sur la porte de Sèvres ;
- ceinture intérieure des Invalides aux Invalides en tronc commun avec la ligne 8 entre Invalides et Opéra ;
- ligne de la porte de Choisy et de la porte d'Italie à la porte de Montreuil par la République ;
- embranchement de la République à la porte des Lilas ;
- prolongement de la ligne 4 de la porte d'Orléans à la porte de Gentilly.

À de très rares exceptions près, toutes ces lignes furent déclarées d'utilité publique et réalisées. La Ville de Paris fut autorisée à emprunter 240 millions de francs pour payer la facture de ces gigantesques travaux que la guerre de 1914 allait quelque peu perturber. Quoi qu'il en soit, à la veille de la Première Guerre mondiale, Paris disposait d'un réseau de métro de 91 km, ce qui représentait une moyenne d'environ 7 km construits par an. L'exploitation en était assurée par la CMP, sauf deux lignes qui appartenaient à la Compagnie du chemin de fer électrique souterrain Nord-Sud de Paris.

La Première Guerre mondiale perturba le trafic du métro parisien pendant quelques mois, mais rapidement le service régulier des

LE MÉTRO ET L'INONDATION DE 1910

Au mois de janvier 1910, des pluies diluviennes eurent lieu sur le Bassin parisien entre les 18 et 21, puis les 24, 25 et 26. À Paris, la Seine monta de 6 m en 10 jours au pont d'Austerlitz, passant de 2,65 m à 8,62 m le 28 à midi.

C'est la ligne 6, dans le quartier de Bercy, qui fut affectée la première, le 24 janvier 1910. D'importantes infiltrations eurent lieu qu'aucun épuisement ne parvint à combattre. Le 26 janvier, l'eau recouvrit la ligne sur 800 m. Le 24 janvier également, l'eau s'infiltra fortement dans le raccordement 1/5 au pont d'Austerlitz et dans la station Gare de Lyon. L'inondation recouvrit 2 km de la ligne 1 et 200 m de la ligne 5.

Les eaux du canal Saint-Martin montèrent, elles aussi, de plus de 5 m. Des infiltrations se produisirent le 24 janvier sur la ligne 5 longeant le canal, puis l'eau recouvrit les rails à partir du 26, l'épuisement ne suffisant plus. Le 28, la ligne 3 fut atteinte aux abords du canal par l'eau amenée de la ligne 4 et recouverte sur 2400 m, puis la ligne 5 fut submergée sur 3200 m par le raccordement entre les lignes 3 et 5 à la place de la République.

Sur la ligne 4 récemment mise en service, ce furent les accès des stations proches du fleuve qui causèrent du souci. L'eau recouvrit les rails sur une longueur de 4600 m, se déversant aussi sur la ligne 3. Cette dernière fut inondée gravement au niveau de Saint-Lazare sur une longueur de 1100 m, l'eau provenant notamment de la ligne A (12) du Nord-Sud alors en construction, mais aussi de la chaussée elle-même submergée.

Aux abords de la place de la Concorde, on trouvait la ligne 1 en exploitation et la ligne 8 en construction avec une traversée sous-fluviale, ces deux lignes étant reliées entre elles par un raccordement. Dans ce secteur, était également en construction la ligne A du Nord-Sud passant sous les deux lignes de la CMP. Après quelques infiltrations mineures, la situation s'aggrava le 26 janvier avec l'envahissement des ouvrages des lignes 1 et 8 et empira encore davantage pendant la nuit du 26 au 27. La ligne 1 fut submergée sur 5100 m, du rond-point des Champs-Élysées à la Bastille. La ligne 8 en construction fut inondée, sur la rive droite à son terminus d'Opéra, et sur la rive gauche, d'une part de la Seine à l'École Militaire, d'autre part de la rue du Commerce à Mirabeau, soit sur une longueur cumulée de 4500 m. Au niveau d'Opéra, les chantiers de la 7 furent envahis par les eaux et la ligne inondée sur 2 km. Enfin le prolongement de la ligne 3 à la porte de Champerret fut également submergé sur 1 km.

L'inondation de janvier 1910 intervint alors que la ligne A du Nord-Sud était en construction, celle-ci incluant une traversée sous-fluviale en amont du pont de la Concorde. À cette date les ouvrages, y compris le passage sous la Seine, étaient terminés entre la porte de Versailles et Notre-Dame de Lorette, la voie posée en partie et les accès en cours de construction. C'est par la station Chambre des Députés que l'eau envahit les souterrains le 21 janvier. Deux barrages furent construits, l'un rue du Bac avec succès, l'autre à la Concorde qui fut surmonté par l'eau. L'inondation se propagea jusqu'à la rue de Châteaudun et noya la partie terminale de la ligne B (13) à Saint-Lazare. Alors que l'on croyait le niveau d'envahissement stabilisé, l'arrivée d'eau ayant été arrêtée dans la nuit du 21 au 22 janvier, la montée continue de la Seine entraîna une nouvelle dégradation de la situation. Les divers barrages établis furent rapidement submergés les 26 et 27 janvier et tous les chantiers inondés.

Le quartier Saint-Lazare atteint par l'inondation de 1910.

Tous ces faits occasionnèrent bien entendu des interruptions de service sur les lignes en exploitation concernées. Dès le 22 janvier au matin, en raison de l'inondation de l'usine électrique de Bercy, la circulation des trains fut arrêtée sur les lignes 1 et 6, mais rétablie le même jour sur une partie de la 1 et en totalité le lendemain. Cependant, le 24 janvier, l'exploitation de la ligne 1 fut à nouveau interrompue dans sa partie est. La circulation des trains fut partiellement arrêtée sur les lignes 3 et 4. Le 25 janvier, le service fut interrompu sur la ligne 4 entre Châtelet et Vavin. Le 26, la ligne 1 était exploitée par tronçons en fonction de la montée des eaux, tandis que la ligne 5 était arrêtée. Le 27 janvier, la ligne 3 était coupée entre Réaumur-Sébastopol et Père Lachaise. Enfin, le 28 janvier, au moment le plus fort de l'inondation, le tronçon nord de la ligne 4 était seulement exploité jusqu'à Gare du Nord.

Après la décrue, le service fut rétabli progressivement :
- entre le 24 février et le 13 mars sur la 1 ;
- entre le 8 et le 24 mars sur la 3 ;
- entre le 14 février et le 6 avril sur la 4 ;
- le 26 février sur la 5 ;
- entre le 8 mars et le 17 avril sur la 6.

La ligne 4 inondée à la station Odéon.

Le siège de la direction de la CMP, quai de la Rapée, dans le XIIe arrondissement.

trains reprit. La désorganisation plus importante des réseaux de surface accrut considérablement le trafic en souterrain. Sur le plan du personnel, on fit davantage appel aux femmes et, sur le plan technique, les premiers poussoirs de fermeture des portes firent leur apparition permettant de dégager des agents affectés à cette tache dans chaque voiture.

Vers la fin du conflit, des restrictions d'électricité amenèrent les compagnies à réduire l'éclairage des trains et des stations, voire à réduire le nombre des circulations. Malgré les hostilités, le réseau s'agrandit de deux prolongements, ceux de la 7 à Palais Royal et de la A du Nord-Sud à la porte de la Chapelle.

La période qui suivit l'immédiat après-guerre apporta son lot de difficultés financières à la fois pour les compagnies de transports et pour les voyageurs. En effet, alors qu'une augmentation des tarifs était demandée pour accroître des recettes qui ne couvraient plus les dépenses, dans le même temps, des augmentations de salaires et une réduction du temps de travail étaient sollicitées. À la suite du refus des compagnies, une grève éclata, suivie d'une réquisition d'ailleurs rapidement levée et, en mai 1919, d'un accord sur les tarifs, les salaires et les conditions de travail. Cela fut malheureusement insuffisant et, malgré une seconde augmentation de tarif, la situation des compagnies demeura précaire.

À partir de 1921 pour la première et 1922 pour la seconde, la CMP et le Nord-Sud perdirent leur autonomie financière au profit de la Ville de Paris dans le cadre d'une régie intéressée. Elles recevaient de celle-ci une rémunération établie afin de les intéresser à une bonne exploitation de leurs réseaux. En cas de bénéfices, ceux-ci restaient à la ville et, en cas de déficit, la ville devait le couvrir.

Il s'agissait alors de poursuivre la réalisation du réseau complémentaire interrompu par la guerre, comprenant prolongements, raccordements et nouvelle ligne comme la 11. Entre 1921 et 1930, les lignes 3, 7, 8, 9 et 10 furent prolongées. Le 1er janvier 1930, l'unicité du réseau du métropolitain était réalisée avec la disparition du Nord-Sud et l'incorporation de ses lignes au réseau de la CMP.

LE RÉSEAU EN 1933

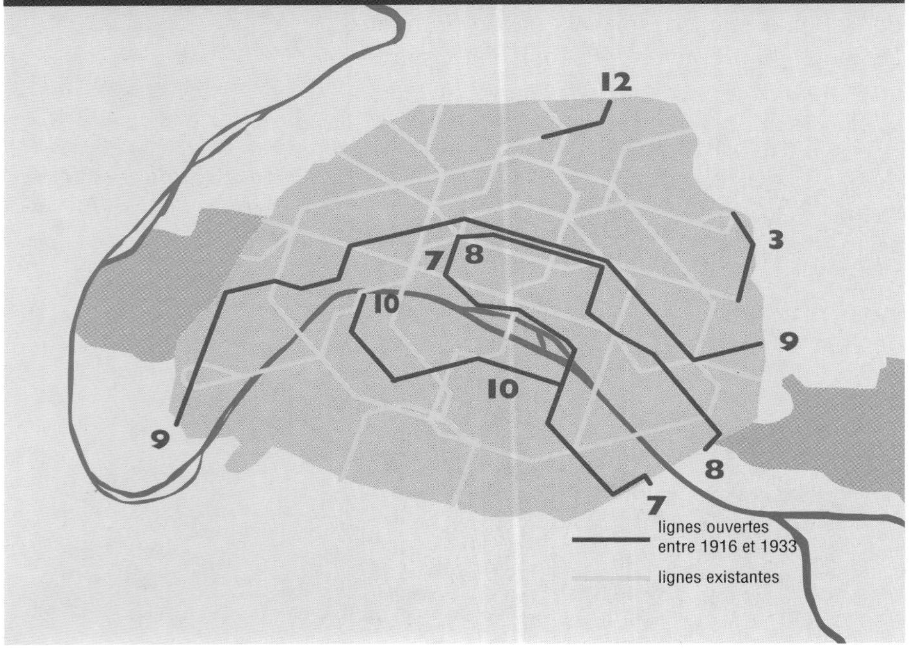

12
3
7
8
9
10
10
9
8
7
lignes ouvertes entre 1916 et 1933
lignes existantes

LÉGENDE

La charge des lignes est proportionnelle à la largeur des bandes

100.000 Voyageurs par jour ouvrable d'hiver

Carte de la charge des lignes de métro en 1930.

Le métro en banlieue

En ce début des années 1920, on constata une stabilisation de la population parisienne et un accroissement du nombre des habitants des proche et grande banlieues. Le métro exclusivement parisien apparut donc comme enfermé dans un carcan qu'il n'était plus souhaitable de maintenir. Autrement dit, le métro devait sortir de Paris intra-muros et desservir les communes limitrophes. Voilà qui rompait totalement avec l'esprit même du réseau métropolitain d'origine ; celui-ci allait perdre son identité municipale pour devenir départemental.

Après l'unification, en 1921, des transports de surface au sein de la Société des Transports en Commun de la Région Parisienne (STCRP), il fut décidé de créer en 1925 une commission chargée d'étudier globalement les problèmes de transport dans le département de la Seine. La présidence de cette commission fut confiée à M. Jayot, le directeur général des Transports de la préfecture de la Seine. Parmi ses conclusions figurait celle de la nécessité de prolonger le métro en banlieue afin d'écouler un nombre toujours plus important de migrants entre Paris et les communes limitrophes. La desserte de la grande banlieue – mais ceci est un autre problème – fut aussi étudiée, jetant les bases d'un futur réseau express régional.

Si la question était technique, elle n'en était pas moins juridique, une nouvelle collectivité locale en la personne du département de la Seine étant désormais partie prenante. De nouvelles conventions entre les parties devaient donc redéfinir les règles du jeu.

Dès 1934, le métro commence à desservir les communes limitrophes de Paris.

La liste des prolongements du métro en banlieue fut arrêtée le 28 juillet 1928 par le Conseil général de la Seine. Une convention entre les compagnies et le département concéda les prolongements suivants :

- la ligne 1 au Fort de Vincennes (Château de Vincennes)
- la 1 au Pont de Neuilly
- la 3 au Pont de Levallois
- la 4 au carrefour de la Vache Noire
- la 7 au cimetière de Pantin
- la 7 à Mairie d'Ivry
- la 7 (auj. L5) à Église de Pantin
- la 8 au Pont de Charenton
- la 9 au Pont de Saint-Cloud ou au Pont de Sèvres
- la 9 à Mairie de Montreuil
- la 11 au Fort de Noisy
- la 12 à Église de Saint-Denis
- la 12 à Mairie d'Issy
- la 13 au Pont de Clichy
- la 13 à Mairie de Saint-Ouen

De nouvelles conventions entre la Ville de Paris, le département de la Seine et les deux compagnies exploitantes (avant leur fusion imminente) fixèrent les rapports entre les parties, notamment quant au régime financier avec abandon de la régie intéressée pour un régime d'exploitation aux risques et périls du concessionnaire. Ces conventions entrèrent en vigueur le 1er janvier 1930.

Les travaux de construction du métro reprirent après une pause de plusieurs années. Il s'agissait de compléter le réseau intra-muros et de commencer la construction des prolongements en banlieue. Le premier mis en service fut celui de la ligne 9 au Pont de Sèvres en février 1934. D'autres suivirent concernant les lignes 1 à l'est et à l'ouest, 3, 9 à nouveau, 11 et 12, mais la guerre vint à nouveau interrompre ce processus d'extension.

1939-1949 : guerre mondiale et administration provisoire

Le second conflit mondial allait apporter les mêmes difficultés que le premier avec, en malus, la situation financière difficile de la CMP, la compagnie exploitante. Avec la mobilisation générale en 1939, le service de plusieurs lignes fut interrompu par manque de personnel, puis il reprit avec le retour de certains agents. Par ailleurs de nombreuses stations furent fermées. L'entrée des troupes allemandes dans Paris n'arrêta pas l'exploitation du métro dont le trafic était cependant tombé au plus bas. En raison des difficultés croissantes des transports de surface et de la disparition des tramways, le trafic du métro augmenta considérablement; il dépassa ainsi le milliard de voyageurs dès 1941.

La guerre n'empêcha cependant pas l'ouverture en octobre 1942 de deux prolongements mis en chantier avant le conflit et qui étaient prêts : celui de la ligne 8 à Charenton-Écoles et celui de la ligne 5 de Gare du Nord à Église de Pantin.

Par une « loi » de juin 1941, le gouvernement de Vichy imposa la fusion des réseaux de la STCRP et de la CMP sous la responsabilité de cette dernière. L'État instaurait donc, dans des circonstances particulières, sa mainmise sur l'ensemble des transports parisiens en remplacement de la Ville de Paris et du département de la Seine, préfigurant une société unique. Les années précédant la fin des hostilités furent rudes pour Paris, ses habitants et ses transports. Le métro fut bombardé et souffrit des pénuries de personnel et d'électricité.

Opéra, une station refuge au début de la Seconde Guerre mondiale.

Les dégâts du bombardement de l'atelier de Saint-Ouen en avril 1944.

La station Porte des Lilas (quais morts) transformée en atelier par les Allemands durant l'Occupation.

Un semblant de vie normale pour tous ne put reprendre qu'en 1945 avec le retour des prisonniers et des déportés qui avaient survécu. Une fois encore, la désorganisation, pour ne pas dire la paralysie, des transports de surface entraîna un accroissement inédit du nombre de personnes transportées par le métro qui enregistra son plus haut niveau de trafic en 1946 avec 1,6 milliard de voyageurs. Peu à peu, les autobus revinrent sur leurs lignes et un nouvel équilibre fut trouvé entre les différents modes de transport.

Les traumatismes de la guerre ne concernèrent les réseaux pas uniquement sur le plan technique, mais aussi quant à leur organisation politique et administrative. Les dirigeants apparurent discrédités par leur attitude conciliante envers les autorités d'occupation, alors qu'une partie du personnel entrait en résistance. À la Libération, les autorités fortement empreintes de l'esprit de la Résistance durent assainir une situation difficile tant au niveau national qu'au niveau parisien. Après une période de flottement et d'épuration sauvage, le gouvernement confia le dossier au ministre des Transports et des Travaux publics, René Mayer. Le 3 janvier 1945, ce dernier suspendait officiellement de leurs fonctions les dirigeants de la CMP et instituait une administration provisoire. Sa tâche était immense : il fallait à la fois rétablir les réseaux et imaginer une nouvelle organisation des transports parisiens. Un peu plus d'un an plus tard, un nouveau prolongement de métro en banlieue était mis en service jusqu'à Mairie d'Ivry. La machine était relancée, mais les difficultés allaient s'amonceler dans le berceau de la toute nouvelle entreprise chargée des transports parisiens.

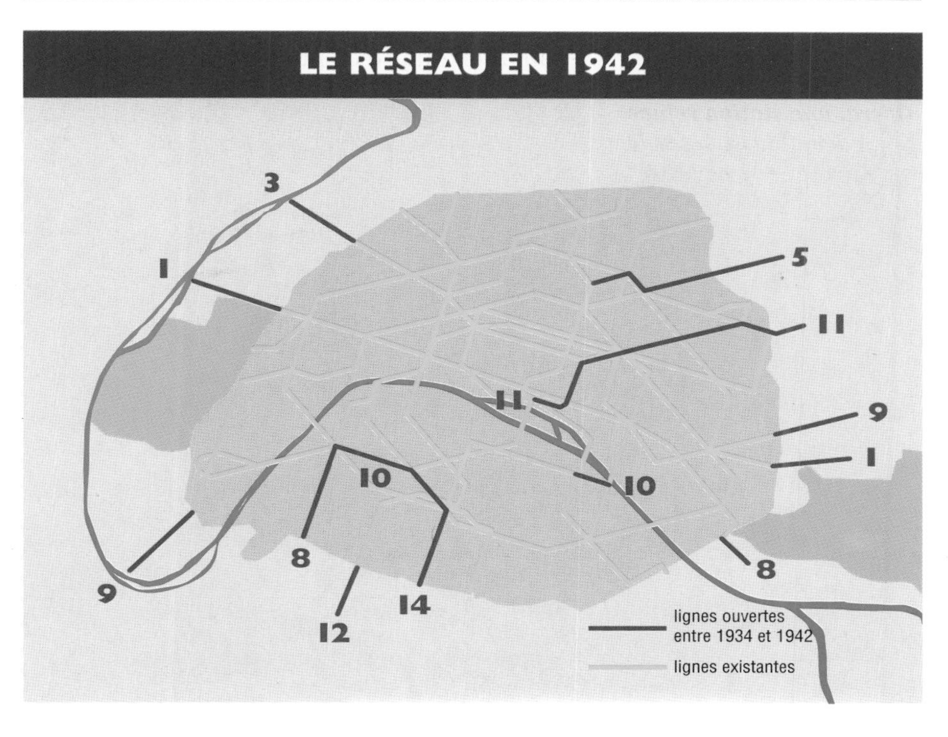

L'une des « pointes » de trafic du métro (et de la ligne de Sceaux), dans les années d'après guerre.

1949-1979 : le métro, de l'ombre à la lumière

Après bien des discussions qui reflétaient les interrogations sociales et politiques de l'après-guerre, la loi du 21 mars 1948 institua la Régie Autonome des Transports Parisiens (RATP). Celle-ci était un établissement public industriel et commercial doté de l'autonomie financière. Il lui incombait notamment d'exploiter le réseau de métro qu'il convenait absolument de remettre à niveau pour être attractif face à un nouveau moyen de transport de plus en plus accessible à tous : l'automobile.

On imagine aisément les conditions économiques particulièrement difficiles de la France du début des années 1950. Les priorités allaient aux reconstructions d'un pays dévasté par la guerre, notamment dans ses moyens de production et de transport nationaux. Aussi le métro ne figurait-il pas en tête des préoccupations des pouvoirs publics. Et pourtant, avec ses stations tristes et son matériel roulant largement amorti, il faisait pâle figure et était de moins en moins attractif.

Pendant plusieurs années, aucune ligne de métro ne fut prolongée à l'exception de la 13 à Carrefour Pleyel. À cette occasion, apparut un nouveau matériel roulant, le Matériel Articulé, qui rompait totalement avec les rames Sprague. Bien que n'étant pas révolutionnaire, il changea radicalement l'image du métro aux yeux des voyageurs. En outre, les premiers trains sur pneus sur la ligne 11 en novembre 1956 accentuèrent l'image d'une nouvelle modernité.

Parallèlement à ce début de renouvellement des trains Sprague, un effort de modernisation des stations, notamment de l'éclairage, et d'amélioration de leurs accès fut entrepris afin de rendre le métro plus agréable. C'est à cette époque que furent installées les premières vitrines commerciales sur les

La RATP modernise le matériel roulant du métro ; ici, à gauche, un matériel articulé et, à droite, le prototype « pneu ».

Le PCC, l'une des grandes étapes de la modernisation du métro à la fin des années soixante.

quais, intégrées dans un carrossage destiné à en améliorer l'esthétique.

À la fin des années 1950, avec l'avènement d'une nouvelle république, les choix en matière de transports urbains évoluèrent dans un sens plus favorable. Il fallait remettre de l'ordre dans la région parisienne et la doter de moyens dignes d'une grande capitale. Le métro allait en bénéficier à côté du nouveau grand projet de réalisation d'un véritable Réseau Express Régional.

Créé en même temps que la RATP, l'Office régional des Transports parisiens céda la place en 1959 au Syndicat des transports parisiens (STP), organe paritaire État/collectivités locales. Celui-ci approuvait notamment les projets de la RATP et fixait les tarifs. En outre, la Régie ne supporterait désormais plus les contraintes de service public sans compensation.

C'est dans cet environnement politique clarifié que naquit une nouvelle volonté de développement des réseaux de transports urbains pour faire face à une circulation automobile anarchique et envahissante. Le réseau de métro devait y prendre toute sa part. Alors qu'aucun prolongement de ligne n'était intervenu depuis 1952, la décennie 1970 vit plusieurs réalisations d'importance. Il s'agit notamment du prolongement de la ligne 8 à Créteil, la préfecture du tout jeune département du Val-de-Marne et de la jonction des lignes 13 et 14. Le mouvement se poursuivit et s'amplifia jusque dans les années 1980 avec une avancée plus lointaine du métro en banlieue, concernant la plupart des lignes.

Dans le même temps, à la suite de l'abandon de la généralisation des trains pneu, le matériel à roulement fer commença à être modernisé sur une grande échelle avec l'apparition des MF 67. Enfin, l'exploitation des lignes qui datait encore d'un autre âge commença à être modernisée avec, à partir de 1967, l'équipement progressif des lignes en postes de commande centralisée (PCC) et en pilotage automatique des trains. En station, ce fut à partir de 1973 l'introduction des péages magnétiques entraînant la disparition des poinçonneurs qui ancra le métro dans un monde automatisé et quelque peu déshumanisé. À partir de 1978, une nouvelle génération de matériel fer, le MF 77, fit son apparition, entraînant alors une réforme accélérée des rames Sprague, dont la dernière roula en avril 1983.

Affluence à Gare de Lyon.

Le métro, aujourd'hui, demain

Aujourd'hui, le métro parisien irrigue Paris comme aucun autre réseau ne le fait ailleurs dans d'autres villes du monde, tant sur le plan du maillage que sur celui des fréquences. Aussi n'est-ce pas tant sur l'aspect quantitatif que porteront les efforts futurs que sur la qualité des prestations offertes par un réseau centenaire.

LE RÉSEAU EN 2000

13
13
1
7
5
13
14
3
10
14
7
lignes ouvertes entre 1946 et 2000
lignes existantes
13
7
8

Néanmoins, si on peut penser qu'avec Météor la desserte de Paris a atteint son apogée, il reste à réaliser les prolongements de lignes en banlieue pour les mettre en correspondance avec la grande rocade de première couronne qu'est Orbitale :

- ligne 13 au port de Gennevilliers
- ligne 4 à Petit-Bagneux
- ligne 8 à Créteil Europarc
- ligne 11 à Romainville
- ligne 12 à Mairie d'Aubervilliers
- ligne 14 à Olympiades

Quant à la qualité du transport en métro, elle sera dans les années à venir la préoccupation essentielle de la RATP. En ce qui concerne les stations, il s'agira de les rénover au moindre coût pour donner aux voyageurs un sentiment de neuf et de modernité tout en respectant le passé. Ainsi, rénovation, accueil, sécurité, services seront les piliers d'une politique de meilleure intégration du métro dans la ville.

Pour le matériel roulant, il s'agira à la fois de rénover les matériels les plus récents et remplacer les plus anciens par de nouvelles générations : MP 89 pour les matériels à roulement pneu, MF 2000 pour les matériels à roulement fer.

Le métro du futur : accueil, sécurité, services ; ici un centre de liaison.

LES STANDARDS DE SERVICE

Depuis plusieurs années, la RATP met le client au centre de ses préoccupations. En 1997, l'ambition affichée était que les clients disent : « La RATP, c'est sûr, c'est net, c'est simple, ils ont le sens du service ». Autrement dit, la RATP rend un service de qualité.
Cette « démarche qualité » se place volontairement sur le terrain de la perception du service qu'en ont les clients. Ainsi par exemple la définition de l'attente « normale » d'un métro est pour les voyageurs de moins de 3 mn en heures de pointe, moins de 6 mn en heures creuses et moins de 10 mn en soirée. Le service est considéré comme « non rendu » si l'attente dépasse 15 mn ou 10 mn aux heures de pointe. Pour les escaliers mécaniques — l'un des domaines sensibles de l'exploitation des stations — le service est inacceptable quand un équipement de ce genre fonctionne moins de 80 % du temps.
La mesure de satisfaction est engagée pour déceler les défauts et les corriger, à la fois réellement et sur la perception qu'en ont les voyageurs. Des standards de service sur des domaines prioritaires ont été choisis. Pour ce qui est du métro, ils concernent : la régularité, la disponibilité des escaliers mécaniques, la disponibilité des distributeurs automatiques de billets, l'accueil aux guichets et la netteté des stations. De ces indicateurs internes pourra découler une certification de services reconnue par les autorités de tutelle et les partenaires institutionnels débouchant sur un label NF attribué par l'Afnor.

La quatorzième ligne du métro : une nouvelle génération pour le XXIe siècle.

PROLONGEMENTS EN COURS OU ENVISAGÉS

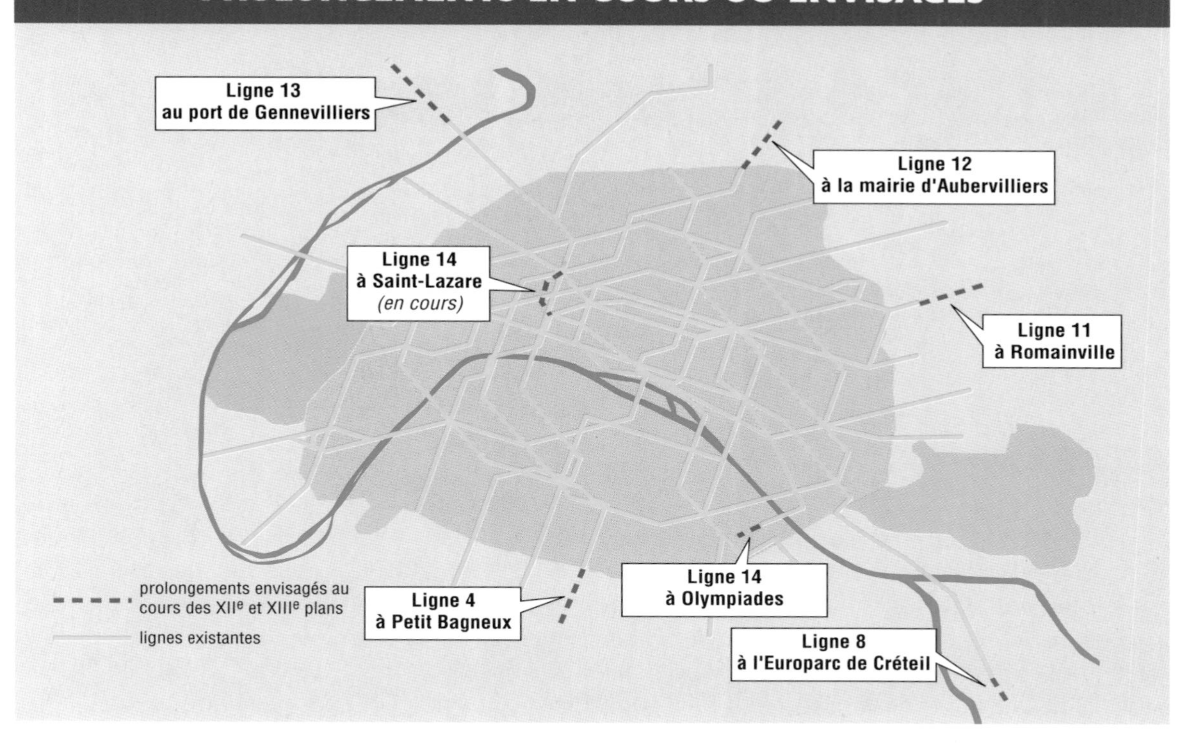

CHAPITRE II

Le Nord - Sud

Brisant, dès 1910, le monopole de la CMP, la Compagnie du chemin de fer du Nord-Sud fut présente sur le réseau pendant vingt ans avec deux lignes. Au tout début des années trente, des difficultés financières croissantes entraînèrent la disparition de cette compagnie dynamique, alors que le métro allait être prolongé en banlieue et perdre ainsi son caractère exclusivement parisien.

Inauguration de la ligne A du Nord-Sud par le préfet de la Seine en novembre 1910.

Des tramways et des tubes

En 1887, l'ingénieur Jean-Baptiste Berlier déposa devant le conseil municipal de Paris un projet de tramways électriques circulant dans des souterrains circulaires creusés à l'aide de boucliers, à l'instar de ce qui commençait à se faire à Londres pour les lignes profondes comme celle du « City and South London Railway ». La ligne devait relier le bois de Boulogne au bois de Vincennes via les Champs-Élysées, la rue de Rivoli et la Nation. La Ville de Paris accorda la concession le 4 juillet 1892, mais le Conseil d'État déclara que, comme il ne s'agissait pas d'un chemin de fer d'intérêt local, une loi spéciale devait être votée. Une nouvelle procédure de déclaration d'utilité publique d'une ligne

Porte de Vincennes - Porte Dauphine fut donc entamée. L'opposition à cette entreprise imposa à M. Berlier des conditions qui l'empêchèrent de trouver les fonds nécessaires à la réalisation de sa ligne.

En 1895, Paris gagna son combat contre l'État avec la reconnaissance par le gouvernement du caractère d'intérêt local du métro. Ce dernier devant être à voie étroite, il entrait directement en concurrence avec la ligne Berlier, elle aussi à voie étroite. Dans son rapport sur le projet de chemin de fer métropolitain urbain, à voie étroite et à traction électrique, présenté en 1896 devant le conseil municipal, André Berthelot au nom de la Commission du métropolitain annonça subitement que « la Commission a prononcé que la ligne du bois de Vincennes au bois de Boulogne devait être considérée comme une ligne métropolitaine ». Ainsi on découvrit tout à coup « l'utilité exceptionnelle que présentera cette ligne pour desservir l'Exposition universelle de 1900 ». Et comme elle avait été particulièrement bien étudiée, elle devait être réalisée en premier. La « sentence » fut justifiée par cette seule phrase : « Entre l'intérêt public et celui d'un particulier, personne ne pouvait hésiter ». Exit M. Berlier qui reçut néanmoins une indemnité de 500 000 francs en reconnaissance de ses travaux dont la ville allait profiter.

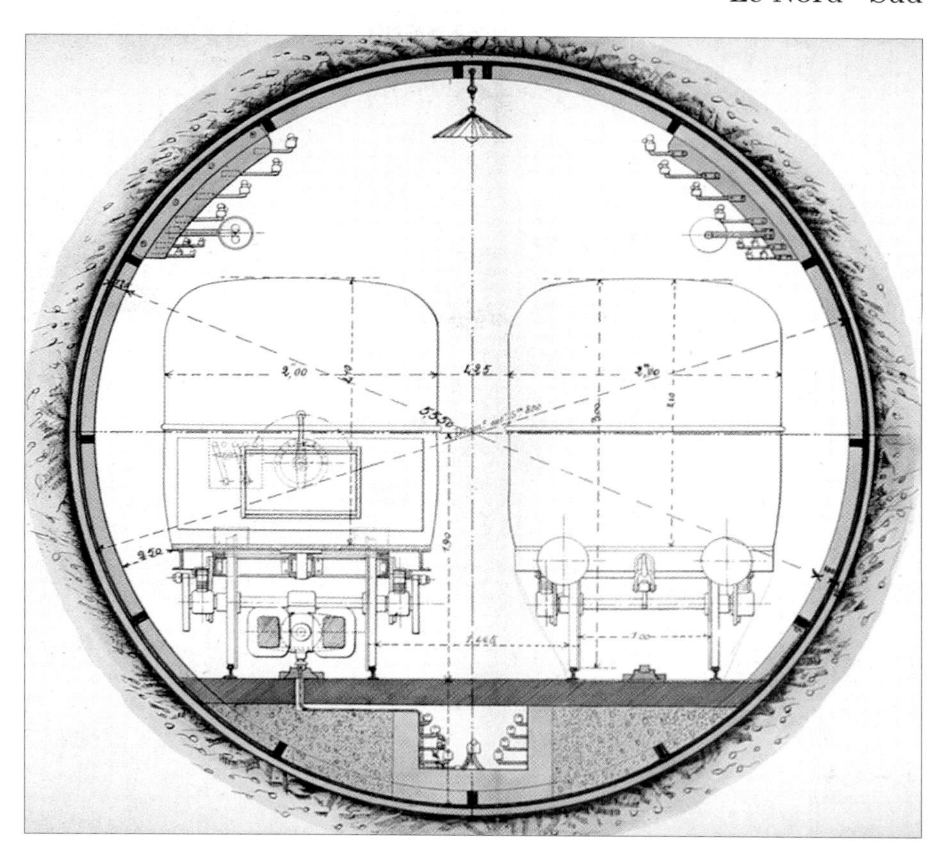

Coupe des tunnels circulaires du projet de tramway Berlier.

De l'Est-Ouest au Nord-Sud

L'opiniâtre ingénieur Berlier revint à la charge dès 1899 avec un projet de ligne de métro reliant Montmartre à Montparnasse. Jean-Baptiste Berlier, associé désormais au financier Xavier Janicot, proposait de réaliser une ligne de métro profonde — entre 8 m et 38 m sous la surface du sol —, d'une longueur de 5542 m et s'étendant de la place des Abbesses au nord au boulevard Edgar Quinet au sud. Le concessionnaire réaliserait à ses frais et à ses risques la totalité des travaux, ferait l'acquisition du matériel roulant et exploiterait la ligne quitte à reverser à la ville une somme forfaitaire par voyageur transporté.

Le vote de la loi de déclaration d'utilité publique, la concession de la ligne et l'approbation du cahier des charges et de la convention par le pouvoir législatif furent soumis à l'approbation préalable du conseil municipal. Ce dernier posa plusieurs questions dont il est intéressant de connaître les réponses, cellesci éclairant l'état d'esprit de l'époque sur le problème toujours délicat de la réalisation d'un ambitieux réseau de métro :

- peut-il y avoir plusieurs concessionnaires pour l'exploitation du métro ? Oui, car la loi de mars 1898 ne l'interdisait pas ; la Ville de Paris pensa qu'elle avait intérêt à ce qu'il y ait une émulation dont profiteraient les voyageurs et, à terme, elle-même lors de la reprise de l'ensemble des réseaux à l'expiration des concessions.
- la ligne Nord-Sud pouvait-elle être un obstacle au développement ultérieur du réseau ? Non, car la ligne qui desservirait trois gares importantes (Saint-Lazare, Orsay et Montparnasse) comblait à l'évidence une carence du réseau initial.
- cette ligne serait-elle rentable, tant au plan de la construction qu'à celui de l'exploitation ? De nombreux experts se penchèrent sur la question, parmi lesquels l'ingénieur en chef Bienvenüe. C'est l'établissement de la ligne à grande profondeur qui souleva le plus d'objections en raison de la nature difficile du sous-sol dans certaines sections, de la difficulté d'accès aux stations très profondes ou du danger croissant d'ébranlement lors du passage des trains. Le pessimisme de Bienvenüe fut tempéré par diverses autres opinions et un avis favorable fut finalement donné.
- sur le plan financier, ne serait-il pas plus économique que la ville réalise elle-même la ligne Nord-Sud ? Non, car, déjà bien occupée avec son premier réseau, elle préféra laisser le constructeur privé réaliser la ligne et prendre ainsi tous les risques.

La Commission se posa dès l'origine la question du prolongement de la ligne à la

porte de Versailles et à la porte de Saint-Ouen. Dans l'hypothèse d'un prolongement, le projet Berlier-Janicot viendrait alors en concurrence avec la ligne complémentaire n° 4 destinée justement à combler la carence en axe Nord-Sud. Grâce à son antériorité, le projet Berlier-Janicot l'emporta sur celui de la ligne complémentaire n° 4, mais son tracé ne remplaçait pas totalement celui de la ligne abandonnée. Au sud, on tomba facilement d'accord pour le prolongement de la ligne jusqu'à la porte de Versailles par l'avenue du Maine et la rue de Vaugirard. Au nord, le problème était différent, car le tronçon Saint-Lazare - Porte de Saint-Ouen disparaissait totalement avec l'abandon de la ligne complémentaire n° 4. Le 10 décembre 1901, dans une lettre au rapporteur de la Commission du Métropolitain, MM. Berlier et Janicot proposaient de résoudre ce problème par la construction d'une branche Saint-Lazare - Porte de Saint-Ouen.

À toutes ces questions, se superposèrent les avis de divers organismes pouvant être intéressés par le projet de ligne Nord-Sud, des particuliers, de la Compagnie Générale des Omnibus, de la Chambre de Commerce et, bien sûr, de la CMP. Cette dernière protesta contre ce projet concurrent, sans pour autant pouvoir s'opposer au droit fondé de la Ville de Paris d'accorder les concessions à qui elle le souhaitait. Aussi la CMP se battit-elle sur le terrain de la défense des intérêts du public et de la ville. Pour les premiers, alors que le Nord-Sud avait décidé d'accepter les voyageurs en correspondance venant du réseau CMP, la réciprocité fut refusée comme étant contraire à la convention et au cahier des charges; la CMP en déduisait donc que la ligne devait lui revenir, simplifiant ainsi les choses pour les voyageurs. La Ville de Paris espérait cependant que « deux administrations intelligentes et désireuses de satisfaire le public » trouveraient une solution pour régler au mieux des intérêts des voyageurs ce problème de correspondance. La corde qui apparut encore plus sensible pour la CMP fut la défense des intérêts de la Ville de Paris face à ce danger de concurrence. On a déjà vu quelle fut la réponse de la municipalité sur ce sujet, la seule précaution prise étant pour elle de mettre sur pied un projet d'ensemble du réseau métropolitain pour écarter ainsi toute nouvelle velléité de lignes surajoutées.

Finalement, le projet Berlier-Janicot fut adopté par le conseil municipal en décembre 1901 et, presque un an plus tard, un membre de ce conseil, Adolphe Chérioux, demanda pourquoi rien n'avait été entrepris depuis, les prolongements n'étant même pas soumis à enquête. « Y aurait-il là-dessous quelqu'une de ces raisons politiques et de ces intérêts de parti qui priment quelquefois sur l'intérêt public et qui toujours influencent, entravent et retardent les solutions utiles? » s'interrogea-t-il à la tribune du conseil. Et d'être suivi par plusieurs autres conseillers qui ne comprenaient pas le blocage d'un projet sans risque pour la ville et profitable rapidement aux Parisiens. Il semble que les représentants de l'État se soient alors retranchés derrière une hésitation soudaine du ministre des Travaux publics qui s'inquiétait alors d'une trop grande prolifération des projets en cours sans plan d'ensemble. Après querelles et discussions, les prolongements de la ligne vers la porte de Versailles et la porte de Saint-Ouen furent adoptés par le conseil municipal en juillet 1904. Il ne restait plus dès lors que de voter la loi de déclaration d'utilité publique après avis du Conseil d'État. Deux lois de déclaration d'utilité publique intervinrent en

L'aspect typique des stations Nord-Sud, avec notamment le nom inscrit dans les faïences et le bureau du chef de station aux formes arrondies.

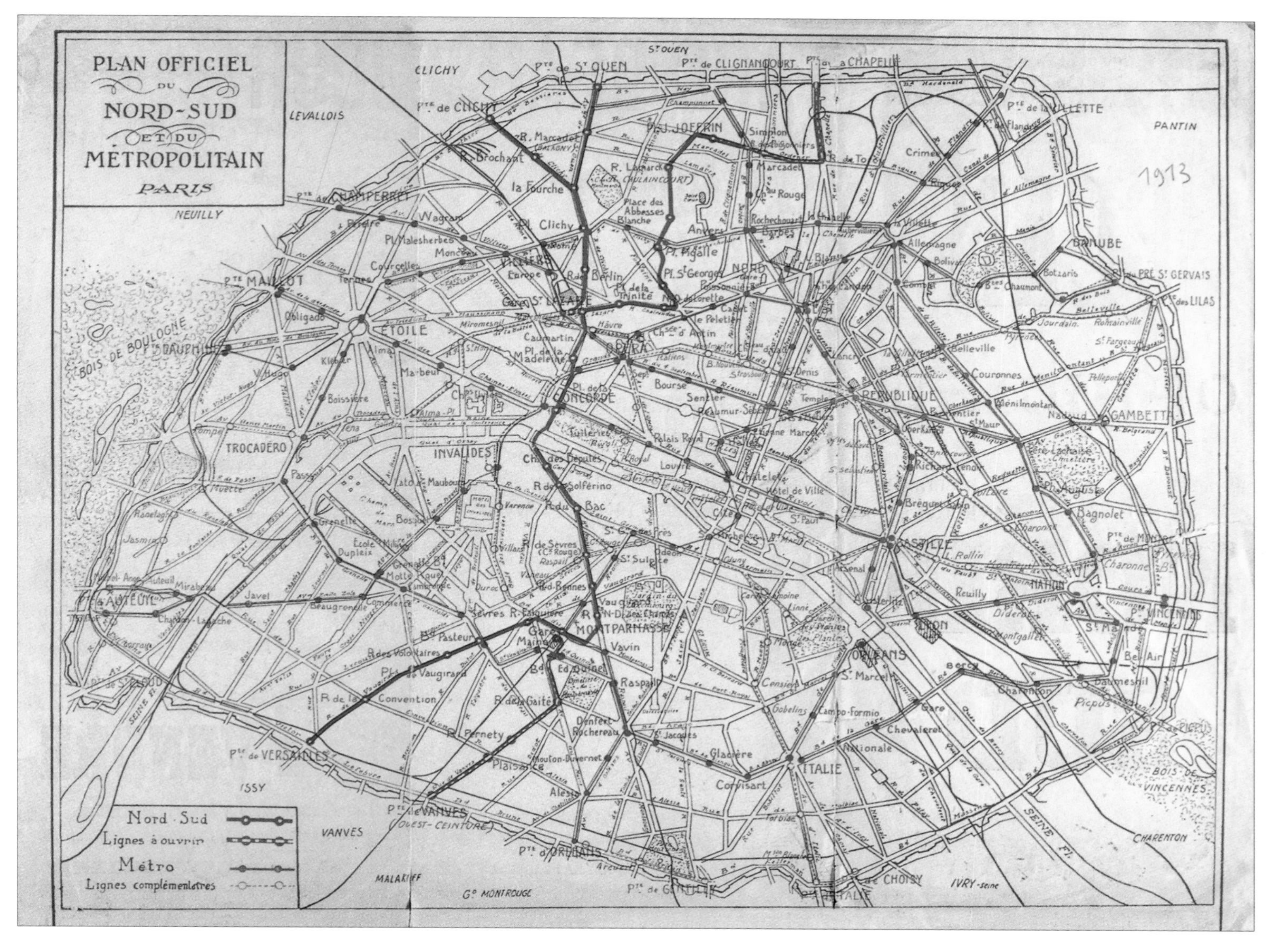

Le plan du métro avec les lignes du Nord-Sud.

la matière : la première du 3 avril 1905 pour la ligne principale entre Montmartre (place des Abbesses) et Montparnasse (boulevard Edgar-Quinet), la seconde du 19 juillet 1905 pour les « prolongements ».

Auparavant, en janvier 1904, une convention avait été signée entre le préfet de la Seine agissant au nom de la Ville de Paris et la Société d'études constituée par MM. Berlier et Janicot leur concédant l'établissement et l'exploitation de la ligne et de ses prolongements. L'article 3 de cette convention stipulait qu'ils formeraient sous six mois une société anonyme pour assumer ces tâches. Cette société existait déjà, puisqu'elle avait été fondée en 1902 sous l'appellation de « Société du chemin de fer électrique souterrain Nord-Sud de Paris »; celle-ci se substitua donc à MM. Berlier et Janicot.

En 1905, un ingénieur des Ponts et Chaussées, Georges Bechmann, devenu en 1898 responsable du service des Eaux et de l'Assainissement à la Ville de Paris devint directeur général du Nord-Sud et supervisa les travaux de construction des lignes, puis en contrôla l'exploitation.

Les lignes du Nord-Sud

Le projet déclaré d'utilité publique différait sensiblement de celui déposé lors de la demande de concession. En premier lieu, il prenait en compte les prolongements décidés et déclarés eux aussi d'utilité publique et l'inversion de tracé avec la ligne 4 déviée vers la gare Montparnasse. La ligne devait passer désormais sous les rues du Havre, Tronchet et Royale en substitution d'un passage plus à l'ouest. Le nombre de stations et l'implantation de certaines furent également modifiés; ainsi la station « Boulevard Haussmann » fut-elle supprimée, ce qui eut pour conséquence de ne pas offrir de correspondance avec la ligne 9 qu'elle croise à cet endroit.

Par ailleurs, les concepteurs du projet, constatant la difficulté d'implantation de la ligne à grande profondeur, relevèrent sensiblement le profil de la ligne. Fulgence Bienvenüe, dans son rapport sur le projet, ne put que s'en féliciter : « Comme nous n'avons cessé, en toutes circonstances, de signaler l'erreur grave de conception que l'on commettait en plaçant systématiquement le rail à

Sèvres-Babylone, l'une des stations de correspondance entre une ligne du Métropolitain (ici la 10) et une ligne du Nord-Sud (la A).

grande profondeur, nous ne pouvons qu'être favorables à la proposition nouvelle, heureux d'y voir un retour aux idées de construction rationnelle. »

Pendant que se déroulaient les travaux, la question de la correspondance gratuite entre les lignes du Nord-Sud et celle de la CMP n'était toujours pas résolue. Si le premier avait décidé d'accepter les voyageurs en provenance de la seconde, la réciproque n'était pas vraie. La CMP refusait de recevoir gratuitement sur son réseau les voyageurs en provenance du Nord-Sud prétextant que cela lui coûterait cher en raison du grand nombre de voyageurs provenant de la périphérie de Paris.

Finalement, fin 1907, un accord fut trouvé : le Nord-Sud verserait une somme annuelle de 200 000 F répartie entre la ville de Paris (50 000 F) et la CMP (150 000 F), pour une correspondance gratuite des voyageurs entre les réseaux, la concession étant, en « compensation », prolongée de 4 ans, passant ainsi de 35 à 39 ans.

Par ailleurs, afin d'accroître son « effet réseau » comme on dirait aujourd'hui, la Compagnie du Nord-Sud proposa le prolongement de la ligne de Jules-Joffrin à la porte de la Chapelle et la construction d'une troisième ligne entre Montparnasse et Porte de Vanves (future ligne 14). Elle s'engageait là dans une espèce de fuite en avant destinée, pensait-elle, à contrecarrer les difficultés financières qui commençaient à poindre à cause des dépenses considérables de premier établissement des premières lignes : 3 millions en 1906, 17 millions en 1907, 48 millions en 1908, 81 millions en 1909, 108 millions en 1910, 120 millions en 1911, 130 millions en 1912, 137 millions en 1913 et 141 millions en 1914.

Les millions de voyageurs qui utilisèrent les lignes A et B eurent conscience que leur métro avait changé. Les stations d'abord semblèrent plus vastes et plus lumineuses avec leur nom écrit en grandes lettres de faïence. Et surtout le matériel roulant, avec ses voitures à bogies de couleur jaune pour la première classe et gris-bleu pour la seconde, apparut nettement plus attrayant et plus confortable que celui de la CMP.

Guerre et déficits

La guerre de 1914, malgré les difficultés qu'on imagine, n'arrêta pas le Nord-Sud dans son expansion, puisque le 23 août 1916 la ligne A atteignait son terminus de Porte de la Chapelle. Par ailleurs, contribuant à l'effort de guerre, les ateliers de la compagnie fabriquèrent plusieurs milliers de bombes sur commande directe du Service des Munitions. Cependant, la guerre aggrava sensiblement la situation financière des compagnies de transport en général et du Nord-Sud en particulier. Ainsi en 1920, malgré une augmentation des tarifs, les recettes voyageurs et les produits divers ne couvraient que 98 % des dépenses. Ces dernières furent en forte augmentation à cause essentiellement de la hausse des prix de l'énergie électrique tirée du charbon et de l'attribution de nouveaux avantages au personnel.

Des dépenses pour travaux en forte augmentation et un bilan d'exploitation tout juste équilibré mirent la Compagnie du Nord-Sud en péril. Il importait donc de renégocier avec les pouvoirs publics son cahier des charges afin d'éviter la faillite. La nouvelle convention avec la Ville de Paris modifiant et complétant la concession du Chemin de fer Nord-Sud fut signée en juillet 1921. Elle entérina le contrôle plus étroit de la ville sur les finances de la société tout en lui assurant une certaine survie. La liberté d'action totale d'une société de métro privée avait vécu. Malgré cette nouvelle donne, le compte général de l'entreprise resta déficitaire jusqu'en 1924. En 1925, le ciel s'éclaircit avec une augmentation à la fois du trafic et des tarifs. De ce fait, le compte général présenta un solde créditeur pendant plusieurs années.

Et comme un mauvais présage, Xavier Janicot, cofondateur de la Compagnie du Nord-Sud avec Jean Berlier, et Georges Bechmann, ingénieur en chef des Ponts et Chaussées qui était entré au Nord-Sud comme directeur général en 1905, décédèrent en 1927.

Disparition du Nord-Sud

Le prolongement du métro en banlieue décidé en 1927 posa avec acuité le problème de l'unicité du réseau métropolitain. La concession originaire du Nord-Sud pouvant arriver à sa fin le 1er janvier 1931, l'occasion était trop belle de racheter la compagnie afin de dégager quelques économies qui apporteraient des ressources supplémentaires au budget municipal. De son côté, la CMP attendait comme en embuscade que la proie lui revienne tout naturellement.

Les choses s'accélérèrent en 1928 quand plusieurs conseillers de Paris avancèrent l'idée d'un rachat pur et simple des concessions et d'une exploitation sous le régime de la régie directe. Il s'agissait bien d'un pluriel, la CMP et le Nord-Sud étant concernés au même titre. Ce principe fut rejeté par la majorité de l'assemblée municipale en décembre, mais il avait suffisamment inquiété les deux sociétés pour que celles-ci se décident à prendre les devants. La fusion concernait l'exploitation, mais aussi le régime financier. Il apparut ainsi que tout le monde pouvait être satisfait, les voyageurs, les administrations et les actionnaires. Dans une assemblée générale extraordinaire de la Compagnie du Nord-Sud tenue le 22 mai 1929, plusieurs textes furent adoptés entérinant notamment ce qu'il faut plutôt appeler une absorption du Nord-Sud par la CMP, cette dernière parlant « d'apport-fusion ».

Le 1er janvier 1930, le métro parisien était unifié dans une même exploitation sous l'appellation de « Chemin de fer métropolitain de Paris ». Le réseau de Nord-Sud avait vécu une vingtaine d'années, celui de la CMP allait lui survivre encore 15 ans.

L'une des dernières circulations de rames Nord-Sud en mai 1972, sur la ligne 12.

CHAPITRE III

Les ouvrages et les infrastructures

Les premiers ouvrages du métro sont inscrits dans le sous-sol de la capitale depuis un siècle et les viaducs sont les marques visibles du chemin de fer urbain dans le paysage parisien. Construits par la Ville de Paris, sous la haute responsabilité de Fulgence Bienvenüe, ils sont l'illustration du savoir-faire des ingénieurs, des techniciens et des ouvriers. Aujourd'hui, forte de son expérience, la RATP construit le métro du XXIe siècle en lui donnant une dimension plus généreuse et des abords plus accessibles.

Le chantier de construction d'une station voûtée.

À l'origine des projets pour la construction d'un réseau de chemin de fer dans Paris, l'exemple de Londres fut particulièrement étudié. Le nom même de « métropolitain » attribué au réseau parisien arrivait en droite ligne d'outre-Manche. Le réseau de Londres était établi dans des tubes circulaires revêtus de plaques de fonte, d'où son nom de *Tube*. Chaque voie disposait de son souterrain établi à grande profondeur, dont la section était aussi proche que possible du gabarit du matériel roulant. L'évacuation d'un train ne pouvait se faire qu'aux extrémités, aussi le matériel roulant disposait-il (et dispose toujours) d'une porte frontale jouxtant la cabine de conduite.

Après mûres réflexions, les ingénieurs de la Ville de Paris considérèrent que ce système présentait plus d'inconvénients que d'avantages, d'autant que le sous-sol parisien était beaucoup plus hétérogène que celui de la capitale britannique. En conséquence, ils adoptèrent pour le métro parisien des caractéristiques plus simples, plus pratiques et moins onéreuses, inspirées des grands ouvrages d'assainissements (collecteurs). Les ouvrages furent donc construits le plus près possible de la surface du sol et les deux voies réunies dans un même tunnel maçonné. L'emploi de parois métalliques fut réservé à quelques traversées sous-fluviales. En outre, le tracé fut presque toujours placé sous les voiries publiques, ce qui évita de coûteuses expropriations.

Ces dispositions présentèrent cependant certains inconvénients, comme le remaniement des réseaux de canalisations ou l'utilisation de courbes de faible rayon préjudiciables à la vitesse et au confort. Il arriva que, par nécessité, certaines portions de lignes ne soient pas construites sous les rues, comme par exemple la ligne 4 sous la préfecture de police ou la ligne 12 sous la butte Montmartre. Enfin, la construction de portions de lignes en viaduc resta exceptionnelle, car ces derniers étaient plus chers et plus difficiles d'entretien. C'est seulement lorsque des conditions topographiques locales l'imposèrent que le viaduc fut employé, notamment pour les lignes « circulaires », c'est-à-dire relativement éloignées du centre. La question se posera d'une façon différente – et parfois avec des difficultés d'acceptation – pour certains prolongements en banlieue.

Tunnel de raccordement à une voie.

Les tunnels

Types d'ouvrages

Les tunnels sont de deux types principaux : à deux voies ou à une voie. Dans certains cas, notamment en terminus, un tunnel peut abriter trois, voire quatre voies. Entièrement maçonnés, ils sont constitués d'une voûte elliptique, d'un piédroit de chaque côté et d'un radier en arc de cercle à sa partie supérieure sur lequel repose le ballast soutenant les voies.

Les dimensions des ouvrages ont été calculées en fonction des données préétablies

Tunnel classique à deux voies.

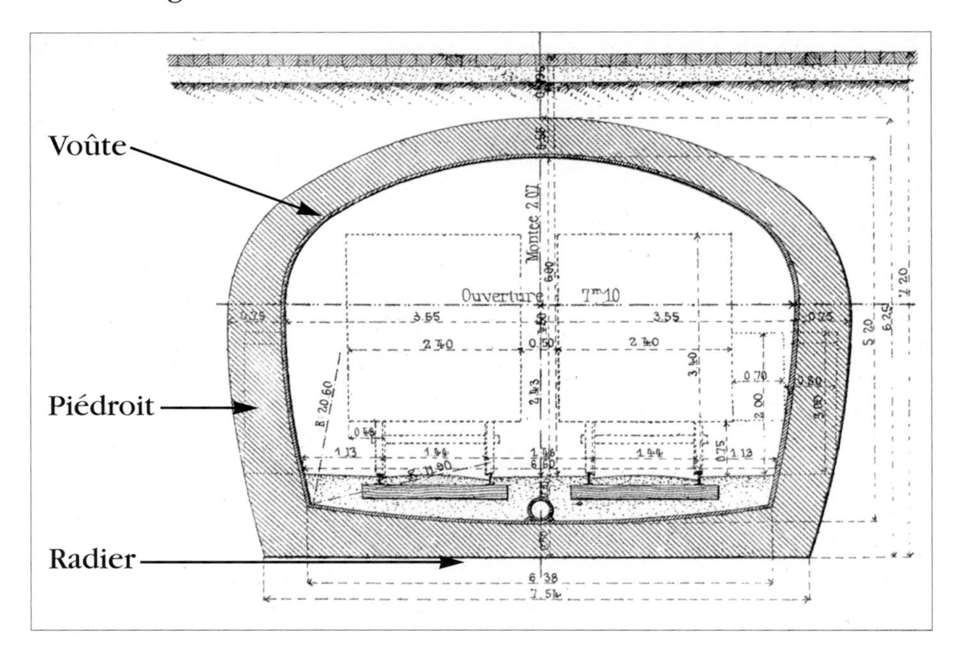

Coupe d'un tunnel à deux voies.

concernant l'insertion des matériels roulants : voie normale de 1,44 m, dimensions du matériel roulant de 2,40 m de large sur 3,40 m de haut, distance minimale entre deux trains côte à côte de 0,50 m, distance de 0,70 m entre un train et le piédroit dans sa partie la plus large.

Les tunnels à deux voies, en alignement ou en courbe supérieure à 100 m de rayon, ont les dimensions suivantes :

• largeur totale à la naissance de la voûte (limite voûte/piédroit) : 8,60 m, incluant l'épaisseur des deux piédroits de 0,75 m chacun, soit une largeur intérieure de 7,10 m;

• largeur intérieure au niveau des rails : 6,60 m;

• hauteur totale : 6,25 m incluant l'épaisseur de la voûte de 0,55 m et du radier de

Tunnel courbe à trois voies.

Tunnel à quatre voies.

0,50 m en son centre, soit une hauteur intérieure de 5,20 m.

Les tunnels comportent des niches en alternance de chaque côté et espacées de 25 m. Elles sont destinées à abriter les personnels circulant sur les voies lors du passage d'un train.

Les tunnels à une voie se rencontrent essentiellement pour les raccordements entre lignes ou pour des configurations particulières, par exemple pour des embranchements. Ils ont une largeur de 3,90 m au niveau des rails et de 4,30 m au niveau de la naissance de la voûte en plein cintre, avec des piédroits hauts de 2,52 m.

Lors des divers prolongements de lignes réalisés à partir des années 1970, la forme des tunnels a quelque peu évolué. On trouve aujourd'hui, outre des souterrains voûtés à radier incurvé ou plat, des souterrains cadres à deux voies ou à une voie. Ceux-ci présentent des avantages d'autostabilité, de simplicité de construction et de gain de hauteur pour l'ouvrage.

La construction

Une fois le sous-sol « libéré » de toute conduite, canalisation ou égout, on peut procéder à la construction des tunnels. Il existe pour cela plusieurs méthodes : ciel ouvert, bouclier, galerie boisée.

La méthode de creusement à ciel ouvert – *cut and cover* en anglais, littéralement on découpe et on couvre – fut largement employée pour la ligne 1 établie à fleur de sol. Bien sûr, cette méthode impose que l'on suive la voirie. En milieu urbain dense, la tranchée dans laquelle sera placé le tunnel est creusée à l'abri de parois blindées. Depuis les années 1960, cette méthode a été actualisée par l'emploi de parois dites « berlinoises » constituées de planches disposées entre des profilés métalliques verticaux dont la stabilité est assurée par des butons transversaux. D'autres méthodes sont utilisées comme celle des parois moulées dans le sol ou préfabriquées. Le phasage se décompose en construction du radier, puis des piédroits et enfin de la couverture ou de la voûte. Une fois l'ouvrage construit, ce qui reste de la tranchée est remblayé et la chaussée est rétablie.

La méthode du bouclier, si elle ne donna pas entièrement satisfaction, fut néanmoins employée à plusieurs reprises. Utilisé pour la première fois par son inventeur Isambart Brunel pour le percement d'un tunnel sous la Tamise à Londres, le bouclier fut introduit en France par l'ingénieur Berlier et amélioré par l'entrepreneur Chagnaud pour la construction du collecteur de Clichy. Pour le métro de Paris, il se présentait généralement comme une carapace métallique, épousant la forme extérieure du tunnel (extrados) et précédée d'un bec à l'abri duquel se tenaient les ouvriers chargés du creusement, puis de la construction du revêtement en maçonnerie. À l'arrière, des vérins prenant appui sur la maçonnerie exécutée faisaient avancer l'ensemble.

Pose d'un tablier métallique au-dessus du souterrain de la ligne 1, rue de Lyon.

Vues des faces avant et arrière d'un bouclier de demi-section.

La méthode de la galerie boisée fut la plus utilisée. Elle se décomposait en plusieurs phases :

• 1 : creusement d'une galerie d'avancement de forme trapézoïdale d'environ 2 m de haut, de 2 m de large au sol et de 1,80 m au sommet; elle était placée dans l'axe du futur tunnel et à sa partie supérieure, le soutènement se faisant grâce à des poteaux en sapin;

• 2 : abattage du sol de part et d'autre de la galerie d'avancement entre l'extrados et le plan des « naissances », ceci par tronçons séparés afin de ne pas déstabiliser l'ensemble; un coffrage en planche était établi progressivement épousant l'extrados soutenu par des troncs disposés en éventail;

• 3 : pose des cintres sur lesquels viendra s'appuyer la maçonnerie du tunnel; plusieurs opérations ont lieu afin de reporter sur les cintres soutenus par des troncs les charges transmises par les boisages;

• 4 : maçonnerie de la voûte exécutée en moellons calcaires ou en meulières à partir des naissances;

• 5 : creusement de la tranchée de section trapézoïdale dans le terrain restant (« stross »), du niveau des naissances de

MÉTHODE COURANTE D'EXÉCUTION D'UN SOUTERRAIN À DEUX VOIES

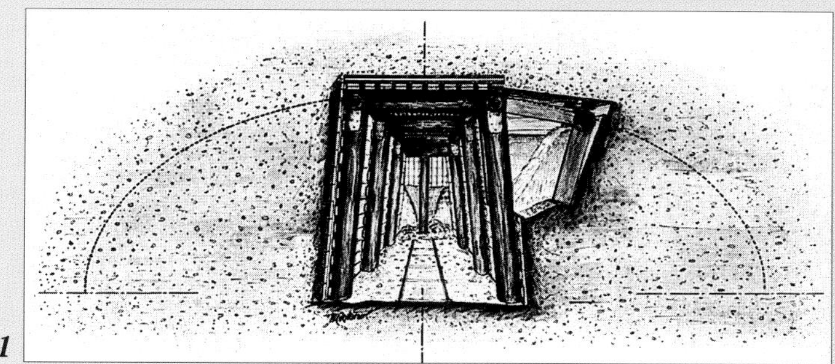

1

2

3

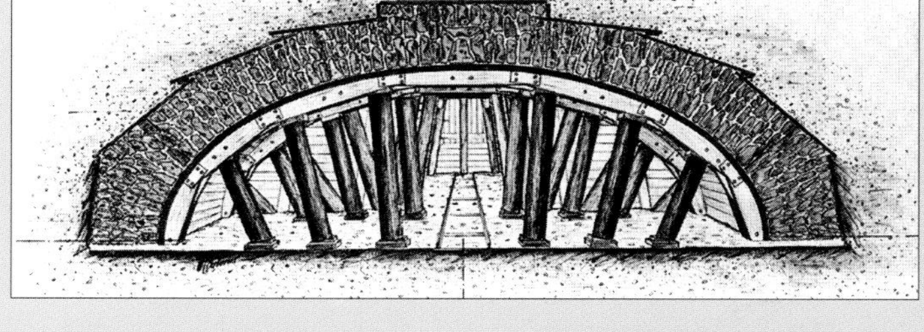

4

Les étapes de la réalisation : 1 galerie d'avancement, 2 abattage terminé, 3 pose des cintres et début de la maçonnerie, 4 maçonnerie de la voûte (photo de gauche), 5 exécution de la cunette de stross (photo de droite), 6 reprise en sous-œuvre des piédroits, 7 exécution du radier.

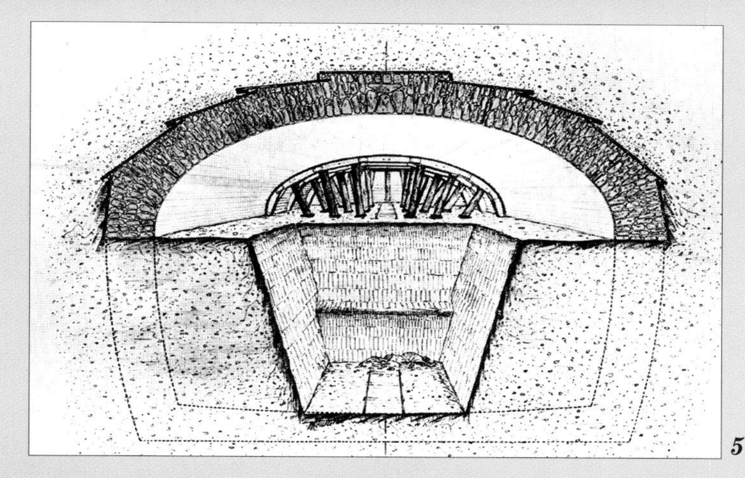

5

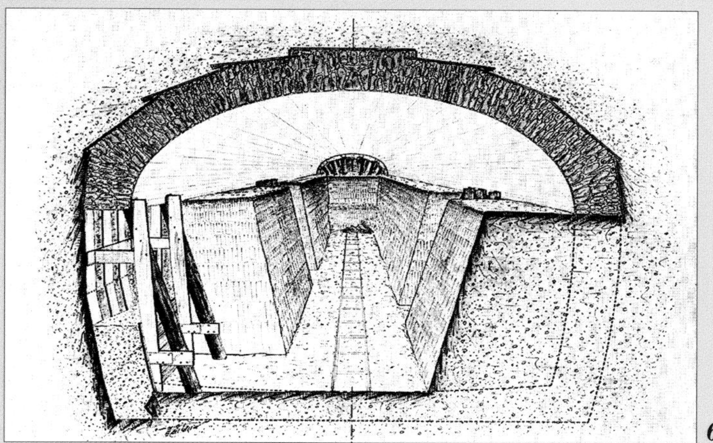

6

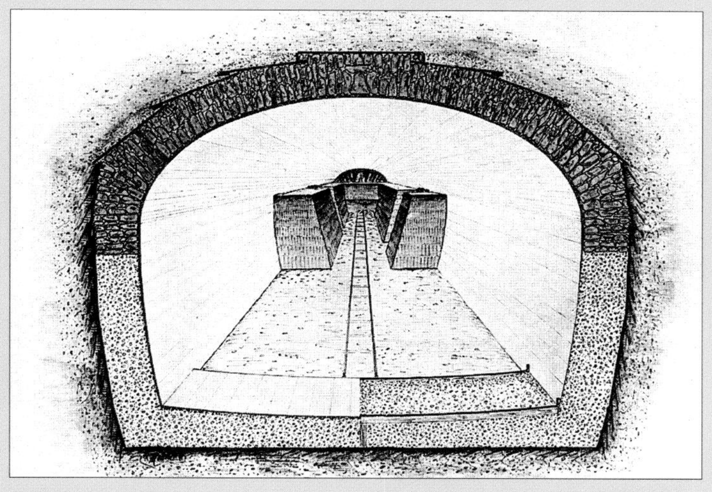

7

Injections de mortier derrière les maçonneries.

la voûte au niveau supérieur du radier, et déblaiement de cette tranchée;

• 6 : construction des piédroits sous la voûte par tronçons alternés tous les 10 m environ afin d'éviter les éboulements;

• 7 : exécution du radier par bandes successives entre les piédroits.

Ces travaux achevés, on procédait à l'exécution des enduits en mortier de ciment. Par ailleurs, on effectuait régulièrement des injections de mortier, d'une part afin de combler les vides subsistant derrière les maçonneries, d'autre part pour enrober les restes des coffrages de bois afin de limiter leur pourrissement.

Les stations souterraines

Les stations souterraines sont, à l'exclusion de celles construites à l'époque actuelle, de deux types : voûtées ou à couverture par plancher métallique.

Les stations voûtées

Les stations voûtées sont les plus nombreuses sur le réseau parisien. Longues de 75 m ou 105 m, elles comportent en général deux quais encadrant les deux voies. On peut aussi rencontrer des stations présentant d'autres configurations :

Une station voûtée classique.

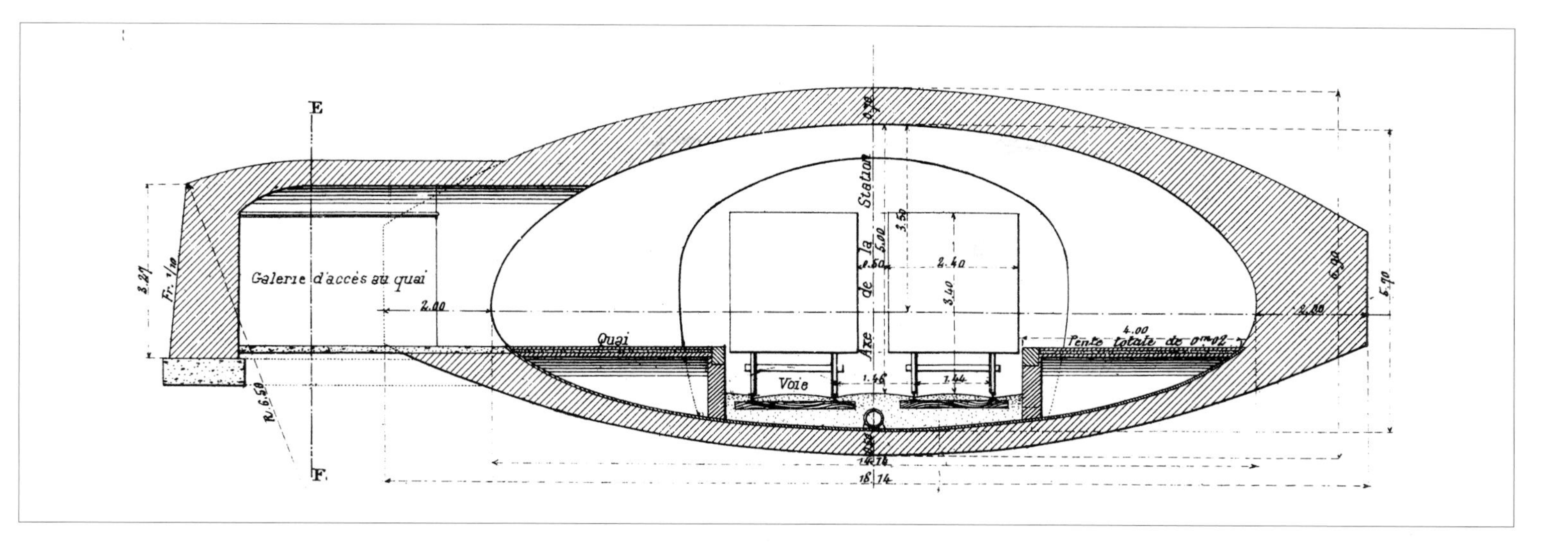

Coupe d'une station voûtée type.

• une voie et un quai comme à Chardon Lagache sur la boucle d'Auteuil, La Fourche (inférieur) ou Porte de Vincennes après réalisation du prolongement en banlieue (ancienne raquette);

• une voie et deux quais (montée et descente) comme à Étoile 6 depuis le remaniement de ce terminus;

• deux voies et un quai central comme à la Motte-Picquet–Grenelle 8/10, Michel Ange-Molitor 10 ou Pré Saint-Gervais;

• deux quais (un latéral et un central) et trois voies comme à Varenne ou au terminus Porte de la Chapelle (deux quais centraux).

D'autres exemples de dispositions peuvent être cités, notamment dans les terminus,

Voûte abritant deux voies encadrant un quai central.

Voûte de grand développement abritant quatre voies et deux quais.

L'une des deux demi-stations Commerce, ouvrage à quais décalés.

comme Porte de Saint-Cloud avec quatre voies à quai, Porte de Montreuil et Porte de Charenton avec quatre voies desservant deux quais centraux ou Porte Maillot avec deux stations accolées avec quais latéraux, en n'oubliant pas les stations superposées avec piédroit central des lignes 8 et 9 sous les Grands Boulevards ou celles dont les quais sont décalés à cause de l'étroitesse de la voirie comme pour les stations Commerce et Liège.

Les stations voûtées ont une largeur intérieure de 14,14 m aux naissances situées à 1,50 m au-dessus des rails et une hauteur intérieure dans l'axe de 5,90 m.

La voûte en forme d'ellipse de 0,70 m d'épaisseur est haute de 3,70 m à partir des naissances. Le radier en forme de voûte renversée d'une épaisseur minimale de 0,50 m est à 1,50 m sous les naissances, soit 0,70 m sous le niveau des rails.

Au niveau de chaque piédroit, la maçonnerie a une largeur maximale de 2 m. Chaque quai est large de 4 m et est légèrement en pente vers les voies. La distance entre les nez de quai est de 5,33 m.

La très haute voûte du caisson métallique de la station Cité.

Les stations à couverture métallique

Lorsque la profondeur de la station n'est pas suffisante, c'est-à-dire quand la distance entre le niveau du sol et celui des rails est inférieure à 7 m, il n'est pas possible de réaliser une station voûtée. On a alors recours à une station couverte par un plancher métallique placé très près du sol.

Les stations standards, longues de 75 m, ont une largeur intérieure de 13,50 m entre les deux piédroits verticaux soutenant le plancher et portés par le radier en forme de voûte renversée. Les piédroits ont une hauteur de 3,50 m et une épaisseur de 1,50 m allant en décroissant vers le sommet. Le plancher est constitué de poutres maîtresses composées de deux poutres jumelles reliées par des cornières perpendiculaires aux voies et réunies par des longerons. Au-dessus de ces poutres, les cornières soutiennent des voûtains en briques qui forment le plafond de la station.

Certaines stations à couverture métallique renferment plus de deux voies et comportent dans ce cas des colonnes en fonte comme appuis intermédiaires ; on peut citer :

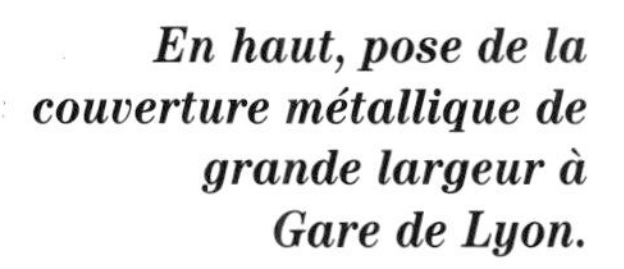

En haut, pose de la couverture métallique de grande largeur à Gare de Lyon.

Ci-dessus, vue intérieure de cette station, avec son « plancher » métallique.

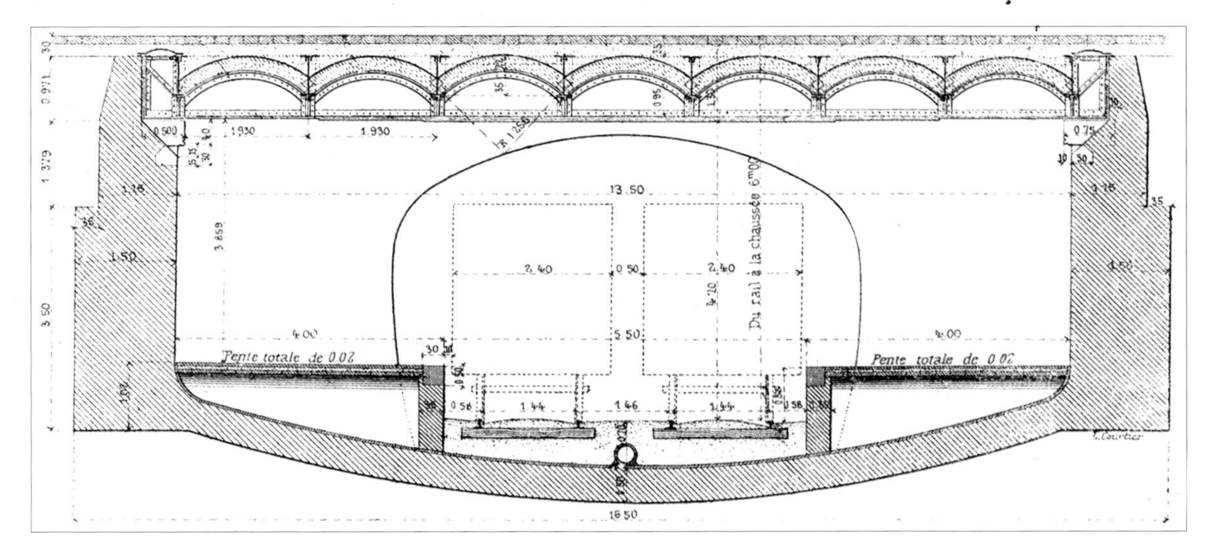

Coupe d'une station à « plancher » métallique type.

Allongement à 90 m « en crypte » d'une station de la ligne 1.

• la station terminus Porte d'Orléans avec trois voies, une pour les arrivées avec un quai latéral, deux pour les départs (dont une peut aussi servir pour les arrivées) desservies par un quai central ;

• la station Concorde de la ligne 8 comportant jadis, outre un quai latéral, un quai en îlot compris entre la voie en direction de Créteil et une voie de garage (emplacement occupé aujourd'hui par des locaux) ;

• la station Gare de Lyon de la ligne 1 avec autrefois deux quais en îlots, les voies principales situées au centre et les voies latérales servant pour l'une au raccordement 1/5, pour l'autre de voie de garage aujourd'hui supprimée, le quai correspondant étant élargi.

En 1963, sur la ligne 1, la mise en circulation de trains à 6 voitures, longs de 90 m, a entraîné l'allongement de la plupart des stations. Dans six d'entre elles, ceci s'est traduit par la construction, à l'une des extrémités, de quais abrités sous une mini-voûte supportée par des piliers.

Plusieurs stations ouvertes sur les prolongements en banlieue ces dernières décennies sont de section rectangulaire en béton armé. Cette configuration fut imposée par leur construction à ciel ouvert et leur position à fleur de sol.

Station moderne à section rectangulaire et mezzanine.

Les stations de la ligne 14

La réalisation d'une nouvelle ligne de métro à la fin du XXe siècle a intégré des concepts architecturaux et fonctionnels totalement différents de ceux du métro classique. Selon les concepteurs, les stations doivent être le reflet d'un « espace public noble, monumental dans son esprit, urbain dans le choix de ses formes et de ses matériaux ». Quatre architectes ont dessiné les sept stations de la ligne 14 : Jean-Marc Vaysse et Bernard Kohn pour six d'entre elles, Antoine Grumbach et Pierre Schall pour la station Bibliothèque.

Chacun des lieux identifiés d'une station a été traité pour répondre le mieux possible aux attentes des voyageurs, c'est-à-dire voyager dans un métro où on se sent bien, dans un cadre agréable, spacieux, éclairé, confortable, accessible à tous et en toute sécurité.

Les entourages des trémies d'accès et les édicules des ascenseurs en verre ainsi que le sol de couleur claire donnent d'emblée une luminosité nouvelle et rassurante. Les salles des billets, les espaces d'accueil, d'information et de vente proposent des équipements et un mobilier intégrés dans une structure de parement rapporté en béton poli clair, le tout autorisant une maintenance aisée. Les cheminements horizontaux ont été limités au maximum et « marqués » par un bandeau d'éclairage en aluminium moulé qui accompagne les voyageurs. Les circulations verticales sont largement mécanisées avec des escaliers mécaniques et des ascenseurs dont un mène directement au niveau de la chaussée. Ces équipements, très utiles aux personnes à mobilité réduite, sont complétés par des passages élargis aux lignes de contrôle autorisant leur franchissement par des fauteuils roulants.

Pour accéder aux quais, les voyageurs passent par une mezzanine qui les surplombe, leur permettant ainsi de les découvrir d'un seul coup d'œil. Les quais sont longs de 120 m et larges de 6 m (au lieu de 4 m pour les autres lignes). Les voyageurs sont séparés des voies par des cloisons vitrées maintenues par des arceaux métalliques rappelant le dessin d'une voûte de tunnel et « percées » de portes palières s'ouvrant en concordance avec les portes du train à l'arrêt.

L'une des stations voûtées de la nouvelle ligne 14 avec ses portes palières.

Montage des poutres de rive d'un viaduc courant.

Les viaducs courants

La construction de la ligne circulaire Nord en souterrain n'aurait pas dû poser de problèmes particuliers vu la nature des terrains traversés. Mais le franchissement, d'une part des tranchées du Chemin de fer du Nord et du Chemin de fer de l'Est et d'autre part du canal Saint-Martin a entraîné la construction de la ligne en viaduc sur 2 km environ afin de ne pas enfouir exagérément les stations.

Les viaducs sont constitués de travées indépendantes.

Les viaducs devaient répondre à deux impératifs : faible hauteur et large dégagement. Pour le premier impératif, il s'agissait de laisser un libre passage aux voitures les plus élevées sans pour autant se placer trop haut, ceci afin de réduire au maximum les dénivelés d'accession aux stations. On s'arrêta à une hauteur libre sous poutres de 5,20 m, laissant libre notamment le passage des tramways à impériales et des véhicules de pompiers à échelles. Pour le second, on adopta l'appui du viaduc sur des piliers en fonte ou en maçonnerie dont les dimensions furent réduites le plus possible afin de ne pas gêner le cheminement des piétons.

L'implantation des viaducs proprement dite devait totalement respecter les voiries existantes. Sauf cas particuliers, la longueur choisie fut proche des 22 m. Néanmoins, des portées supérieures durent être adoptées :

- sur la ligne 2 aux traversées du boulevard Barbès (36,56 m), des rues de la Chapelle et d'Aubervilliers (44,73 m), mais surtout des tranchées du Chemin de fer de l'Est (75,25 m) et du Nord (deux fois 75,25 m);
- sur la ligne 6 aux carrefours de La Motte-Picquet et de Cambronne (48 m).

Les viaducs sont composés de travées indépendantes constituées de deux poutres

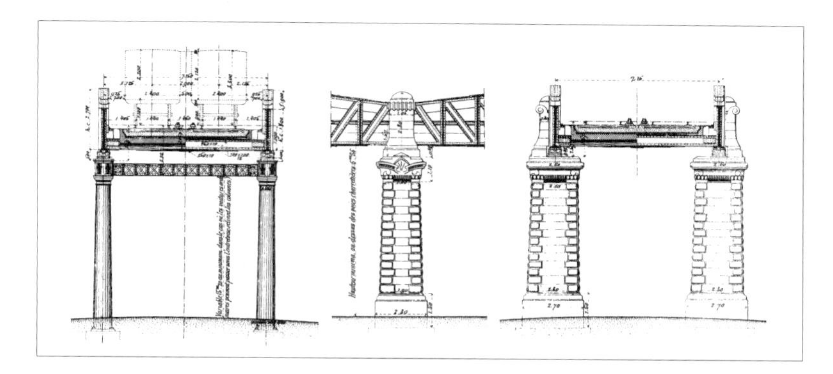

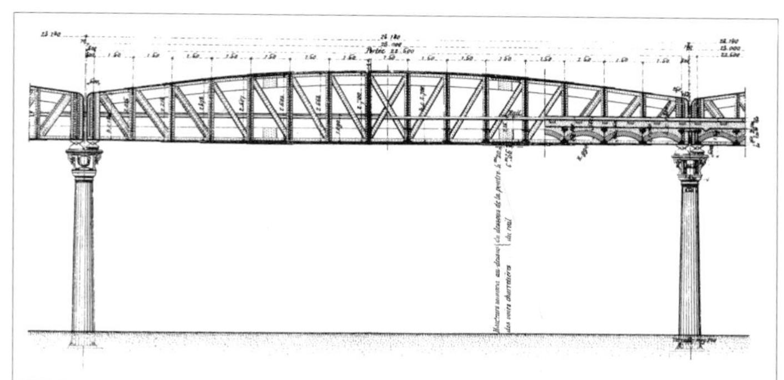

de rives (côtés) à treillis en N supportant le tablier sur lequel reposent les voies ballastées. Leur semelle inférieure est droite, tandis que la supérieure est en courbe parabolique convexe. Ils reposent, par l'intermédiaire d'appareils à rotule, soit sur des colonnes en fonte ornées, soit sur des piles en maçonnerie.

La construction des viaducs débutait par la construction ou la mise en place des appuis en fonte ou en maçonnerie. Les poutres de rives étaient apportées par tronçons fabriqués en usine, puis montées, assemblées et rivetées. Les tabliers, destinés à recevoir les voies ballastées (sauf pour les grandes travées où les voies n'étaient pas ballastées à cause du poids), étaient constitués d'entretoises transversales placées entre les poutres, réunies entre elles par des voûtelettes en briques surmontées d'un remplissage en béton.

Dessins de viaducs courants avec leurs appuis en pierre ou en fonte.

Mise en place sur la ligne 2 d'une travée de grande portée ; remarquer les poutres de rive jumelées de celle-ci.

Le viaduc de la ligne 5 terminé, avant la pose des voies, à la traversée des emprises de la gare d'Austerlitz.

Vues des viaducs courants des lignes 5 (en haut, à Austerlitz) et 6 (en bas, à Dupleix).

Les stations aériennes

Les stations aériennes, longues de 75 m, comportent quatre poutres parallèles aux voies. Les poutres centrales, à âme pleine, portent le tablier sur lequel sont posées les voies et l'intérieur de chaque quai. Elles sont elles-mêmes soutenues par des piliers en fonte. Le tablier est constitué d'entretoises métalliques reliées entre elles par des voûtains en briques. Les poutres extérieures portent le bord extérieur des quais larges de 4,10 m. Elles sont à treillis en N à semelle droite à leur partie supérieure et à semelle parabolique concave à leur partie inférieure. Les quais sont supportés par des voûtains qui s'appuient sur des entretoises transversales reliant les poutres intérieures à âme pleine aux poutres extérieures à treillis. Les poutres extérieures reposent sur des piliers en maçonnerie. Aux quatre coins d'une station, on trouve quatre piliers ornementaux, sans aucun rôle fonctionnel, décorés de guirlandes et de cornes d'abondance et frappés alternativement des armes de la Ville de Paris ou du globe terrestre.

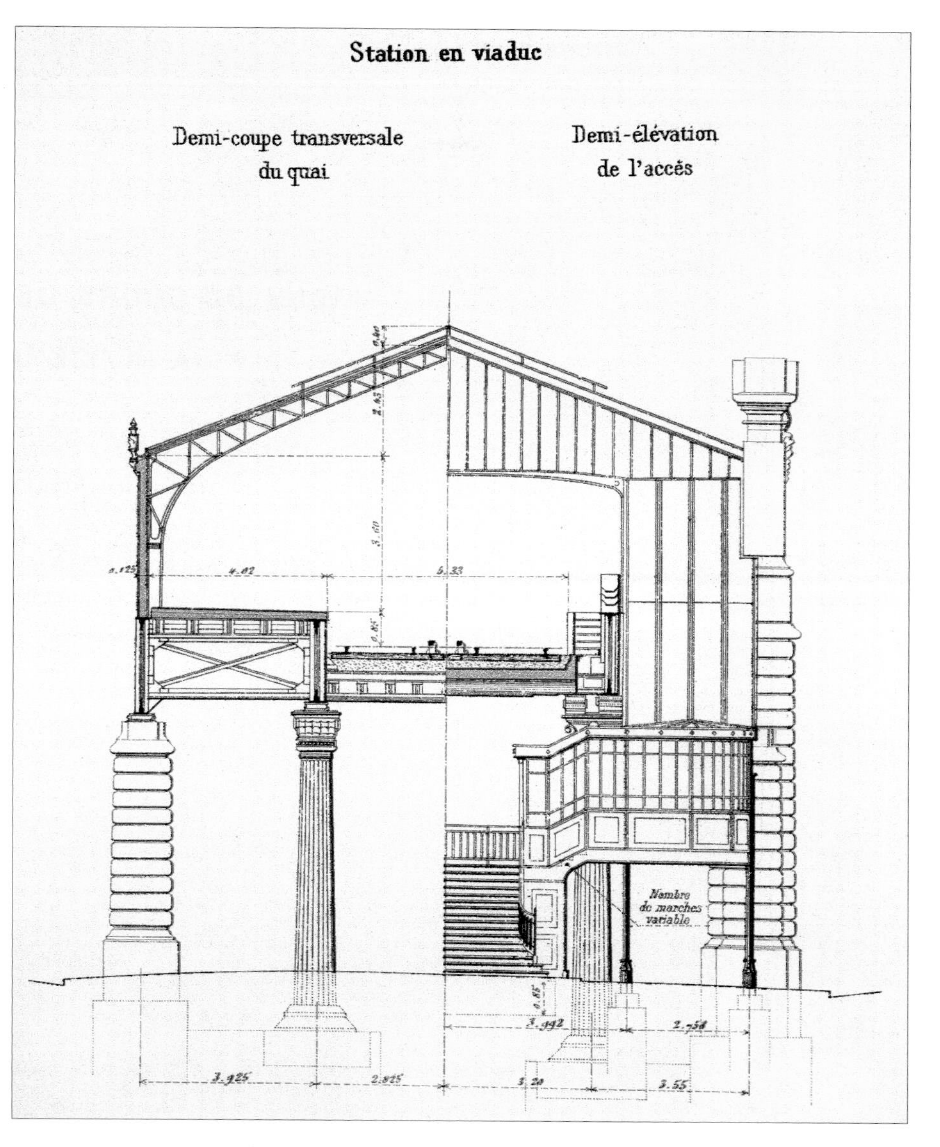

Coupe d'une station aérienne type de la ligne 6.

Ci-contre, vue des accès aux quais d'une station aérienne de la ligne 6.

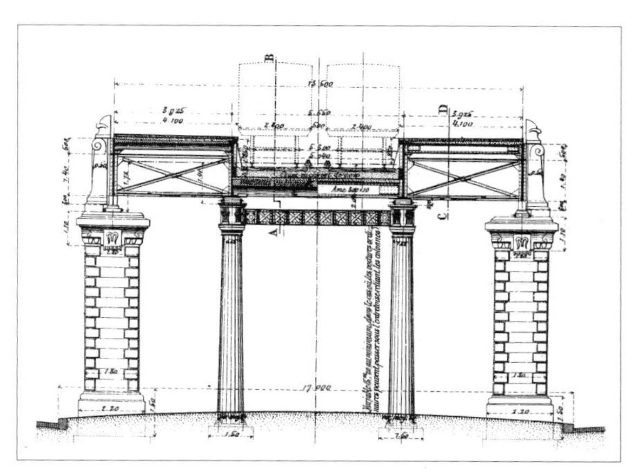

Ci-dessous, coupe et vue des soutènements des voies et des quais d'une station aérienne.

L'une des stations aériennes de la ligne 2, avec sa couverture partielle.

Vue d'ensemble de la station Jaurès sur la ligne 2, avec ses parois de quais vitrées.

Chantier de construction d'une station aérienne de la ligne 6 avec couverture totale des voies et des quais.

Corvisart, une station à « fleur de sol » de la ligne 6.

Vue générale d'une station aérienne de la ligne 6 avec au premier plan une travée de grande longueur.

Les stations aériennes des lignes 2 et 6 diffèrent par leur constitution et leur aspect.

En effet, dans les stations aériennes de la ligne 2 construites les premières, seuls les quais sont protégés des intempéries par des marquises.

Sur la ligne 6, sauf exception aux stations Passy, Saint-Jacques et Bel-Air placées au sol et couvertes partiellement, les stations sont surmontées d'une toiture, dans le style des marquises des gares l'époque, abritant l'ensemble des quais et des voies.

En outre, les parois des quais des stations de la ligne 2 sont dotées de larges baies vitrées donnant une vue sur la ville, tandis que celles de la 6 sont opaques et construites en briques qui forment des motifs géométriques, côté extérieur, et autorisent la pose de panneaux publicitaires, côté quais.

Les parois extérieures des stations aériennes de la ligne 6 (ici Passy) présentent des figures géométriques.

CHAPITRE IV

Les équipements

Un réseau de métro au service de millions de voyageurs demande des équipements nombreux et complexes pour assurer une exploitation fiable et en toute sécurité. Toujours à la pointe de la modernité, la CMP et le Nord-Sud hier, la RATP aujourd'hui, répondent grâce à ceux-ci à une demande chaque jour plus exigeante d'accessibilité, de sécurité, de confort, en un mot de qualité.

Un édicule Guimard avec son porte-plan, à Nation, dans les années soixante.

La voie

Le métro parisien est composé de deux types de lignes : celles, classiques, admettant des trains à roulement sur fer et celles équipées pour la circulation des trains à roulement sur pneu.

La voie « fer »

La voie classique « fer » admettant le roulement des matériels à roues métalliques est essentiellement constituée de deux files de rails supportés par des traverses sur lesquels ils sont fixés soit par des tire-fond (sorte de grosses vis), soit par des attaches élastiques appelées crapauds ou griffons. Les rails peuvent reposer soit directement sur les traverses, soit sur une selle. L'ensemble est posé sur une couche de cailloux, le ballast. L'alimentation en courant de traction se fait par l'intermédiaire d'une barre métallique placée latéralement en général du côté gauche dans le sens de circulation.

Les rails sont du type Vignole, en coupons de 18 m, et pèsent 52 kg par mètre linéaire. Depuis les années 1960, ils sont de plus en plus souvent soudés entre eux.

Les traverses, espacées de 60 cm à 75 cm, ont pour rôle d'assurer la fixation et l'écartement des rails de 1,44 m, mais aussi de transmettre au ballast les efforts supportés par les rails. Il existe deux types principaux de traverses : en bois et en béton. Pour les premières, deux sortes de bois ont été utilisées, le chêne et l'azobé ; les secondes sont constituées, soit de deux blocs en béton armé appelés blochets reliés entre eux par une entretoise métallique, soit monobloc. Dans tous les cas, les rails sont posés avec une inclinaison de 1/20e vers l'intérieur de la voie. Les rails sont assemblés entre eux, soit par soudure, soit par des éclisses qui peuvent être soit mécaniques, soit isolantes pour le fonctionnement de la signalisation par circuits de voie en courant alternatif.

Depuis 1971 (prolongement de la ligne 3 à Gallieni), pour tous les prolongements de ligne en souterrain, les traverses bi-blocs sont équipées d'enveloppes en caoutchouc munies de semelles antivibratiles et scellées dans du béton.

Le ballast est constitué de pierres cassées à arêtes vives. Il a pour but, d'une part de répartir sur le radier, le platelage des ouvrages aériens ou la plate-forme sous voie, les efforts et les charges transmis par le matériel roulant, d'autre part de s'opposer au déplacement de la voie.

Le rail latéral d'alimentation en courant de traction est en acier doux et a une forme en T. Il est aussi appelé 3e rail. Les coupons de 18 m sont soudés entre eux pour former des ensembles qui en général ne dépassent pas 400 m de long. Le rail repose sur des isolateurs fixés sur les traverses. Les barres de guidage sont interrompues aux sectionnements et sous-sectionnements d'alimentation. La barre d'alimentation doit parfois être coupée, comme par exemple au droit des aiguillages ; dans ce cas, un coupon de rail d'alimentation est reporté de l'autre côté de la voie.

La voie « pneu »

Les trains sur pneu possèdent des bogies équipés de quatre roues porteuses munies de pneumatiques. En arrière de chaque roue porteuse se trouve une roue métallique dont le boudin est remplacé par un mentonnet. Il n'y a normalement aucun contact de la roue métallique avec le rail, sauf si un pneu porteur est dégonflé, auquel cas elle assure la sécurité du roulement. Chaque bogie dispose, en outre, de quatre petites roues horizontales équipées de pneumatiques et servant au guidage du train.

La voie équipant les cinq lignes où circulent des trains dotés d'un roulement sur pneumatique est d'un type particulier. Elle est composée des mêmes éléments que la voie classique auxquels se surajoutent des éléments spécifiques. *(suite page 58)*

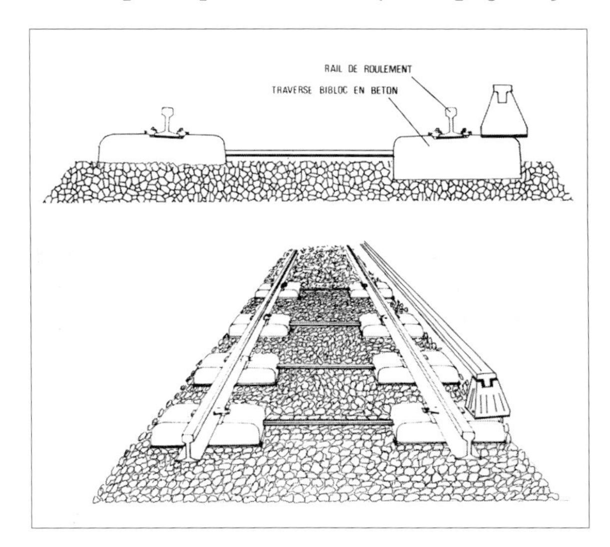

Voie « fer » sur ballast, traverses bi-blocs.

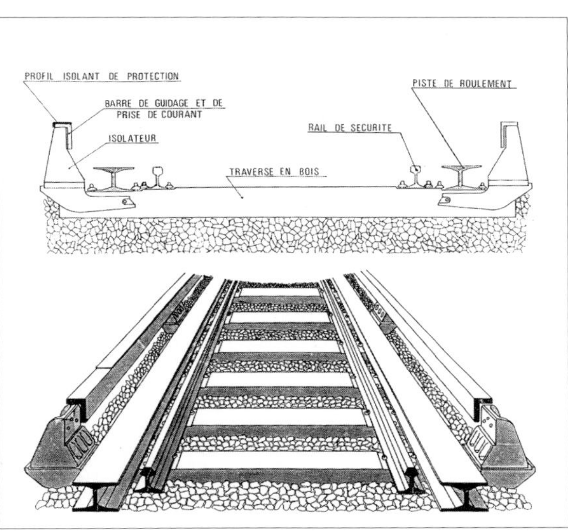

Voie « pneu » sur ballast, pistes métalliques.

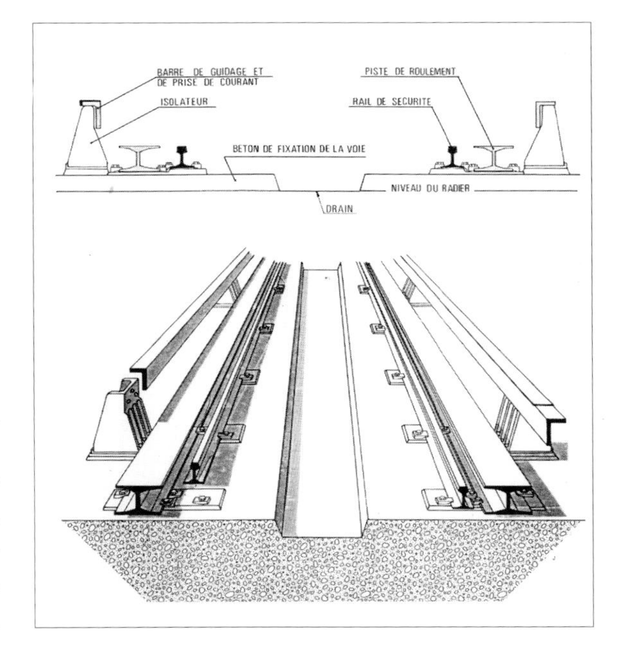

Voie « pneu », pose directe sur béton, pistes métalliques en station notamment.

LE RVB : RENOUVELLEME

Le renouvellement de quelque 200 km de voies ballastées les plus anciennes, c'est-à-dire, pour la plupart d'entre elles, celles mises en service avant la Seconde Guerre mondiale, a débuté en janvier 1988 sur la ligne 3 bis. Il concerne le remplacement du ballast qui constitue l'assise de la voie, les traverses en bois et les attaches des rails sur ces dernières.

Cette opération d'envergure a été décidée en raison, d'une part du vieillissement et de l'usure lente mais inéluctable des divers éléments constitutifs de la voie, importante notamment pour le ballast de sous-couche de qualité médiocre, d'autre part de l'agressivité plus importante des matériels roulants modernes. La limite atteinte d'un entretien manuel long et coûteux a justifié le recours à une opération mécanisée dans un milieu a priori peu favorable – gabarit réduit, peu de voies de garage en ligne – aux technologies en usage. À cette première contrainte d'importance, la RATP en ajouta une deuxième en désirant maintenir au maximum le service voyageurs. Enfin, essentiellement pour des raisons de coût, l'option « voie ballast » fut préférée à celle « voie béton ». La RATP a donc innové à la fois sur la méthode de renouvellement et sur les matériels mis en œuvre.

Les conditions générales d'exécution du RVB sont les suivantes :

- la zone de chantier est comprise entre deux communications de service provisoire ;
- le service voyageurs est interrompu dans la zone à partir de 21 heures pour laisser libre une plage horaire suffisante, avec éventuellement un service d'autobus de remplacement ;
- le courant de traction est coupé vers 21 h 15 dans la zone de chantier ;
- une zone de ralentissement à 30 km/h est établie sur les deux voies sur une longueur de 600 m.

Les trains mis en œuvre comprennent :

- le train énergie et de vieux ballast composé de deux wagons énergie, de deux wagons-trémies à grande capacité dotés de bandes transporteuses ;
- le train de coupe composé de la dégarnisseuse de ballast à godets et de deux wagons chargés de matériel de voie, essentiellement des traverses neuves ;
- la bourreuse qui compacte le ballast afin de bien mettre la voie à sa place en plan comme en profil ;
- le train de ballast neuf composé de wagons-trémies de grande capacité pour l'approvisionnement en ballast neuf et le chargement du vieux (grâce à un demi-wagon vide à l'arrivée).

Tous ces trains sont tractés par des TMA (tracteurs à marche autonome) pouvant être alimentés, soit en 750 V par le 3e rail, soit par batteries d'accumulateurs lorsque le courant de traction est coupé.

Le chantier proprement dit se déroule en plusieurs phases, qui sont strictement minutées en raison de « l'étroitesse » de la plage horaire impartie à de tels travaux d'envergure. Venant de l'atelier de la Villette, les divers trains de travaux sont intercalés entre les trains de voyageurs jusqu'à la zone de travaux. Après la coupure du courant de traction sur celle-ci, on procède à la dépose de la signalisation, des câbles traction et des barres de traction. On positionne ensuite les trains sur la voie à changer, à l'exception du train de ballast neuf qui est placé sur la voie adjacente. La dégarnisseuse à godets est déployée.

Les travaux de renouvellement proprement dits peuvent alors commencer ; ils vont durer environ cinq heures.

En début de nuit, l'enlèvement du vieux ballast s'opère par la dégarnisseuse à godets par tronçons de 5 m, après que les vieilles traverses ont été enlevées. Le vieux ballast est acheminé par bandes jusqu'aux wagons-trémies du train énergie. Les anciens drains sont remplacés. Les traverses neuves sont alors placées sur ce tronçon qui est ballasté avec des cailloux neufs remplacés dans les wagons-trémies par le vieux ballast.

Travaux de voies avant la mécanisation : dégarnissage manuel et pose de rails.

ES VOIES BALLASTÉES

La voie est remise en place ensuite par la bourreuse, tandis que de nouveaux drains sont installés. Après montage définitif, bourrage mécanique lourd et vérification de la voie, on procède à la remise en place des installations démontées et la procédure de remise du courant de traction peut être commencée. La zone renouvelée en une nuit est en moyenne de 80 m, compte tenu d'avancements très favorables ou au contraire de difficultés rencontrées, comme par exemple un ballast colmaté par des injections ou du béton qui doit être cassé au marteau-piqueur.
La circulation des trains sur la zone de travaux s'effectue ensuite à 30 km/h sur les deux voies en attendant sa stabilisation définitive.

Un renouvellement mécanisé de la voie et du ballast, ici la dégarnisseuse sur la ligne 9, près de Marcel Sembat.

La réfection d'une partie du viaduc de la ligne 2 durant l'été 1999 a entraîné la dépose intégrale de la voie et du ballast ; la repose s'est effectuée avec des composants et matériaux neufs, constituant, de fait, un RVB.

Afin de faire circuler ce type de train, la voie « pneu » comprend deux pistes de roulement sur lesquelles roulent les pneus porteurs. Ces pistes peuvent être en bois (essentiellement en terminus), métalliques ou en béton. De part et d'autre des pistes de roulement, on trouve deux barres de guidage sur lesquelles viennent s'appuyer les petites roues horizontales. Ces barres de guidage servent également à l'alimentation des trains en courant de traction. Au début en forme de T, elles sont aujourd'hui en forme de L. Les barres de guidage sont équipées, comme les rails d'alimentation, de joints en matière isolante, d'extrémités évasées ou de coupons de protection. En station, la barre de guidage côté quai est recouverte de plaques isolantes collées afin d'éviter tout court-circuit sous les pieds des voyageurs. Pour des problèmes d'entretien, on leur préfère aujourd'hui les barres monoblocs isolantes (sauf sur la ligne 14 équipée de portes palières).

Les rails métalliques classiques qui composent également la voie « pneu » ont plusieurs fonctions :

- autoriser la circulation des trains « fer » sur les lignes « pneu » moyennant quelques aménagements pour l'alimentation électrique ;
- assurer le guidage des trains lors de l'interruption d'une barre de guidage au droit d'un aiguillage, le mentonnet des roues métalliques venant alors en contact latéral avec le rail classique ;
- permettre, grâce à des frotteurs négatifs, le retour du courant de traction et aussi le fonctionnement de la signalisation par le shuntage des circuits de voie.

Voie « fer » sur le viaduc d'Austerlitz ; le « tapis » du pilotage automatique est bien visible entre les deux files de rails de roulement.

Appareil de voie « pneu » avec rails de roulement, pistes, barres de guidage et « tapis » du pilotage automatique (Étoile 6).

L'alimentation électrique

Hier

Lorsque la première ligne du métro parisien ouvrit ses portes en juillet 1900, la Compagnie du chemin de fer métropolitain de Paris qui l'exploitait ne disposait pas encore de son usine de fourniture d'électricité de Bercy qu'elle faisait construire sur le quai de la Rapée. Aussi dut-elle se procurer l'énergie auprès des sociétés « Le Triphasé d'Asnières », « Westinghouse » et « L'Air Comprimé ». La ligne 1 recevait le courant continu 600 V grâce à deux sous-stations à Étoile et à

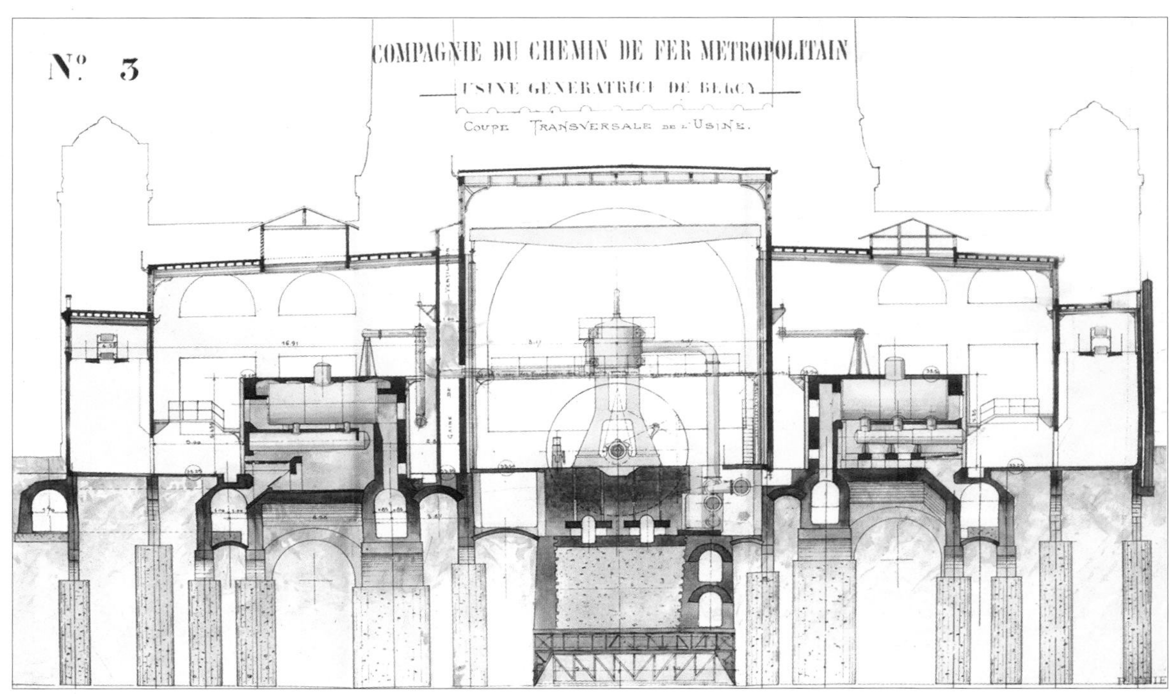

Dessin de la façade et coupe transversale de l'usine électrique de Bercy ; au centre, entourées par deux rangées de chaudières, les machines à vapeur verticales, type pilon, qui entraînaient les génératrices.

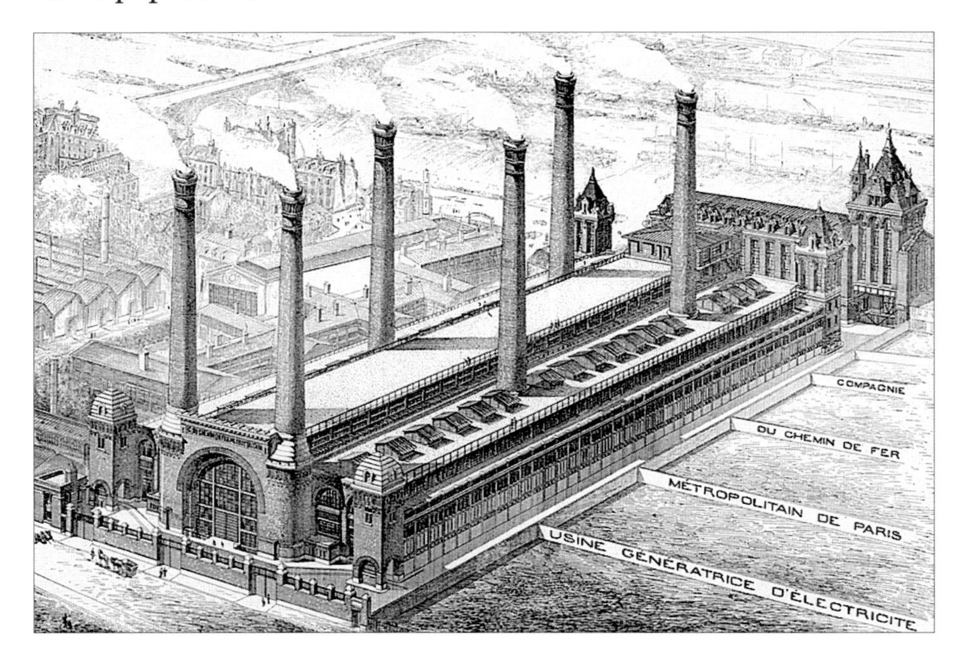

Dessin de l'ensemble de l'usine de Bercy avec, au fond, le bâtiment de la direction de la CMP.

Bercy qui transformaient le courant alternatif reçu.

Tandis que le réseau se construisait, l'usine de Bercy commença sa production en 1901. Mais la catastrophe de Couronnes démontra, entre autres, la nécessité de disposer de sources d'énergie diversifiées. Le courant fourni par toutes les sources était de l'alternatif dont la tension variait de 10 kV à 13 kV 25 périodes. La conversion en courant continu 600 V se faisait dans des sous-stations par d'énormes commutatrices, dont les dernières fonctionnèrent jusqu'en 1970.

À partir de 1923 apparurent les redresseurs à vapeur de mercure, plus souples d'emploi, notamment pendant la période du passage du 25 périodes au 50 périodes décidé en 1918, car il fonctionnait aussi bien avec l'un qu'avec l'autre. Les derniers furent retirés en 1976.

L'usine de Bercy arrêta sa production d'énergie en décembre 1927 en raison de ses coûts d'exploitation trop élevés. Les lignes de la CMP furent alimentées par les usines de Saint-Denis (Société d'Électricité de Paris) et d'Ivry (Société d'Électricité de la Seine). Au début de la Seconde Guerre mondiale, l'ensemble des sous-stations des lignes était alimenté en courant alternatif 10 kV 50 périodes

L'une des plus anciennes sous-stations : celle d'Étoile, établie en souterrain.

La sous-station des Lilas avec sa façade particulière.

par les usines de Saint-Denis, Ivry et Vitry, elles-mêmes interconnectées sur la ceinture 60 kV.

Au début des années 1950, la RATP disposait de 32 sous-stations à groupes de transformation multiples et à commande en majorité manuelle. Néanmoins, des recherches étaient menées pour équiper ces ensembles de télécommande afin d'accroître la rapidité d'intervention en cas d'incident.

En 1963 étaient apparus les redresseurs secs à semi-conducteurs au silicium de grande puissance et d'encombrement réduit, ce qui permit l'abandon progressif de grandes sous-stations au profit de Postes de Redressement (PR) répartis le long des lignes de métro.

La sous-station Bastille, œuvre majeure de l'architecte Paul Friesé, datant de 1912.

L'intérieur de la sous-station Bastille avec, à gauche, les énormes commutatrices alimentées en 10 500 V alternatif et fournissant du courant de traction 600 V continu.

À partir de 1923, les redresseurs à vapeur de mercure se sont partagé la tâche avec les commutatrices.

DES SOUS-STATIONS AU

De l'électricité pour le métro

La fin du XIXe siècle marqua le début de l'utilisation pratique de l'électricité. En juillet 1900, Paris ouvrit sa première ligne de métro, utilisant cette nouvelle énergie – le courant continu 600 V – pour le mouvement de ses rames. La CMP envisagea dès l'origine de produire sa propre électricité et entreprit la construction d'une usine dans le quartier de Bercy. En raison de l'impossibilité de transporter le courant sur de longues distances, elle devait être proche de la ligne. En attendant son achèvement, le courant de traction et d'éclairage était fourni par des sociétés privées : le Triphasé d'Asnières, Westinghouse et l'Air Comprimé. Le courant produit étant de l'alternatif, sa transformation en continu était donc indispensable. Cela se faisait dans deux sous-stations situées au plus près de la ligne 1 : Étoile, établie en souterrain, et la Rapée. En raison de l'accroissement du trafic et donc du nombre de trains en circulation, une troisième fut mise en service à Louvre.

L'usine de Bercy

Confiée à MM. Schneider et Cie, l'usine génératrice de Bercy fut construite par l'architecte Paul Friesé. Elle était placée entre le bâtiment de la Direction du métro situé côté Seine, auquel elle était reliée par une simple passerelle, et la rue de Bercy. La proximité du fleuve permettait l'approvisionnement par péniches des chaudières en combustible.
L'usine de Bercy comprenait deux bâtiments accolés, l'un abritant les chaudières, l'autre les machines. Les chaudières des machines à vapeur alimentées au charbon faisaient fonctionner les groupes électrogènes. Ces derniers étaient de deux types : les alternateurs fournissant du courant alternatif 5 000 V 25 périodes et les dynamos à courant continu.
L'usine de Bercy produisit de l'électricité à partir de mars 1901. Cependant, à la suite de la catastrophe de Couronnes due à un court-circuit, la CMP décida de diversifier les sources d'énergie en faisant appel, à partir de 1906, à des moyens de production extérieurs, cela afin de permettre un accroissement de la puissance fournie et une plus grande sécurité. L'importance de ses coûts d'exploitation et les travaux nécessaires à sa transformation pour le passage du 25 périodes au 50 périodes entraînèrent la fermeture de l'usine en décembre 1927. La CMP se fournit alors auprès des usines de Saint-Denis et d'Ivry, auxquelles il faudra ajouter plus tard celle de Vitry.

Des commutatrices géantes...

Les sous-stations « cathédrales »

Le problème à résoudre par la CMP fut d'alimenter ses lignes de métro, toujours plus nombreuses. En outre, la catastrophe de Couronnes l'obligea à renforcer la qualité de l'alimentation électrique, notamment en multipliant les points d'alimentation de la ligne découpée en plusieurs sections. Ainsi, la ligne 3, première à bénéficier des nouvelles règles, était alimentée par deux nouvelles sous-stations construites désormais en surface : Opéra et Père-Lachaise.
La fonction d'une sous-station était de fournir aux lignes du courant continu par conversion du courant alternatif reçu. Cela se faisait grâce à des machines tournantes de dimensions généreuses, appelées commutatrices, dont le nombre variait en fonction de la puissance appelée. La tension triphasée de 10 250 V fournie par les usines était abaissée et transformée en 615 V continu.
Paul Friesé qui entreprit la construction de vastes usines électriques comme celle de Bercy fut mis en charge de réaliser les sous-stations au plus près des lignes de métro dans Paris. Travail difficile, car on était au cœur de la capitale où le « beau » était de mise. Fidèle à ses convictions, l'architecte allait allier industrie et esthétique pour réaliser ces nouveaux ensembles indispensables au métro parisien.
La première sous-station construite fut celle d'Opéra en 1903, sise rue Caumartin en plein centre du quartier des affaires et du commerce. Le bâtiment comportait une structure porteuse en acier et une façade translucide. Le but recherché était de disposer d'une surface au sol maximale afin d'y placer les appareils, de bénéficier d'un bon éclairage naturel et d'une aération optimale pour évacuer les calories dues aux pertes des machines de plus en plus puissantes. Le bâtiment comportait, outre le sous-sol, deux étages : le rez-de-chaussée avec les imposantes commutatrices et le premier avec les accumulateurs.
D'autres sous-stations furent construites sur les mêmes principes, suivant ainsi l'accroissement du nombre des lignes de métro : Denfert et La Motte-Picquet en 1906, Cité et République en 1909, Villette et Bastille en 1910. Avec cette dernière sous-station, Paul Friesé réalisa son chef-d'œuvre en la matière. Le bâtiment à trois façades habille sa structure métallique de briques silico-calcaires qui contribuent à « adoucir » l'intégration d'une usine à côté de la place de la Bastille. L'aspect cathédrale fut encore accentué par la présence, sur deux des trois façades, d'une vaste arcade en métal et verre de 12 m de haut. Le toit en terrasse couronne cet édifice monumental, véritable hommage à l'électricité triomphante. En 1912, la sous-station Auteuil fut la dernière sous-station dessinée par Friesé. L'architecte mourut en 1917 à l'âge de 66 ans.

OSTES DE REDRESSEMENT

La banalisation

Entre les deux guerres mondiales, la construction des sous-stations fut encore fortement marquée par le style Friesé. Toutefois, peu à peu, le béton remplaça la structure métallique pour les sous-stations Les Lilas en 1928 et Vaneau en 1930 dessinées par Paul Marozeau, collaborateur de Friesé. En 1934, la sous-station Laborde, avec la disparition de la brique, marqua une transition nette vers la fin du style Friesé.
La technique, elle aussi, allait évoluer. Une première transformation des sous-stations eut lieu dans les années 1920 avec le passage du 25 périodes au 50 périodes du courant fourni par les usines. Les commutatrices furent progressivement remplacées par des redresseurs à vapeur de mercure d'un emploi plus souple et plus silencieux, mais nécessitant un système complexe de refroidissement. Cependant, la taille des équipements et donc des bâtiments ne se réduisit pas, bien au contraire.
Dans les années 1930, pour les sous-stations de banlieue devant répondre aux besoins des prolongements de métro, le caractère industriel fut renforcé encore davantage, utilisant à plein le fonctionnalisme de l'architecture moderne. Aujourd'hui, il ne subsiste que celle de Pierre Curie à Ivry datant de 1941.
Au début des années 1950, la RATP disposait de 32 sous-stations alimentées en moyenne tension de 10 250 V, dont vingt étaient encore à commutatrices et douze à redresseurs à vapeur de mercure. La fourniture de l'énergie au métro se faisait selon des procédures de « proximité ». Les appareils étaient surveillés et manœuvrés à pied d'œuvre dans les sous-stations même. Ainsi dans chacune d'elles, compte tenu des amplitudes de travail et des périodes de repos, il fallait environ douze agents à raison d'un chef de sous-station et d'un aide. Le premier surveillait les tableaux et exécutait les manœuvres, le second effectuait toutes les tâches secondaires, mais indispensables au bon fonctionnement de l'ensemble. Plus tard, une commande à distance locale fut installée pour simplifier et accélérer les manœuvres. Cependant, à l'occasion de plusieurs prolongements, quelques sous-stations en banlieue furent télécommandées à partir d'une sous-station principale.
Cette situation perdura une dizaine d'années avant que deux faits ne viennent complètement la modifier au début des années 1960. Le premier fut l'apparition des redresseurs secs à semi-conducteurs au silicium, mis en service en 1963 à la RATP, appareillage apportant un progrès décisif pour le passage du courant alternatif au courant continu par son meilleur rendement, sa plus grande simplicité et un encombrement sensiblement plus faible qui autorisa une implantation plus aisée en milieu urbain.
Le second fait fut la modification des principes de fourniture de l'énergie, désormais à haute tension, dans le cadre du « projet 60 000 volts », ceci afin de moderniser et simplifier les appareillages tout en améliorant la sécurité du fonctionnement. Ainsi, à partir de 1962, le réseau EDF fournit l'énergie 63 000 V, grâce à huit points de distribution situés autour de Paris. La RATP recevait cette énergie dans quatre postes haute tension (PHT) : Montessuy mis en service en 1962, Père-Lachaise en 1963, Lamarck en 1964 et Denfert en 1968. Ceux-ci abaissaient la tension du courant à 15 000 V alternatif et le distribuaient à leur tour à de nouvelles entités appelées Postes de Redressement (PR) situés près des lignes de métro et de RER. Constitué essentiellement par un transformateur/redresseur, le PR abaisse la tension du courant alternatif 15 000 V et le redresse pour fournir du courant continu 750 V aux lignes de métro et 1 500 V à celles du RER. Des ventilateurs placés en sous-sol assurent la réfrigération des appareils. Les PR n'ont besoin que d'une surface de 100 m² contre 300 à 1 000 m² pour les anciennes sous-stations. Ils sont en général intégrés en rez-de-chaussée d'immeubles.
Plus tard, avec la création du RER et l'augmentation de la demande d'énergie, la RATP reçut du 225 000 V et construisit trois nouveaux PHT : Père-Lachaise C en 1974, René Coty en 1977 et Ney en 1979. Entre-temps, en avril 1974, la RATP mit en service le Poste de commande d'Énergie (PCE) d'où furent télécommandés et télésurveillés les PHT entièrement automatisés et les PR.

La reconversion

Au cours des années, plusieurs sous-stations furent démolies : Barbès, Boulogne, Charenton, Italie, Lamarck, Levallois, Louvre, Montreuil, Montsouris, Neuilly, Pantin, Père-Lachaise, Porte de Versailles, et Saint-Antoine. Toutes furent remplacées par des PR sauf Lamarck, Montsouris et Père-Lachaise où se trouvent maintenant des postes haute tension.
Une seconde catégorie de sous-stations abrite aujourd'hui un ou plusieurs PR et des bureaux : Bastille, Cité, Denfert (Raspail), Duhesme, Opéra, Villette (Stalingrad) et Vincennes (Bérault).
Enfin, alors que la sous-station Laborde est reconverti en « immeuble » d'habitation, la RATP réfléchit sur une valorisation et une réutilisation immobilière des sous-stations Auteuil, La Motte-Picquet Grenelle et Lilas.

...aux postes de redressement discrets.

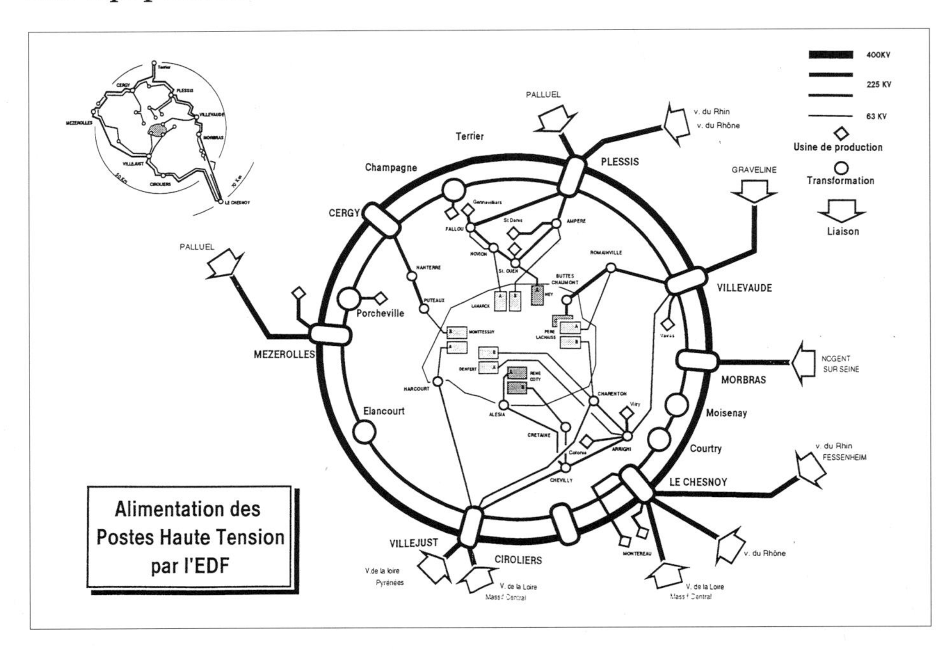

Aujourd'hui

Le courant électrique est fourni à la RATP par les « ceintures » 63 kV et 225 kV d'EDF. Il aboutit dans 6 postes haute tension (PHT) :

• 3 alimentés en 63 kV à Denfert AB, Lamarck AB et Montessuy AB ;

• 2 alimentés en 225 kV à Ney AB et René Coty AB ;

• 1 alimenté en 63 kV à Père Lachaise AB et en 225 kV à Père Lachaise C.

Ces PHT transforment le courant alternatif en 15 kV et le distribuent, pour le métro, d'une part à 125 postes de redressement qui débitent du courant continu 750 V (depuis 1969) et d'autre part à plusieurs centaines d'unités de transformation 15 kV/380 V pour l'éclairage et l'alimentation force (PEF) des équipements auxiliaires (escaliers mécaniques, par exemple). De surcroît, des groupes électrogènes assurent la survie du réseau en cas de défaillance majeure de l'alimentation EDF.

Le poste haute tension de Père Lachaise.

Les PHT furent mis en service progressivement : Montessuy en 1962, Père-Lachaise en 1963, Lamarck en 1964 et Denfert en 1968. Avec l'extension des réseaux de métro et de RER, la demande d'énergie allait croissant. Aussi, la RATP, profitant en outre de l'évolution technologique qui allait toujours dans le sens de la réduction de l'encombrement mit en service trois nouveaux PHT, mais alimentés en très haute tension 225 kV : Père-Lachaise C en 1974, René Coty A et B en 1977 et Ney en 1979. Les PHT, surveillés par du personnel sur place avant 1974, furent à partir de cette date télésurveillés et télécommandés depuis le Poste de commande d'énergie (PCE) établi à côté du Poste de commande et de contrôle centralisé (PCC).

Depuis la catastrophe de Couronnes en 1903, les lignes de métro sont divisées en plusieurs sections d'alimentation, elles-mêmes subdivisées en sous-sections. Aujourd'hui, on peut ainsi, grâce à des appareils commandables à distance depuis le PCC, isoler un tronçon sur lequel il y a un incident et continuer à exploiter le reste de la ligne. Chaque sous-section est alimentée par plusieurs PR. Deux PR adjacents sont toujours alimentés par deux PHT différents afin d'éviter leur arrêt simultané en cas de défaillance de la source. En effet, si l'arrêt d'un PR n'est pas préjudiciable à l'exploitation de la ligne, celui-ci pouvant fonctionner pendant environ deux heures à une fois et demi au-delà de sa puissance nominale, il n'en serait pas de même en cas d'arrêt de deux PR voisins; des mesures de délestage, voire une réduction du nombre de rames en circulation, seraient alors nécessaires.

La coupure du courant de traction en ligne peut s'opérer de plusieurs façons :

• soit automatiquement sous l'effet d'un court-circuit sur la voie ou sur un train (disjonction d'intensité) ;

• soit à distance par action du chef de régulation du PCC ;

• soit localement par enlèvement d'une barrette des Avertisseurs d'alarme (AA) disposés, d'une part sur chaque quai des stations et d'autre part tous les 100 m en tunnel ou sur les viaducs; l'enlèvement d'une barrette coupe le courant du circuit des AA et entraîne la coupure de courant dans une section; la remise sous tension de la section considérée est, sauf procédure exceptionnelle, impossible, tant que la barrette n'est pas replacée.

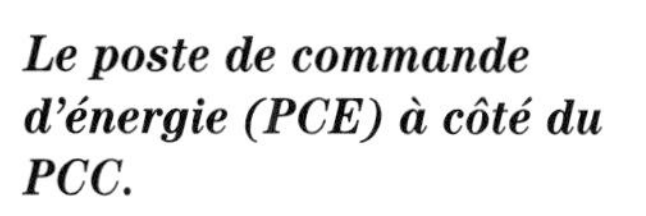

Le poste de commande d'énergie (PCE) à côté du PCC.

Un poste de redressement de deuxième génération (1989).

Vues des faces avant et arrière d'un signal « banjo » du block système Hall sur la ligne 2.

La signalisation

Hier

Dès l'origine, la CMP équipa la ligne 1 d'une signalisation destinée essentiellement à prévenir les rattrapages de rames. Le premier système utilisé fut la signalisation Hall qui avait fait ses preuves aux États-Unis et qui était présenté comme étant des plus simples et des plus efficaces. Cependant, dès la mise en service de la ligne 2, il fut modifié avant d'équiper la ligne 3. Il fut finalement abandonné car son fonctionnement s'avéra très délicat, peu fiable et son entretien coûteux.

Le principe admis dès le départ fut celui de la protection d'un train par deux signaux à l'arrêt encadrant une section tampon. Ce principe existe toujours aujourd'hui avec cependant quelques adaptations.

Sémaphore du block système Hall sur la ligne 2 sud (auj. L. 6).

Le système Hall fonctionnait avec un signal proprement dit, boîte carrée percée de deux feux : un blanc pour la voie libre, un vert pour le signal à l'arrêt. Le choix de cette couleur était motivé par le caractère permissif des signaux à l'arrêt au début de l'exploitation. Un disque occultait l'un ou l'autre des feux, actionné par un relais alimenté par une batterie de piles. En cas d'absence d'alimentation du relais, le signal présentait l'indication d'arrêt. Les trains commandaient l'alimentation du relais ou sa coupure par une tige mue par l'action des roues sur une pédale placée contre la voie. Le principe de fonctionnement était le suivant : lorsqu'un train passait sur la pédale d'un signal, il le mettait à l'arrêt et mettait à voie libre le second signal en amont tout en laissant à l'arrêt le précédent.

La permissivité des signaux à l'arrêt de couleur verte entraîna des abus et même un accident entre Champs-Élysées et Concorde en octobre 1900. Elle fut donc supprimée, les signaux verts devenant rouges d'arrêt absolu. On installa néanmoins dans chaque station des « témoins » de franchissement intempestif de signaux à l'arrêt; les chefs de stations devaient les signaler à l'encadrement qui prenait les sanctions éventuelles.

Sur la ligne 2, il fut adopté une signalisation à signaux normalement fermés (feu rouge). Ceux-ci ne s'ouvraient (feu blanc) qu'à l'approche du train si les conditions de sécurité étaient remplies.

La signalisation Hall faisait appel à des commandes mécaniques fragiles et difficiles à régler; elle fut remplacée à partir de 1906 par le block automatique Métro. Dans ce système, la détection de la présence des rames se faisait grâce à un coupon de rail placé du côté opposé au 3e rail. Les frotteurs inactifs du train mettaient ces barres sous tension à leur passage, commandant ainsi des contacteurs

des lampes des signaux. Sur une optique à deux feux, seul un feu était normalement allumé (le second était de secours) présentant un feu rouge ; le feu blanc s'allumait devant le feu rouge pour le masquer et ainsi indiquer la voie libre. Cette signalisation équipa les nouvelles lignes jusqu'en 1921, en remplacement du système Hall.

Plus intéressante fut à cette époque la signalisation du Nord-Sud qui apparut, dans ce domaine comme dans d'autres, en avance sur la CMP. Le Nord-Sud utilisait un système de block automatique par circuits de voie à courant continu sous faible tension. Si le principe de couverture d'un train par deux feux rouges avait été admis, la signalisation du Nord-Sud autorisa l'entrée d'un train B en station alors même que la section aval n'était pas entièrement dégagée par le train A. De fait, un feu vert autorisait le train B à entrer en station à vitesse réduite. Ce principe fut appliqué plus tard par le métro sous le régime du « signal d'entrée permissif ». En sortie de station, le signal présentait deux feux rouges si le train A se situait entre ce signal et le premier signal en aval (section tampon occupée) et un seul feu rouge au dégagement de ladite section. Lorsque les conditions de dégagement complet étaient réalisées, le signal de sortie passait au feu blanc de voie libre. Cette signalisation fut transformée à la suite du rattachement des lignes 12 et 13 du Nord-Sud au réseau de la CMP.

Avec l'accroissement du trafic, il importait de réduire au minimum l'intervalle entre les trains et ceci nécessitait une signalisation encore plus performante. La CMP s'y employa dès la fin du premier conflit mondial. Prenant exemple sur le Nord-Sud, elle adopta le système du block à circuits de voie double rail alimenté par un courant alternatif 25 périodes. Face à l'impossibilité d'installer l'arrêt automatique des trains, la section tampon fut maintenue. Après quelques hésitations, le principe d'un fonctionnement avec signaux normalement ouverts en absence de train fut adopté. Ce nouveau type de block fut appliqué sur la ligne 9 à titre d'essai entre Exelmans et Trocadéro à partir de la fin 1922. Après accord du Service du contrôle des voies ferrées d'intérêt local, cette nouvelle signalisation fut installée sur toutes les nouvelles lignes, tandis qu'était entreprise la transformation des lignes existantes en commençant par la 1. Par mesure de sécurité, un doublement des relais fut installé afin de pallier tout collage de relais et maintien d'un signal ouvert alors qu'il devrait être normalement fermé.

En 1955, date importante, la RATP adopta les couleurs des signaux que nous connaissons aujourd'hui (code Verlant) :

- le feu vert indiquant le ralentissement fut remplacé par le feu jaune orangé ;
- le feu blanc de voie libre fut remplacé par le feu vert supprimant ainsi tout risque de confusion avec d'autres lampes d'éclairage.

Quant à la signalisation des manœuvres en terminus, elle préoccupa très tôt les techniciens de la CMP. Au début de l'exploitation, les terminus en boucle présentaient des plans de voie simples n'entraînant pas beaucoup de manœuvres. Pour la protection de ces dernières, on utilisait des signaux carrés présentant des feux rouges, verts ou blancs commandés par des commutateurs actionnés par un agent responsable. Les aiguilles étaient, quant à elles, actionnées à pied d'œuvre par des leviers. Un premier essai de manœuvre d'aiguille par moteur et à distance fut fait au terminus Nation 2 pour recevoir alternativement les trains sur l'une des deux voies encadrant le quai central. Un peu plus tard, des commandes d'aiguilles par moteur électrique furent installées sur la boucle d'Auteuil, à Porte de Versailles et à Porte de Saint-Cloud. En 1911, à l'entrée de la station Louis Blanc sur la ligne 7, un aiguillage mû par moteur électrique fonctionnait automatiquement afin d'envoyer alternativement les trains vers Porte de la Villette ou vers Pré Saint-Gervais. Avec la complexité croissante des terminus,

Ci-dessus, de gauche à droite :

Signal d'entrée permissif avec tableau indicateur de vitesse « signal au vert 20 km/h » (auj. « signal au jaune »).

Le curieux signal « olympique » d'entrée permissif à Bastille, sur la ligne 1.

Signal d'aiguille à commande mécanique au-dessus d'un signal d'espacement.

Contrôleur de franchissement des signaux fermés ou éteints, sorte de « mouchard » dont la surveillance incombait au chef de station.

Signal d'espacement ancien modèle.

l'emploi de signaux de manœuvre s'amplifia, tandis que se perfectionnait la technologie des commandes à distance. Jusqu'au début des années 1950, un signal de block (espacement) et un signal de manœuvre pouvaient être implantés au même endroit et présenter des indications contradictoires, source de danger potentiel. Aussi dans de tels cas, la RATP décida-t-elle de ne laisser subsister que le signal de manœuvre, celui-ci faisant également office de signal d'espacement : feu vert pour la voie libre, feu rouge pour la voie occupée (espacement) ou pour itinéraire non autorisé (manœuvre). Il existait en outre des signaux d'aiguille indiquant la position et le verrouillage d'un appareil de voie.

Aujourd'hui

La signalisation assure la sécurité de la circulation des trains, en ligne, dans les terminus et dans les voies de raccordement. Elle s'impose à tous selon la règle fondamentale que « tout, agent, quel que soit son grade, doit obéissance passive et immédiate aux signaux ». Il existe deux catégories de signaux : optiques et acoustiques. Nous nous en tiendrons aux premiers. Ils comprennent les signaux optiques fixes ou mobiles et ceux des trains.

Les signaux optiques fixes sont divisés essentiellement en signaux d'espacement et en signaux de manœuvres.

La signalisation d'espacement

La signalisation d'espacement (ou de block) est destinée à maintenir la distance nécessaire entre les trains qui se suivent. Les signaux sont implantés à droite de la voie dans le sens normal de circulation.

Pour que la signalisation d'espacement des trains fonctionne, il faut que la voie soit divisée en « cantons » (circuit de voie ou cdv) dont l'entrée est protégée par un signal. Deux cantons consécutifs étaient séparés, il y a quelques années, par des joints isolants, alors qu'aujourd'hui il existe des circuits de voie sans joint, chaque cdv étant parcouru par un courant alternatif de fréquence différente ne se « mélangeant » pas aux autres. En l'absence de train, tous les signaux présentent le feu vert de voie libre. La détection d'un train dans un canton se fait par un court-circuitage du cdv par les roues du train ou ses frotteurs négatifs pour les matériels sur pneu. Chaque train est généralement protégé par deux signaux présentant un feu rouge.

Il existe des signaux d'espacement d'entrée de station (repérés par la lettre E), des signaux de sortie de station et éventuellement des signaux intermédiaires (repérés I avec indices selon leur nombre). Les signaux d'espacement présentent des feux circulaires disposés verticalement : vert pour la voie libre, rouge pour l'arrêt, jaune pour l'avertissement. Cette dernière indication est présentée par des signaux appelés « répétiteurs » précédant les signaux placés notamment en courbe et dont la distance de visibilité est inférieure à la distance de freinage. Ils présentent : le feu vert lorsque le signal répété est vert, le feu jaune lorsque le signal répété est rouge. Un signal d'espacement peut aussi assurer le rôle de répétiteur (repérage I + R); dans ce cas, il peut présenter trois indications : vert, rouge (espacement) ou jaune (répétiteur).

Afin de resserrer l'intervalle entre deux trains et ainsi accroître la capacité de transport, le principe fondamental de protection d'un train par deux signaux présentant un feu rouge a reçu quelques aménagements qui cependant respectent totalement la sécurité des circulations : le « signal d'entrée permissif », le « signal à déblocage anticipé » et le « signal avancé ».

Le « signal d'entrée permissif » en station possède trois feux : vert, jaune et rouge. Il permet à un train B d'entrer en station, lorsque le train A qui le précède a dégagé le quai de la station et se trouve à une certaine longueur après le signal de sortie. Dans ce cas, la section tampon n'existe pas et le train A n'est protégé que par un signal rouge (signal sortie). Le train B entre en station à une vitesse réduite – inscrite sur un tableau indicateur de vitesse – et y marque son arrêt normal.

Le signal « à déblocage anticipé » est suivi d'un « signal avancé » dont le fonctionnement est simultané avec celui du signal d'entrée. Cette configuration permet à la fois de garder la section tampon avec deux feux rouges consécutifs et de réaliser une ouverture rapide des signaux permettant de resserrer l'intervalle entre les trains.

La signalisation de manœuvre

La signalisation de manœuvre est implantée là où se trouvent des aiguillages, donc des itinéraires différents qui peuvent être sécants, divergents ou convergents :

- en terminus pour les manœuvres d'arrivée et de départ, de garages et de dégarages des trains ;
- aux extrémités des raccordements de lignes entre elles ;
- en ligne, aux diagonales de changement de voie pour l'exploitation en service provisoire, lors d'incidents notamment.

Repérés par une lettre éventuellement suivie d'un indice, les signaux de manœuvre comportent deux ou trois feux de forme rectangulaire et disposés horizontalement :

- feu rouge fixe commandant l'arrêt absolu ou, pour certains signaux, feu rouge clignotant permettant leur franchissement en marche à vue jusqu'à la position de garage sur une voie partiellement occupée (signal de manœuvre équipé d'un bouton d'autorisation de circuler et repéré par le signe « * ») ;
- feu vert autorisant le passage ;
- feu jaune, associé à un tableau indicateur de vitesse (TIV), autorisant le passage à la vitesse indiquée jusqu'au signal de manœuvre suivant ou le TIV suivant ou encore le point d'arrêt normal en station.

Les signaux de manœuvre sont commandés depuis les postes de manœuvre locaux. En ligne, ils font également office de signaux d'espacement, leur fonctionnement étant commandé par les trains. Dans ce cas, ils sont toujours précédés d'un répétiteur pouvant présenter deux ou trois indications : un vert pour signal de manœuvre vert, un jaune pour signal de manœuvre rouge, deux jaunes dans le cas d'un signal de manœuvre présentant un jaune. Si, en même temps, le répétiteur fait office de signal d'espacement, il peut présenter trois ou quatre indications : rouge, vert, un jaune ou deux jaunes (dans le cas d'un répétiteur d'un signal de manœuvre présentant trois feux).

Les indicateurs

On trouve des indicateurs donnant divers types d'informations complémentaires aux conducteurs.

Les tableaux indicateurs de vitesse (TIV) prescrivent la vitesse limite à ne pas dépasser (chiffres blancs sur fond noir), soit en ligne, soit lors du franchissement d'une aiguille en voie déviée ; dans ce dernier cas, ils sont associés au signal de manœuvre précédant l'appareil de voie.

Les indicateurs de direction ont pour objet de renseigner les conducteurs sur la voie qu'ils vont emprunter après franchissement d'un signal de manœuvre si celui-ci ne donne pas d'indication suffisante.

Placés généralement à la sortie d'une station précédant un sectionnement électrique automatique, les indicateurs d'alimentation en énergie électrique font connaître aux conducteurs l'état d'alimentation de la voie en aval. Ils présentent une croix blanche lumineuse sur fond noir (+) si la voie est sous tension, ou un signe – dans le cas contraire.

En outre, dans chaque station, il existe un boîtier regroupant plusieurs indications :

- le départ sur ordre (DSO) constitué de trois petits feux blancs clignotants disposés en triangle permettant de retenir les trains en station ; son allumage dépend d'une commande du chef de régulation, du fonctionnement de la régulation automatique, de la commande d'un service provisoire signalisé ou de la mise hors tension de tout ou partie de la ligne ;
- l'indicateur « AA HS » clignotant sur fond bleu informe les agents que le circuit des avertisseurs d'alarme (AA) est hors service et donc inopérant pour interrompre le courant de traction ;
- l'indicateur clignotant sur fond orange SS (service de sécurité) ou SSO (service de sécurité sur ordre) est allumé en cas de dysfonctionnement de la signalisation ; il impose certaines règles de circulation aux conducteurs.

Il existe d'autres indicateurs comme le « SP » indiquant aux conducteurs qu'un service provisoire est commandé, les plaques éclairées « Arrêt » ou « Limite de manœuvre », les pancartes « Personnel sur les voies » ou « CM » conduite manuelle en cas de défaillance du système de pilotage automatique, etc.

Signal de manœuvre à deux feux, implanté sur un mât ; vue prise en pose au moment du changement d'indication du signal (ce qui explique l'illusion de l'allumage des deux feux).

Indicateur d'alimentation en courant de traction.

Boîtier DSO, AA HS, SS et SSO.

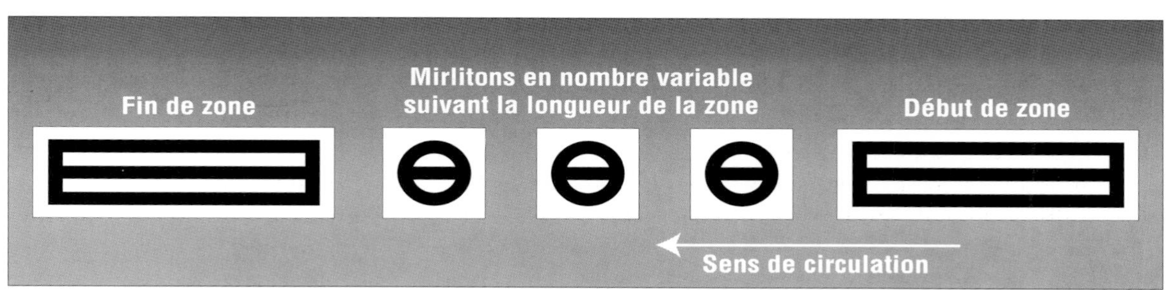

Repérage sur les piédroits du tunnel d'une zone de visibilité réduite.

Signaux d'espacement

Normal à 2 feux, avec TIV

Extérieur à 2 feux à fibre optique, avec TIV

Signal de sortie (S) et répétiteur (R) du signal de manœuvre à 3 feux (M1-2)

Vitesse maximale sur voies principales (sauf TIV contraire) : 70 km/h pour les trains de voyageurs, 40 km/h pour les trains de service.
Vitesse maximale à la traversée des stations franchies sans arrêt : 30 km/h.

TIV de chantier

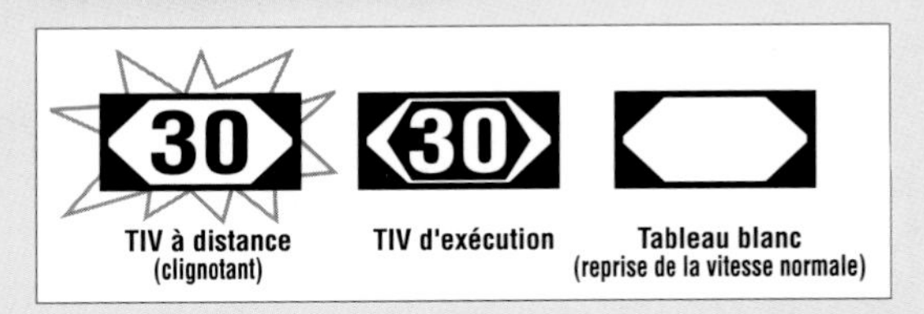

Signal d'entrée permissif, avec TIV

Signal d'entrée permissif extérieur à fibre optique

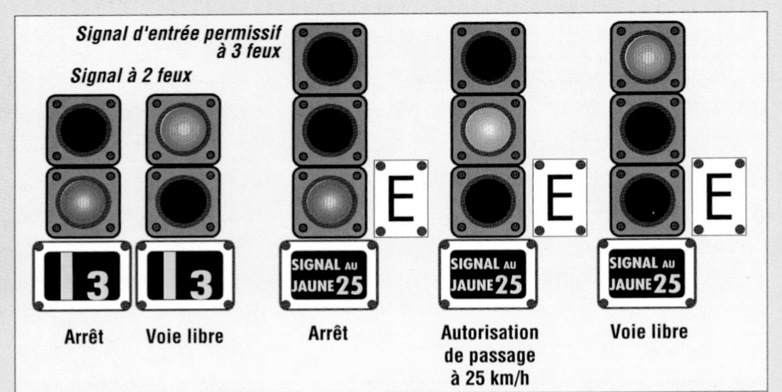

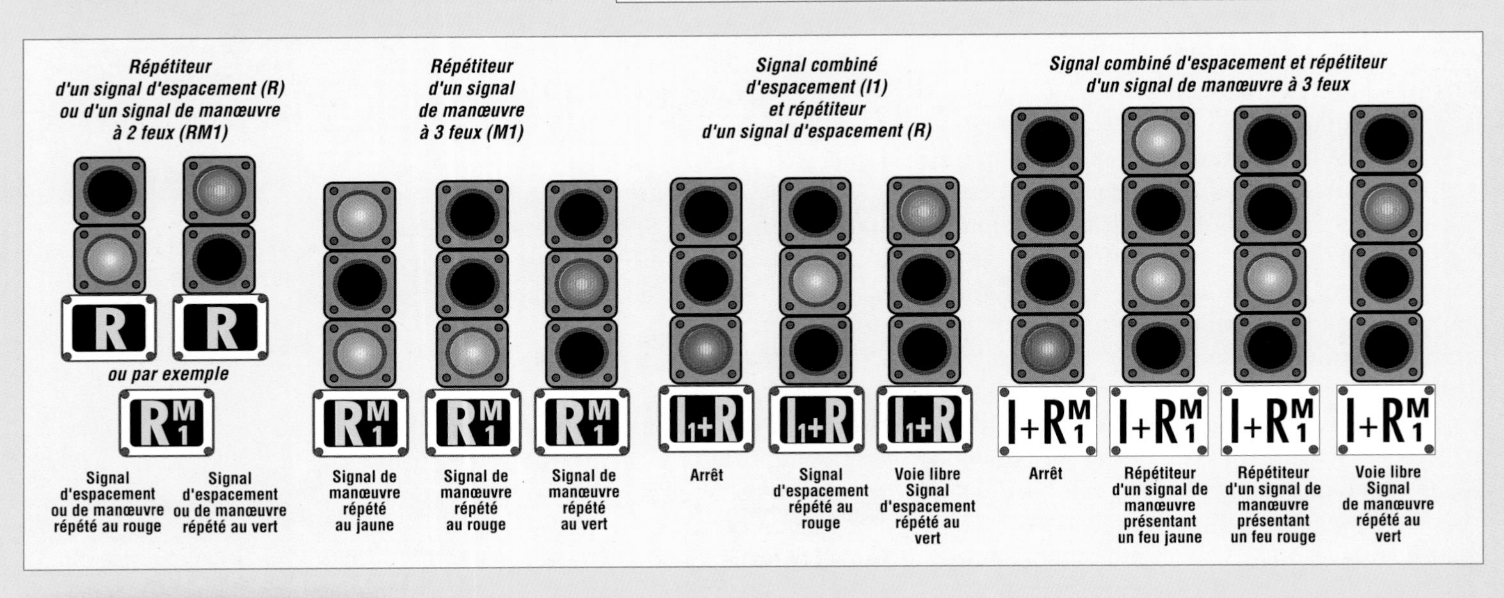

Signaux de manœuvre

Signal de manœuvre à 3 feux (M1-2)

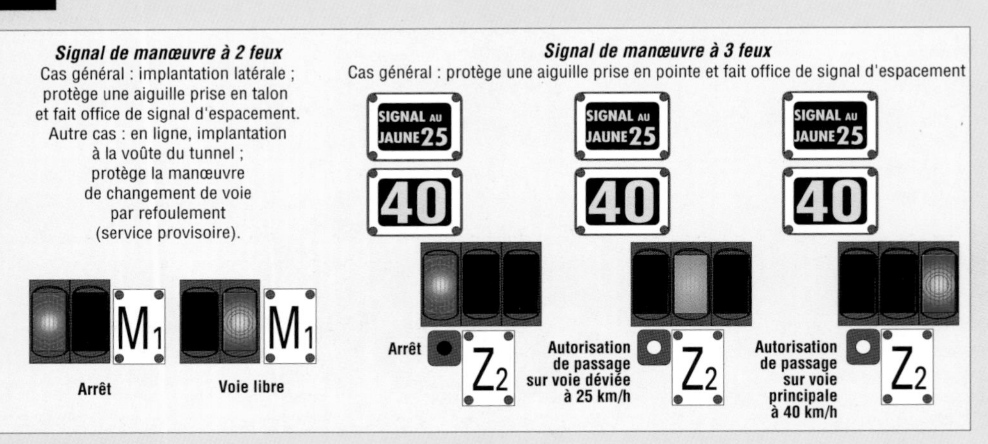

Fonctionnement de la signalisation d'espacement - Principe général

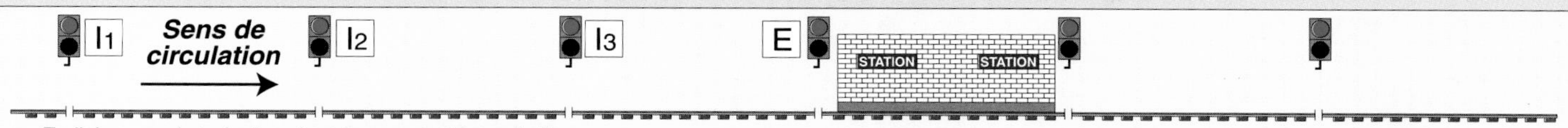

I1 *Sens de circulation* → I2 I3 E STATION STATION

En l'absence de train, tous les signaux sont à « voie libre »

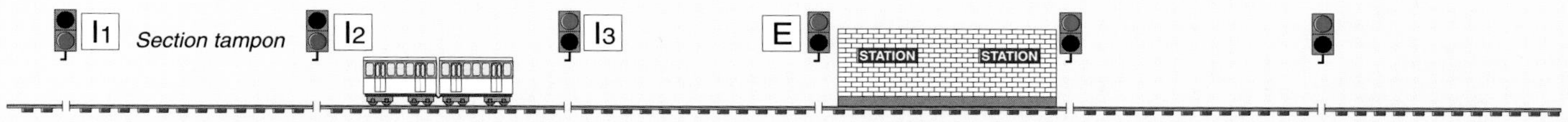

I1 *Section tampon* I2 I3 E

Au fur et à mesure de sa progression...

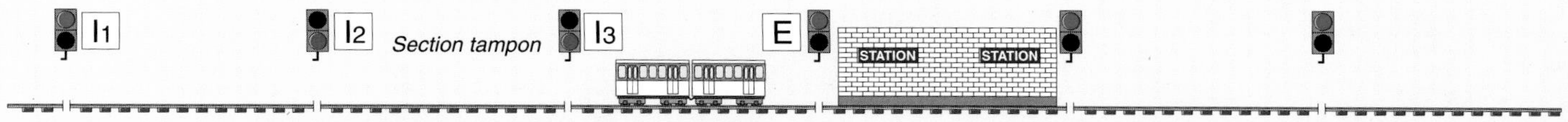

I1 I2 *Section tampon* I3 E

...le train est couvert par 2 feux rouges encadrant une section dite « tampon »

I1 I2 *Section tampon* I3 E

Dès l'entrée dans un canton, le signal protégeant ce dernier passe au rouge ; les 2 signaux en amont du train restent au rouge

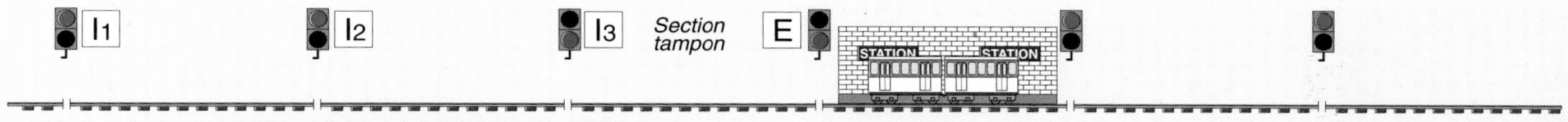

I1 I2 I3 *Section tampon* E

Dès la libération du canton précédant la station, le signal I2 s'ouvre

Fonctionnement d'un « signal entrée permissif » (E)

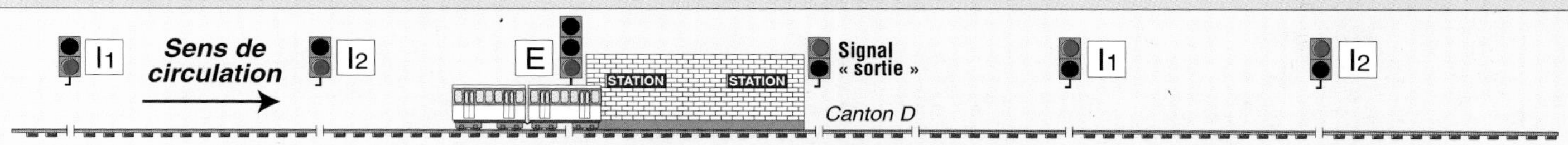

I1 *Sens de circulation* → I2 E **Signal « sortie »** *Canton D* I1 I2

Dès l'occupation de l'entrée du canton, le signal protégeant ce dernier passe au rouge ; les 2 signaux en amont du train restent au rouge

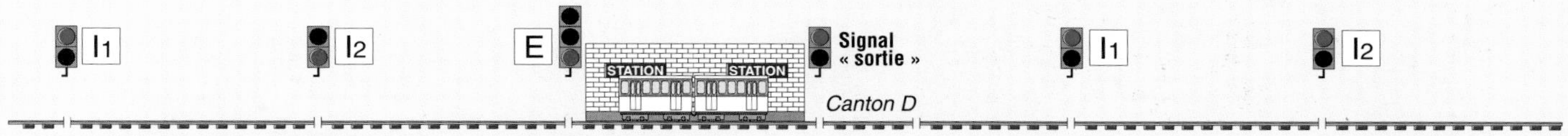

Dès la libération du canton précédant la station, le signal I1 s'ouvre

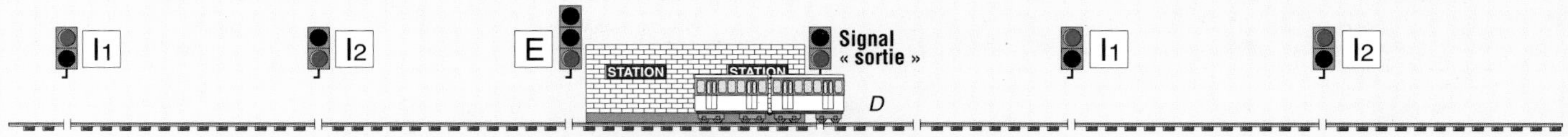

Dès l'entrée dans le canton D, le signal « sortie » présente un feu rouge ; les signaux I2 et E restent au rouge

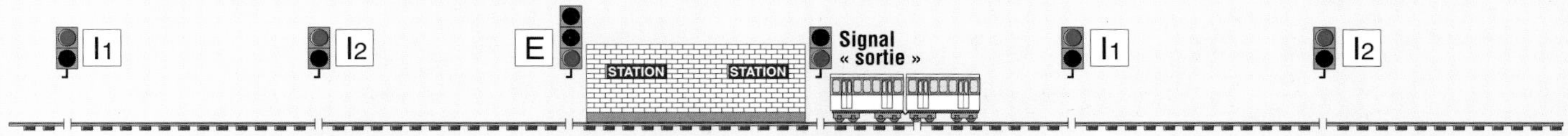

Dès la libération du canton en station, le signal I2 s'ouvre, les signaux E et « sortie » restent au rouge

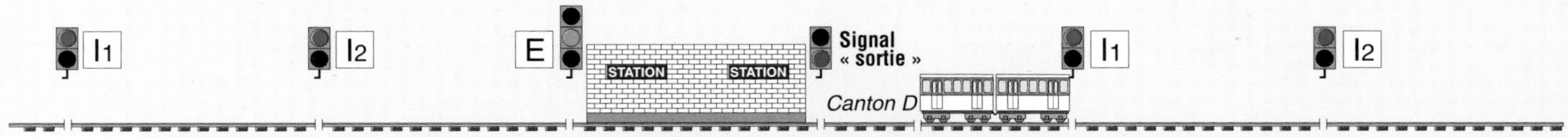

Dès la libération du canton D, le signal E s'ouvre et présente un feu jaune, le train n'étant protégé que par le seul signal « sortie »

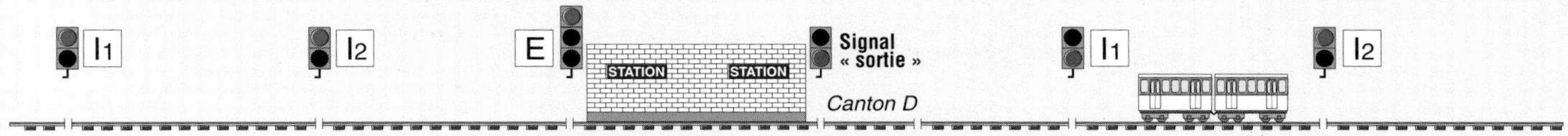

Dès la libération du canton suivant le canton D, le signal E présente un feu vert ; le signal « sortie » reste au rouge

Les stations

Les accès

Les quais, les couloirs, les salles et les accès furent réalisés par la CMP, la société concessionnaire chargée de l'exploitation du métro.

C'est en 1899, que la CMP lança un concours d'édicules destinés aux accès du futur métro. L'entrée des édicules devait être dotée d'un rideau de fer, les trois faces fermées devant être vitrées « sur la plus grande hauteur possible, à partir de un mètre environ du sol ». Chaque édicule devait être « orné d'une frise pouvant recevoir des caractères très apparents, éclairés par transparence pendant la nuit, portant l'indication : Chemin de fer métropolitain ». Les résultats ne donnèrent pas entière satisfaction et les projets des premiers primés furent donc refusés. Le Président du conseil d'administration, Adrien Bénard, suggéra de s'adresser à un architecte de l'Art nouveau, Hector Guimard. Bien que ne s'étant pas présenté au concours, Guimard accepta immédiatement de réaliser des entrées solides et esthétiques. Toutes ne reçurent pas des édicules, un entourage simple fut aussi dessiné par Guimard.

Grâce à des éléments modulables en fonte, il put réaliser des édicules de dimensions variables qui furent posés jusqu'en 1913, soit neuf ans après la rupture entre l'architecte et la CMP. Cependant, les édicules furent peu nombreux. Les plus remarquables furent ceux de Bastille et d'Étoile, où de véritables pagodes aux dimensions généreuses symbolisaient la magnificence de la première ligne du métro parisien.

Malheureusement, ces ouvrages ont aujourd'hui disparu, il ne reste plus que des entourages classiques dont la symbolique fait largement appel au monde floral en faisant apparaître la lettre M sur les cartouches des accès principaux. Deux petits édicules sont encore visibles, l'un à Porte Dauphine (L. 2) et l'autre à Abbesses (L. 12).

De haut en bas et de gauche à droite, un échantillonnage d'accès Guimard :
- l'ancien édicule de la station Hôtel de Ville (rue Lobau), remonté à Abbesses ;
- la « libellule » de Gare de Lyon ;
- entourage classique ;
- entourage de largeur réduite.

HECTOR GUIMARD

Hector Guimard est étroitement associé à l'image du métro parisien. Appelé par la CMP, rejeté, oublié, ses œuvres encensées, décriées, certaines détruites, Guimard retrouve aujourd'hui avec ses accès aux stations une vogue que seule explique peut-être un trop long, trop grand et trop injuste mépris. En cette fin de XXe siècle, le style Guimard est l'un des repères de la RATP dans la ville.

Né à Lyon le 10 mars 1867, Hector Germain Guimard entre en 1882 à l'École nationale des arts décoratifs à Paris. En 1885, il est reçu à la section d'architecture de l'école des Beaux-Arts. En 1888, il reçoit sa première commande : la construction d'un restaurant café-concert à Auteuil. En 1889, dans le cadre de l'Exposition universelle, il réalise un modeste Pavillon de l'électricité en bois et céramique mêlant styles néo-gothique et oriental « japonisant ».

En 1894 Guimard, alors âgé de 27 ans, reçoit sa première commande d'importance : un immeuble pour une dame Élisabeth Fournier, situé rue La Fontaine dans le XVIe arrondissement de Paris. La construction du Castel Fournier, comme l'appelle Guimard, débute en 1895, année où il rencontre l'architecte belge Victor Horta père de l'Art nouveau. Guimard a dessiné à la fois le décor des façades et le décor intérieur (portes, vitraux, serrures, mosaïques, éclairage, meubles). La proximité de l'immeuble avec l'ancien hameau Béranger fait que bientôt est adoptée l'appellation de « Castel Béranger » désormais passée à la postérité. En 1896, Guimard est nommé professeur de perspective à l'École nationale des Arts décoratifs et dessine de nombreuses constructions.

En 1899, le Castel Béranger, où Guimard vit, est primé au concours de façades de la Ville de Paris. La même année, un jury examine les projets d'accès aux stations de métro qui ouvriront en 1900. Guimard n'y participe pas, mais les résultats du concours s'avérant décevants, on fait appel à lui. Les dessins doivent être remis le 15 février 1900.

Fidèle à son style, Guimard va proposer édicules, candélabres et enseignes aux formes audacieuses et végétales, modulables en fonction des différents sites. À Étoile et Bastille, ce sont des pavillons chinois, pour les autres stations de la ligne 1, mais aussi de la 2, de la 3, de la 4 et de la 5 (et 6), les édicules et entourages offriront aux Parisiens de la Belle Époque de véritables sculptures en fonte avec boucliers en forme d'écusson, candélabres arborescents avec lanterne-cabochon orange, alphabet exclusif.

Mais avec ses réalisations « métropolitaines », la cabale se déchaîne contre ce que Le Figaro de l'époque appelle « ces rampes contorsionnées, ces lampadaires bossus ». La CMP hésite — il ne faut surtout pas déplaire aux Parisiens –, mais continue d'installer des entourages simples à défaut de pavillons exotiques jusqu'en 1913. À cette époque, Guimard a déjà rompu avec la CMP, officiellement pour des raisons financières, la société concessionnaire faisant appel à d'autres comme Cassien-Bernard pour réaliser les entourages des stations.

Après la guerre de 1914, Guimard accompagne son époque qui commence à subir les contraintes économiques et sociales. La technique prend le dessus, le béton arrive et le style Guimard s'assagit. Il construit des pavillons standardisés et des immeubles de rapport et montre toujours un art certain pour occuper au mieux les plus petites parcelles de terrain.

Au cours des dernières années de sa vie, il fustige le « nu » architectural qui « donne autorité à l'ingénieur ». Marié depuis 1909 à une artiste-peintre américaine, Guimard part s'installer à New York en 1938 et y meurt en mai 1942 dans l'indifférence totale de ses confrères.

La « pagode » Guimard de Bastille, détruite en 1962.

Page ci-contre, de gauche à droite et de bas en haut :
- édicule en béton de Place des Fêtes ;
- édicule en béton de la station Vaneau, avec auvent auquel sont accrochées deux enseignes ;
- deux générations de mâts à la station Bastille ;
- l'un des types d'accès à une station aérienne (ici, Chevaleret sur la ligne 2 sud, en 1909).

À partir de 1910, alors que le style Guimard n'était déjà plus à la mode, le Nord-Sud réalisa des accès en céramique et fer forgé plus sobre, mais d'aspect néanmoins riche et soigné. Le mot « Métropolitain » apparaissait en blanc sur fond rouge visible de loin. D'ailleurs, dès 1904, les accès des grandes stations faisant face à des monuments, tels que l'Opéra ou la Madeleine ou encore place de la Concorde, furent dotés de balustrades en pierre de taille dessinés par l'architecte Cassien-Bernard. Avec l'abandon du style Guimard, plusieurs architectes furent chargés par la CMP de concevoir des entourages d'accès où prédominait le fer forgé avec toujours un style à la fois sobre et simple.

L'entourage des stations porte un plan de réseau, rajouté postérieurement sur les entourages Guimard. Les porte-plans ont eux aussi évolué dans le temps avec éclairage extérieur (type Gobert) puis intérieur vers 1930, intégration du mot MÉTRO en lettre bleues sur fond blanc (type Sarrailh), etc.

Le « signal » (on dirait aujourd'hui « totem») indiquant aux voyageurs où se trouvaient les accès portait bien sûr le mot « Métro » ou « Métropolitain ». Pour les stations Guimard, l'inscription était portée par deux longues tiges portant à leur extrémité une feuille qui abritait une lampe orange, appelées les « brins de muguet ». Pour les autres, il fallut imaginer un mât indiquant les débouchés du métro sur la voie publique. C'est encore la compagnie du Nord-Sud qui, en 1912, fut la première à placer un tel mât en forme de lampadaire de la Ville de Paris à l'entrée de la station Lamarck-Caulaincourt, peu visible en raison de la configuration des lieux. En 1923, la CMP obtint l'autorisation de la Ville de Paris de placer des candélabres de 4 m de haut portant l'inscription « MÉTRO » éclairée de l'intérieur et surmontée d'un globe éclairant (type Val d'Osne du lieu de leur fonderie). Dans les années 1930, le style des candélabres devint plus sobre, tout en restant semblable aux précédents (type Dervaux).

Apparue déjà avant la Seconde Guerre mondiale, un M rouge entouré d'un cercle bleu, le tout « barré » du mot MÉTRO en blanc sur fond bleu marqua quelques entrées de station. Au fil des ans, les mâts devinrent plus simples, le mot MÉTRO cédant de plus en plus la place à la seule lettre M entourée de deux cercles. C'est encore aujourd'hui le cas, la lettre M étant enfermée dans un petit cercle dans un traitement identique à celui des autres réseaux RER, Bus et Tramway.

Il existe quelques accès de configuration particulière qu'on peut classer en deux catégories : dans des entrées d'immeubles ou dans des édicules. Pour les premiers, c'est souvent par un manque de place sur les trottoirs que les accès aux stations furent intégrés dans des rez-de-chaussée d'immeubles ; il en fut ainsi par exemple à Sentier (L. 3), Riquet (L. 7), Buzenval (L. 9), Miromesnil (L. 9 et 13) ou Pernety (L. 13). Pour les seconds au contraire, la place étant importante, on abrita dans un même bâtiment le débouché des escaliers fixes et des ascenseurs, voire la salle de distribution. On trouve ainsi ces véritables petites gares sur la ligne 3 bis à Pelleport, Saint-Fargeau et Porte des Lilas. On trouve d'autres petits édicules particuliers comme à Vaneau (L. 10), Saint-Jacques (L. 6), Place Monge (L. 7) ou Volontaires (L. 12).

Aujourd'hui donc, les accès des stations du métro parisien sont de styles et d'aspects très divers, marquant chacun une époque de l'évolution du réseau. Notons que les entourages Guimard furent inscrits à l'inventaire des monuments historiques en 1978.

Ci-dessous, entourage en pierre de taille avec inscriptions « MÉTRO » discrètes.

À droite, deux types de candélabres, un « Dervaux » et un « Val d'Osne ».

Les couloirs et les escaliers

La structure type d'une station comprend, outre les débouchés sur la voie publique, la salle de distribution des billets et les couloirs qui la relient d'une part à l'extérieur et d'autre part aux quais.

À l'origine, les stations de la ligne 1 ne disposaient que d'un seul accès à la voirie menant à une salle de distribution des billets d'où deux escaliers descendaient vers les quais. Après la catastrophe de Couronnes en août 1903 où de très nombreux voyageurs périrent asphyxiés, entassés du côté opposé à la sortie, les Pouvoirs publics exigèrent de la CMP qu'elle réalise plusieurs accès de dimensions suffisantes par station. La CMP obtempéra... avec modération, puisque, de nos jours encore, subsistent des stations qui n'ont qu'une seule sortie par quai, comme par exemple Tuileries, Rome, Picpus.

La première volée d'escaliers qu'empruntent les voyageurs est celle qui relie la rue aux couloirs ou à la salle de distribution des billets. Dans une station simple, le principe qui fut rapidement appliqué fut celui de la banalisation des accès depuis la voirie vers les deux directions. Comme les tunnels, les couloirs furent eux aussi établis sous la voirie. Leur tracé était aussi simple que possible

Ascenseurs avec liftiers, au début des années dix. À droite, ascenseur automatique de la ligne 14.

Escalier mécanique des premières générations avec marches à lattes de bois. À droite, escalier mécanique « vert » sur la ligne 14.

afin d'éviter tout embouteillage de voyageurs susceptible de créer une panique. En conséquence, des couloirs à sens unique furent construits avec portes ou battants verrouillés dans un sens ou, s'ils étaient suffisamment larges, à double sens mais avec séparation physique des flux de circulation des voyageurs. En outre des « réservoirs » furent construits à partir de 1924, avant ou après contrôle, pour que les voyageurs puissent stationner quand la capacité d'absorption des trains était inférieure au trafic. Il faut savoir que, pendant longtemps, lors du stationnement d'un train à quai, des portillons automatiques ou manuels maniés par les poinçonneurs si le contrôle était en bout de quai interdisaient toute entrée sur le quai.

La situation devint plus complexe avec les stations de correspondances entre deux, puis plusieurs lignes, car non seulement les flux de voyageurs étaient multipliés d'autant, mais la topographie imposait des passages dénivelés pour les couloirs d'intercommunication. Pour ce faire, la règle était d'établir des couloirs en pente pour éviter les escaliers quand cela était possible.

Pour les voyageurs, les escaliers sont toujours trop nombreux et sont un élément négatif du transport. Aussi, très rapidement s'est-on attaché à mécaniser les dénivelés par des

ascenseurs ou des escaliers mécaniques.

Pour les ascenseurs, la CMP s'engagea par une convention d'octobre 1906 à en installer à la double condition que la distance verticale entre le sol et les quais soit supérieure à 12 m et que celle séparant la salle des recettes et les quais soit supérieure à 8 m. Les premiers ascenseurs furent installés à République en 1910, puis à Cité et Saint-Michel en 1911. En 1912, deux ascenseurs de grande profondeur furent installés à Place des Fêtes (20,32 m) et à Buttes-Chaumont (28,70 m). À la fin des années 1930, apparurent les premiers ascenseurs automatiques et synchronisés avec le passage des trains.

Inventé aux États-Unis, l'escalier mécanique fit son apparition en France en 1900 à l'Exposition universelle. Le métro reçut son premier escalator en 1909 à la station Père-Lachaise. Six autres furent installés avant 1920, époque où une première amélioration intervint avec une vitesse accrue et un palier à chaque extrémité. En 1930, une quinzaine d'escaliers mécaniques étaient en service. Ils se caractérisaient par une imposante machinerie extérieure placée dans un local spécial et par des marches à structure acier recouvertes de bois. De 1909 à 1966, 86 escaliers de ce type furent installés. En 1966, alors que les plus anciens étaient modernisés avec création de départs et arrivées « à plat », une seconde génération apparut avec une machinerie toujours extérieure, mais de dimension réduite, et des marches en acier à fines rainures ; plusieurs centaines d'escaliers de ce type furent placés entre 1966 et 1981, la mécanisation des dénivelés étant une demande forte des voyageurs à cette époque marquée par la naissance du RER aux stations ultra-modernes. Cette année-là apparut le premier escalier compact à machinerie intérieure et à encombrement réduit. Enfin, en avril 1994, le premier escalier vert à machinerie intégrée et à chaînes de marches sans lubrification fut installé à Auber. Le premier escalier mécanique de ce type fut inauguré en décembre 1994 sur le métro à la station Château d'Eau. La nouvelle ligne 14, pour sa part, est équipée de 42 escaliers mécaniques « verts » qui rencontrent un succès mondial.

Quant aux trottoirs roulants, il en existe sept dans le métro, le premier ayant été installé en octobre 1964 à Châtelet, avant que trois autres ne le soient à Montparnasse-Bienvenüe.

La salle de distribution

La salle de distribution tire son nom à la fois de la vente des titres de transport, mais également de son rôle de carrefour de la station avant que le voyageur ne se dirige vers l'une des destinations offertes (en général au moins deux).

À l'origine, la salle était un lieu étriqué où se trouvait seulement un petit bureau de vente des billets, en général placé le long d'un piédroit. On considéra qu'à partir de 15 000 voyageurs par jour, une station devait être équipée d'une salle des billets en îlot afin de poster plusieurs guichets de vente. L'illustration la plus éclatante en fut le bureau placé dans la rotonde du Nord-Sud à Saint-Lazare.

Bureau de recette en îlot.

Bureau de station destiné principalement à la vente des titres de transport.

Ci-contre, plan indicateur lumineux d'itinéraires (PILI) ; à droite, plan lumineux interactif (PLI).

Lieu de passage obligé, la salle de distribution resta pendant longtemps un lieu peu engageant où fut admis un seul commerce : le marchand de journaux Hachette souvent tenu par des parents d'agents de la CMP. Il fallut attendre 1937 pour que la CMP installe ses premiers Plans Indicateurs Lumineux d'Itinéraires (PILI). Au fil des ans, plus d'une centaine furent mis à la disposition des voyageurs qui apprécièrent toujours cet outil. La relève ne vint qu'au milieu des années 1990 avec l'apparition du Plan Lumineux Interactif (PLI) qui couvre mieux le réseau de métro, notamment les prolongements, et qui inclut désormais les gares et stations du RER, du tramway, le funiculaire et Orlyval. En 1946, les premiers plans de quartiers permirent aux voyageurs de se repérer après leur voyage. Enfin, téléphones, distributeurs de confiseries ou de boissons furent installés, avant que, dans les années 1970, ne se développe à grande échelle l'installation de commerces.

C'est dans la salle de distribution que s'effectuent les opérations de vente des titres de transport. De grosses machines de fonte et de bois éditaient les billets (format 56/31 mm) au fur et à mesure de la demande. Trois types de titres étaient proposés : 1re classe, rose (I), 2e classe, blanc (II) et, aller et retour, vert (AR). Les machines possédaient quatre rouleaux de cartonnette — dont un de secours (S) qui pouvait délivrer les trois catégories de tickets — qu'elles imprimaient et coupaient, tout en comptabilisant automatiquement le nombre de titres distribués. Afin d'éviter une trop grande attente, la CMP mit rapidement en vente des carnets de 10 billets à des prix identiques à ceux vendus à l'unité. En 1930, elle créa les billets demi-tarif, puis les cartes hebdomadaires de travail en 1941.

Ces nouveaux produits réduisirent l'utilisation des machines anciennes qui ne furent pas prévues pour eux, ceux-ci devant être pré-imprimés de façon centralisée. Aussi en 1954, la RATP mit-elle en service de nouvelles machines auto-imprimeuses (les automatickets) capables d'imprimer recto verso 7 titres de transport : carnet de 5 billets

Ci-dessous, machine rotative d'impression des billets (1907).

À droite, une machine « automaticket » avec ses capots ouverts.

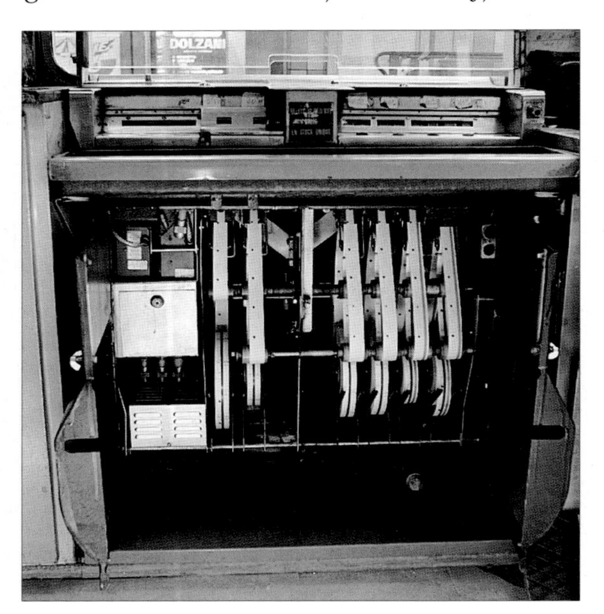

« 2 voyages » ou 10 billets « 1 voyage » en 1re ou 2e classe, tarif normal ou réduit, billets isolés « 1 voyage » par 1, 2 ou 3 à la fois en 1re et 2e classes tarif normal et enfin carte hebdomadaire par 1 ou 2 à la fois.

Après la mise en place sur les premiers tronçons du réseau régional d'un système de péage automatique avec codage magnétique des titres de transport, il fut décidé de l'appliquer à l'ensemble du réseau ferré de la RATP. Bien qu'adaptés à la délivrance de titres précodés en usine, les automatickets qui ne délivraient que des titres pour la zone urbaine ne pouvaient pas s'intégrer à ce nouveau système. Aussi, un nouveau type d'appareil de distribution fut-il progressivement mis en service : les ADAR (Appareils Distributeurs pour Agents Receveurs). Ces appareils imprimaient et codaient les titres de transport, lisaient et analysaient les titres litigieux en cas de réclamation, et assuraient diverses fonctions de contrôle et de surveillance du système de péage local. Les premiers appareils furent installés en 1975 à Nation et à Reuilly-Diderot. À la fin de cette année-là, ils étaient une soixantaine. En 1997, quelque 350 ADAR 73 se trouvaient dans 285 stations.

La mise en place d'un péage automatique entraîna la disparition des agents poinçonneurs. À partir de février 1972 , dans une première étape, ils furent remplacés par des appareils oblitérateurs mécaniques dans lesquels les voyageurs introduisaient leur titre de transport qui libéraient des tourniquets en général tripodes. En septembre 1973, les premiers billets à codage magnétique furent mis en vente, délivrés, on l'a dit, par des machines automatickets modifiées. En octobre de la même année, commença la mise en service progressive des têtes lectrices des péages contrôlées et commandées par les ordinateurs du centre de calcul, le Poste de Concentration des Données (PCD). Ce centre assura en outre le calcul des recettes, l'analyse du trafic, le recueil de statistiques, la surveillance du fonctionnement des appareils de péage. L'équipement du réseau fut achevé en juillet 1974.

Pupitre d'un ADAR.

Tous ces nouveaux équipements entraînèrent la transformation des bureaux de recettes en bureau unique de station. Cette appellation préfigurait l'arrivée des chefs de station, quittant leurs bureaux installés sur les quais. Le personnel présent assura alors les fonctions liées au péage, à la sécurité et à la surveillance des équipements de la station. Ce fut l'opération TAME : Transformation des stations en vue de l'Application des nouvelles Méthodes d'Exploitation.

À côté des ADAR et à l'instar de ceux installés dans les gares du RER, des distributeurs automatiques SATAS furent installés

LE TPV : TERMINAL POINT DE VENTE

Les TPV sont les appareils de fabrication de titres de transport au guichet du début du XXIe siècle. Destinés à remplacer les ADAR, ils équipent peu à peu les bureaux de vente du bus, du métro et du RER.
Le TPV délivre tous les titres de transport proposés par la RATP pour l'Île-de-France. Il accepte tous les modes de paiement, en francs et en euros. Le prix s'affiche de façon claire sur un écran. Il autorise également les échanges de titres de transport défectueux. Le TPV est aussi un outil de contrôle des recettes grâce au Système d'Appareils de Vente et d'Exploitation Unifiée des Recettes. Celui-ci assure le contrôle des recettes, gère les stocks de titres de transport au demeurant très réduits, procure un suivi statistique des ventes et des recettes et répartit ces dernières entre RATP, SNCF et transporteurs privés (APTR et ADATRIF) pour les titres valables sur l'ensemble des réseaux d'Île-de-France.

Après la disparition des poinçonneurs, et avant les titres de transport magnétiques, les voyageurs compostaient eux-même leurs tickets (composteur d'autobus montés sur des tripodes).

À droite, un appareil de contrôle magnétique.

dans certaines stations de métro entre 1969 et 1972. Ils furent réformés en 1992 et remplacés par des ADUP (Appareils de Distribution à Usage du Public) à partir de 1992.

Aujourd'hui, avec le « Nouveau Service en Station », les équipements deviennent de plus en plus sophistiqués. Les stations sont équipées d'ADAR 73 ou d'un terminal point de vente (TPV) et d'appareils distributeurs à usage du public. En outre, l'agent en station, appelé désormais « animateur de station », dispose de moniteurs de surveillance des escaliers mécaniques s'il y a lieu et des zones sensibles, de moniteurs d'information aux voyageur « alimentés » par les postes du PCC et de la PGR (Permanence Générale des Réseaux).

Depuis plusieurs années, la RATP a posé le pied dans l'univers de la billétique avec le Passe Sans Contact. Ce dernier est à la fois un outil de télébilletique, de monétique et multiservice. L'expérimentation, d'abord avec les agents de la RATP, puis avec un millier de voyageurs depuis le mois de mars 1997 dans le cadre de l'opération Francile a donné de bons résultats. Le Passe Sans Contact devrait être progressivement étendu géographiquement et à plusieurs autres titres, comme la carte intégrale ou la carte Imagine R.

Toutefois, la grande nouveauté a résidé dans la création de centres de liaison, véritables plaques tournantes des différents secteurs divisant les lignes. Chaque centre de liaison dispose de plusieurs sources d'information notamment à propos de l'état du trafic sur l'ensemble des lignes du réseau (suivi des trains) et l'ambiance dans les stations du secteur. Grâce à la vidéo-surveillance, la possibilité est donnée aux agents de certains centres de visualiser les quais, les couloirs ou les accès en cas d'incident. Par les multiples liaisons dont ils disposent (avec le PCC, mais aussi avec tous les agents fixes ou itinérants du secteur), ils sont informés de toute perturbation et peuvent, à leur tour, répercuter l'information sur les stations du secteur par la télésonorisation ou le téléaffichage. Enfin, les agents du centre disposent de commandes à distance pour notamment actionner les grilles d'accès motorisées des stations.

Les quais

À l'origine, les équipements étaient sommaires : quelques bancs, le bureau du chef de station sur l'un des quais, les plaques du nom de la station, le tout faiblement éclairé.

Les accès aux quais se faisaient le plus souvent à leur extrémité, mais aussi parfois en différents endroits ou encore en trémie

Station à l'aspect classique, avec nom imprimé dans la faïence.

Station carrossée des années soixante.

Station rénovée en style « Mouton-Duvernet ».

dans le quai quand la place manquait. On a dit qu'après la catastrophe de Couronnes des motifs SORTIE éclairés furent installés. Peu à peu, ces quais froids s'humanisèrent avec l'implantation de distributeurs de confiserie et... de balances, le tout « protégé » par des rambardes qui supprimaient les saillies ainsi créées et déclarées dangereuses en cas de panique. Dans le même esprit, le bureau du chef de station fut encastré dans le piédroit.

Les supports publicitaires firent rapidement leur apparition sur les quais. Plus tard, dans les accès et sur les quais, des objets furent exposés dans des vitrines. Un premier essai de carrossage de station-vitrines eut lieu à la station Franklin D. Roosevelt 9 en 1952. Dans les années suivantes, d'autres stations comme Opéra 3, Chaussée d'Antin 9, Saint-Paul, Franklin Roosevelt 1 ou République 3 reçurent divers carrossages publicitaires. Dans la lancée, la RATP opta pour une standardisation du carrossage métallique des stations destiné à valoriser les cadres publicitaires et, pensait-on, à moderniser l'aspect considéré comme vieillot des carreaux de faïence blancs. C'est l'ensemble des stations de la ligne 12 qui fut carrossée en couleur jaune avec entourages verts en 1959-1960.

Station décorée en style « Motte ».

Station prototype décorée en style « Ouï-dire ».

Quelque cinquante autres stations furent carrossées entre 1960 et 1963, puis une vingtaine d'autres jusqu'en 1967.

On s'aperçut cependant que ce style de décoration entraînait d'importants problèmes d'entretien, notamment des ouvrages proprement dits masqués par les carrossages. On s'orienta donc vers de nouvelles décorations sans carrossage avec des résultats plus ou moins heureux comme à Odéon 10 dotée d'un revêtement granuleux de couleur rose et remplacé depuis.

Un nouveau parti de décoration lié à la rénovation des stations fut adopté à la fin des années 1960. Les carreaux de la voûte étaient enlevés et le gros oeuvre peint en couleur sombre. Sur une hauteur de 2 m, les carreaux blancs biseautés étaient remplacés par des carreaux plans de couleur orangée, le bandeau d'éclairage prenant la même couleur. La première station à être dotée de cette décoration fut Mouton-Duvernet sur la ligne 4, une vingtaine d'autres le furent ensuite.

En 1973, un Comité d'esthétique présidé par le directeur général, M. Giraudet, et dans lequel siégeait notamment M. Motte, décorateur, proposa un nouvel aménagement avec un retour en force du carreau blanc biseauté symbole du métro parisien, mais mis en valeur par deux lignes de couleur, l'une au niveau du bandeau d'éclairage, l'autre à celui des sièges. En 1974, trois stations prototypes furent décorées de la sorte : Pont Neuf en orange, Ledru-Rollin en bleu foncé et Voltaire en jaune, le carrelage blanc biseauté en bon état étant conservé. En 1975, la station Jussieu 7 et 10 fut rénovée selon les mêmes principes mais avec des carreaux plats. En 1976, 1977 et 1978 plusieurs autres stations furent rénovées dans le style « Motte » avec d'autres couleurs, dont Concorde 1 (rose tyrien), la première à couverture métallique.

Quelques stations « Motte » furent transformées en stations culturelles — Hôtel de Ville 1 et Varenne — ou dotées d'aménagements culturels à Chaussée d'Antin 7 et 9 ou Pont Neuf-La Monnaie. Quant aux stations neuves, le style Motte s'y appliqua pour certaines avec les adaptations rendues nécessaires par leur configuration en cadre avec présence de mezzanine comme à Fort d'Aubervilliers ou Mairie de Clichy.

Au total, une centaine de stations furent rénovées dans ce style entre 1974 et 1984, tandis que se profilait déjà un nouveau concept de rénovation, domaine décidément très inconstant. Après concours, il revint au Groupement d'intérêt économique « Ouï-dire » d'entreprendre la rénovation complète de la station Stalingrad 7 avec conservation du car-

L'ÉCLAIRAGE DES STATIONS

Avant la catastrophe de 1903, l'éclairage des stations était alimenté en 600 V continu (le même que le courant de traction) distribué par des fils électriques, appelés feeders, suspendus à la voûte et non protégés. Après la catastrophe, l'éclairage « normal » fut complété par un éclairage « protégé » distribué par des feeders disposés dans des caniveaux le long du ballast. Le premier, dont l'alimentation provenait des sous-stations, concernait le quai 2 et une partie des accès et du tunnel, tandis que le second alimenté par des batteries d'accumulateurs était affecté au quai 1, à l'autre partie des accès et du tunnel et aux motifs SORTIE des deux quais. En outre, à la demande des conducteurs qui avaient du mal à distinguer l'entrée des stations à cause du faible contraste entre leur éclairage et celui du tunnel, les cintres de voûte furent dotés d'ampoules leur permettant d'appréhender facilement les extrémités des stations. Pour l'ensemble des montages, les ampoules de 120 V étaient branchées par cinq en série. L'éclairement, c'est-à-dire la quantité de lumière reçue par unité de surface éclairée, était alors d'un seul lux.
En 1910, les premiers néons apparurent, mais ne séduisirent pas le métro. Il fallut attendre 1923 pour que des progrès apparaissent dans l'éclairage et l'éclairement. Les lampes à filament de carbone furent remplacées par des lampes « monowatt » de 42 W. Les quais furent équipés de vingt ampoules pour 75 m, l'éclairement passa à 5 lux. Puis, après quelques essais de fluos en 1937, on tenta d'équiper certaines nouvelles stations de banlieue de globes lumineux à raison de quinze diffuseurs omnidirectionnels par quai. Déjà se profilait l'utilisation du courant alternatif ; une vingtaine de stations furent dotées d'ampoules de 100 à 150 W montées sous globe et fonctionnant sous 115 V alternatif. L'éclairement passa alors à 15 lux.
Connu depuis le milieu du XIXe siècle, l'éclairage fluorescent fit son apparition réelle dans le métro en 1937 à Alma-Marceau et à Opéra 8. Pour la première fois, un bandeau lumineux éclairait les stations avec déjà un début de recherche esthétique. À la fin de la Seconde Guerre mondiale, ce type d'éclairage équipa les stations dotées d'une alimentation en courant alternatif, avec un niveau d'éclairement de 30 lux. Progressivement, toutes les stations furent éclairées de la sorte avec généralisation de l'alternatif, proposant un éclairement qui atteignait maintenant les 90 lux.
Alors qu'au début des années 1970 le métro entrait dans une phase de rénovation des stations, l'éclairage des stations fit encore des progrès. Avec le style Mouton-Duvernet, l'éclairement évolua peu, la faïence blanche très lumineuse cédant la place à des parements colorés. Avec le style Motte et son éclairage bidirectionnel, la voûte des stations redevint lumineuse, diminuant par contraste l'éclairement des quais. C'est avec le style « Ouï-dire » que la luminosité s'accrut sensiblement, atteignant les 200 lux.

Quelques exemples de la signalétique de la fin des années quatre-vingt-dix.

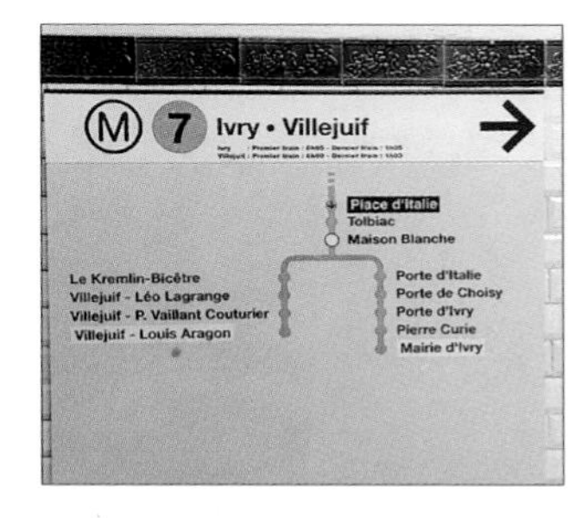

relage blanc, biseauté ou non, éclairage diffusé grâce à des vasques soutenues par des consoles courbes, diffusion d'un éclairage coloré de la voûte, équipement avec deux types de sièges, individuels ou banquette assis-debout. La station fut terminée en décembre 1988, puis ce fut au tour d'une vingtaine de stations d'être réaménagées dans ce style. Il restait cependant à l'époque encore plus d'une centaine de stations à rénover.

Un nouveau style global d'aménagement

En 1992, la RATP mit en place une identité visuelle forte fondée sur un nouveau logo et deux couleurs, le vert jade et le bleu foncé. Dans le même temps, des réflexions tous azimuts étaient menées pour définir l'ensemble des composants de la future ligne Météor afin de « proposer un patrimoine pour demain ». Sur le terrain, les opérations RAVIVER mettaient en regard la valorisation du patrimoine et les fonctionnalités du métro d'aujourd'hui, ces dernières centrées sur une satisfaction « confortable » des besoins du client.

Après différents essais d'aménagements des divers composants d'une station de métro à Dupleix, Château de Vincennes, République ou Place d'Italie, la station Saint-Ambroise sur la ligne 9 a été choisie pour tester une nouvelle charte architecturale (Bruno-Gaudin) de l'ensemble de la station. Cette démarche s'inscrivait dans une nouvelle politique de requalification des espaces publics du métro dans le cadre de l'opération Espace Métro 2000.

Le nouveau visage des stations de métro présente aux voyageurs : des trémies mieux éclairées qui doivent adoucir la descente en sous-sol, des couloirs eux aussi mieux éclairés où les différents volumes sont soulignés en céramique verte, des escaliers mécaniques habillés de verre, une salle des billets à l'éclairage indirect et au mobilier redessiné avec habillage inox et présence d'ADUP, des quais lumineux où la faïence blanche est reine et où le sol est revêtu de clair. On l'aura compris, il s'agit de casser l'image de « trou noir » du métro qui favorisait, entre autre, un sentiment diffus de malpropreté et d'insécurité.

CHAPITRE V

Le matériel roulant

1900-2000 : des premières voitures à essieux rigides aux trains automatiques de la ligne 14, le matériel roulant du métro parisien a connu de nombreux et profonds changements. Marqué pendant des décennies par la suprématie des rames Sprague-Thomson, le réseau a ensuite connu la « révolution » des trains sur pneu, puis l'amplification des livraisons des nouveaux matériels « fer » avant de recevoir la première génération des métros entièrement automatiques.

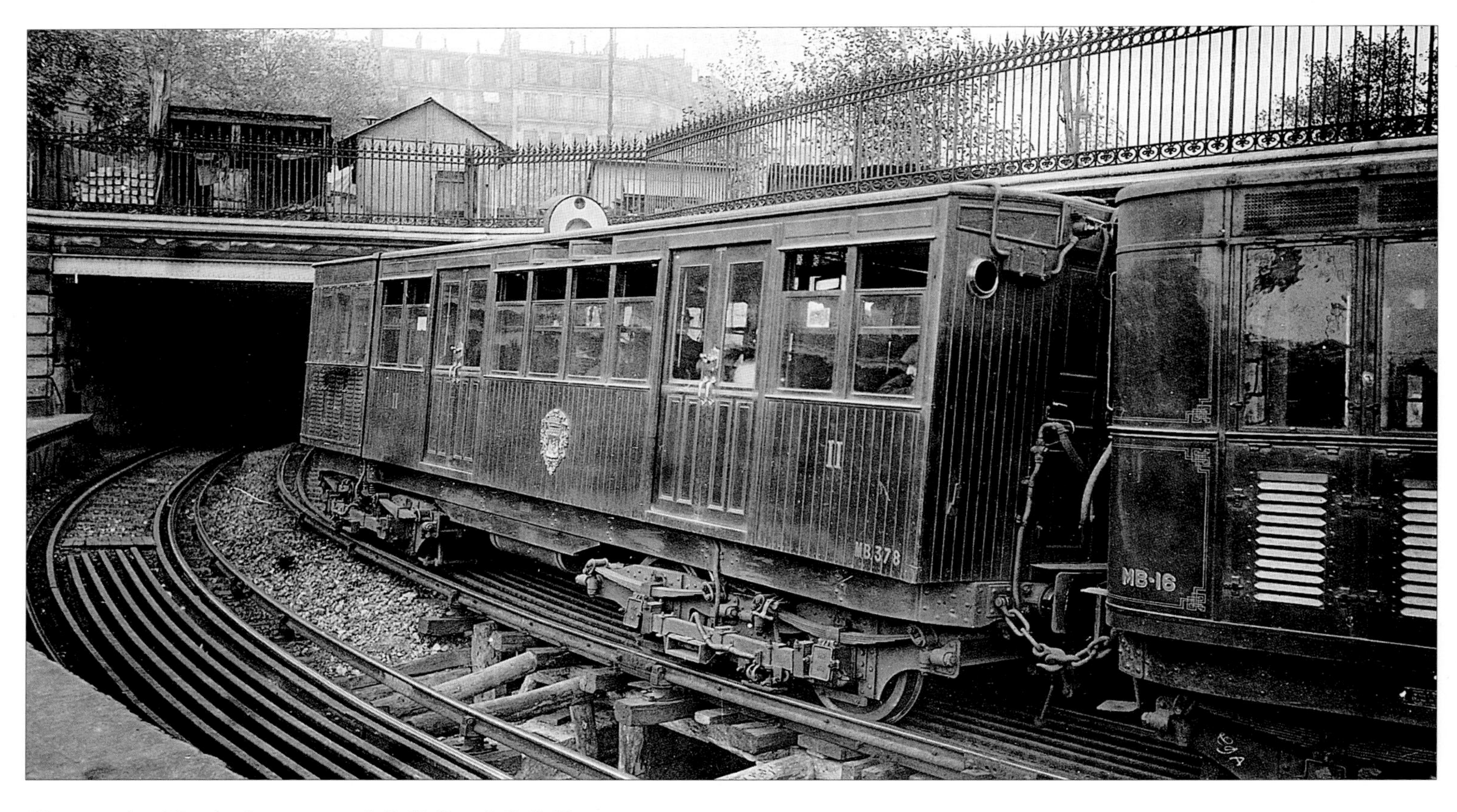

Une motrice Westinghouse à caisse bois et loge métallique sur la ligne 1 à Bastille, en 1904.

1899-1902 : les premiers métros

En juillet 1900, lorsque la ligne 1 ouvrit, les constructeurs de matériels ferroviaires urbains ne savaient construire que des tramways. Aussi, n'est-il pas étonnant que les premières voitures de métro construites en 1899 leur ressemblent.

La société exploitante, la CMP, passa une première commande de 161 voitures :

• aux Ateliers de construction du Nord de la France à Blanc-Misseron, 34 motrices de seconde classe (M 1 à 34), 12 motrices à deux loges de conduite pour l'exploitation des deux « embranchements » (MM 1 à 12);

• à la Société Franco-Belge à Raismes, 74 remorques – on disait à l'époque voiture d'attelage – de seconde classe (B), 31 de première classe (A) et 10 mixte première/seconde (AB).

Toutes ces voitures avaient une caisse en bois percée de deux portes à simple vantail par face (plus une porte de loge, ou deux, pour les motrices), d'une longueur variant entre 7,44 m et 8,88 m. L'intérieur, éclairé par six lampes (plus quatre aux extrémités) abri-

Ci-dessous à gauche, motrice MM (deux loges de conduite) à essieux et portes à un vantail.

Ci-dessous, motrice Thomson à essieux et à portes à deux vantaux.

tait les banquettes en bois en seconde classe et en cuir en première. La caisse était montée sur un châssis reposant sur un truck comprenant les deux essieux rigides et, pour les motrices, les deux moteurs de traction de 125 ch chacun alimentées par frotteurs latéraux. Les motrices étaient commandées par un combinateur de type tramway qui distribuait le courant de traction aux moteurs en établissant les connexions nécessaires à l'accélération. Le freinage à air comprimé s'effectuait grâce à un équipement Westinghouse modérable au serrage.

Très rapidement, la CMP se rendit compte de l'exiguïté des portes à simple vantail qui ralentissaient les échanges de voyageurs. Aussi, sur les nouveaux matériels livrés en 1901, la largeur des portes avait été doublée, tandis que les premières voitures furent rapidement transformées. À l'intérieur, il avait été prévu au droit des portes des plates-formes libres de tout siège pour accueillir des voyageurs debout. Enfin, la circulation de l'air à l'intérieur des voitures fut améliorée.

Former des trains avec une seule motrice tractant trois puis quatre remorques [1] se révéla très vite insuffisant pour écouler un trafic en constante progression. La CMP augmenta la longueur de ses trains, mais une seule motrice n'était pas suffisante, d'autant que le matériel à essieux souffrait d'une forte résistance à l'avancement dans les courbes serrées. Il fallait donc avoir au moins deux motrices par train. Se posa alors le problème de leur commande simultanée par un seul conducteur. L'équipement Thomson double adopté permit de commander par un seul combinateur les quatre moteurs des deux motrices, le courant de traction étant fourni à la motrice arrière par un gros câble passant par les remorques.

Avec la réception des motrices séries 100 et 200, ce « progrès » autorisa la mise en circulation de quelques trains longs de huit voitures sur la ligne 1 à partir de 1902. À l'ouverture de son premier tronçon en octobre 1902, la ligne 2 reçut aussi des trains de huit voitures.

(1) : La CMP dut cependant revenir provisoirement à trois remorques en raison du trop grand nombre de détresses constatées sur les rampes et courbes de la ligne 1.

Motrice Thomson double, prototype à bogies M 302 livré en 1903.

Cependant, la CMP reçut livraison en 1902-1903 de deux motrices prototypes à bogies (M 301 et 302) construites par les Ateliers de construction du Nord de la France à Blanc-Misseron. Longues de 11,15 m, elles étaient constituées d'un compartiment voyageurs en bois à deux portes à deux vantaux et d'une loge de conduite métallique. Elles étaient équipées de deux moteurs de 125 ch. Ces motrices roulèrent sur la ligne 2 jusqu'en 1931. Néanmoins, la CMP s'apprêtait à commander les matériels nécessaires à l'exploitation de la future ligne 3, à essieux rigides, soit 74 motrices et 210 remorques. C'est alors que survint la catastrophe de Couronnes en août 1903

1902-1908 : vers une nouvelle génération

Au-delà des terribles conséquences humaines, la tragédie de Couronnes déclencha une vaste refonte des systèmes de sécurité de l'exploitation du métro et remit en cause la plupart des éléments constitutifs du matériel roulant. Trois innovations lui furent appliquées afin de garantir une sécurité maximale et un confort accru : la construction de caisses métalliques, l'emploi de voitures à bogies et l'adoption du système de traction à unités multiples. Toutes ces mesures furent adoptées progressivement, les différents types de matériels étant appelés à cohabiter tant que les anciens ne seraient pas retirés ou plutôt transformés.

Ce furent d'abord les loges de conduite, où se trouvaient les appareils électriques alimentés en 600 V continu, qui furent constituées d'un compartiment métallique incombustible. Il s'agissait à l'époque de prévenir tout risque d'incendie provenant de courts-circuits. Plus tard, la totalité de la caisse sera métallique. Les bogies, quant à eux, donnèrent entière satisfaction, tant pour l'inscription du matériel dans les courbes qu'au niveau du confort. Il permettait un allongement des caisses à 11 m, voire 13 m. La cause fut donc définitivement entendue. Elle le fut moins rapidement pour l'adoption d'un système de commande des motrices.

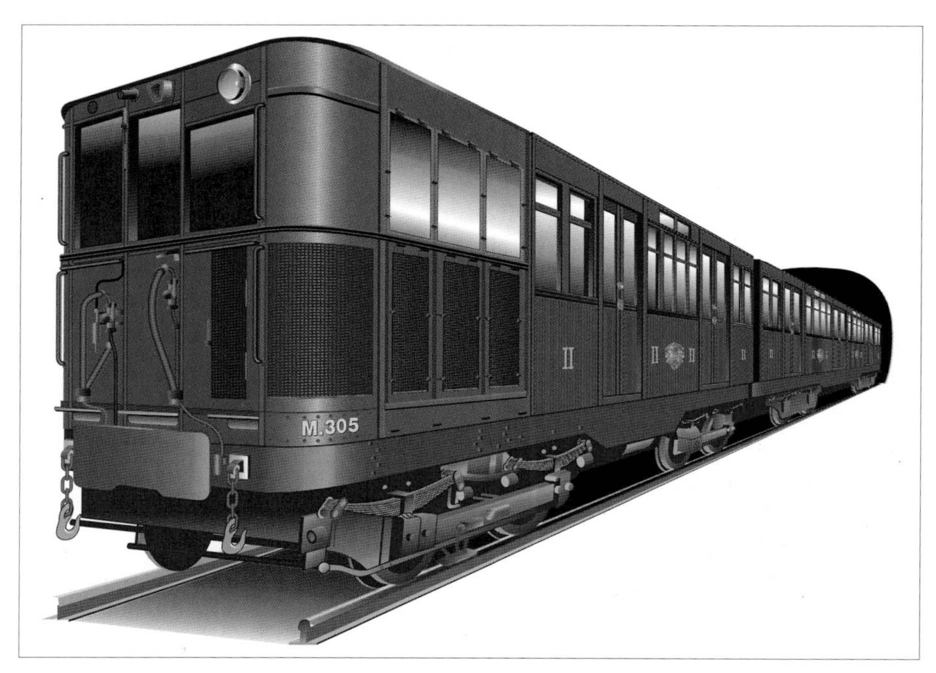

Venant des États-Unis, le système dit à « unités multiples » permettait de commander à distance, depuis la motrice de tête, toutes les autres motrices d'un train qui disposaient de leur propre circuit de traction, et ceci par l'intermédiaire d'une « ligne de train » à courant de faible intensité. Le gros câble qui transportait le courant 600 V tout le long du train disparaissait et avec lui un danger permanent d'incendie. Par ailleurs, on disposait d'une plus grande adhérence et donc de meilleures accélérations toujours utiles dans l'exploitation d'une ligne de métro. Enfin, une avarie sur une motrice ne conduisait plus systématiquement à une détresse du train avarié.

Plusieurs systèmes de commande étaient en compétition :

- le « Sprague multiple », qui utilisait un controller mû par un servomoteur et un inverseur de marche actionné par électroaimants, commandés par des relais alimentés par une ligne de trains à cinq fils; 23 motrices de ce type furent utilisées et transformées en 1912;
- le « Thomson multiple », qui comprenait un inverseur et des contacteurs électromagnétiques avec une ligne de train à neuf fils, le manipulateur complexe comprenant autant de contacts que de crans de marche; le système fut utilisé sur 271 motrices et conservé jusque dans les années 1930;
- le « Westinghouse multiple » qui utilisait un appareillage électropneumatique pour la commande de l'inverseur et des treize contacteurs avec une ligne de train à sept fils; il fut utilisé sur une centaine de motrices jusqu'en 1929.

La CMP passa donc commande de matériels équipés des divers systèmes en présence, montés sur des motrices « courtes » de 10,85 m de long à deux portes par face et dotées de deux moteurs de 125 ch.

Les 14 motrices M 303-316 construites à Ivry par les ateliers de la Compagnie française de matériels de chemin de fer, livrées en 1904, et les 10 motrices 320-329 construites à Blanc-Misseron, livrées en 1905, étaient équipées du système Thomson double semblable à celui des motrices à essieux. Entre-temps, en 1904, apparurent les trois premières motrices Sprague unités multiples (M 317-

Motrice 400 « longue » Thomson multiple, à caisse bois, dont la partie avant est à panneautage extérieur en tôle et loge métallique.

Remorque à bogie de seconde classe à caisse en bois.

319) construites à Ivry. Enfin, la CMP reçut livraison en 1904 de 51 motrices Westinghouse (M 330-380) et 9 motrices Thomson multiples (M 381-389) destinées à la ligne 1.

Décidément très hésitante sur le système de commande, la CMP acheta 81 motrices « longues » dotées du système Thomson multiple : les M 401-436 et 446-490 livrées en 1904-1905 et destinée à la toute nouvelle ligne 3. Longues de 13,35 m, elles possédaient une caisse en bois avec deux portes, prolongée d'un compartiment voyageurs panneauté de métal avec une porte et d'une loge de conduite métallique. Elles se distinguaient des autres motrices par leurs deux moteurs de 175 ch. Neuf autres motrices du même type furent livrées en 1905, mais dotées du système Westinghouse (M 437-445). C'est à cette époque qu'apparurent les premières remorques à bogies longues de 12,45 m. Au 31 décembre 1905, le parc de la CMP se composait de 683 voitures, soit 305 motrices dont 12 à essieux, 241 remorques de seconde classe dont 28 à bogies et 137 remorques de première classe dont 28 à bogies.

En attendant de se fixer sur le meilleur système possible, la CMP étendit son réseau dont le succès croissant demandait davantage de matériels. La CMP décida donc de transformer les « vieilles » motrices à essieux parallèles. La méthode consista à placer sur des châssis neufs les caisses en bois de 10,85 m de long derrière une loge de conduite métallique. C'est ainsi que furent transformées 40 motrices Westinghouse (M 1-34 et 51-56) et 74 motrices Thomson double (M 101-144 et 201-233, à l'exception de trois engins détruits à Couronnes).

En 1906, la CMP exploitait cinq lignes ou tronçons de lignes : Vincennes - Maillot avec des trains de six ou sept voitures, Nation - Dauphine avec des trains de cinq ou six voitures, Étoile - Italie avec des trains de quatre voitures, Gambetta - Villiers avec des trains de quatre ou cinq voitures, Italie - Lancry avec des trains de quatre voitures. La perspective du prolongement de la ligne 5 et de l'ouverture de la ligne 4 entraîna de nouvelles commandes de matériels roulants : 20 motrices Sprague multiple (M 281-300) livrées en 1906 et 36 motrices Thomson multiple (M 245-280), dotées de deux moteurs de 175 ch et légèrement plus longues (10,92 m) livrées en 1907, toutes avec panneautage extérieur en tôle. Enfin, la CMP reçut livraison, fin 1907-1908, des dernières motrices « courtes », des Thomson multiple de 175 ch, et pour la première fois entièrement métalliques (M 57-80).

1908 : le triomphe du système Sprague-Thomson

Les trois systèmes de commande en unités multiples dotant les motrices de la CMP ne donnaient pas entière satisfaction, chacun ayant ses faiblesses qui multipliaient les incidents en ligne. Avec les motrices de la série 500 destinées à la ligne 3, la CMP opta pour un système associant le manipulateur et la ligne de train à cinq fils de Sprague et l'inverseur et les contacteurs électromagnétiques de Thomson dont le principe de fonctionnement était le suivant : la succession des principales phases de démarrage était réglée par le manipulateur, chaque motrice se contrôlant elle-même et assurant l'automaticité de leurs contacteurs. Le manipulateur de commande possédait quatre positions :

1. démarrage en série sur résistances,
2. marche série sans résistance,
3. mise en parallèle des moteurs,
4. suppression des résistances.

Construites par les Ateliers de la Société Lorraine des anciens Établissements De Dietrich et Cie à Lunéville pour les 60 premières et par les Ateliers de Construction du Nord de la France à Blanc-Misseron pour les 47 autres avec une caisse directement fixée au châssis, les motrices 500 (M 491-597), motrices « longues » de 13,35 m à deux moteurs de 175 ch, étaient entièrement métalliques avec trois portes de 1,20 m d'ouverture et grandes vitres avec imposte ; elles pouvaient emmener 76 voyageurs dont 26 assis. De construction très robuste, ces motrices ne disparurent complètement du réseau qu'en 1974, ce qui

Motrice 500 Sprague-Thomson de 1908.

Motrice 600 Thomson multiple de 1909.

marqua, avec 66 ans d'exploitation, un record de longévité.

Face à l'accroissement du trafic, il apparut indispensable de commander de nouvelles voitures. La CMP, toujours hésitante, se décida pour une nouvelle série de 120 motrices Thomson multiple de la série 600 (M 598-717) d'aspect semblable aux 500; elle passa également commande de 74 remorques. Ce matériel fut livré en 1909 et affecté à la ligne 3 qui reversa ses Sprague-Thomson sur la 1. En 1910, un dernier contingent de 21 motrices 600 fut livré (M 718-736), mais avec un équipement Sprague-Thomson. Il faut admirer ici le dynamisme et la clairvoyance de la CMP qui, en 10 ans, sut conduire les mises au point et les modifications du matériel roulant nécessaires à une qualité d'exploitation qui resta un standard jusqu'aux années 1960, malgré les restrictions endurées lors des deux conflits mondiaux.

C'est alors que la CMP entreprit, entre 1909 et 1912, un vaste plan de transformation des anciennes motrices « courtes » à deux portes livrées avant 1907. Un premier lot de 51 motrices fut transformé en 1909 en intercalant un compartiment pour voyageurs debout entre la loge de conduite et la caisse en bois; la longueur fut ainsi portée à 13,35 m À partir de 1910, quelque 140 motrices furent transformées avec panneautage extérieur, les Sprague étant équipées en Sprague-Thomson.

La naissance d'une autre compagnie exploitante du métro parisien, celle du Nord-Sud, proposa aux Parisiens un nouveau type de matériel. Très à l'écoute de tous les progrès techniques, elle mit en service à partir de 1910 sur la ligne A (future ligne 12) des motrices et remorques de 13,60 m de long, à caisses entièrement métalliques très bien suspendues et à trois portes équidistantes par face, peintes de couleurs claires contrairement au matériel de la CMP peint en brun. Pour la première fois, les motrices Sprague-Thomson étaient équipées de quatre moteurs de 125 ch, alimentées selon un procédé original. En marche normale, la motrice de tête était alimentée par un petit pantographe frottant sur un fil aérien axial à + 600 V, tandis que la motrice de queue l'était, elle, par des frotteurs prenant appui sur un troisième rail latéral à - 600 V, les deux rails de roulement étant au neutre. Le freinage, très efficace, s'effectuait grâce à l'appui de seize sabots par bogies contre huit à la CMP.

En 1913, le parc du matériel roulant de la CMP comptait 703 motrices dont 12 encore à essieux parallèles, 270 remorques de première classe dont 108 à essieux, et 335 remorques de seconde classe dont 155 à essieux.

Motrice Sprague-Thomson du Nord-Sud, équipée d'un petit pantographe.

La guerre de 1914 allait figer complètement les livraisons de matériels nouveaux. La CMP en profita pour équiper, entre 1915 et 1916, les portières des voitures en poussoirs électropneumatiques permettant de les fermer à distance.

Des « petites loges » aux « quatre moteurs »

Les motrices construites avant la guerre possédaient toutes une grande loge de 2,50 m où étaient placés les équipements de traction. Cependant, on avait assisté à une première réduction de la loge à 1,90 m avec la série 700. Avec la série 800, la plupart des équipements furent placés sous le châssis, disparaissant de la loge de conduite dont la longueur put être ramenée à 1,08 m. Par ailleurs, la longueur de la caisse fut à nouveau augmentée et passa de 13,35 m à 13,60 m; la capacité en voyageurs en fut sensiblement accrue avec 104 places dont 26 assises.

Les 225 motrices Sprague-Thomson de la série 800 (M 812-1004, M 1005-1022 à deux loges et M 1023-1036) furent commandées en

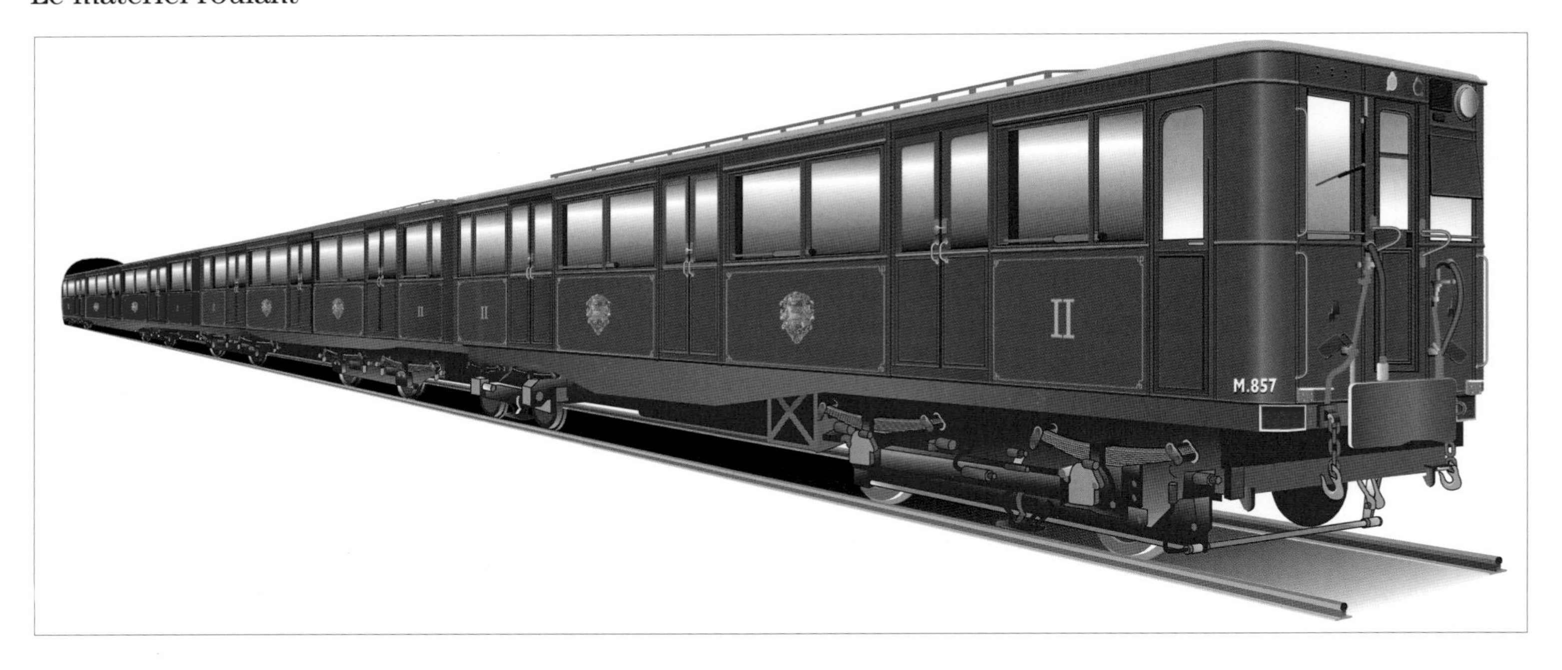

plusieurs fois, les livraisons s'échelonnant entre 1923 et 1926 avec de nouvelles remorques de 13,60 m d'une capacité de 110 voyageurs, construites en même temps. Ce nouveau matériel équipa la ligne 3, puis la ligne 1, le matériel libéré par cette dernière permettant le renforcement de la composition des trains sur d'autres lignes. Les motrices à deux loges furent versées sur la ligne 10 à la fin de 1926, l'une d'entre elles assurant un service sur la « voie navette ».

L'accroissement prévisible du trafic au début des années 1930, conséquence du prolongement décidé du métro en banlieue, incita la CMP à commander de nouveaux matériels. Les 75 m de longueur seraient désormais entièrement occupés par les trains de cinq voitures de 14,20 m. En outre, afin d'accroître les performances des trains, les motrices auraient désormais quatre moteurs au lieu de deux : on passerait ainsi à des trains à deux motrices totalisant huit moteurs contre trois motrices à deux moteurs, soit un total de six moteurs. Chaque motrice serait dotée de deux équipements Sprague-Thomson, ce qui permettrait la circulation du train même en cas d'avarie sur un bloc-moteur.

Un premier lot de 62 motrices (M 1037-1098) fut livré à la fin de 1927 avec caisse métallique vert foncé percée de trois portes de 1,20 m par face. Il convient de noter que le freinage s'opérait grâce à l'application sur les roues de 16 sabots comme sur le matériel du Nord-Sud. Pour accompagner ces motrices, 42 remorques de seconde classe furent livrées.

Toutefois, la grande impulsion pour accroître le parc de matériel roulant fut donnée à partir de 1928 avec d'une part des commandes de nouvelles voitures, d'autre part la reconstruction des matériels anciens encore subsistants. Désormais, les voitures disposeraient de quatre portes de 1 m par face et seraient dotées d'équipements Sprague-Thomson, à une exception près.

En ce qui concerne les commandes de matériels nouveaux, on trouve :

- 29 motrices (M 1099-1127) vert foncé, livrées en 1929 ;
- 31 motrices (M 1128-1132 et 1154-1179), vert clair, livrées en 1930 ;
- 21 motrices (M 1133-1153), exception confirmant la règle avec un équipement Jeumont-Heidmann et des moteurs de 200 ch, livrées en 1930 ;
- 122 motrices (M 1180-1301) livrées entre 1930 et 1932 ;
- enfin 54 motrices (M 1302-1355) à caisse grise pour celles destinées à la ligne 1 et verte pour les autres et à portes équidistantes, livrées en 1935.

Les livraisons de matériels anciens transformés se mêlèrent avec celles des matériels neufs. Ainsi furent reconstruites :

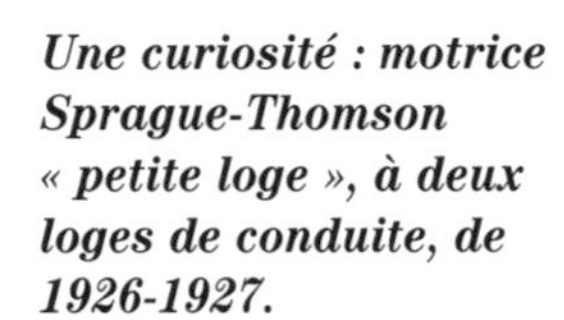
Une curiosité : motrice Sprague-Thomson « petite loge », à deux loges de conduite, de 1926-1927.

• 60 motrices ex-Westinghouse (M 1-34, 51-56 et 330-349), livrées en 1928-1929 et qui gardèrent leur caisse en bois jusqu'en 1936;

• 40 motrices ex-Westinghouse (M 294, 350-380 et 434-444), livrées en 1930 et qui furent les premières à caisses vert clair;

• 54 motrices Thomson double ou multiple (M 201, 203-209,211-226, 381-389 et 401-421), à caisses vert clair, livrées en 1931;

• 83 motrices Thomson et Sprague

Première motrice Sprague-Thomson trois portes, à quatre moteurs, de 1927-1928.

Motrice à quatre moteurs, équipement Jeumont-Heidmann et à quatre portes, de 1930.

Motrice reconstruite en 1932 à partir de matériels antérieurs à 1906; équipement Sprague-Thomson et caisse à quatre portes de récupération en bois.

Intérieur caractéristique du matériel Sprague-Thomson, avec ses « fameux » sièges en bois.

(M 101-138,140-144, 210, 227-232, 290-293, 295-300, 308-312, 314, 315, 317-329, et 422-424), à caisses vert clair, livrées en 1932;

• enfin 103 motrices Thomson (M 245-289, 425-436 et 445-490) à caisses grises, livrées à partir de 1933.

Pendant cette même période à cheval sur les années 1920 et les années 1930, quelque 560 remorques furent livrées à la CMP qui entre temps avait absorbé la Compagnie du Nord-Sud et son matériel en 1930. À la veille de la Seconde Guerre mondiale, la société exploitante disposait d'un parc de 2 720 voitures dont 1 337 motrices et 1 383 remorques, incluant les 114 motrices et 151 remorques de l'ancien Nord-Sud. La plupart des motrices étaient désormais couplables entre elles, à l'exception de celles équipées du JH et les Nord-Sud. Les lignes à fort trafic devaient disposer de trains composés de trois remorques encadrées par deux motrices à quatre moteurs (M4+B+A+B+M4) ou de trois motrices encadrant deux remorques (M4+B+A+M2+M2). Pour les autres lignes, on trouvait des compositions à quatre, trois, voire deux voitures, la voiture de 1e classe étant là remplacée par une voiture mixte AB.

Pendant la Seconde Guerre mondiale, alors que le réseau des bus était mis à mal, les Sprague du métro continuèrent à transporter des millions de voyageurs pour autant qu'il y eût de l'électricité. Ce matériel robuste – rustique a-t-on souvent dit après – résista parfaitement malgré des conditions d'exploitation difficiles et un entretien souvent réduit au strict minimum. Pour améliorer son matériel roulant, la CMP fit néanmoins des recherches sur le freinage, sur l'allégement de certains organes, sur de meilleures performances d'accélération, sur la fermeture des portes, sur l'éclairage, etc. On se rend bien compte aujourd'hui, qu'on pensait plus, en réalité, à un nouveau matériel qu'à de profondes modifications d'un matériel dont la conception était ancienne. Le Matériel Articulé (MA), arrivé après la Seconde Guerre mondiale, allait apporter un début de réponse, sans pour autant menacer vraiment les Sprague. En effet, avec le ballon d'oxygène apporté par le MA, la composition des trains fut renforcée sur certaines lignes.

C'est avec l'arrivée en 1956 des rames sur pneu MP 55 que commença réellement le retrait des rames Sprague-Thomson. Au début celui-ci fut timide, ne concernant que les motrices grandes loges les plus anciennes accompagnées de leurs remorques. L'équipement de la ligne 1 en trains sur pneu à partir de 1963 accentua le mouvement de retrait des motrices et remorques datant des années 1906 et 1907 – sauf certaines transformées en tracteurs de trains de travaux et wagons plates-formes –, tandis que d'autres allèrent renforcer une fois encore la composition des trains sur certaines lignes.

L'arrivée sur le réseau des trains MF 67 en 1968 sur la ligne 3 et surtout sur la ligne 7 à partir de 1971 entraîna la disparition du matériel Nord-Sud de la ligne 12 en 1972, celui-ci étant remplacé par des trains Sprague. Peu à peu, la modernisation du matériel roulant

Une rame Sprague-Thomson sur le viaduc d'Austerlitz, au début des années soixante-dix.

concerna plusieurs lignes à la fois avec mixité du matériel, les trains Sprague ne circulant qu'aux heures de pointe. À la fin de 1974, alors que la ligne 6 était totalement équipée avec du MP 73, la totalité des matériels anciens construits entre 1908 et 1914 avait disparu. Cette année-là, la proportion de matériel moderne atteignait 46 %.

Les livraisons du nouveau matériel fer MF 67 se poursuivant à un rythme accéléré, la réforme des Sprague alla bon train avec la mise à la retraite des premières M4 et remorques de 14,20 m et des dernières voitures avec portes en bois. Enfin, lorsqu'arrivèrent les premières rames MF 77 en 1978 sur la ligne 13, on assista à un retrait massif des trains Sprague : des lignes 5, 7 bis et 12 en 1980, 2 et 3 bis en 1981, 9 en 1983. La ligne 9 fut en effet la dernière à posséder des trains Sprague-Thomson en circulation ; au 31 décembre 1982, il restait 103 voitures de « matériel fer ancien » comme on les appelait officiellement à l'époque, contre 2418 « fer moderne ». La disparition des derniers trains Sprague-Thomson était initialement prévue pour 1982. Cependant, à cause de l'importante inondation du terminus Église de Pantin qui endommagea plusieurs rames MF 67 F, le service des Sprague fut prolongé de quelques mois. Le dernier train Sprague Thomson roula le 16 avril 1983 entre Mairie de Montreuil et Pont de Sèvres. Ce jour-là, une grande page de l'histoire du métro fut tournée.

Une rame Sprague-Thomson grise sur le prolongement de la ligne 8 à Créteil.

Le matériel articulé

L'accroissement du trafic d'après guerre mit en lumière l'urgence d'une commande d'un matériel nouveau pour soulager un parc de Sprague-Thomson vieillissant. L'administration provisoire chargée de l'exploitation des réseaux à partir de 1945 se pencha notamment sur l'étude d'un matériel qui devait permettre, idée déjà ancienne, une composition modulable selon les heures de la journée. Ceci entraînait inévitablement une formation à au moins deux éléments identiques d'environ 36 m chacun pour confectionner des trains de 72 m de long. La solution à trois voitures fut retenue et, comme on désirait absolument alléger le matériel, ces trois caisses reposeraient sur quatre bogies seulement, ce qui en faisait un élément articulé, mais indéformable.

Étudiés dès 1936 et destinés à la ligne 13 qui devait être prolongée à Carrefour Pleyel, les 40 éléments (E 001-040) du Matériel Articulé (MA) furent commandés en décembre 1948 aux Anciens Établissements Brissonneau et Lotz. Chaque élément, long de 36,62 m, était composé de trois voitures. Les caisses d'extrémités mesuraient 13,31 m et possédaient quatre portes équidistantes laissant une ouverture de 1 m et la caisse centrale 10 m seulement avec trois portes équidistantes. Les deux bogies d'extrémité étaient des bogies porteurs, tandis que les deux bogies médians, à cheval sous deux caisses, étaient moteurs. La traction était assurée par quatre moteurs de 94 ch chacun. Chaque groupe de deux moteurs était commandé par un équipement de type JH à arbre à cames mû par un servomoteur. Le freinage était de type à air continu Westinghouse, modérable au serrage et au desserrage ce qui était, pour ce dernier point, une nouveauté très appréciable. Un curieux appareil appelé décélérostat fut installé afin d'éviter l'enrayage (blocage) des roues lors d'un freinage trop brusque; dans ce cas, le mercure placé dans un tube montait dans celui-ci et établissait un contact qui vidait partiellement les cylindres de frein. À chaque extrémité on trouvait un attelage automatique Scharfenberg par où passaient tous les circuits de commande et de freinage, attelage qui permettait un accouplement (découplement) facile de deux éléments.

Avec son revêtement bleu et bleu clair avec bandeaux jaunes pour la seconde classe, jaune avec bandeaux bleus pour la première, le matériel articulé tranchait totalement avec les rames Sprague-Thomson. L'éclairage intérieur était procuré par des tubes fluorescents et les sièges étaient dans un cuir similaire à celui des seules premières classes des rames Sprague. L'une des particularités du MA était d'avoir une loge de conduite à « géométrie variable » : en service, elle était vaste et

Le matériel articulé sur la ligne 13, dans son état d'origine.

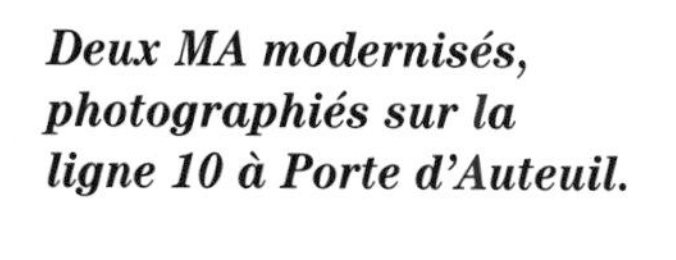
Deux MA modernisés, photographiés sur la ligne 10 à Porte d'Auteuil.

accueillait le chef de train qui, pour la première fois, était donc séparé des voyageurs; hors service, le pupitre de conduite était enfermé derrière une porte pivotante, le reste de la loge étant rendu aux voyageurs.

Le premier élément du MA fut livré en septembre 1951 à l'atelier de Vaugirard sur la ligne 12. La série fut progressivement mise en circulation sur la ligne 13 entre février 1952 et mai 1953. Les Parisiens semblèrent apprécier cet air de modernisme qui entrait dans le métro. Le découplement des rames fut appliqué timidement en soirée et le dimanche, ce qui améliora la fréquence sur les branches. Toutefois, de fréquentes avaries sur les connexions électriques des Scharfenberg firent abandonner définitivement ce système en 1972. Cette expérience s'avéra néanmoins profitable lors de la définition des attelages automatiques des trains du RER.

La RATP fut moins enthousiaste que ses voyageurs pour ce nouveau matériel, finalement moins compétitif que le Sprague. Si les performances furent meilleures que celles des anciens trains, la mise au point de trains sur pneumatiques qui se profilait à l'horizon semblait condamner irrémédiablement le matériel articulé. Et de fait, celui-ci n'eut aucune descendance. Il continua de rouler sur la ligne 13 jusqu'à ce que celle-ci soit raccordée à l'ancienne ligne 14; la dotation de la nouvelle ligne 13 en matériels neufs MF 67 entraîna le transfert du MA sur une autre ligne. La décision fut prise de reverser ce matériel sur la ligne 10, courte et peu chargée, non sans l'avoir modernisé auparavant afin de remplir trois objectifs :

• amélioration du confort des voyageurs, de l'éclairage et de l'esthétique des voitures par application d'une nouvelle livrée bleu foncé;

• accroissement de la sécurité et de la fiabilité des équipements électriques et pneumatiques;

• transformation en vue de la conduite du train par un seul agent, concernant d'une part la commande des portes, d'autre part les dispositifs de veille automatique provoquant l'arrêt d'urgence du train en cas de défaillance du conducteur, enfin le système d'alarme-vigilance signalant au PCC tout arrêt prolongé du train avec portes fermées sans action du conducteur.

Le premier MA transformé fut mis en circulation sur la ligne 10 au printemps 1975, la cadence de transformation étant d'un train (deux éléments indissociables) par mois. La ligne fut dotée de l'ensemble du matériel en juin 1976. Néanmoins, quelques rames MF 67 vinrent renforcer le service. Le MA roula sur sa dernière ligne, conduit manuellement car non équipé pour le pilotage automatique. Le dernier MA circula le 15 juin 1994, sa réforme ayant débuté dès 1988.

Un MA aux ateliers de Vaugirard en compagnie d'un tracteur Sprague.

Les matériels sur pneumatiques

Le MP 55

L'idée de faire circuler des rames de métro montées sur pneumatiques est relativement ancienne. Des essais furent entrepris dès les années trente avec la maison Michelin, avec un chariot guidé par un rail central. À l'époque, l'obligation de jumeler les roues à cause de la charge augmentait les frottements notamment dans les courbes dont on sait qu'elles sont nombreuses dans le métro. L'idée fut donc abandonnée pour le métro, mais poursuivie sur les chemins de fer, ce qui donna naissance aux « trains sur pneu » sur Paris - Strasbourg et Paris - Bâle et aux fameuses michelines utilisées notamment sur Paris - Deauville et Paris - Clermont-Ferrand.

Mais la question qui doit être posée est la suivante : pourquoi installer des métros roulant sur pneumatiques? On s'accorde à dire qu'une bonne exploitation d'une ligne de métro ne peut se faire qu'avec des trains légers, aux démarrages rapides et au freinage puissant. On peut ainsi, en toute sécurité, réduire l'intervalle entre les trains, en faire circuler davantage et accroître de fait la capacité de la ligne. L'adhérence du pneu est trois fois supérieure à celle des roues acier et le confort s'en trouve accru par la diminution des vibrations et du bruit.

En 1950 apparurent sur le marché des pneus à armature métallique pouvant supporter une charge de 4 t avec des roues d'un diamètre inférieur à 1 m; par ailleurs, l'idée émergea d'un guidage horizontal grâce à des roues prenant appui sur des barres de guidage, une roue métallique à boudin assurant ce même guidage lors du passage des aiguillages. La RATP décida cette fois-ci de faire réaliser un prototype avant de se lancer dans l'aventure. L'automotrice MP 51 arriva de Creil, son lieu de fabrication, sur le domaine RATP en août 1951. Longue de 15,40 m, elle possédait deux loges de conduite.

Les essais d'endurance démarrèrent aussitôt sur les 770 m de la « voie navette » entre Porte des Lilas et Pré Saint-Gervais. Des enseignements en furent rapidement tirés : le véhicule était plus silencieux que ceux à roues métalliques, les performances d'accélération et de freinage (1,45 m/s²) étaient limitées par le confort des voyageurs. Pour parfaire ces essais, plusieurs types d'incidents furent créés afin de tester leur impact sur la circulation du prototype et les corrections à apporter; ainsi, le véhicule roula avec un pneu porteur dégonflé, avec une roue à la limite de l'enrayage ou totalement bloquée, etc. La confiance dans ce prototype était telle que la RATP autorisa sa circulation avec voyageurs à partir d'avril 1952. À cette époque-là d'ailleurs, le MP 51 fonctionnait en pilotage automatique, système dont la RATP testait la faisabilité en toute sécurité. Ce système expé-

Ci-dessous, le tout premier projet de rame de métro sur pneu proposé par Michelin.

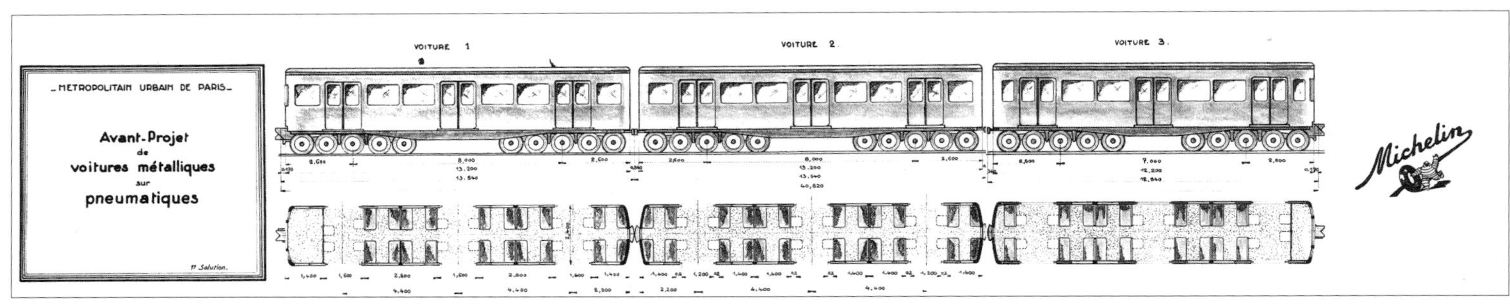

En bas, le prototype MP 51 lors de ses premières marches d'essais sur la « voie navette ».

rimental révolutionnaire fonctionna jusqu'en 1956 avant d'être mis en place sur le réseau.

Après ces essais concluants, il fallait passer à une exploitation à grande échelle et équiper une ligne complète avec des trains sur pneu. C'est la ligne 11 (Châtelet - Mairie des Lilas) qui fut choisie, car la plus courte du réseau (6,3 km), la plus difficile quant à son profil (rampes de 40 ‰) et à son tracé sinueux. Le conseil d'administration de la RATP adopta, dans sa séance du 30 avril 1954, le marché de construction de 71 véhicules guidés sur pneumatiques pour composer des trains de quatre voitures, dont trois motrices ; ce marché fut passé le 15 décembre pour :

- 30 motrices à la Régie Renault, dont 20 avec loge (M 3001-3020) et 10 sans loge (N 4001-4010, ex-3501-3510) ;
- 24 motrices à Brissonneau et Lotz, dont 16 avec loge (M 3021-3036) et 8 sans loge (N 4011-4018, ex-3511-3518) ;
- 17 remorques, dont 10 Renault et 7 Brissonneau et Lotz.

La transformation de la ligne 11 pour la circulation des trains pneus commença en 1954, tandis que le petit atelier d'entretien des Lilas était adapté pour le nouveau matériel à partir de 1956. La première rame fut livrée en octobre 1956 et commença ses premiers essais de nuit. La première circulation avec voyageurs eut lieu en novembre de la même année et l'exploitation complète des 17 rames en octobre 1957.

Les trains se composaient de quatre voitures : une motrice avec loge de conduite (M), une motrice sans loge (N), une remorque de 1e/2nde classes (AB) et une motrice avec loge (M). Les motrices avec loge mesuraient 15,40 m et les remorques 14,80 m. Les caisses en acier comportaient quatre portes par face à ouverture (après actionnement du loqueteau) et fermeture automatiques. Les motrices étaient équipées de quatre moteurs de 90 ch chacun (Compagnie Électro-Mécanique ou Alsthom), autorisant une accélération volontairement limitée à 1,30 m/s^2. Les équipements de traction étaient de deux types : à arbres à cames électriques (JH) ou à commande électropneumatique (CEM). Le freinage était du type électropneumatique modérable au serrage et au desserrage.

Un MP 55 en livrée d'origine avec un logo RATP très « parisien ».

Les MP 55 furent équipés du pilotage automatique entre 1965 et 1967 et du téléphone haute fréquence lié au PCC en 1967. En 1975, la sécurité du frein par électrovalve inverse ayant fait ses preuves, le robinet de frein Westinghouse destiné au freinage d'urgence fut supprimé. En 1977 fut entreprise la modernisation des trains avec une nouvelle livrée bleu foncé, éclairage par bandeau et sièges modernes type MP 73. Commencée en 1982, la réforme de ce matériel s'est terminée en janvier 1999 avec le retrait du dernier train de de la ligne 11.

Livrée « panachée » (anciennes et nouvelles couleurs), et sigle RATP allongé, pour ce MP 55 de la ligne 11.

Le MP 59

Si le MP 55 ne roula pas sur une autre ligne, il permit d'observer des résultats d'exploitation très probants. Au-delà des améliorations de confort pour les voyageurs et des performances qui permirent une augmentation de 5,5 % de la capacité de transport aux heures de pointe, une étude économique comparative montra à la fin des années 1950 que le matériel sur pneu était plus avantageux que le matériel sur fer, malgré les dépenses de transformation de la voie. Un rapport de juin 1959 concluait que le matériel sur pneumatique devait remplacer les matériels anciens pour les extensions du réseau et le renouvellement du parc.

À cette époque, la ligne 1 (Vincennes - Neuilly) était la plus chargée du réseau avec des surcharges pouvant atteindre 35 % entre Hôtel de Ville et Gare de Lyon lors de la pointe du soir. En outre, son prolongement au rond-point de La Défense était envisagé. Un accroissement de sa capacité de transport était donc à l'ordre du jour, de l'ordre de 15 % à 20 %, voire plus. C'est elle qui fut naturellement choisie pour être équipée de matériels sur pneu.

À l'origine, il était prévu d'équiper la ligne 1 avec des trains de cinq voitures : deux motrices d'extrémité avec loge de conduite, une motrice sans loge, une remorque mixte et une remorque de seconde classe. Très rapidement on s'aperçut que la capacité ainsi offerte, même avec ce nouveau matériel, serait insuffisante en attendant l'ouverture de la ligne régionale (RER) Est-Ouest. Il fallait donc allonger les trains et par conséquent les stations. La composition idéale pour absorber les surcharges et offrir une réserve de capacité pour l'avenir était de sept voitures. Cependant sur les 23 stations de la ligne Vincennes - Neuilly, 10 mesuraient déjà 105 m de long. Aussi, afin de minimiser les dépenses, notamment dans des stations comme Bastille ou Étoile, il fut décidé d'équiper la ligne de trains de six voitures seulement en allongeant les stations de 75 m restantes à 90 m, procurant un accroissement de capacité de l'ordre de 15 à 20 %.

Afin de constituer 41 trains de six voitures, la RATP commanda, en août 1960, 272 voitures dénommées MP 59, réparties en 92 motrices avec loges (M 3037-3128), 92 motrices sans loge (N 4019-4110) et 88 remorques. La Compagnie Industrielle de Matériel de Traction (CIMT) fut chargée des caisses, des bogies et du montage de l'ensemble, Alsthom et la Compagnie Électro-Mécanique des moteurs de traction et Jeumont des équipements de contrôle de traction. La presse fut convoquée en mars 1963 à Marly-lez-Valenciennes pour la présentation de la première rame MP 59. Celle-ci roula pour la première fois sur la ligne 1 au mois de mai entre Porte Maillot et Châtelet, et retour.

Descendant directement du MP 55, le MP 59 se distinguait cependant de son prédécesseur par :

- des moteurs plus puissants avec 140 ch au lieu de 90 ch;
- la suppression de la conduite générale du frein avec adoption d'une commande de frein de service et d'urgence par électrovalve modérable inverse;
- une esthétique améliorée, notamment au niveau de la loge de conduite dotée d'un grand pare-brise.

La décision prise d'équiper la ligne 4, la plus chargée du réseau après la 1, en trains MP 59 de six voitures également entraîna la passation de deux commandes portant sur un total de 284 voitures, dont 192 motrices : l'une en mars 1964 pour 90 voitures, l'autre en décembre de la même année pour 194 voitures. Terminés en octobre 1965, les travaux d'allongement à 90 m des quais de la ligne 4 permirent la circulation de trains Sprague de six voitures avant que n'arrivent les premiers MP 59 en octobre 1966; la ligne en fut entièrement dotée en juillet 1967. Ces trains, qui réussirent à intégrer plusieurs composants issus de l'industrie automobile, comme la caisse autoporteuse, la suspension caoutchouc acier, les ponts réducteurs et bien sûr les pneus, donnèrent toute satisfaction après les indispensables corrections des défauts de jeunesse. Une troisième série de 51 voitures MP 59, dont 32 motrices, fut commandée en 1971 afin de renforcer le service sur les lignes 1 et 4, et livrée en 1974.

Les anciennes au service des modernes : une 141 TB de la ligne de Vincennes emmène aux ateliers de Fontenay un MP 59 sorti d'usine.

Ci-contre, rentrée d'une rame dans les ateliers par le raccordement avec la gare de Vincennes-Fontenay qui traverse une voie urbaine.

Bien que techniquement fiables, les MP 59 avaient, à la fin des années 1980, un aspect qui devait être rajeuni; par ailleurs, des modifications devaient être apportées pour les adapter à la circulation en aérien sur le prolongement de la ligne 1 à La Défense. Dans le cadre d'une nouvelle politique de gestion de son parc de matériel roulant, la RATP décida de porter à 40 ans la durée de vie de ses véhicules avec une rénovation à mi-vie. La modernisation des 52 rames de six voitures de la ligne 1 fut réalisée entre août 1989 et juin 1992 dans trois sites différents : aux ateliers de Fontenay (sept rames), aux Ateliers de Construction du Centre à Clermont-Ferrand (23) et aux ateliers de Cannes-La Bocca Industries (22).

Un MP 59 en livrée d'origine, sur la ligne 1, sa première affectation.

Ci-dessus, modernisation à mi-vie des MP 59 de la ligne 1, avec modification de la face avant et application d'une nouvelle livrée.

Ci-contre, un MP 59 modernisé en livrée actuelle sur la ligne 1.

Les opérations consistèrent :

• à remettre à niveau certains organes de la caisse, des bogies et de l'équipement électrique, notamment l'éclairage et la ventilation voyageur ;

• à moderniser l'aspect extérieur et intérieur des caisses, mais aussi de la loge de conduite ;

• à adapter le matériel à la circulation à l'air libre pour traverser la Seine au pont de Neuilly.

Avec l'arrivée des premiers MP 89 sur la ligne 1 en 1997, les MP 59 de cette ligne émigrent sur la ligne 4, non sans avoir été restaurés techniquement. Cette mutation a permis d'équiper la ligne 11 avec des MP 59 partiellement rénovés provenant de la ligne 4, en remplacement du MP 55 retiré totalement du service en janvier 1999.

Le MP 73

L'exploitation avec des matériels sur pneu des deux lignes de métro les plus chargées donnait toute satisfaction. Pendant ce temps était intervenue la livraison d'un matériel à roulement « fer » moderne et performant destiné à remplacer progressivement les matériels Sprague-Thomson pour les lignes qui ne devaient pas être dotées de trains sur pneu. En effet, leur transformation pour admettre la circulation de tels trains avait été longue et onéreuse. Néanmoins, dans sa séance du 28 mai 1971, le conseil d'administration de la RATP approuva le principe de l'équipement de la ligne 6 en matériel roulant sur pneumatiques, en raison notamment de la longueur importante de son tracé en viaduc (50 %) et de la vétusté de la voie qui était à renouveler. Au confort des voyageurs fut donc associé celui des riverains dont les immeubles sont parfois très proches de la ligne. Cela permit en outre de surseoir aux commandes de matériel « fer » au moment où se profilait une avancée technique importante concernant la traction et le freinage.

Le marché concernant la commande de 252 voitures sur pneu pour la ligne 6 fut adopté en septembre 1971. Il portait sur :

- 102 motrices avec loges (M 3501-3602) ;
- 50 motrices sans loge (N 4501-4550) ;
- 50 remorques de première classe ;
- 50 remorques de seconde classe.

Dénommé MP 73, ce nouveau matériel découlait directement du MP 59 avec néanmoins quelques améliorations techniques et esthétiques. Ainsi, il comportait un éclairage renforcé, un chauffage de cabine réglable par le conducteur, un servomoteur de l'équipement de traction alimenté en 72 V au lieu de 750, des pneus striés, des caisses allégées, une nouvelle esthétique de la face avant, des sièges plus confortables.

L'intégralité du parc de MP 73 fut mise en service sur la ligne 6 entre le 1er et le 31 juillet 1974. La mise en service en un seul mois de 50 trains livrés dès 1973 avait entraîné leur parcage en différents lieux équipés pour le matériel pneu. Quelques rames furent envoyées très rapidement sur la 4 en composition à six voitures et sur la 11 en composition à quatre voitures pour renforcer le parc de ces lignes.

Ci-dessous, un MP 73 en livrée d'origine.

En bas à gauche, un MP 73 en livrée actuelle ; à droite, une motrice rénovée avec nouvelle face avant peinte en gris.

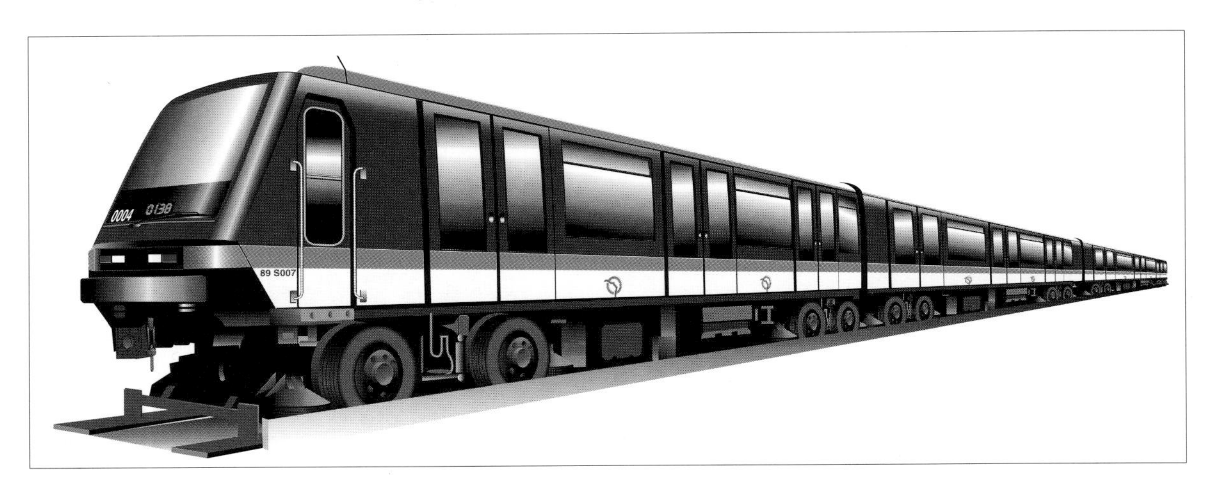

Le MP 89

En 1988, la moyenne d'âge des voitures était de 14 ans, l'ensemble des rames Sprague-Thomson ayant disparu 5 ans plus tôt. Le renouvellement de ces dernières, concentré sur une vingtaine d'années, avait entraîné des investissements massifs de la RATP, un suréquipement de l'industrie ferroviaire française et une difficulté à maîtriser la disponibilité de ces matériels malgré des efforts importants de maintenance. Aussi, pour éviter de reproduire les mêmes erreurs, la RATP présenta cette année-là une nouvelle politique de renouvellement du matériel roulant métro.

Le plan d'action à court terme concernant le matériel sur pneumatique prévoyait la commande de 20 trains de cinq voitures de type MP 89. Il s'agissait principalement à cette époque de remplacer les MP 55 de la 11 et de satisfaire les besoins supplémentaires engendrés par le prolongement de la ligne 1 à La Défense. En outre, se profilait à l'horizon la décision de réaliser la ligne automatique Météor, ce qui renforça la volonté d'une grande commande de MP 89 en deux versions :

• avec cabine de conduite, le conducteur pouvant soit utiliser la conduite manuelle, soit le pilotage automatique ;

• sans cabine de conduite, mais avec un pupitre de conduite de secours comportant les organes de conduite, de commande des portes et de sonorisation.

Le conseil d'administration du 28 septembre 1990 approuva la commande à GEC-Alsthom de 665 voitures de type MP 89 permettant la composition de trains de six voitures dont quatre motrices N et deux remorques d'extrémité S (formation S+N+N+N+N+S). En définitive, 52 trains pour la ligne 1 et 21 trains pour la ligne 14 seront commandés.

Les caisses sont réalisées en profils extrudés en alliage d'aluminium assemblés par soudage. Elles possèdent trois portes par face à deux vantaux laissant un passage de 1,65 m À chaque extrémité de la rame un absorbeur

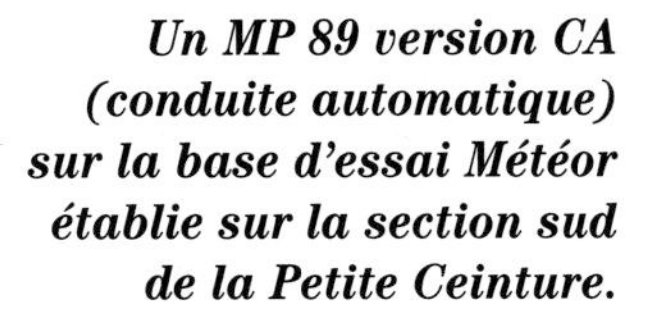

Un MP 89 version CA (conduite automatique) sur la base d'essai Météor établie sur la section sud de la Petite Ceinture.

d'énergie régénérable (présent également à chaque intercaisse) et un bouclier fusible assurent la sécurité en cas de choc frontal. Les sièges antilacération sont montés en porte-à-faux (cantilever) pour faciliter le nettoyage du sol.

Les trains sont équipés d'intercirculations de grande largeur appréciées des voyageurs pour le sentiment d'espace qu'elles procurent. Les intercirculations en matériau déformable à base de caoutchouc retenues pour la ligne 14 et prévues pour durer plusieurs années auraient été hors d'usage après quelques mois d'utilisation sur la ligne 1 à cause des courbes de Bastille. Aussi, une intercirculation à panneaux coulissants fut retenue pour cette ligne.

Les bogies sont du type porteur (remorques S) ou monomoteur (motrices N). La disposition des organes de roulement a une architecture classique décrite par ailleurs. La suspension des bogies se fait par les quatre pneus porteurs et par deux coussins pneumatiques. Le MP 89 dispose d'un frein de service géré informatiquement par bogie, d'un frein d'urgence et d'un frein de parking; seuls les bogies moteurs sont équipés de ce dernier frein.

Les motrices sont dotées d'un équipement de traction et de freinage électrique par récupération constitué d'un onduleur de tension triphasé alimenté en 750 V et piloté par microcontrôleur à thyristors de type GTO *(Gate Turn Off :* extinction par la gâchette de commande). Les moteurs de traction sont de type asynchrone triphasé quadripolaire à cage d'écureuil d'une puissance unihoraire de 270 kW, soit 2 800 kW de puissance maximale au démarrage d'une rame comportant quatre motrices. Les énergies nécessaires au fonctionnement des équipements embarqués sont fournies par deux convertisseurs statiques fonctionnant sous 750 V et qui alimentent chacun un motocompresseur d'air et maintiennent en charge la batterie associée (un convertisseur par remorque S).

Les MP 89 possèdent un réseau informatique embarqué (deux ordinateurs par voiture) qui gère et coordonne les différentes fonctions du train. Seules les fonctions de sécurité comme le freinage d'urgence, l'ouverture des disjoncteurs traction, les autorisations d'ouverture ou de fermeture ainsi que le contrôle fermeture et de verrouillage des portes sont assurées en câblage traditionnel « fil à fil ».

Le MP 89 a progressivement été mis en service avec voyageurs à partir du 27 mars 1997 sur la ligne 1, et le 15 octobre 1998 sur la ligne 14.

Les matériels à roues fer

Le MF 67

Bien que le matériel sur pneumatiques donnât toute satisfaction, la transformation des lignes 1 et 4 s'avéra coûteuse et longue. Coûteuse, car ces travaux entraînèrent 30 % de dépenses supplémentaires, longue car un délai pouvant aller jusqu'à 3 ans était nécessaire pour les travaux d'aménagement.

Compte tenu du nombre de lignes à équiper, les délais auraient couru sur une très longue période allant jusqu'à la fin du siècle, entraînant de ce fait la circulation de certains trains Sprague pendant 80 ans, ce qui était impensable. Le renouvellement rapide qu'imposait l'accroissement de l'âge moyen du matériel roulant incita la régie à se tourner vers la solution de trains classiques à roulement fer. Les progrès enregistrés dans le domaine des bogies et des performances techniques autorisaient une comparaison sans complexe de ce matériel avec celui sur pneu, à condition qu'on ait recours à l'adhérence totale – tous les bogies seraient moteurs – et au freinage rhéostatique.

Un MF 67 D équipé de remorques d'extrémité avec loge de conduite (S), en livrée d'origine, photographié à Pont de Sèvres.

Avec un tel matériel, le renouvellement pourrait s'effectuer en 18 mois environ.

Dans sa séance du 24 juin 1966, la RATP décida de passer commande de deux trains de présérie de six voitures et de 40 trains (MF 67 A) de cinq voitures. Les marchés furent répartis entre deux constructeurs : Brissonneau et Lotz et la CIMT. Le train de présérie de Brissonneau et Lotz fut construit en acier inoxydable et équipé de bogies bimoteurs, celui de la CIMT étant doté de bogies monomoteurs. Sur les 12 voitures commandées on trouvait deux remorques qui furent incluses dans les compositions à la place d'une motrice pour tester des circulations en adhérence partielle.

Le prototype MF 67 à caisse en acier inoxydable photographié aux ateliers de Vaugirard.

La première rame MF 67 – celle de la CIMT à bogies monomoteurs Düwag – fut mise en circulation avec voyageurs sur la ligne 3 le 21 décembre 1967. La tradition de la CMP de faire rouler les nouveaux matériels sur cette ligne était ainsi respectée. La seconde rame, à caisses inox non peinte, fut livrée en mai 1968 et mis en service en septembre suivant. La composition était identique : M+N+NA+N+M.

Les caisses du MF 67, en acier au cuivre moins sensible à la corrosion, sont longues de 15,145 m pour les motrices avec loge (poids 26,5 t) et de 14,390 m pour les motrices sans loge et les remorques (25 t). Elles comportent toutes quatre portes par face d'une ouverture utile de 1,30 m. L'avant des motrices fut confectionné en résine composite polyester avec un large pare-brise. Les voitures étaient à l'origine bleu clair à l'exception de la voiture de 1re classe qui était jaune. L'intérieur bénéficiait d'un éclairage puissant atteignant les 400 lux.

Tous les matériels furent équipés du freinage rhéostatique agissant jusqu'à 10 km/h ; en deçà, le freinage électropneumatique prend le relais jusqu'à l'arrêt complet du train. Les trains bimoteurs disposaient de sabots de frein classiques frottant sur la table de roulement, tandis que les monomoteurs possédaient des freins à disque.

Les bogies bimoteurs étaient dotés de deux moteurs de 145 ch, tandis que les bogies monomoteurs disposaient d'un moteur de 245 ch.

Les 40 rames MF 67 A1 et A2 (M 10011-10050 et M 10051-10090) furent mises en service sur la ligne 3 de juillet 1968 à avril 1971.

La modernisation de la ligne 3 avec le passage des rames anciennes Sprague-Thomson aux tout nouveaux MF 67 apporta entière satisfaction tant sur le plan technique que sur le plan de l'accueil des voyageurs. Le renouvellement prit donc de l'ampleur avec une nouvelle commande de matériels de ce type en 1969 aux deux mêmes constructeurs : les MF 67 C1 monomoteurs (115 motrices dont les M 10091-10134) et C2 bimoteurs (238 motrices dont les M 10135-10227). Le but de l'opération était d'équiper la totalité de la ligne 3 en matériels monomoteurs et la totalité de la ligne 7 en bimoteur. Le matériel Sprague de cette dernière ligne fut destiné à remplacer les trains Nord-Sud de la ligne 12 datant de 1910 dont le dernier circula le 15 mai 1972.

Les nouveaux matériels avaient des caractéristiques identiques à ceux des premières séries sauf quelques modifications d'équipements allant dans le sens d'un plus grand confort de roulement, comme les roues élastiques ou les engrenages plus silencieux. Ils furent livrés entre juin 1971 et octobre 1973. Auparavant, en 1970, la RATP avait demandé la réalisation de plusieurs prototypes à suspension pneumatique et en alliage d'aluminium, moins chers, plus légers et plus résistants à la corrosion. Cette même année, sur une motrice de la ligne 1, elle commença l'expérimentation de hacheurs de courant (thyristors) appelés KESAR (commutateur électronique séquentiel d'alimentation et de régénération), appareillage permettant de s'affranchir des résistances et d'utiliser le freinage par récupération d'énergie.

En 1973, alors que le parc de matériel roulant comprenait 3 372 voitures, il restait encore 1 974 voitures anciennes de type Sprague-Thomson. Le renouvellement devait donc se poursuivre et, si la décision d'équiper la ligne 6 avec trains sur pneu fut prise, l'opération principale porta sur l'amplification des commandes de MF 67. Pendant les années précédentes, l'adhérence totale eut la faveur de la régie afin de placer les lignes « fer » à un niveau de performances proche de celui des lignes « pneu ». Cependant, l'ampleur des

Un MF 67 E en livrée actuelle, garé au terminus de la ligne 2, à Nation.

renouvellements à venir imposait un accroissement du rythme des livraisons, dans des limites budgétaires admissibles. La solution des trains composés exclusivement de motrices apparut désormais comme surabondante pour des lignes dont, par ailleurs, les nouvelles méthodes d'exploitation autorisaient un service plus performant. Aussi, la RATP décida-t-elle de commander ses futurs matériels en vue de compositions qui comprendraient désormais trois motrices et deux remorques, se réservant néanmoins la possibilité de former des compositions à quatre motrices et une remorque.

En 1973, la RATP passa deux importantes commandes. La première concerna 363 remorques (MF 67 D), dont 156 avec loge de conduite (dénommées S) et 16 motrices bimoteurs Brissonneau permettant la modernisation de la ligne 9 après modification des compositions des lignes 3 et 7 avec trois motrices et deux remorques. Les premières remorques arrivèrent en septembre 1974, les premiers trains à adhérence partielle firent également leur apparition sur les lignes 3 et 7. Les motrices rendues disponibles permirent de mettre en circulation, à partir de décembre de la même année, en formation S+N+NA+N+S, douze trains MF 67 sur la 9 et quatre sur la 13 avec retrait progressif des MA. On assistait ici à un changement dans la politique d'équipement des lignes en nouveaux matériels. Désormais, celles-ci ne seront plus équipées en une seule fois, ce qui permet de faire profiter petit à petit toutes les lignes des nouveaux matériels. L'opération se montra plus bénéfique pour l'image d'une modernité retrouvée et présente sur l'ensemble des lignes.

Avec cette nouvelle politique, les Sprague - Thomson disparurent peu à peu des heures creuses pour n'être présents qu'en renfort aux heures de pointe. La livraison des MF 67 D s'acheva à la fin de 1975.

La seconde commande porta sur 170 motrices MF 67 E, dont 114 avec loge (M 10301-10414) et 112 remorques destinées à la ligne 12. Mais la modification des plans de renouvellement, qui mettait notamment en lumière la nécessité de moderniser en priorité les matériels des lignes prolongées en banlieue, fit passer la ligne 8 devant la 12. Les caractéristiques principales étaient les mêmes qu'auparavant, mais cette série désormais peinte en bleu foncé fut équipée du freinage par récupération qui permet de renvoyer du courant dans le rail de traction, les moteurs se transformant en génératrices. Ces matériels furent livrés entre juillet 1975 et décembre 1976. Ils ont permis en définitive de constituer des trains modernes équipant totalement ou partiellement les lignes 3, 7, 9, 10 et 13.

Une ultime commande de MF 67, désormais appelée « matériel fer de première génération », fut passée en 1974 afin de poursuivre le renouvellement du matériel roulant. Cette sous-série dénommée MF 67 F portait sur 257 voitures, dont 104 motrices avec loges (M 10501-10604). Identiques aux matériels E,

Une motrice MF 67 C2 bimoteur rénovée aux ateliers de Choisy.

Ci-contre à droite, présentation à Porte Maillot, en 1975, d'une maquette grandeur nature des futures rames MF 77.

ils s'en distinguent par leurs bogies monomoteurs à suspension pneumatique. Les premiers furent livrés à la fin de l'année 1976 et affectés provisoirement à la ligne 13, tandis que les MF de cette ligne étaient reversés sur la ligne 14. À la jonction des deux lignes en novembre 1976, la nouvelle ligne 13 était exploitée avec du matériel moderne. En 1977, la ligne 12 recevait ses premières rames MF 67 D et E. Les livraisons s'échelonnèrent jusqu'au début de 1978 avec la réception cette année-là des treize dernières voitures. Au total, ce furent donc quelque 1 480 voitures de type MF 67 qui furent livrées à la RATP, ce qui en fait la série la plus nombreuse sur le réseau. Aujourd'hui, le MF 67 équipe les lignes 2, 3, 3 bis, 5, 9, 10 et 12.

Le MF 77

Alors que les livraisons de MF 67 allaient bon train, des progrès technologiques sensibles apparaissaient progressivement sur les

engins moteurs ferroviaires, notamment dans le domaine du contrôle des équipements de traction/freinage par hacheurs de courant procurant économies d'énergie et plus grande souplesse de conduite. La RATP décida, en juillet 1975, de commander à l'industrie ferroviaire une nouvelle série de matériels à roulement fer destinée à parachever le renouvellement complet du matériel roulant du métro. Le cahier des charges précisait que ce matériel, destiné surtout à des lignes longues et prolongées en banlieue essentiellement à l'air libre, devait être plus rapide, mieux isolé, mieux ventilé et plus silencieux. Cette association entre meilleures performances et confort accru donna naissance au « matériel fer de deuxième génération », le MF 77.

Le marché passé avec Alsthom et la Franco-Belge pour les caisses et le montage général, Alsthom et CEM-Oerlikon pour les moteurs, Creusot-Loire et ANF-Industrie pour les bogies et Jeumont-Schneider pour les équipements de traction porta sur 1 000 voitures, dont 600 motrices, destinées à réaliser 200 trains de cinq voitures dont trois motrices. Les quatre premiers MF 77 furent livrés à l'été 1978, la première circulation avec voyageurs ayant lieu sur la ligne 13, le 27 septembre 1978. Les rames étaient composées de 5 voitures en profilés d'aluminium extrudés, longues de 15,470 m pour les extrêmes et de 15,500 m pour les intermédiaires, soit une longueur totale de rame de 77,440 m. On remarque ainsi que, pour la première fois, les trains étaient plus longs que les stations habituelles de 75 m, ce qui entraîna la construction de niches pour abriter les équipements d'exploitation destinés aux conducteurs.

D'emblée, l'aspect inhabituel de ses caisses trancha avec les matériels antérieurs. Leur couleur blanche était tout à fait nouvelle dans le métro – on l'appela rapidement le « métro blanc » –, et surtout le MF 77, en raison d'un élargissement de 6 cm au niveau de la ceinture, avait une forme galbée qui le faisait ressembler à aucun autre matériel et procurait plus de place à l'intérieur à hauteur des épaules des voyageurs assis. En ce qui concerne les portes, ici du type coulissant-louvoyant, on revenait au concept de trois par face, mais offrant une ouverture de 1,575 m. Les bogies monomoteurs furent équipés d'une suspension secondaire pneumatique permettant d'assurer une hauteur constante du plancher quelle que soit la charge.

La grande nouveauté qu'apporta le MF 77 fut son équipement de traction/freinage Jeumont-Schneider à hacheur de courant. Ce dispositif permet de régler de façon continue et progressive l'effort fourni par les moteurs en traction et en freinage. Cet équipement qui ne comporte pas de pièces en mouvement est plus fiable et ne nécessite pas un entretien lourd, l'absence de rhéostat réduisant par ailleurs la diffusion de chaleur dans les tunnels.

Les six moteurs courant continu à excitation série, auto-ventilés, de CEM-Oerlikon et

Un tracteur Nord-Sud « descend » une rame MF 77 neuve depuis la Petite Ceinture, par le raccordement en pente menant aux ateliers de Vaugirard.

d'Alsthom de la rame (deux par motrices) procurent une puissance de 1 500 kW.

Les livraisons de MF 77 commencées, on l'a vu, en juin 1978 se poursuivirent à un rythme accéléré : 297 voitures furent réceptionnées en 1979 portant leur nombre total à 348, ce qui permit d'équiper totalement la ligne 13 et de commencer à le faire pour la ligne 7 à partir de septembre. Un record fut enregistré en février et mars 1979 avec huit trains livrés, réceptionnés et mis en service chaque mois. En 1980, la réception de nouvelles voitures permit de commencer l'équipement de la ligne 8 en juin pour le terminer un an plus tard. Au fur et à mesure des livraisons de MF 77, les MF 67 furent reversées sur les lignes qui n'en étaient pas encore totalement pourvues,

Le « métro blanc » MF 77, à la silhouette caractéristique, en livrée d'origine.

Un MF 77 de la ligne 8 aux coloris actuels.

entraînant en cascade l'élimination progressive des rames Sprague-Thomson dont la dernière roula sur la ligne 9 le 16 avril 1983. Entre juin 1978 et mars 1983, 187 trains MF 77 furent livrés. En 1986, 10 trains supplémentaires (7e tranche) furent livrés et mis en service, avec un schéma de puissance de traction faisant appel à un nombre réduit de composants (thyristors) mais de puissance unitaire supérieure.

Le MF 88

Au milieu des années 1980, après un effort de renouvellement du parc métro sans précédent ayant abaissé sensiblement l'âge moyen des véhicules, l'heure de la pause était venue.

Cette pause allait permettre de réfléchir aux générations suivantes de matériels « fer » et « pneu » dans la perspective des nouvelles commandes pour renouveler les matériels les plus anciens de la fin du XXe siècle.

Une vaste réflexion s'engagea donc sur des domaines aussi divers que les crissements dans les courbes, la circulation entre voitures, la complexité des câblages « fil à fil », les besoins en air comprimé ou les moteurs à courant continu dont le « talon d'Achille » a toujours été le collecteur. Toutes ces améliorations devaient bien entendu prendre en compte la volonté de diminuer les coûts de construction et de maintenance des nouveaux matériels que permettaient les progrès enregistrés dans l'industrie, notamment de construction ferroviaire. Les domaines d'expérimentation concernèrent d'abord l'orientabilité des essieux et l'intercirculation entre les voitures.

L'usure et les crissements des roues dans les courbes sont dûs à la non radialité des essieux, à la dépendance des roues en rotation et dans une moindre mesure à la charge à l'essieu. Quelque 140 ans après l'ingénieur Arnoux qui créa pour la ligne de Sceaux un système d'articulation des essieux, la RATP imagina un système de guidage d'essieux simple, fiable et performant. Quant au principe utilisé pour rendre les roues indépendantes, deux solutions étaient envisageables : le pont réducteur avec différentiel ou la mise en place d'un moteur par roue. L'intercirculation entre voitures semblait plus complexe à résoudre en raison des faibles rayons de courbures de certaines lignes.

L'étude de diverses technologies innovantes se fit entre 1984 et 1986, avec essais grandeur nature sur un train MF 77 de trois voitures raccourcies de 15 à 10 m. Ils permirent d'obtenir des résultats très satisfaisants, y compris au niveau de l'intercirculation. Pour aller plus loin, des essais d'endurance en ligne furent menés entre le début 1987 et février 1988 grâce au train Boa 001 désormais formé de quatre voitures reliées par trois intercirculations différentes (GEC-Alsthom, ANF et Faiveley). Le train Boa fut mis en service sur la ligne 5 avec voyageurs à partir du 31 décembre 1990.

Cependant, la RATP décida d'équiper complètement une ligne sinueuse et au profil difficile, en l'occurrence la ligne 7 bis (Louis

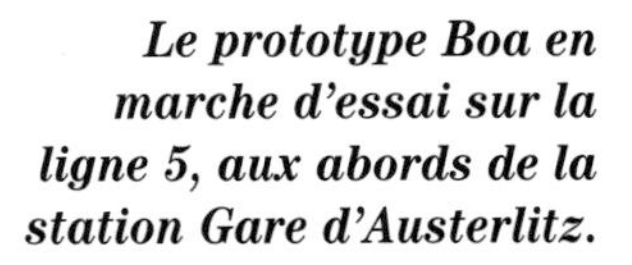

Le prototype Boa en marche d'essai sur la ligne 5, aux abords de la station Gare d'Austerlitz.

Blanc - Pré Saint-Gervais), avec un seul matériel pour tester le comportement de l'intercirculation Faiveley retenue, de l'orientation des essieux aux roues indépendantes, du système informatique embarqué, du système de gestion de l'énergie, de la traction asynchrone et du frein oléopneumatique. La commande passée aux sociétés GEC-Alsthom et ANF-Industrie (groupe Bombardier) porta sur la réalisation de neuf trains de trois voitures (M+R+M) dénommés MF 88. Notons, pour l'anecdote, qu'un millésime pair fut pour la première fois appliqué à un matériel de métro moderne, avec, il est vrai, un précédent pour les MI 84 du RER.

La première rame fut livrée en décembre 1992 à l'atelier de Bobigny. Elle effectua ses premiers essais entre Bobigny Pablo Picasso et Jaurès dans la nuit du 23 au 24 décembre. Les autres rames furent réceptionnées en 1993 et la mise en service voyageurs eut lieu le 24 janvier 1994 sur la ligne 7 bis, l'équipement total ayant lieu le 30 décembre.

Les trains MF 88 sont composés de trois voitures de 15,50 m de long à trois portes louvoyantes-coulissantes de 1,586 m d'ouverture par face. Les caisses sont en longs profils d'alliage d'aluminium extrudés. Elles possèdent des structures moulées, assemblées et collées. Les baies vitrées sont de grandes dimensions et teintées. Deux larges intercirculations permettent aux voyageurs de passer d'une voiture à l'autre.

Les rames sont équipées de roulement à essieux orientés évitant bruits et usure des rails. À chaque extrémité d'une rame on trouve un essieu directeur et un essieu orienté. Entre deux voitures, on trouve soit un essieu moteur, soit un essieu porteur. Un pont différentiel Renault VI permet l'indépendance des roues en rotation sur les motrices.

La motorisation d'une rame s'opère grâce à quatre moteurs asynchrones triphasés de 210 kW de puissance chacun, contrôlés par deux onduleurs de tension à thyristors GTO. Deux convertisseurs statiques indépendants et placés sur la remorque fournissent l'énergie destinée au fonctionnement des auxiliaires. Un système d'informatique embarquée faisant appel à huit ordinateurs par train assure principalement les commandes non sécuritaires (portes, traction, énergie, etc.), donne au conducteur des informations sur l'état du train, teste en permanence les organes du train et établit un diagnostic de maintenance de premier niveau. Les fonctions de sécurité continuent à être assurées par des liaisons « fil à fil ». Il existe trois types de freins : de service contrôlé par informatique, d'urgence et de parking.

L'une des neuf rames MF 88 sur la ligne 7 bis.

Le MF 2000

On l'a vu, les premières rames MF 67 datent de la fin des années 1960 : ils ont donc une trentaine d'années et sont appelés à être remplacés au début du XXIe siècle. La RATP a d'abord lancé un concours européen de design remporté par une agence française qui a notamment intégré les attentes des conducteurs en matière d'ergonomie du poste de conduite. Les voyageurs ne sont bien sûr pas oubliés; ils bénéficieront des derniers progrès en matière de confort, d'éclairage et d'information.

La consultation pour la fourniture d'un lot de 800 voitures permettra le renouvellement des trains MF 67 des lignes 2, 5 et 9. La livraison d'un train de présérie est prévue pour 2002 et il devra rouler 2 ans avant le lancement de la fabrication industrielle des trains de série. Le remplacement des trains des lignes 2, 5 et 9 devrait prendre à peu près une dizaine d'années, à raison d'une livraison de 18 rames par an.

Image de synthèse du futur MF 2000.

La maintenance du matériel roulant

Les origines

Le problème des dépôts et ateliers se posa dès l'origine du métro. Il était essentiel de trouver un emplacement proche des lignes et, pour le premier établissement, qu'il soit raccordé à une ligne de chemin de fer pour pouvoir recevoir directement le matériel roulant, le même écartement des voies tant combattu apparaissant là comme des plus bénéfiques.

Le premier emplacement fut trouvé à côté de la gare de Charonne-Marchandises sur la ligne de Petite Ceinture dans le XXe arrondissement de Paris. Un embranchement reliait les deux chemins de fer et une voie traversait les rues Philidor et de Lagny avant de plonger sous terre pour se raccorder à la ligne 1 à Porte de Vincennes. Ce premier atelier comprenait une halle abritant un atelier mécanique, des ateliers de peinture et de vernissage, un pont roulant, des appareils de levage, etc., un magasin et un pavillon servant de logement au chef de dépôt et au concierge. Par ailleurs, on trouvait là quelque 1 100 m de voies de garage dont environ la moitié était couverte. Dès 1901, des aménagements furent entrepris pour accroître l'efficacité de l'atelier.

L'atelier de Charonne prenait en charge, pour les lignes 1 et 2 – cette dernière lui étant reliée depuis le terminus de Nation –, d'une part l'entretien hebdomadaire bientôt appelé de « Petite Révision » (PR), d'autre part la remise en état périodique des matériels, appelée « Grande Révision » (GR). En 1904, les trains de la nouvelle ligne 3 étaient entretenus et révisés à l'atelier de Saint-Fargeau relié à la ligne au terminus Gambetta.

Levage de caisse d'une motrice à essieux à l'atelier de Charonne, en juillet 1900.

Avec l'augmentation du nombre de lignes, celui des ateliers crût également. En 1906 fut mis en service l'atelier d'Italie chargé des PR des lignes 2 Sud, 5 et 6 et d'une partie des GR. En 1908, ce fut au tour de l'atelier PR et GR de Saint-Ouen de prendre en charge la maintenance des trains de la ligne 4. Deux ans plus tard, en 1910, la Compagnie du Nord-Sud ouvrait ses ateliers PR et GR de Vaugirard. Le dernier atelier ouvert avant la Première Guerre mondiale fut celui de la Villette pour la petite révision des rames de la ligne 7 ; lorsqu'en 1931, le nouvel atelier de Choisy ouvrit, celui de la Villette fut remis au service de la Voie pour ranger ses trains de travaux et stocker ses matériaux. Il fallut attendre 1925 pour qu'un nouvel atelier ouvrît, ce fut celui souterrain d'Auteuil - Saint-Cloud affecté à la PR des lignes 8 (auj. 10) et 9.

En 1931, le grand atelier de Choisy fut mis en service, ce qui marquait un tournant décisif dans la politique d'entretien du matériel roulant de la CMP. Désormais, la grande révision des trains de plusieurs lignes serait concentrée dans des grands ateliers. Les ateliers de Choisy furent chargés de la GR des lignes 7, 8 et 9 et de la petite révision des trains de la ligne 7. Plus tard, ils assurèrent la GR de cinq lignes.

Dans les années 1930, plusieurs ateliers furent inaugurés :

- en 1934, l'atelier PR de Boulogne pour la ligne 9 prolongée à Pont de Sèvres, et les ateliers de Fontenay, GR pour la ligne 1 prolongée à Vincennes et la ligne 8 et PR pour la ligne 1, activité qui fut étendue à la GR des lignes 2, 10 et 14 ;
- en 1937, l'atelier souterrain des Lilas pour la PR de la ligne 11 et l'atelier PR de Javel pour la « nouvelle » ligne 8 prolongée à Balard.

Cette organisation dura de nombreuses années. Dans les années 1960, alors que le matériel pneu avait fait son apparition, il existait douze ateliers de petite révision ou d'entretien installés à proximité de l'un des terminus de la ligne (terminus dit « principal ») ; trois d'entre eux assurant cette fonction pour deux lignes au lieu d'une, Italie pour la 5 et la 6, Javel pour la 8 et l'ancienne ligne 14 (Invalides - Porte de Vanves), Vaugirard pour la 12 et l'ancienne ligne 13. La petite révision concernait l'entretien systématique des organes des véhicules, la réparation des avaries peu importantes et le nettoyage des trains. Un contremaître-visiteur présent dans l'un des terminus de la ligne, qui s'appela pendant longtemps « ouvrier brigadier visiteur », exerçait une surveillance permanente des trains à leur passage et réparait les avaries légères.

Remontage d'un moteur de traction sur un bogie de la motrice Sprague à deux loges de conduite M 1012.

Les grandes révisions du métro se passaient aux ateliers de Choisy (lignes 3, 5, 6, 7 et 11), Fontenay (1, 2, 8, 10 et 14), Saint-Ouen (4 et 9) et Vaugirard (12 et 13). Elles consistaient dans la révision périodique des motrices et des remorques, le passage en peinture et la réfection des planchers, l'exécution de modifications ou la révision accidentelle lourde. Enfin, certains ateliers furent peu à peu spécialisés dans la révision et la réparation d'un type d'organe. Il faut noter que la révision générale du Matériel Articulé, d'abord à Vaugirard, puis à Saint-Ouen, demandait une organisation particulière des moyens.

L'évolution

Le renouvellement progressif des matériels roulants entraîna une modification sensible des méthodes d'entretien et une modernisation des installations des ateliers. L'objectif affiché était néanmoins toujours d'assurer la meilleure disponibilité possible du matériel en accroissant la sécurité et en veillant au confort des voyageurs. Pour parvenir à ce but, le principe appliqué depuis toujours fut de privilégier l'entretien préventif, afin de déceler à l'avance les dysfonctionnements des matériels pour mieux les réparer avec un temps d'immobilisation le plus réduit possible. On distinguait alors :

- les opérations d'entretien comprenant vérifications, nettoyage et entretien technique bimestriel;
- les opérations de révision des organes programmées à l'avance et réparties en révisions limitées et révisions générales;
- les opérations de réfection des peintures et des sols.

Pour accomplir l'ensemble de ces tâches, le Service du Matériel roulant disposait de postes de visite, d'ateliers d'entretien et d'ateliers de révision.

Déplacement de la motrice Sprague grise M 1306 sur le transbordeur des ateliers de Fontenay.

Nettoyage d'une rame de la ligne 8 à l'atelier de Javel en 1961 ; on note l'abondance de personnel nécessaire avant l'installation de machines à laver.

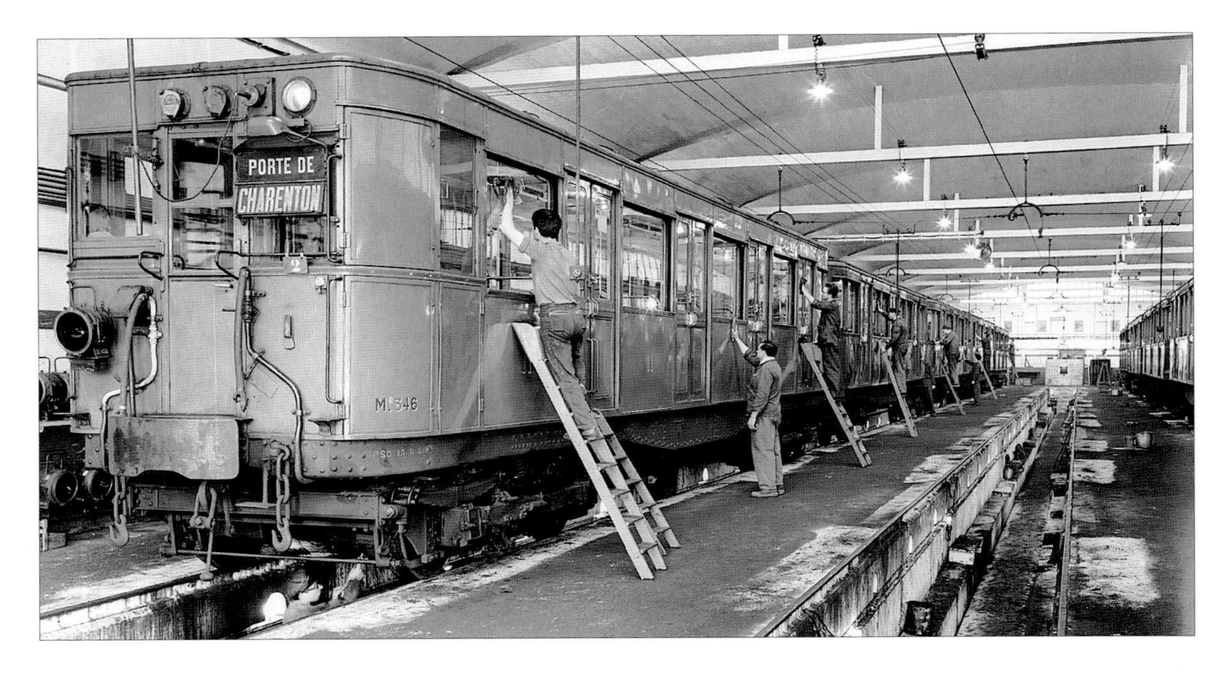

Le poste de visite d'une ligne était situé dans l'un des terminus de la ligne où se trouvait une voie équipée d'une fosse adaptée au matériel roulant de la ligne. Un contremaître-visiteur y procédait aux réparations d'avaries légères en immobilisant le train et pouvait demander l'envoi du train en atelier (BR dépôt).

Les ateliers d'entretien de chaque ligne, dont on a vu le caractère très ancien pour la plupart d'entre eux, durent être adaptés aux matériels modernes et aux méthodes nouvelles fondées sur l'introduction de cycles de révision par organe. L'adaptation et la modernisation portèrent notamment sur les fosses de visite, sur les aires de levage avec le remplacement des équipements vétustes datant de l'origine des ateliers, sur les locaux et sur l'amélioration des conditions de travail avec mise en place d'installations de chauffage, de douches, etc.

Le premier atelier modernisé fut celui des Lilas avec, en 1956, la mise en circulation des MP 55. Puis ce fut au tour des ateliers de Fontenay, Saint-Ouen, Saint-Fargeau, Choisy, Italie et Boulogne d'être modernisés, tandis qu'un nouvel atelier était construit à Pleyel pour l'entretien des trains de la ligne 13 dépendant jusqu'à cette époque de celui de Vaugirard.

Au cours des années qui suivirent, plusieurs ateliers furent modernisés, voire reconstruits comme par exemple celui de Charonne ou de Javel. Par ailleurs, un nouvel atelier fut construit à Bobigny à l'extrémité nord de la ligne 5 prolongée.

Les ateliers de révision furent bien entendu eux aussi concernés par le renouvellement des matériels et des méthodes, la plupart d'entre eux étant anciens. L'un des changements radicaux dans les méthodes de travail fut l'application des échanges standards des organes qui réduisait considérablement l'immobilisation des véhicules.

Grâce à la standardisation des matériels roulants, il fut possible de spécialiser leur révision dans des grands ateliers spécialisés à partir des années 1970. C'est ainsi que furent spécialisés : l'atelier de Fontenay pour les matériels « pneu » qui équipaient quatre lignes, celui de Choisy pour le matériel fer de première génération (MF 67) et celui de Saint-Ouen pour le matériel fer de deuxième génération (MF 77). La révision du MP 55 fut transférée de Choisy à Fontenay et celle du MA de Vaugirard à Saint-Ouen.

La maintenance du métro aujourd'hui

La maintenance des matériels métro est répartie sur trois unités spécialisées chacune sur un type de matériel (MP, MF première génération et MF deuxième génération), auxquelles il faut ajouter une unité d'entretien des organes commun à tous les matériels. Pour chacune de ces unités, il existe trois niveaux de maintenance : les centres de dépannage, les ateliers d'entretien et les ateliers de révision.

Les Centres de Dépannage (CDT) constituent le premier maillon de la chaîne de maintenance. Situés au plus près de chaque ligne de métro et de leur équipe d'exploitation, ils réalisent la maintenance de proximité grâce, principalement, à des interventions correctives de courte durée.

Les Ateliers de Maintenance des Trains (AMT) assurent au quotidien la maintenance de proximité préventive et la maintenance renforcée des matériels avec essentiellement la maintenance préventive qui comprend des

Une motrice MF 77 sur le pont transbordeur des ateliers de Javel (secteur révision).

interventions systématiques ou cycliques avec vérification et remplacement éventuel et la maintenance corrective, c'est-à-dire les dépannages.

Les Ateliers de Révision (REV) accomplissent, selon une certaine périodicité, toutes les opérations de maintenance préventive lourde destinées à assurer la pérennité des organes, y compris les caisses considérées comme tels. Les déposes d'organes pour révision sont de plus en plus souvent réalisées dans les ateliers de maintenance renforcée des trains. L'évolution à venir portera sur :

• le rapprochement des ateliers de proximité, du centre de dépannage technique et des faisceaux d'exploitation en cas de prolongement ou de mise en service d'installations nouvelles (par exemple à Châtillon) ;

• l'adaptation de certains ateliers en ateliers de maintenance renforcée pour deux lignes en les dotant de moyens industriels lourds cohérents par rapport à leur activité ;

• la recherche d'un regroupement des activités équivalentes au sein des ateliers de révision (spécialisation par organes).

Les deux Ateliers de Maintenance des Équipements (AME) sont :

• celui de Saint-Ouen pour les équipements électroniques ;

• celui de Saint-Fargeau pour les équipements pneumatiques.

Intervention sur un bogie moteur d'un MP 73 à l'atelier de révision pneu de Fontenay.

CHAPITRE VI

L'exploitation

Des débuts timides d'avant Couronnes à la rigueur qui suivit la catastrophe, l'exploitation du métro passa de l'improvisation à la méthode. Au fil des ans, le système se perfectionna grâce aux agents, à de nouvelles méthodes et à des équipements de plus en plus performants. Aujourd'hui, alors que la technique ne fait quasiment plus défaut, l'exploitation se préoccupe davantage de la qualité du service rendu aux voyageurs.

L'exploitation à l'époque où les poinçonneurs retenaient les voyageurs derrière des portillons manuels quand un train était à quai.

L'exploitation d'une ligne de métro, c'est-à-dire son fonctionnement au quotidien, nécessite des moyens techniques, un personnel compétent et des méthodes rigoureuses. Avant la catastrophe de Couronnes d'août 1903, ces trois composantes présentaient de sérieuses lacunes. Aussi dès les jours qui suivirent cette tragédie, des mesures strictes furent imposées à la CMP par les autorités publiques afin de jeter les bases d'un métro sûr pour tous.

Pendant plusieurs décennies, les lignes de

Les chefs de station, reconnaissables à la coiffe blanche recouvrant calots ou casquettes, dans leur bureau sur le quai, alors qu'ils avaient des responsabilités au niveau de la circulation des trains.

métro fonctionneront selon les principes et règles édictés à cette époque. Ce n'est qu'à la fin des années soixante, alors que le métro se remettait lentement des séquelles de la Seconde Guerre mondiale, qu'une vague de modernisation sans précédent entraîna des changements significatifs dans l'exploitation des stations et des trains.

En 1998, avec la mise en service de la nouvelle ligne 14 entièrement automatique, le métro parisien entrait dans le troisième millénaire en associant haute technologie et qualité de service rendu aux voyageurs.

Les débuts

Lorsque le 19 juillet 1900 la ligne 1 ouvrit (enfin) ses portes, l'enthousiasme du public fut grand. Pourtant, très rapidement, la nouvelle et merveilleuse machine donna des signes de faiblesse : encombrement des rames, mauvaise organisation et premiers accidents heureusement sans gravité.

À cette époque, les voyageurs découvrirent un réseau souterrain composé de stations aux accès étriqués, « très » éclairées – les guillemets étant ici de mise tant il s'agissait plutôt de pénombre –, et servis normalement par un personnel nombreux. On y trouvait en effet :

- un chef surveillant assurant d'importantes responsabilités ferroviaires – il avait notamment autorité sur le personnel des trains durant le stationnement des rames dans sa station –, techniques avec la surveillance des installations, commerciales avec la surveillance de la vente des titres de transport ;
- les surveillants de quai qui observaient en permanence tout ce qui pouvait se passer sur les quais, aidaient à l'ouverture ou à la fermeture des portes des trains en cas d'affluence et canalisaient les voyageurs ;
- la receveuse qui vendait les billets ;
- le surveillant de contrôle qui poinçonnait les billets et qui était toujours le mari de la receveuse.

Les trains, eux, étaient inspirés des tramways et ne comportaient que des voitures à essieux rigides, à caisse en bois et au confort tout relatif, mais néanmoins supérieur à celui des omnibus de surface. Ils étaient également servis par un personnel abondant :

- le chef de train responsable de tout le personnel à bord, y compris le conducteur ;
- un certain nombre de gardes assurant le service des portes (non automatiques à l'époque), la surveillance et la police du train ;
- le conducteur chargé de la conduite du train et du petit entretien des motrices.

La catastrophe qui, le 10 août 1903 sur la ligne 2, entraîna la mort de 75 personnes à la station Couronnes et de huit autres dans le tunnel mit en évidence de graves insuffisances : appareillages électriques du matériel

Le « couple » conducteur/chef de train ; ci-dessus, sur une rame Nord-Sud, et à droite, réuni dans la loge de conduite d'un MF 67 ; noter les premières télévisions de quai pour la surveillance du service voyageurs, notamment dans les stations en courbe.

roulant pas suffisamment isolés, fonctionnement simultané dangereux des motrices d'extrémité en raison de la présence d'un gros câble d'alimentation courant le long du train, dispositif d'éclairage des tunnels et des stations mal disposé et mal protégé, absence de motif SORTIE éclairé, défaut de poste à incendie, alimentation en un seul bloc de la ligne en courant traction ne permettant pas une coupure automatique ou volontaire par tronçons et surtout absence totale de personnel d'encadrement en ligne.

Du Mouvement et de la Traction à la maîtrise polyvalente

Les injonctions concernant les aspects techniques du métro furent appliquées au fur et à mesure de la construction des nouvelles lignes et en fonction des disponibilités financières. Quant à l'organisation et aux méthodes d'exploitation, le changement fut radical. La grande nouveauté fut la création d'un personnel d'encadrement en ligne afin de ne pas laisser les agents seuls face aux difficultés. Les lignes furent divisées en plusieurs secteurs dépendant chacun de gradés responsables.

Deux services furent créés : celui du Mouvement et celui de la Traction. Le Service du Mouvement concernait les agents sédentaires et les agents d'accompagnement des trains placés, désormais, sous l'autorité de gradés appelés « régulateurs » ; ceux-ci s'occupaient également de la régulation d'intervalle, tandis que la régulation d'horaire était assurée par les chefs de secteur. En terminus, les mêmes agents dépendaient d'un sous-chef de terminus placé, avec le chef de départ qui expédiait les trains et les chefs de manœuvre, sous l'autorité du chef de gare, lui-même dépendant de l'inspecteur Mouvement qui, à son tour, dépendait d'un chef de service. Le Service de la Traction concernait exclusivement les agents de conduite des trains placés sous la responsabilité d'un gradé « chef de secteur », dépendant lui-même d'un inspecteur et d'un chef de service. Ces deux services cohabitaient sans réelle articulation, la rédaction de deux rapports journaliers distincts en étant la preuve flagrante.

Ainsi, après une courte période laissant une place relativement importante à l'improvisation, fut mise en place une exploitation

Le contrôle des billets en première classe dans les années quarante.

L'un des principaux outils de l'ancienne exploitation : les portillons automatiques avec, en haut, un modèle à moteur extérieur et, en bas, un modèle à moteur incorporé.

strictement réglementée, encadrée, avec un souci permanent de sécurité dans le respect des horaires. Cette dualité de hiérarchie fonctionna pendant de nombreuses années, mais commença à donner des signes d'inadaptation dès les années cinquante alors qu'on songeait à moderniser le réseau et ses méthodes d'exploitation. En effet, le service rendu aux voyageurs à cette époque se dégradait de plus en plus, les retards s'accumulaient entraînant une perte de capacité de transport, les temps d'attente dans les accès et sur les quais augmentaient sans cesse, mais surtout le moindre incident prenait des proportions inacceptables.

Les spécialistes ont retenu quatre raisons essentielles expliquant cette médiocrité du service rendu :

1- L'insuffisance, voire l'absence, de moyens de communication entre les gradés et le personnel des trains obligeait à communiquer par appel général téléphonique en station. En cas d'incident, l'absence de vue globale de la situation de la ligne empêchait toute solution rapide, la saturation des moyens de liaison augmentant le délai de transmission des ordres.

2- La vétusté des moyens de contrôle et de commande des appareils de voie – en cas d'incident, le gradé devait être amené en taxi à l'aiguillage qu'il devait manœuvrer pour assurer un service provisoire – et de l'alimentation en courant de traction ne permettait plus des actions rapides nécessaires à un prompt rétablissement d'une circulation normale.

3- L'inadaptation de l'encadrement qui, en raison de la dualité mentionnée plus haut, était parfois source de rivalités ou de mauvaise coordination.

4- L'obsolescence des règlements d'exploitation qui ne correspondaient plus aux besoins de l'exploitation et finalement entraînaient des retards de moins en moins acceptés.

Dans la grande vague de modernisation du milieu des années soixante-dix, dont les éléments les plus importants sont décrits plus loin, la fusion des deux services entraînant la constitution d'une maîtrise polyvalente fut un événement majeur dans la vie du réseau de métro. L'encadrement serait désormais unique pour une population technicienne – les conducteurs – et pour une population commerciale – les agents station – : les sous-chefs de terminus et les sous-chefs de ligne seraient recrutés par concours, à la différence de la « petite maîtrise » promue « au choix » que sont, en terminus, les chefs de départ et les chefs de manœuvres.

Le sous-chef de terminus supervise les conducteurs et agents de manœuvre du terminus placé sous l'autorité d'un Inspecteur Adjoint d'Exploitation (IAE) faisant partie de l'équipe responsable de la ligne ; il avait également un rôle d'encadrement des agents station du terminus. Il pouvait aussi intervenir en renfort sur la ligne en cas d'incident majeur.

Le sous-chef de ligne occupait, sous la responsabilité de l'inspecteur Chef de ligne et son adjoint, les fonctions anciennement dévolues au chef de secteur (Traction), notamment en cas d'incident sur un train, et au régulateur (Mouvement) en cas d'incident d'exploitation en ligne ou en station. Il était en liaison étroite avec le régulateur du PCC, véritable chef d'incident dont il était en quelque sorte, le représentant en ligne.

Après la Seconde Guerre mondiale et la reconstitution des moyens d'exploitation, la jeune RATP, avec des moyens financiers extrêmement limités, allait se lancer dans une œuvre de modernisation technique qui allait d'abord concerner le matériel roulant. Quant aux installations techniques servant à l'exploitation des lignes, il fallut attendre le développement des techniques d'automatisation dans les années 1960 pour voir poindre les prémices d'une vague de modernisation restée sans précédent jusqu'à la naissance du projet Météor (L. 14).

Le PCC du métro :
- ci-contre, l'une de ses deux salles avec les TCO (tableaux de contrôle optique) des lignes et, au centre, les pupitres des chefs de régulation ;
- ci-dessous, détail du TCO de la ligne 10.

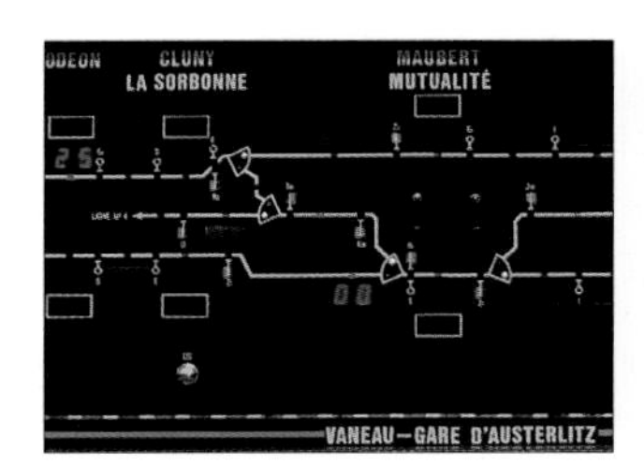

Un chef de régulation « pianote » sur son pupitre pour allumer plusieurs DSO (départs sur ordre) retenant les trains en station en cas d'incident.

Exploitation et automatismes

En tenant compte des impératifs de rapidité d'intervention, notamment en cas d'incident mais pas seulement, d'optimisation de la capacité de transport, de minimisation des coûts d'exploitation, et dans le cadre de l'évolution technologique, les principes retenus par les techniciens de la RATP et les industriels concernés furent la centralisation et l'automatisation. La première procurait une vision globale et instantanée de la situation en ligne et permettait une prise de décision immédiate, la seconde autorisait une exécution rapide des mesures prises grâce à la télécommande des appareils sur le terrain.

Le PCC

Le poste de commande et de contrôle centralisé (PCC) a comme finalités la régulation de la marche des trains et du trafic, l'aide aux conducteurs, la régulation de l'énergie de traction, la fonction « aiguillage » et l'information des voyageurs. On a dit que, dans le système ancien, les moyens à disposition ne permettaient pas d'intervenir efficacement dans tous ces domaines. Ceci était dû à un manque d'informations rapides et fiables entraînant parfois des prises de décisions non exemptes de fausses manœuvres, à une transmission des ordres en ligne passant par des intermédiaires pouvant les déformer et par un contrôle d'exécution de ces ordres en ligne peu aisé. Aussi, le PCC fut-il imaginé pour mettre à la disposition des gradés des moyens d'informations puissants donnant une vue d'ensemble de la situation, des liaisons directes entre les différents acteurs de l'exploitation et des moyens d'intervention directe.

Outre ces moyens techniques puissants, la fusion en 1966 des services Mouvement et Traction s'imposa afin d'asseoir sur une autorité unique la responsabilité de l'exploitation des lignes. La création d'un nouveau poste de Chef de régulation au PCC cumulant les fonctions autrefois imparties aux régulateurs et aux chefs de traction illustra parfaitement cette symbiose.

En raison de l'exploitation indépendante de chaque ligne de métro, chacune d'entre elles fut dotée d'un PCC, tous regroupés à côté de la Permanence du réseau ferré, organe de gestion centrale, de coordination et d'information de l'ensemble. La ligne 1 fut la première équipée d'un PCC en 1967; les autres lignes du réseau en furent équipées entre 1967 et 1975.

Le PCC se compose de deux sous-ensembles : un tableau de contrôle optique (TCO) et un pupitre. Le TCO comprend lui-même deux parties :

• la partie « trafic » avec visualisation de la position des trains identifiés par leur numéro et leur cheminement, la visualisation de l'état des signaux de manœuvres et de la position des aiguillages, la télécommande des communications de pleine voie pour effectuer un « service provisoire »;

• la partie « traction » avec la visualisation de l'état hors tension ou sous tension des sections et sous-sections d'alimentation en courant de traction 750 V, la commande des disjoncteurs d'alimentation des voies principales, la télécommande de sectionneurs d'isolement, la commande de déclenchement de chaque section ou de déclenchement général (coupure du courant de traction sur toute la ligne) et la mise hors service des circuits d'avertisseurs d'alarme. Les chefs de régulation sont ici en étroite collaboration avec les agents responsables du PCE (poste de contrôle énergie), en particulier pendant l'interruption de service entre 1 h 15 et 5 heures afin d'assurer la sécurité sur les chantiers de maintenance et la gestion des convois de travaux.

Le pupitre comporte des liaisons téléphoniques directes avec divers points importants de la ligne et les signaux de manœuvre, des liaisons par téléphone haute fréquence (THF) avec les conducteurs de chaque train, la commande des indicateurs de DSO (départ sur ordre retenant les trains en station), la commande de déclenchement général.

Le PCC abrite également deux postes d'informateur qui avise les agents et, à travers eux, les voyageurs, de la situation du trafic, notamment en cas d'incident.

L'histoire retiendra qu'à l'origine les PCC devaient gérer entièrement chaque ligne à distance, y compris les terminus; les premiers TCO disposaient de commandes d'itinéraires et des machines-départ pour envoyer les trains y furent installées. Toutefois, ces dernières, peu performantes, ne permirent pas de désarmer les postes de manœuvre locaux. Ils furent donc partout maintenus et modernisés peu à peu, sonnant le glas d'une hypercentralisation de l'exploitation depuis le PCC. Alors que l'équipement de toutes les lignes se terminait, les PCC des lignes 11 et 7 furent remis à niveau sur les plans techniques et fonctionnels, respectivement en 1975 et 1979 et le PCC de la 1 fut renouvelé en 1980.

Pour la plupart d'entre eux, les PCC accusent maintenant leur âge; il importe donc d'entamer leur renouvellement avec des moyens techniques modernes. Le PCC de la ligne 4 est maintenant le plus ancien et, malgré un fonctionnement remarquable mais sous une surveillance constante, il est le premier concerné. En outre, sa configuration technique empêche un renouvellement partiel. L'option expérimentale choisie consiste :

• d'une part, à centraliser et automatiser l'ensemble des fonctions « transport » dévolues au chef de régulation, au chef de départ et au chef de manœuvre, donc concernant l'ensemble de la ligne, y compris les terminus;

• d'autre part, à délocaliser le PCC pour l'intégrer à sa ligne dans un pôle unique de commandement comme pratiqué sur la ligne 14 et les lignes A et B du RER.

Le pilotage automatique

Le pilotage automatique (PA) des trains répond au double objectif d'allégement de la tâche des conducteurs et d'affranchissement de son équation personnelle dans la régulation du trafic. Les premiers essais eurent lieu en 1951 sur 750 m de la « voie navette » entre Porte des Lilas et Pré Saint-Gervais. Le véhicule d'essais était le prototype de matériel pneu MP 51. Il était équipé de capteurs qui « lisaient » un programme installé dans un tapis posé sur la voie. Le principe en était simple : le train pouvait rouler s'il en recevait l'autorisation en permanence, à condition que la signalisation le permette et, les vitesses étant inscrites sur la voie, le train recevait soit l'ordre d'accélérer s'il allait trop doucement par rapport au programme, soit l'ordre de freiner s'il allait trop vite.

Le prototype MP 51 roula sans incident majeur avec des voyageurs du 13 avril 1952 au 31 mai 1956. Cette année-là, un train de la ligne 11 composé du nouveau matériel sur pneu MP 55 reçut un équipement similaire. Mais peut-être arrivé trop tôt, il ne servit qu'à faire des démonstrations ou des parcours d'essais. C'est seulement une dizaine d'années plus tard que la RATP eut les moyens d'équiper une ligne entière en PA. On avait en outre attendu le fonctionnement fiable des nouveaux appareils de freinage, comme les électrovalves modérables au défreinage. C'est encore la ligne 11, la même qui avait été dotée de trains sur pneu entre 1956 et 1958, qui fut choisie pour expérimenter le système à grande échelle à partir de septembre 1967. Après des essais concluants sur quelques trains, l'ensemble du parc de la ligne fut

Boîtier lumineux ancien annonçant au conducteur leur avance (A), leur retard (R) voire leur grand retard (GR), en secondes, sur l'horaire théorique ; à gauche, l'indication de départ sur ordre (DSO) avec ses feux en triangle.

Console des « départs programmés » avec affichage de haut en bas des heures de départ des marches A et B (selon les heures de la journée), de l'intervalle avec le train précédent et, enfin, du temps de stationnement réel.

équipé en 1969. Les conducteurs, désormais déchargés de la conduite, furent maintenus seuls à bord des trains avec comme mission de surveiller les échanges de voyageurs, donner le signal de départ et vérifier la bonne marche du train.

Les résultats étant jugés satisfaisants – précision d'arrêt de plus ou moins 2 m, et nombre d'incidents inférieur à 1 pour 2000 interstations parcourues –, ce fut au tour de la ligne 4 d'être équipée, en 1969-1970, du pilotage automatique, celui-ci étant totalement électronique, plus fiable et procurant une précision d'arrêt de l'ordre des 0,50 m. Vinrent ensuite le tour de la ligne 1 en 1972 et celui de la ligne 3 en 1973. Une seconde génération technologique de PA équipa ensuite les lignes 6 et 9 en 1975, 8 en 1976, 7, 12 et 13 en 1977, 5 en 1978 et 2 en 1979. Seules les lignes 3 bis, 7 bis trop courtes et peu fréquentées et la 10, équipée alors d'un matériel inapte à être équipé de logiques embarquées, ne furent pas équipées du PA.

Sur ces trois dernières lignes, afin d'assurer une sécurité maximale, fut installé un système comprenant un dispositif contrôlant l'état de veille des conducteurs et un dispositif d'arrêt automatique en cas de non respect de la signalisation (franchissement intempestif d'un signal rouge) : la « conduite manuelle contrôlée » (CMC) où le conducteur devait tenir en permanence un « cerclo » placé sur le manipulateur de conduite.

Cependant, les réflexions amenèrent à ne pas laisser subsister sur les autres lignes la seule alternative : pilotage automatique ou conduite manuelle libre. Aussi fut-il décidé d'équiper toutes les lignes dotées du PA avec une CMC améliorée. Le conducteur devait non seulement tenir actionné le cerclo, mais le relâcher toutes les 30 secondes environ pour manifester sa vigilance et sa vivacité. Cette CMC correspondait à la VACMA de la SNCF – Veille Automatique (CMC première génération) à Contrôle de Maintien d'Appui (CMC deuxième génération). En 1984, toutes les lignes en étaient équipées.

Consoles en terminus, avec pendules de régulation affichant les heures de départ des trains selon les différentes marches ; en dessous, on trouve les boîtiers présentant le DSO, le voyant bleu AA HS (avertisseur d'alarme hors service) et le voyant orange présentant les indications SS (service de sécurité) ou SSO (service de sécurité sur ordre) en cas notamment d'avarie de signalisation.

La régulation automatique du mouvement des trains

Avec son équipement en PCC en 1967, la ligne 1 reçut un dispositif de régulation automatique destiné à maintenir des intervalles serrés et réguliers, condition essentielle à un écoulement fluide du trafic malgré d'évidentes surcharges. On sait en effet qu'un train en retard sur son horaire théorique rencontre plus de voyageurs dans les stations aval, ce qui accroît encore davantage son retard. Le dispositif installé en station sur la ligne 1 donnait à chaque train, grâce à un calculateur, son avance ou son retard sur l'horaire, indication affichée sur un boîtier lumineux visible par les conducteurs. Une avance de plus de 20 secondes entraînait l'allumage de l'indicateur de « départ sur ordre » (DSO).

À cette option exclusivement indicative qui ne donna pas les résultats escomptés succéda, en mai 1969 sur la ligne 7, une nouvelle méthode dite des « départs programmés affichés en station » combinant programmation des temps d'ouverture des portillons de quais et limitation des temps de stationnement. Ce sont ces derniers qui conditionnent en effet en grande partie l'intervalle minimal entre deux trains et sur lesquels on peut apporter une modification. Pour ce faire, il fallait modifier la règle selon laquelle un train devait stationner jusqu'à la montée du dernier voyageur sur le quai qui avait été admis avant la fermeture des portillons. Cette pratique allongeait parfois d'une façon exagérée les temps de stationnement. Aussi fut-il décidé de limiter ceux-ci à 35 secondes dans les stations importantes et d'aviser les voyageurs de l'imminence de la fermeture des portes du train par des bruiteurs. Les portillons, quant à eux, avaient été fermés automatiquement avant l'arrivée du train afin de ne pas admettre trop de voyageurs. En tête de chaque quai, un boîtier présentait : l'heure légale moins le temps de parcours depuis le terminus (heure décalée) selon deux types de marche (heures de pointe, heures creuses), l'intervalle réel avec le train précédent et le temps de stationnement réel. Cette expérience s'avéra concluante, puisque les intervalles purent être ramenés de 120 s à 95 s avec un accroissement notable de la régularité des trains. *(suite page 124)*

LA FORMATION À L'EXPLOITATION : DE LA MAQUETTE À SOSIE

Pour assurer la formation de ses agents d'exploitation et le maintien de leurs connaissances, la CMP imagina après la Seconde Guerre mondiale d'utiliser comme outil d'instruction une maquette d'exposition construite dans les années trente.
C'est en 1953 que cette maquette fut allongée pour représenter une véritable ligne de métro et équipée d'installations téléphoniques entre les terminus et entre ces derniers et les stations; un dispositif permettait également de créer des incidents à distance. Il fallait une vingtaine de minutes aux trains pour parcourir la ligne de 196 m de long et desservir ses 18 stations.
Placés dans les conditions réelles d'exploitation - les voyageurs en moins -, avec une « vision » uniquement locale et téléphonique de l'environnement, les gradés de la Traction et du Mouvement apprenaient à résoudre en temps réel tous les incidents survenant sur cette ligne à la vie mouvementée. L'instructeur pouvait à tout moment « figer » la situation, la commenter et apporter les corrections nécessaires aux manœuvres inappropriées des élèves.
Avec la mise en service du PCC, puis des postes de manœuvre locaux, l'exploitation des lignes de métro se modernisa, autorisant une réduction des intervalles entre deux trains à 95 secondes. Plus encore que par le passé, la survenance d'un incident entraînait de graves perturbations dont seul un personnel bien entraîné pouvait en minimiser les conséquences. De nouveaux outils de formation en rapport avec les moyens d'exploitation modernes furent imaginés.
Avec le simulateur Sosie, la RATP plaça les agents à former dans un environnement reproduisant intégralement les lieux de décision et d'exploitation d'une ligne : le PCC et les postes de manœuvre en terminus. Cet outil permet de recréer des situations identiques à celles rencontrées en ligne, sans engager la sécurité ou perturber le trafic.
Sosie permet un entraînement sur l'expédition des trains, la régulation de leur marche, les manœuvres et la gestion de l'énergie de traction. Depuis leur poste d'observation vitré, les formateurs ont une vision globale sur le système et sur leurs élèves. Par un dialogue avec l'ordinateur, ils peuvent créer des incidents que les élèves auront à résoudre. En cas de difficultés, la situation peut être « gelée » et commentée avant que l'instructeur ne relance la procédure.

L'ancienne maquette d'instruction du métro.

Ci-contre, le simulateur Sosie 1; au premier plan, le formateur.

Après Sosie 1, un Sosie 2 fut installé au début des années quatre-vingt-dix pour instruire les chefs de manœuvre. Avec la mise en service de la ligne 14, un Sosie a été installé à partir de 1998 pour former les superviseurs principaux d'exploitation et les superviseurs d'exploitation agissant en ligne ou au PCC de la 14 à Bercy. Sosie 3 reproduit fidèlement les installations et les équipements du PCC de la ligne, avec TCO et écrans de télé surveillant les stations et l'intérieur des trains. Les stagiaires disposent d'écrans de commande identiques à ceux du PCC, leur permettant de prendre toutes les mesures nécessaires à la commande et au contrôle des circulations, mais aussi de la maintenance et de l'information des voyageurs.

TICKETS E

La vente des tickets de métro commença le 19 juillet 1900 à l'ouverture de la ligne 1. Il en coûtait 25 centimes en 1re classe et 15 centimes en 2nde. À cette époque il existait des billets aller et retour de 2e classe à 20 centimes. Dès l'origine, la couleur fut de mise sur les titres de transport imprimés à plat sur carton fort de format 57 mm/30 mm. Ainsi, les billets de 1re étaient roses, ceux de 2nde gris et les allers et retours verts. Ils portaient de nombreuses inscriptions dans le sens de la hauteur : le mot « Métropolitain », la date et l'heure d'émission, l'indication de la classe, le prix, la station d'émission et enfin le n° de série.
En 1902, l'impression à plat fit place à une impression rotative, ce qui imposa de réduire l'épaisseur de la cartonnette désormais conditionnée en rouleaux. Les billets aller et retour (AR) devinrent bicolores vert-rose. Par ailleurs, les inscriptions furent simplifiées, notamment avec désignation de la classe en chiffres et non plus en lettres, tandis qu'apparaissait une nouvelle mention « valable pour ce jour seulement ».
Dès l'origine également, la CMP mit en vente des carnets de 10 billets de 1re ou 2nde classe. Ici aussi, plusieurs inscriptions se trouvaient sur les tickets, mais dans le sens de la largeur, sauf en général pour le nom de la station et le numéro de série. Les carnets possédaient une couverture saumon en 1re ou chamois en 2nde. Les billets, quant à eux, avaient un fond imprimé d'un motif avec notamment les inscriptions « à détacher avant le Contrôle » et « à la sortie jeter dans la boîte ». En 1902, le carnet était vendu sous forme d'accordéon et le billet de carnet de 1re devint rose. On trouvait parfois de la publicité (de la réclame) au dos du carnet. En 1904, apparut un curieux ticket qui présentait un verso divisé en huit cases avec les sept jours de la semaine et une case « gardes ». Comme préfigurant les cartes hebdomadaires, le poinçonneur perforait la case correspondant au jour d'utilisation, celle marquée « gardes » étant réservée au contrôle en voitures.
Dès l'ouverture de sa première ligne en 1910, la compagnie du Nord-Sud émit ses propres billets très ressemblants à ceux de la CMP. Ils étaient jaunes pour la 1re classe, gris pour la 2nde, tandis que les allers et retour étaient rouges barrés d'une fine bande médiane bleue.
Pendant la Première Guerre mondiale, les deux compagnies utilisèrent de la cartonnette et de l'encre d'impression de médiocre qualité. En 1919, avec la première augmentation des tarifs, le prix disparut des billets. Sur les couvertures des carnets, un tampon indiqua les nouveaux prix. Pour celle de 1924, la mention NT – Nouveau Tarif – fut apposée. Pour les suivantes, la CMP commença à apposer sur les billets les lettres de l'alphabet : A pour l'augmentation de 1925, B et C pour celles intervenues entre le mois d'août 1926 et le 31 décembre 1929, E et F pour celles de 1937, H pour 1938 et I pour celle de 1941. La lettre D fut appliquée au tarif réduit des mutilés de guerre en 1930.
Le 1er janvier 1930, l'absorption du Nord-Sud par la CMP entraîna une unification de la billetterie. Désormais, les tickets privés de leur encadrement avaient leurs couleurs elles aussi unifiées : rose pour la 1re, gris-vert pour la 2nde et jaune pour les AR.
En 1934, certains billets à l'unité furent imprimés avec la lettre P pour Paris, les AR comportant la mention PP. Quatre ans plus tard, ces inscriptions furent remplacées par la lettre U (pour urbain) ou les lettres UU.

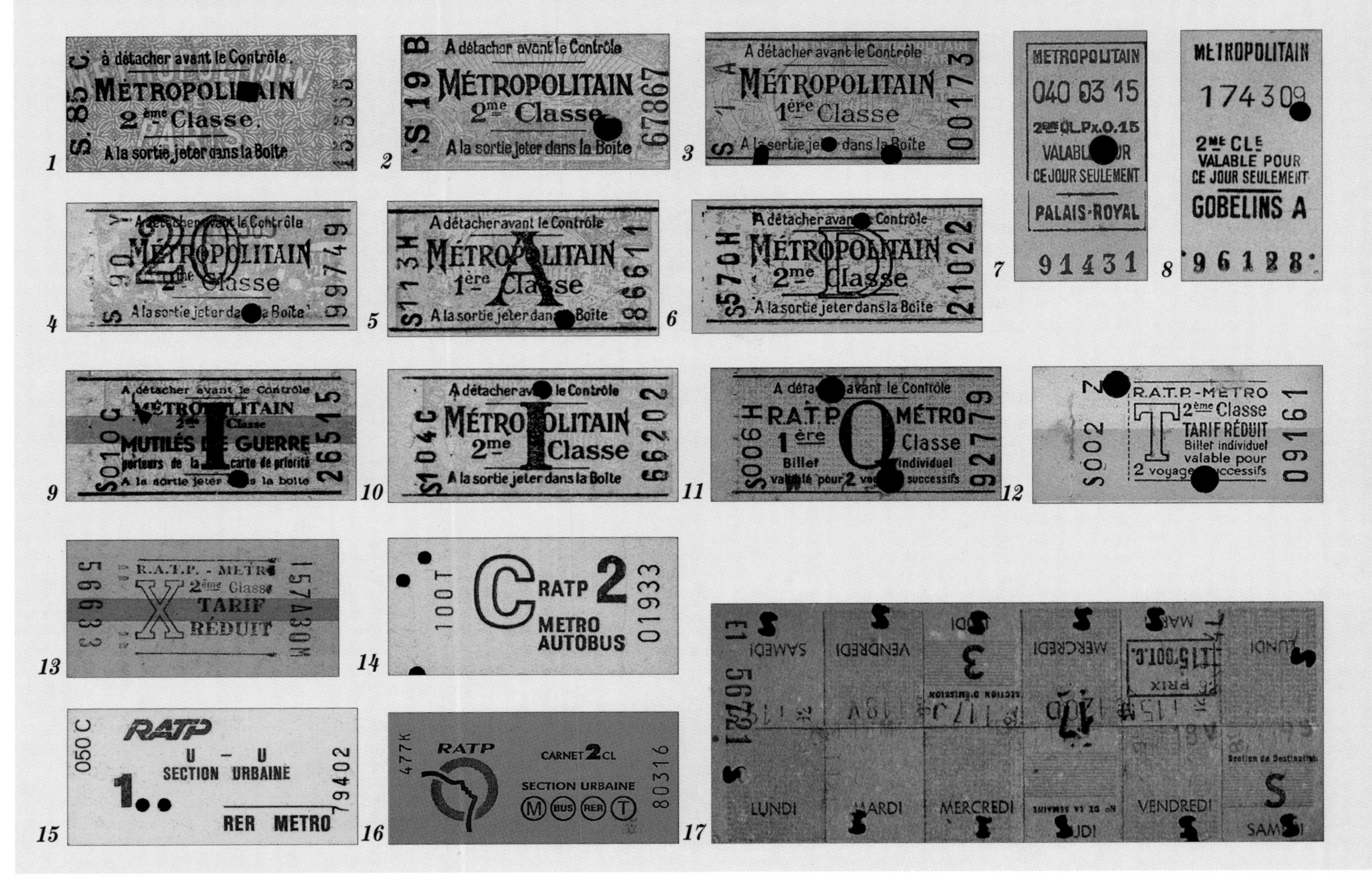

1 Billet de carnet, 1900.
2 Billet de carnet, 1904.
3 Billet de carnet, 1915.
4 Billet de carnet, 1919.
5 Billet de carnet, 1925.
6 Billet de carnet 1930.
7 Billet à l'unité, 1915.
8 Billet à l'unité, 1939.
9 Billet de carnet (mutilés), 1941.
10 Billet de carnet, 1941.
11 Billet de carnet, 1950.
12 Billet de carnet, 1957.
13 Billet à l'unité, 1960.
14 Billet de carnet, 1971.
15 Billet de carnet, 1975.
16 Billet de carnet, 1992.
17 Carte hebdomadaire.

ARIFICATION

Quelques mois avant la fusion autoritaire des réseaux routier et ferré en 1942, la CMP supprima tous les billets aller et retour pour les remplacer par les Cartes Hebdomadaires de Travail (CHT) « rigoureusement personnelles » et valables pour six allers et retours. Elles pouvaient se présenter sous trois formats différents.
En 1947, pendant l'administration provisoire des réseaux – nous étions au tarif L, puis M –, la moribonde CMP mit en vente des billets à tarification unique, la première classe étant supprimée. Elle fut rétablie dès le 1er décembre 1948. C'est à cette même époque que fut également créé un billet à tarif réduit pour « famille nombreuse » avec tickets barrés d'une bande rouge.
À partir du 1er janvier 1949, la RATP prenait en main les destinées des réseaux de transports parisiens. Le tarif N était alors en vigueur et un supplément de 5 F fut institué pour les dimanches et fêtes; une carte d'exonération de ce surcoût fut instaurée pour les « travailleurs du dimanche ». Il fallut attendre 1950 et le tarif O pour que la mention « MÉTROPOLITAIN » soit remplacée par celle de « RATP - MÉTRO ». En février 1951, une nouvelle augmentation fit avancer d'une lettre l'alphabet des billets et le fond de sécurité qui « tapissait » le fond des tickets disparaissait.
Les machines « automatickets » qui entrèrent en service à partir de 1951 délivrèrent des tickets à l'unité, puis en carnet de cinq pour le tarif réduit et le tarif normal dès 1953. Le temps s'écoula, les tarifs augmentèrent et, en 1957, nous en étions au T. Les couleurs des billets devinrent vert pour la 1re, havane pour la 2nde. Les CHT avaient désormais le nom de la station d'émission imprimé, avec obligation pour les voyageurs de commencer ici l'un des deux voyages journaliers. En 1961, les étudiants et les élèves purent bénéficier d'une carte hebdomadaire semblable à la CHT, mais de couleur bleue.
En 1958 – tarif V–, la RATP abandonna le principe du billet de carnet de cinq pièces valable pour deux voyages successifs introduit en 1943 à cause de la pénurie de papier. Désormais, les billets étaient valables pour « un seul voyage ». Cette dernière mention fut supprimée en 1960, alors que le tarif X était en vigueur.
L'introduction progressive, à partir de 1968, de la billetterie magnétique, avec l'automatisation de la vente et du contrôle des titres de transport, allait modifier, d'une part, la constitution des billets avec pose d'une bande magnétique longitudinale marron, d'autre part, ses dimensions avec une longueur passant de 57 mm à 62,5 mm. Les billets portaient dorénavant la mention « RATP Métro-Autobus », valables sur le métro, la partie urbaine de la ligne de Sceaux et deux sections d'une ligne de bus. Les billets étaient de couleur ivoire pour la seconde classe, vert pour la première (avec bande rouge pour les tarifs réduits).
À partir de 1973, seuls les billets magnétiques furent vendus et étaient contrôlés magnétiquement. Ils étaient jaune vif pour la seconde classe avec bande magnétique brune. Ils furent omniprésents dans les campagnes publicitaires « ticket chic, ticket choc ». Jusqu'à l'arrivée des ADAR en 1975 qui codèrent les titres de transport « à la demande », les automatickets délivrèrent des titres précodés. En 1975, un nouveau titre de transport apparut : la carte orange qui opérait l'intégration de la tarification des réseaux RATP et SNCF principalement. Avec le développement du RER, des billets combinés portant la mention « RATP/SNCF » furent mis en circulation. Enfin en mars 1992, le ticket devint vert.

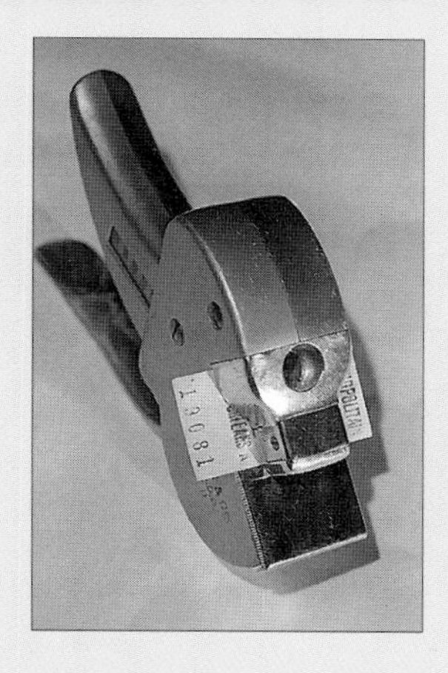

L'outil de travail des poinçonneurs : la pince de contrôle.

Trois « techniques » de contrôle des titres de transport et trois stades évolutifs : les poinçonneurs (jusqu'en 1972-1973), les lecteurs magnétiques et, enfin, le « passe sans contact ».

À partir de 1973, on définit des principes de « départs programmés automatiques », la logique n'étant plus locale mais dépendante des calculateurs du PCC. Il s'agissait là d'une étape essentielle dans la régulation du trafic, désormais appelée régulation impérative, d'autant qu'on pouvait maintenant aussi agir sur la vitesse des trains grâce au tout nouveau pilotage automatique en cours d'installation sur la plupart des lignes. Cette régulation impérative fut généralisée à partir de 1979. Aux heures de pointe, l'action du système se concrétisait par les séquences suivantes : commande chronométrique de fermeture des portillons, arrêt du train en station, allumage de l'indicateur DSO et ouverture des portes, déclenchement des bruiteurs à bord du train annonçant la fermeture des portes, fermeture des portes et départ. En cas de retard du train, le temps de stationnement était réduit et le programme du pilotage automatique commandait l'accélération de l'allure du train dans l'interstation suivante; en cas d'avance, le départ était inhibé (en pilotage automatique) ou interdit (en conduite manuelle) par le maintien de l'allumage du DSO jusqu'à l'heure de départ prévue à l'horaire.

Avec le « Nouveau service en station », les agents sont plus présents et plus mobiles.

Le « Nouveau service en station »

On a vu que, dès les débuts du réseau, l'exploitation des stations se faisait grâce à un personnel nombreux placé sous l'autorité du chef de station. Cette organisation resta en place pendant de nombreuses années malgré une évolution constante de l'environnement.

Pendant les années 1970, une nouvelle organisation se mit en place prenant le nom à demi-claironnant de TAME : Transformation des stations en vue de l'application des nouvelles méthodes d'exploitation. Cette opération s'inscrivait dans une politique plus vaste de modernisation des techniques du métro centrée, d'une part, sur la régulation automatique et centralisée des trains et, d'autre part, sur l'automatisation de la vente et du contrôle des titres de transport. La forte croissance du trafic à cette époque, une rationalisation dans la gestion des effectifs avec disparition de certains métiers aux gestes répétitifs (les poinçonneurs) et l'émergence de nouvelles possibilités techniques furent à l'origine de cette transformation.

La nouvelle organisation des stations s'articulait autour d'une mission essentielle – la vente des titres de transport – effectuée dans un bureau de station, où était « remonté » le chef de station ayant perdu ses attributions ferroviaires pour cause de PCC. L'exploitation du réseau de métro, alors totalement maîtrisée, était entièrement tournée vers la production du transport où toute notion de qualité de service semblait absente.

Au cours des années 1970, la situation économique se détériora en grande partie à cause des chocs pétroliers. La société française et parisienne, encore sous le coup du choc moral et culturel de Mai 1968, entra dans une nouvelle époque, ce qui n'allait pas être sans conséquence pour le métro. Ce dernier, inévitablement reflet de la capitale qu'il dessert, devint de plus en plus perméable à une marginalité naissante, chanteurs, vendeurs à la sauvette, pickpockets, etc.

Face à cette situation, les agents en station, comme « enfermés » dans leur bureau de vente se retrouvèrent démunis et se recroquevillèrent sur la vente des titres de transport, pour les voyageurs qui veulent bien en acheter, car, dans le même temps, la fraude se développa rapidement. Les voyageurs, quant à eux, avaient l'impression grandissante que les agents RATP désertaient le réseau et, en conséquence, ressentaient un profond sentiment d'insécurité. Pour apporter un début de réponse à cette angoisse, outre la création

LA SÉCURITÉ DANS LE MÉTRO

Le métro assure presque la moitié du trafic de la RATP, soit plus de 4 millions de déplacements par jour. L'amélioration de la sécurité et l'atténuation du sentiment d'insécurité sont une préoccupation majeure de la RATP et une attente prioritaire des voyageurs et des agents. Pour ce faire, la RATP conjugue des politiques associant des dispositifs humains et techniques.
Le renforcement de la présence humaine se traduit :
• par la constitution, depuis 1991, d'équipes mobiles formées au service des voyageurs (information, accueil) et qui interviennent dans la lutte contre la fraude ;
• par le développement du professionnalisme des agents du GPSR (Groupement de prévention et de sécurisation des réseaux).
Pendant le service, un peu plus de 200 agents circulent simultanément dans les stations de métro, en équipes mobiles de 2 à 6 personnes reliées par radio à l'un des 30 centres de liaison.
Par ailleurs, les 740 agents du GPSR assurent une présence itinérante 24 heures sur 24 sur tous les réseaux avec comme objectifs : la sécurisation des voyageurs et des agents, la dissuasion, la lutte contre les infractions à la police des chemins de fer et, dans les cas limités de flagrant délit, l'intervention.
Une coordination permanente et renforcée avec la Police intervient quotidiennement grâce au déploiement d'environ 600 policiers affectés à la surveillance du métro et du RER, regroupés depuis avril 1999 dans une nouvelle entité : le SPSRFP (Service de protection et de sécurisation des réseaux ferrés parisiens).
Ce maillage s'appuie sur des moyens de communication et de vidéo surveillance gérés depuis les deux salles de commandement du PC 2000, l'une dédiée à la RATP, l'autre à la Police.
Par ailleurs, la prééminence donnée à la prévention se retrouve dans des actions locales (actions pédagogiques dans les collèges en partenariat avec l'Éducation nationale, actions socioculturelles sous l'égide de la Fondation d'entreprise pour la citoyenneté) et sur des actions plus globales telles que l'aide et l'assistance aux personnes sans-abri.
Enfin, une technologie performante confère au dispositif humain une meilleure efficacité. Depuis 1991, la RATP a procédé à des investissements en matière de sécurité de l'ordre de 100 MF par an. À titre d'exemple, à mi-1999, 2 000 caméras dédiées à la sécurité étaient en place sur les réseaux métro et RER.

L'un des centres de liaison du métro.

d'une unité de police spécialisée, des bureaux d'information furent installés dans plusieurs stations importantes du réseau, tandis qu'apparaissaient les premiers commerces.

Alors que l'opération TAME 2.2 avait institué un modèle de station à un seul agent disposant de moyens techniques conséquents, une vaste réflexion s'engagea sur le thème d'un nouveau service en station. Une première expérience fut réalisée en 1984 à Bastille où fut créée la fonction de « chef des stations », tandis qu'émergeait l'idée de rendre itinérants les agents non occupés à la recette. De l'ensemble de ces réflexions et expériences naquit en 1989, dans le cadre de la décentralisation, le « Nouveau service en station » (NSS ou N2S) ayant comme objectifs la reconquête du territoire, la satisfaction des clients et la valorisation et le professionnalisme des agents.

Le schéma général d'organisation du N2S divise chaque ligne en plusieurs secteurs ayant à leur tête un cadre assisté de 3 agents de maîtrise chefs de secteur (un par service jour, mixte, nuit). Adjoint du chef de secteur, le pilote assure la gestion opérationnelle, administrative et du personnel du secteur. Dans chaque secteur, il existe un centre de liaison dans lequel un opérateur est en contact permanent avec tous les agents du secteur, notamment ceux des équipes mobiles qu'il oriente sur le terrain en fonction des besoins ; il est aussi en liaison directe avec le PCC, les diverses permanences de sécurité ou tout service d'intervention qui peut être utile en ligne. Le conseiller commercial assure la gestion de l'agence commerciale du secteur, informe les voyageurs, assure la vente de certains titres de transport particuliers ou de la carte intégrale. L'animateur de station reprend sensiblement les tâches dévolues au chef surveillant receveur, concernant la vente des titres de transport, la maintenance des équipements de station, l'information des voyageurs, etc. Quant aux agents des équipes mobiles, ils peuvent soit assurer des fonctions de remplacement en station, soit lutter contre la fraude en équipe, soit encore être utilisés comme agents d'ambiance à disposition des voyageurs ou en surveillance des installations.

La deuxième phase du N2S consiste, avec le protocole MAGISTER (maîtrise et gestions du territoire), à renforcer le professionnalisme des agents d'exploitation dans le domaine de la maîtrise du territoire qui relève de la responsabilité de chaque ligne. Ce domaine recouvre la prévention et la lutte contre la fraude, la résolution des problèmes liés à la présence des indésirables, à la sécurisation et assistance aux voyageurs. Pour ce faire, une nouvelle organisation de chaque ligne de métro est mise en place en élargissant les aptitudes des métiers de base et en créant des métiers spécifiques à cette tâche.

L'exploitation de la ligne 14

Alors que la quasi-totalité des lignes de métro est équipée du pilotage automatique avec néanmoins la présence d'un conducteur qui, en situation normale, ferme les portes et autorise le départ du train, la ligne 14 est entièrement automatique, sans aucun agent de conduite à bord. Elle permet ainsi d'offrir, dans des conditions de sécurité et de régularité accrues, un service plus souple et plus étoffé.

La quatorzième ligne du métro parisien fonctionne en automatisme intégral grâce au SAET : le Système d'automatisation de l'exploitation des trains. Conçu par Matra Transport International, il conjugue l'automatisme intégral, les portes palières, les moyens audiovisuels et la mixité entre trains équipés et trains non équipés.

Au départ, l'opérateur du PCC met la voie sous tension et choisit le programme d'exploitation qui définit, entre autres, la fréquence de passage des trains selon les périodes de la journée. Cette procédure affecte à chaque train une mission en adéquation avec le programme d'exploitation. Le PCC de la ligne 14 est situé à Bercy; c'est de là que les opérateurs surveillent et contrôlent les fonctions complexes et essentielles de la ligne. Pour ce faire, ils disposent de la visualisation de la ligne et de la position exacte de chaque train, mais aussi d'images vidéo des stations et, pour la première fois, de l'intérieur des trains. Le PCC est aussi à « l'écoute » des voyageurs grâce aux interphones installés à bord des rames, où le dialogue est toujours possible. À tous moments, les agents du PCC peuvent demander aux équipes d'intervention de régler un problème sur le terrain.

Le fonctionnement des rames en « conduite » automatique est le résultat d'un dialogue permanent (grâce au tapis placé sur la voie) entre le pilote automatique embarqué à bord des trains et le pilote automatique fixe installé dans certaines stations. Le premier commande les organes mécaniques du train dont il détermine la vitesse. Il analyse également sa position grâce à une roue phonique et aux balises situées sur la voie. Le second contrôle la position des trains, gère la signalisation, coordonne les mouvements des rames et commande les portes palières. Ces dernières protègent les voyageurs de toute chute sur la voie en absence de train. Elles s'ouvrent en concordance avec celles du train à l'arrêt, exactement comme dans un ascenseur. Le pilote automatique embarqué demande au pilote automatique fixe si le train est correctement arrêté (avec une précision de + ou - 25 cm); en cas de réponse positive, il autorise l'ouverture des portes. À l'inverse, le train ne peut partir que si toutes les portes sont fermées, après vérification des pilotes automatiques.

La ligne 14 autorise, c'est une nouveauté, la circulation simultanée de trains équipés d'automatisme et de trains non équipés. Pour assurer une qualité de service maximale avec des intervalles de 85 s, les trains fonctionnant en pilotage automatique sont détectés :

- pour les trains automatisés, par des cantons fixes virtuels au découpage fin : fixe car possédant un point kilométrique d'entrée et un point kilométrique de sortie prédéfinis et fixes, virtuels car sans existence physique sur le terrain;
- pour les trains non automatisés, par des circuits de voie.

En conduite manuelle, la sécurité est assurée par les agents de conduite qui respectent la signalisation latérale dont est dotée la ligne 14. En cas de non-respect, le train est arrêté automatiquement par le système de répétition ponctuel des signaux.

Chaque train automatique indique sa position et son sens de marche. Le pilotage automatique de section (PAS) fait le tri des trains à l'entrée d'une section d'automatisme. Le PAS cherche à dialoguer avec le train à l'entrée; s'il y parvient, c'est qu'il s'agit d'un train automatisé, s'il n'y parvient pas, c'est qu'il s'agit d'un train en conduite manuelle. Le train est alors pris en charge par le système, soit comme un train automatique, soit comme un train en conduite manuelle. La ligne 14 a été découpée en cinq sections d'automatisme indépendantes, mais dont les extrémités se chevauchent afin d'assurer la continuité du système. Ce chevauchement dans le dialogue permet de ne pas « perdre » un train en ligne, ce qui entraînerait son arrêt immédiat.

LES LIGNES

LIGNE 1

Château de Vincennes – La Défense

Longue de 16 600 m, la ligne 1 relie aujourd'hui Château de Vincennes à La Défense Grande Arche. Mise en service le 19 juillet 1900 entre Porte de Vincennes et Porte Maillot, elle fut la première ligne du réseau du Chemin de fer métropolitain de Paris à être ouverte au public.

L'HISTOIRE

Une rame à quai à la station Bastille, quelques semaines après l'ouverture de la ligne 1, en juillet 1900 ; à droite, on distingue la passerelle et la « pagode » Guimard d'accès à la station.

La ligne 1 (désignée A dans les projets de métro) faisait partie d'un réseau de 65 km de long répartis sur six lignes déclarées d'utilité publique par la loi du 30 mars 1898. À l'origine, le tracé établi en souterrain se développait sur 11 km entre Porte Dauphine à l'ouest et Porte de Vincennes à l'est. Il reprenait le tracé du « tube Berlier », tramway tubulaire souterrain à traction électrique proposé en 1887 par l'ingénieur Berlier pour relier les bois de Boulogne et de Vincennes. Cependant, après une étude complémentaire des conditions d'exploitation, il apparut plus judicieux de faire aboutir la ligne A à Porte Maillot, le tronçon « délaissé » entre Étoile et Porte Dauphine formant l'origine de la ligne B (circulaire nord, aujourd'hui L. 2) : la ligne A reliait donc Porte Maillot à Porte de Vincennes. À la place de l'Étoile, il fut décidé d'accoler les stations de la A et de la branche sud de la ligne B (aujourd'hui L. 6), afin de faciliter les correspondances. Une disposition analogue fut instaurée à la place de la Nation en mettant sur un même niveau les trois lignes (actuellement 1, 2 et 6).

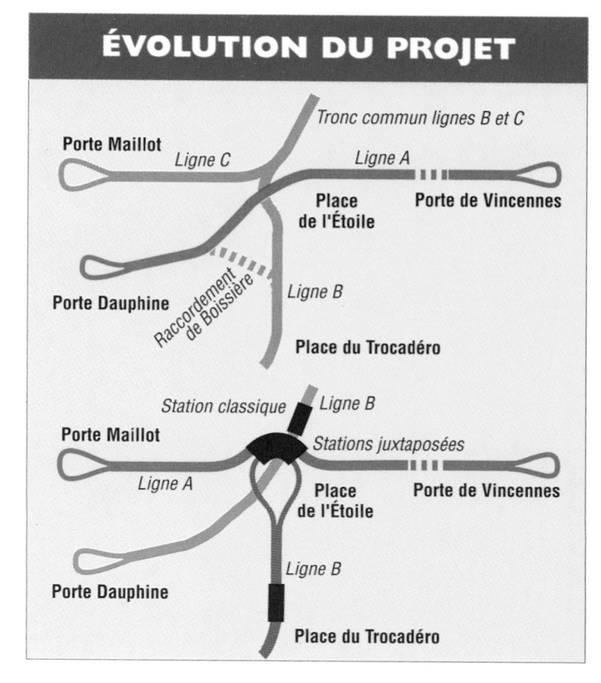

Le chantier de construction à ciel ouvert de la station Hôtel de Ville, en 1899, sous la rue de Rivoli totalement interrompue à la circulation.

Les travaux

Afin de permettre l'arrivée des ouvrages du métro dans le sous-sol déjà encombré de la capitale, la Ville de Paris fit procéder à partir de novembre 1898 à une série de travaux préparatoires :

- réalisation de quatre galeries d'accès entre le tracé et la Seine pour l'évacuation des déblais et l'approvisionnement des chantiers ;
- suppression du collecteur de la rue de Rivoli, construction d'un nouveau collecteur et d'une galerie secondaire ;
- remaniement des conduites de distribution d'eau.

Ces travaux et ceux de la construction de la ligne proprement dite furent financés et réalisés par la Ville de Paris. Placés sous la direction de l'ingénieur en chef Fulgence Bienvenüe, ils durèrent 20 mois. Ils furent divisés en huit lots répartis entre plusieurs entrepreneurs. Pour creuser le tunnel, en général établi à faible profondeur sous les voiries, l'emploi d'un bouclier fut préconisé. Mais des difficultés d'ordres divers restreignirent l'utilisation de cette méthode.

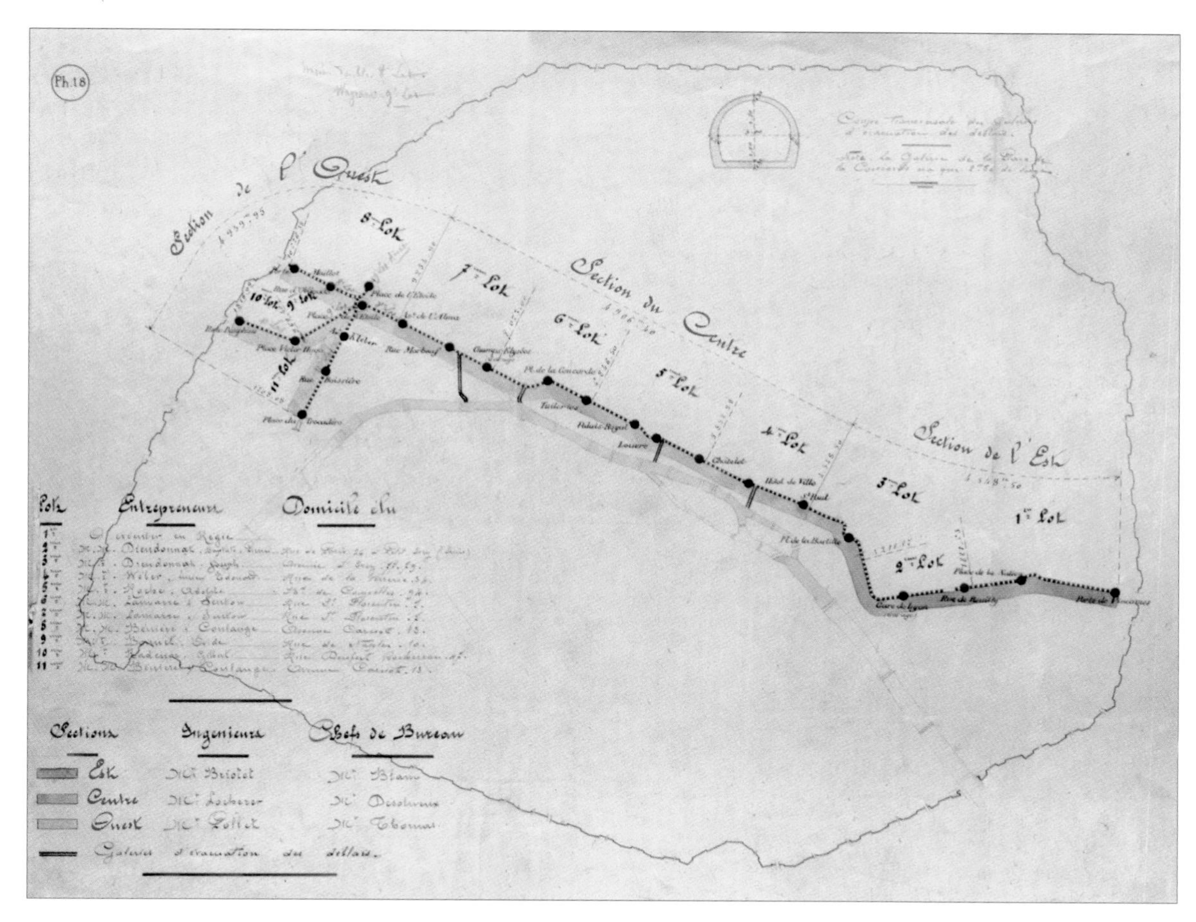

Dessin représentant la division en sections et en lots des travaux du chantier construction de la ligne 1 et des « embranchements », avec le nom des entreprises et des ingénieurs de la Ville de Paris responsables.

Les stations de la ligne 1, au nombre de 18, furent établies selon trois types : voûtée pour 10 d'entre elles, à plancher métallique pour 7 et à ciel ouvert pour 1. Elles étaient en général longues de 75 m et possédaient deux quais de 4,10 m de large. La voûte et les parois étaient recouvertes de briques émaillées ou de plaques d'opaline reflétant bien la lumière. Les accès financés par le concessionnaire exploitant, la CMP, furent relativement étriqués au début du métro. Un seul escalier reliait la salle de distribution des billets à la rue, où son débouché était parfois recouvert d'un édicule Guimard ; deux escaliers de part et d'autre d'une passerelle souterraine permettaient d'accéder aux quais.

Les stations terminus de Porte Maillot et de Porte de Vincennes furent établies avec deux ouvrages voûtés distincts (l'un pour les arrivées, l'autre pour les départs) comportant

Achèvement proche des travaux de couverture de la station Concorde, sous la rue de Rivoli, entre les arcades et le jardin des Tuileries ; les voûtes en briques sont ici parfaitement visibles entre les longerons.

Construction du souterrain de la ligne 1 après démolition du collecteur Rivoli, ce dernier ayant néanmoins servi de galerie d'avancement pour le creusement du tunnel.

Pour établir la ligne 1 place de la Bastille, il fallut agrandir cette dernière de 40 m (à gauche); la station est en partie située au-dessus du canal Saint-Martin (à droite).

La station Hôtel de Ville, avec un train à quai, quelques jours avant l'ouverture de la ligne 1 au public ; on remarque la taille disproportionnée des quais à l'époque par rapport à la longueur du train de trois voitures.

chacun deux voies, ouvrages reliés par un souterrain en courbe à une voie. Cette configuration en forme de raquette fut rendue nécessaire par l'obligation de n'avoir aucune manœuvre à faire pour retourner les trains, qui à l'époque étaient du type « tracté » avec une seule motrice; mais cela imposa, du fait de la voirie, la réalisation d'une courbe de très petit rayon (30 m).

Lors des prolongements de la ligne en banlieue, la configuration des lieux fut modifiée :

• abandon de l'ancien terminus et construction d'une nouvelle station à quatre voies à Porte Maillot ;

• abandon de la boucle, mais maintien de la station d'origine Porte de Vincennes, avec une seule voie à quai dans chacune des deux demi-stations.

Prévue pour accueillir les lignes A et B, la station Gare de Lyon disposa dès l'origine de dimensions impressionnantes pour l'époque : 23,90 m de largeur et 100 m de longueur. Elle comportait quatre voies encadrant deux quais centraux. Cependant cette configuration ne fut pratiquement pas utilisée, sauf entre août et décembre 1906 où les trains de la ligne 5 y furent envoyés depuis le terminus provisoire de Place Mazas (auj. Quai de la Rapée) pour y permettre la correspondance avec la ligne 1.

La station Bastille fut la seule de la ligne à avoir été établie à ciel ouvert, le canal Saint-Martin devant en effet être franchi par un pont. Pour ce faire, la place de la Bastille fut élargie de quelque 40 mètres pris sur le bassin de l'Arsenal. À noter qu'à l'entrée de la rue Saint-Antoine, des substructions d'une tour de la Bastille furent rencontrées lors de l'enlèvement du stross (terre de la partie inférieure du tunnel).

La mise en service

La ligne 1 fut ouverte au public le 19 juillet 1900 avec seulement huit stations; les autres stations furent mises en service progressivement entre le 6 août et le 1er septembre. L'exploitation se fit à l'origine avec des trains espacés de 10 puis 6 minutes aux heures de pointe. À partir de la fin janvier 1901, l'intervalle fut réduit à 3 minutes, ce qui soulagea quelque peu les rames, mais demeurait cependant insuffisant au regard du trafic qui atteignit presque les 4 millions de voyageurs en décembre 1900, soit en moyenne près de 130 000 par jour. Corrélativement, le chemin de fer de Petite Ceinture perdait une partie de

Plan des ouvrages réalisés en une seule fois, à la place de l'Étoile, avec la ligne 1 et les deux « embranchements » (futures lignes 2 et 6).

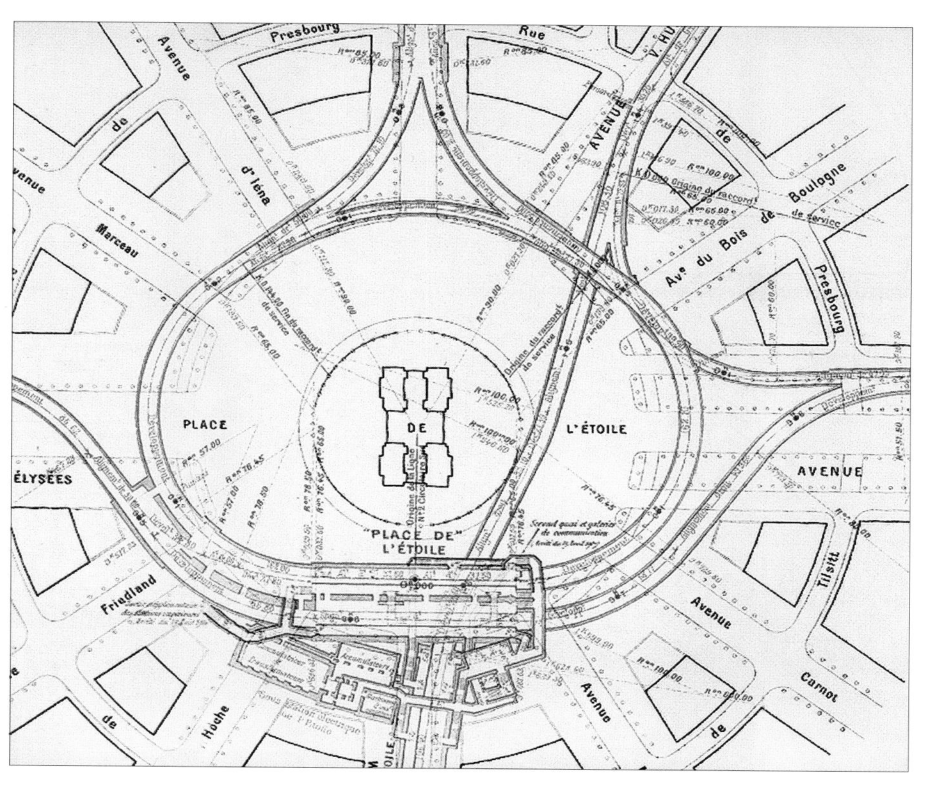

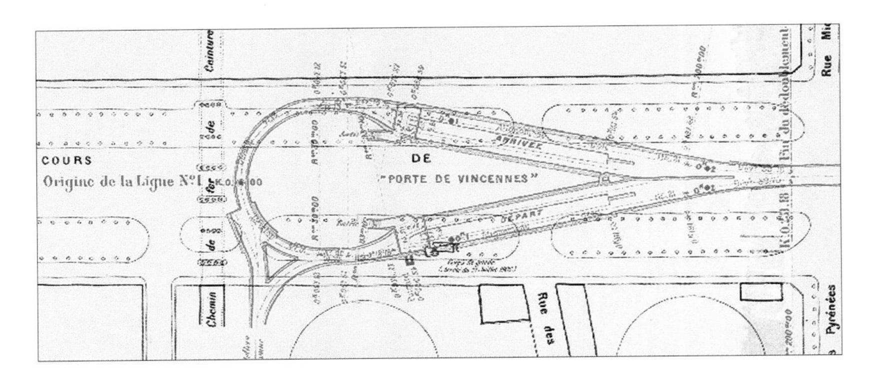

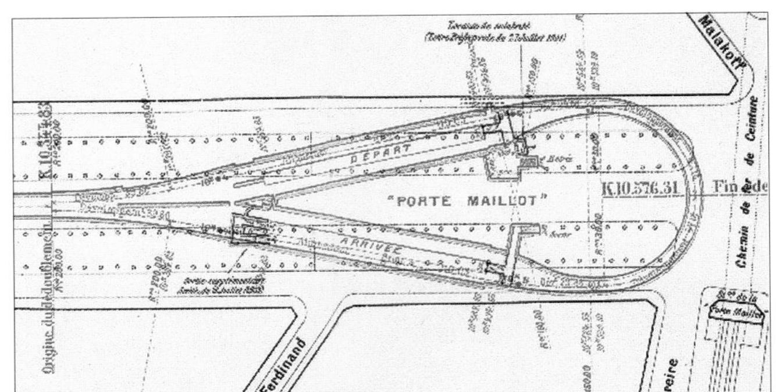

Symétrie presque parfaite des deux anciens terminus en boucle de la ligne 1, quand celle-ci n'allait pas encore hors les murs.

La place du Palais-Royal, au début du XXe siècle, à une époque où le métro s'affichait en toutes lettres.

Direction Maillot pour ces voyageurs du métro des années 1910 où circulent déjà les premières motrices à bogies et à loge métallique.

ses voyageurs. À l'origine de la ligne 1, les trains étaient composés de trois voitures : une automotrice de seconde classe à une seule loge de conduite (M 1 à 34) tractant deux remorques appelées « voitures d'attelage » (une de seconde, une de première). Toutes ces voitures mesuraient environ 9 m de long et reposaient sur un truck à essieux parallèles. Les caisses étaient en bois et possédaient deux portes à simple vantail par face. À l'intérieur, les sièges étaient en bois en seconde classe et recouverts de cuir en première. Le sol était formé de caillebotis.

Il apparut rapidement que les rames de trois, puis quatre voitures étaient insuffisantes pour écouler le trafic. On dut donc allonger les trains, ce qui était tout à fait possible, les rames étant longues de 36 m pour des stations faisant plus du double. À partir de la fin octobre 1901, des automotrices « Thomson doubles » et de nouvelles remorques toutes équipées de portes à double vantail furent mises en service. Deux automotrices encadrèrent quatre, cinq puis six remorques (1902), le conducteur pouvant les faire fonctionner depuis celle de tête. À partir de 1905, il n'y eut plus de motrices à essieux, celles-ci étant remplacées par des véhicules à bogies (M 330 à 389), tandis que subsistaient des remorques à essieux. Pour équiper la principale ligne du réseau, il fut décidé de remplacer ces dernières par des véhicules à bogies plus confortables.

En 1905, la ligne fut équipée de trains de sept voitures, composition ramenée à six à partir d'avril 1906 : trois motrices et trois remorques « courtes » à bogies. En 1908, le matériel de la 1 changea à nouveau avec l'introduction de voitures « longues », motrices série 500 Sprague-Thomson et remorques, dont la présence fut rendue possible par un léger déplacement vers l'est de la station Bastille. Dès lors, les trains de la ligne 1 furent composés de cinq voitures : trois motrices et deux remorques. Cependant, l'accroissement du trafic au cours des ans mit en lumière l'insuffisance de capacité des rames anciennes. Pour remédier à cette situation, de nouveaux matériels furent mis en service dans les années 1920, avec des voitures plus longues (13,60 m), des motrices « petites loges » offrant plus de place aux voyageurs. C'est à partir de 1933 que la ligne 1 fit circuler des trains de cinq voitures avec seulement deux motrices à quatre moteurs et trois remorques.

Prolongements et trains sur pneus

La convention de 1929 avait prévu plusieurs prolongements de lignes de métro en banlieue. La 1 était concernée avec les projets à Vincennes et à Neuilly. C'est le 24 mars 1934 que le prolongement de la ligne 1 à Château de Vincennes fut inauguré. Long de 2300 m, il comprenait, outre le nouveau terminus à quatre voies groupées deux à deux (arrivées/départs), deux nouvelles stations, l'une à Saint-Mandé, l'autre à Vincennes (Bérault). Au-delà du terminus, le tunnel se poursuivait pour servir à la fois au garage des rames et à la liaison avec le nouvel atelier de Fontenay-sous-Bois.

À Porte de Vincennes, styles très différents pour les accès du métro lors du prolongement de la ligne 1 à Château de Vincennes où l'édicule Guimard cède sa place à un entourage plus sobre.

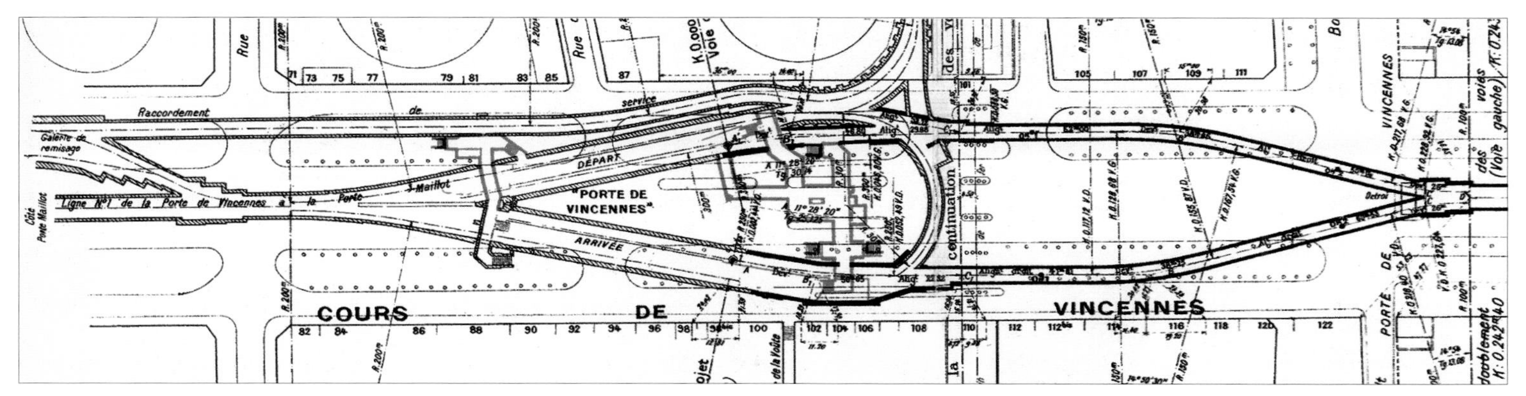

Plan de la transformation de l'ancien terminus de Porte de Vincennes lors du prolongement de la ligne 1 à Château de Vincennes, avec exploitation de la plus grande partie des ouvrages originels.

Allongement cryptique des stations de la ligne 1 à 90 m pour accepter l'arrêt des trains de six voitures.

Le prolongement de la ligne 1 à Pont de Neuilly fut ouvert à l'exploitation le 29 avril 1937.

La boucle de Porte Maillot fut abandonnée, le tunnel repris pour passer sous le chemin de fer de Petite Ceinture et un nouveau terminus à quatre voies fut construit (ouvert dès novembre 1936). Au-delà, la ligne desservait une station intermédiaire et le nouveau terminus de Pont de Neuilly, à deux voies seulement car le prolongement de la ligne à La Défense était déjà envisagé, ce qui ne se fera que bien plus tard.

Pendant et après la Seconde Guerre mondiale, le trafic ne cessa de croître et la ligne 1 figurait en très bonne place. À la fin des années 1940, les trains étant surchargés aux heures de pointe, le confort et la régularité se dégradèrent progressivement. Après le succès de l'expérimentation du métro sur pneus (MP 55) sur la ligne 11, il fut décidé d'équiper la ligne 1 d'un matériel analogue. Afin de recevoir les nouvelles rames de six voitures destinées à accroître la capacité de la ligne, les stations furent allongées à 90 m. La ligne fut donc progressivement équipée du matériel MP 59 de mai 1963 à

Cohabitation des rames Sprague et des tout nouveaux trains sur pneus MP 59 lors de la mixité consécutive à la transformation progressive de la ligne 1 en ligne pneu.

Modernisation tous azimuts de la ligne 1, au début des années 1960, avec l'introduction des rames MP 59 et un nouveau parti d'aménagement des stations, comme ici, à Franklin D. Roosevelt.

décembre 1964, les rames Sprague grises qui y roulaient à cette époque étant retirées au fur et à mesure des livraisons.

La modernisation de l'exploitation des lignes de métro fit un grand pas avec l'apparition du poste de commande et de contrôle centralisé (PCC) et du pilotage automatique; la ligne 1 fut la première à être dotée du PCC en 1967 et la troisième à être équipée du pilotage automatique. En en attendant peut-être d'autres, le dernier prolongement de la ligne eut lieu en avril 1992 au-delà de la Seine jusqu'au pied de la Grande Arche, au cœur du quartier de La Défense. Enfin depuis 1997, la ligne est progressivement équipée d'une nouvelle génération de métro sur pneus, le MP 89.

Vue aérienne du chantier du prolongement de la ligne 1 à La Défense.

LE PARCOURS

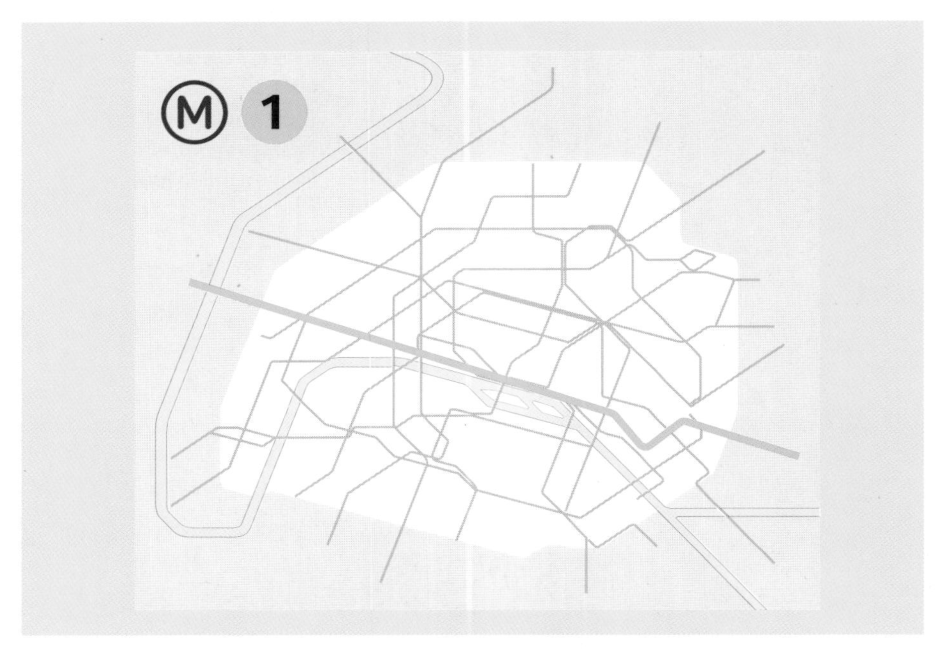

Les installations de la ligne 1 commencent aux ateliers de Fontenay. Ceux-ci couvrent une surface d'environ 39 000 m² sur la commune de Fontenay-sous-Bois dans le Val-de-Marne. Ils se décomposent en deux entités : l'atelier de maintenance des trains de la ligne 1 (AMT) et l'atelier de révision de l'ensemble des matériels pneus (MP). C'est à partir de son ouverture en 1934 que les trains de la 1 y furent entretenus. En effet, la mise en service, cette année-là, du prolongement de la ligne à Château de Vincennes, rendit possible et nécessaire une nouvelle implantation du site de maintenance pour remplacer celui, trop exigu, de Charonne à côté de la porte de Vincennes, aujourd'hui chargé de l'entretien des rames de la ligne 2. Au début des années 1960, l'atelier fut modernisé pour la mise en service des tout nouveaux trains MP 59. Aujourd'hui, après reconstruction, il accueille les MP 89, dernière génération de rames sur pneus. L'atelier est relié à la fois au métro et au RER.

Établi entièrement en souterrain, le raccordement, qui au passage croise les voies de la ligne A du RER établies en surface, abrite une, deux, puis trois voies. Nous sommes

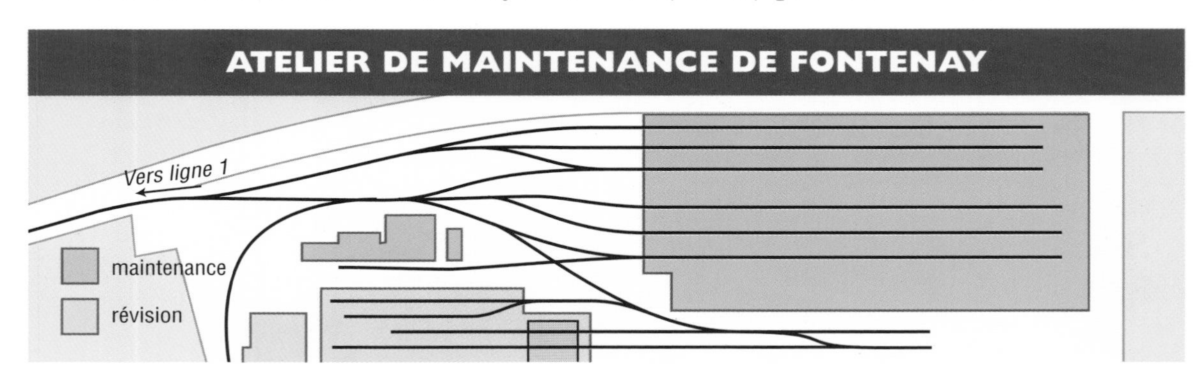

Le nouvel atelier de maintenance des trains de la ligne 1, à Fontenay-sous-Bois, avec un MP 59 et deux MP 89.

La machine à laver les trains en immédiate arrière-gare de Château de Vincennes.

alors dans l'extrémité de la zone de garage du terminus Château de Vincennes (voir schéma). Situées dans un tunnel parallèle, trois autres voies complètent les installations de garage disposées sous le bois de Vincennes.

Après raccordement de ces deux tunnels, on retrouve à nouveau trois voies au niveau du trottoir de manœuvre et de la fosse du centre de dépannage technique. Placé sous l'avenue de Paris à Vincennes, le terminus voyageurs proprement dit comprend deux demi-stations, dont l'une est dotée de deux voies d'arrivée encadrant un quai et l'autre,

Les « dessus » du métro

LE BOIS DE VINCENNES

Bien avant l'an 1000, la forêt de Bondy - on l'appelle alors Vilcena - s'étend à l'est de Paris. Dès le XIIe siècle, on y trouve un rendez-vous de chasse royal qui deviendra plus tard le château de Vincennes. La royauté s'intéresse à cet espace boisé : Philippe Auguste le clôture, Saint-Louis vient y rendre la justice et Louis XV le transforme en parc ouvert au public.

En 1857, Napoléon III décide d'en faire un parc du même style que le bois de Boulogne avec buttes et lacs et, en 1860, le bois qui faisait partie du domaine impérial est cédé à la Ville de Paris.

Aujourd'hui, le bois de Vincennes offre 934 ha d'arbres, de pelouses, de lacs et d'équipements divers comme un hippodrome, l'Institut national du sport et de l'éducation physique, un zoo et un parc floral.

Le Château de Vincennes, à l'origine relais de chasse, devient résidence royale après Saint Louis et est doté d'une enceinte fortifiée. Le roi Charles V fait édifier le donjon. Une sainte-chapelle commence à être construite, mais n'est terminée que sous les règnes de François Ier et Henri II, Louis XIV la faisant modifier par son architecte Le Vau. Le château fut une prison d'État, abrita une fabrique de porcelaine, puis un arsenal. Au début du XXe siècle, le château commence à être restauré. Il abrite aujourd'hui un musée et les services historiques des armées de terre, de l'air et de la Marine.

TERMINUS DE CHÂTEAU DE VINCENNES

CHÂTEAU DE VINCENNES
Voie 3
(La Défense)
Voie 1
Voie 2
Voie 4
Voie C
Voie T
TROTTOIR DE MANŒUVRE
Voie A
Voie F
Voie E
Voie D
Voie C
Voie B
Voie A
(Ateliers de Fontenay)

Le poste local de manœuvres de Château de Vincennes.

LES STATIONS DE LA LIGNE 1

(ancien nom entre parenthèses et en italique)

CHÂTEAU DE VINCENNES

Ancien rendez-vous de chasse bâti sous Louis VII le Jeune, agrandi par plusieurs rois de France et qui servit de prison.

BÉRAULT

Ancien vigneron, député en 1787 et adjoint au maire de Vincennes.

SAINT-MANDÉ – TOURELLE

(avant 1937 Tourelle)
1-Ermite breton du VIIe siècle.
2-Partie des communs du château de Vincennes.

PORTE DE VINCENNES

De la commune de Vincennes.

NATION

Ancienne place du Trône dédiée à Louis XIV et Marie-Thérèse d'Autriche et qui prend son nom actuel en 1880.

REUILLY – DIDEROT

(avant 1931 Reuilly)
1-Hameau situé à l'origine autour d'un manoir mérovingien.
2-Écrivain et philosophe français du XVIIIe siècle.

GARE DE LYON

Gare du PLM, tête de la ligne à destination de Lyon, dite « ligne impériale ».

BASTILLE

Ancienne forteresse du XIVe siècle devenue prison royale et célèbre pour sa « prise » le 14 juillet 1789.

SAINT-PAUL *Le Marais*

Apôtre du christiannisme qui donna son nom à l'église de la paroisse du roi, à proximité du quartier du Marais.

HÔTEL DE VILLE

Bâtiment datant de la fin du XIXe siècle qui abrite les services de la Mairie de Paris, à l'emplacement de l'ancien « Parloir aux Bourgeois » installé par Etienne Marcel.

CHÂTELET

Petit château fort du XIIe siècle, agrandi à plusieurs reprises, qui servit de siège de la Prévôté de Paris, de tribunal et de prison et fut démoli au XVIIIe siècle.

LOUVRE – RIVOLI

(avant 1989 Louvre)
1-Ancien palais des rois de France.
2-Victoire de Napoléon sur les Autrichiens en Vénétie, en 1797.

PALAIS ROYAL – MUSÉE DU LOUVRE

(avant 1989 Palais Royal)
1-Ancien Palais Cardinal, construit pour Richelieu qui abrite le Conseil constitutionnel et le Conseil d'État.
2-Musée à partir de 1791, abritant de nombreuses collections publiques.

TUILERIES

Ancienne résidence des rois de France, construite à l'emplacement d'une fabrique de tuiles, et démolie au XIXe siècle, et jardins.

CONCORDE

Ancienne place Louis XV où est érigé depuis 1836 l'obélisque de Louqsor.

CHAMPS-ÉLYSÉES – CLÉMENCEAU

(avant 1931 Champs-Elysées)
1-Avenue de Paris entre la Concorde et l'Arc de triomphe, séjour des âmes vertueuses dans l'au-delà de la mythologie grecque.
2-Homme politique et académicien français, Président du conseil de 1906 à 1909, puis de 1917 à 1920.

FRANKLIN D. ROOSEVELT

(avant 1942 Marbeuf, Marbeuf Rond-Point des Champs-Elysées jusqu'en 1946)
Président des Etats-Unis de 1933 à 1945.

GEORGE V

(avant 1920 Alma)
Roi de Grande Bretagne et d'Irlande, empereur des Indes de 1910 à 1936, qui changea le nom de la dynastie Saxe-Cobourg en Windsor.

CHARLES DE GAULLE – ÉTOILE

(avant 1970 Étoile)
1-Général et homme politique fondateur de la Ve République ; président de la République de 1959 à 1969.
2-Place où aboutissent 12 avenues formant une étoile.

ARGENTINE

(avant 1948 Obligado)
Pays d'Amérique du sud, capitale Buenos-Aires.

PORTE MAILLOT

Nom qui provient probablement d'un jeu de mail (consistant à faire avancer une balle avec un maillet) qui y était installé et qui s'écrivait Mahiot, Mahiaulx ou Mahiau.

SABLONS *Jardin d'acclimatation*

D'un lieu d'où on extrayait le sable pour les travaux parisiens.

PONT DE NEUILLY *Avenue de Madrid*

Pont sur la Seine, en aval de Paris, entre Neuilly et Puteaux-Courbevoie.

ESPLANADE DE LA DÉFENSE

Vaste place du quartier de la Défense sur les communes de Puteaux, Courbevoie et Nanterre, au pied de la Grande Arche.

LA DÉFENSE *Grande Arche*

Bâtiment en forme de cube évidé de 100 m de côté, inauguré en juillet 1989, pour fêter le bicentenaire de la Déclaration universelle des Droits de l'Homme.

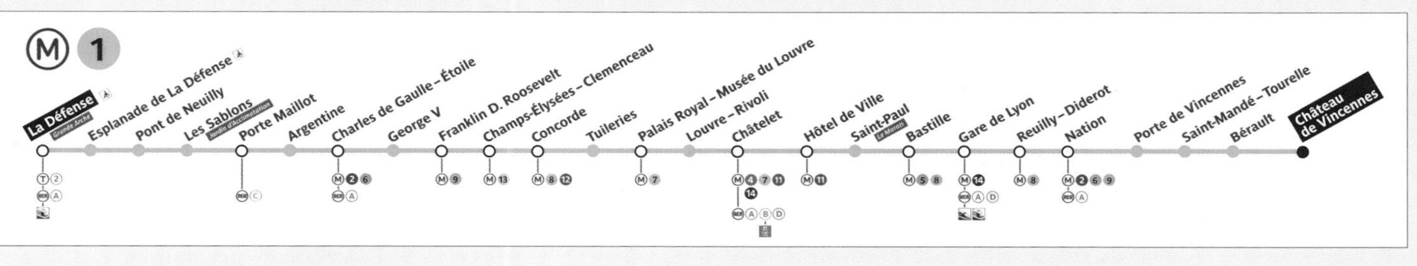

Le nouveau guichet de vente des titres de transport à Château de Vincennes.

deux voies de départ elles aussi de part et d'autre d'un quai central.

Quasiment rectiligne, mais avec un profil en « montagnes russes » (rampes maximales de 40 ‰) pour cause de franchissement de la ligne A du RER, d'égouts et autres collecteurs, la ligne dessert les stations Bérault et Saint-Mandé – Tourelle. C'est peu après cette station qu'elle pénètre sur le territoire de Paris. Utilisant les emprises de l'ancien terminus en boucle, les deux voies se séparent pour desservir Porte de Vincennes. Dès l'extrémité ouest de la station, la ligne 1 est raccordée à la galerie de remisage de la ligne 2 donnant accès à l'atelier de Charonne, puis à la ligne 6 avant d'atteindre Nation (corr. L. 2, 6 et 9). Notons que la ligne 1 croise de nouveau la ligne A du RER, établie ici très en profondeur.

Après un second raccordement avec la ligne 2, la ligne descend le boulevard Diderot, croise la ligne 8 par-dessus et atteint la station

Croisement d'un MP 89 et d'un MP 59 à Nation, station en courbe dotée d'une décoration de style « Ouï-Dire ».

Gare de Lyon, la plus grande station à plancher métallique de la ligne 1 qui recouvre deux quais et trois voies.

Reuilly – Diderot (corr. L. 8), sensiblement au droit de son croisement avec les deux tunnels de la ligne A du RER. Après un petit « creux » pour passer sous le collecteur des Côteaux, la ligne dessert Gare de Lyon (corr. SNCF, RER A et D et L. 14 du métro), station à trois voies où se trouve le raccordement 1/5. Il s'agit également de la première station établie à fleur de sol et recouverte d'un tablier métallique.

Pour se diriger vers Bastille, la ligne emprunte la rue de Lyon après une courbe serrée de 50 m de rayon. Un point bas lui permet de passer sous le collecteur « Ledru-Rollin » avant qu'elle ne remonte pour franchir sur un pont métallique le canal Saint-Martin.

Après une courbe de 45 m de rayon, elle atteint la station Bastille (corr. L. 5 et 8) construite en partie sur le canal à son débouché dans le bassin de l'Arsenal. La partie à ciel ouvert est ici de 82,50 m.

Afin de rejoindre la rue Saint-Antoine, la ligne 1 se contorsionne une nouvelle fois en deux courbes de faible rayon (38 m et 50 m) et poursuit son tracé très près du sol jusqu'à Saint-Paul. Désormais sous la rue de Rivoli, la ligne Château de Vincennes – La Défense dessert la station Hôtel de Ville (corr. L. 11), passe au-dessus de la ligne 11, descend pour éviter l'ancien collecteur Rivoli aujourd'hui remblayé, dans la zone où se situent les tunnels des lignes A et B du RER aux abords de la gare de Châtelet – Les Halles et celui de la ligne 4 du métro plus proche de la surface. Nous sommes là sur l'un des plus longs tronçons rectilignes de la ligne 1 (1 738 m).

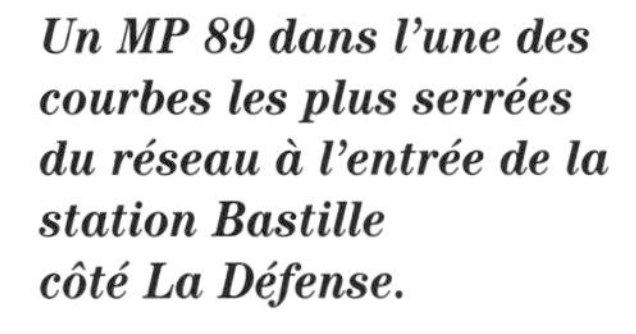
Un MP 89 dans l'une des courbes les plus serrées du réseau à l'entrée de la station Bastille côté La Défense.

En haut à gauche, une entrée Guimard, à la station Louvre-Rivoli, face à la célèbre colonnade.

LE LOUVRE

Le bâtiment actuel est le résultat de constructions successives, transformations et rajouts.

Achevé en 1202, le premier Louvre est sous le règne de Philippe-Auguste une forteresse destinée à protéger Paris des invasions. Charles V l'embellit pour en faire une résidence royale. En 1527, François Ier fait raser le donjon et confie à Pierre Lescot la construction d'un palais Renaissance. Les travaux se poursuivent sous les règnes suivants et Henri IV fait entreprendre la « galerie du bord de l'eau » pour relier le palais du Louvre à celui des Tuileries. Louis XIII, mais surtout Louis XIV achèvent (presque) la Cour carrée sous la direction essentielle de Le Vau.

Avec l'installation de la Cour à Versailles, le Louvre connaît des heures moins glorieuses pendant de nombreuses décennies.

Napoléon Ier entreprend de terminer la Cour carrée, la fameuse colonnade de Perrault sur sa façade extérieure orientale étant complètement achevée en 1811. Il fait construire l'aile située le long de la nouvelle rue de Rivoli. Toutefois, c'est Napoléon III qui termine le Louvre en créant, d'une part le long de la rue de Rivoli les bâtiments reliant l'aile de Napoléon Ier au corps du palais, d'autre part plusieurs pavillons accolés à l'aile Henri IV.

Commencé en 1541 et achevé en 1857, le Louvre est le plus grand palais du monde où cohabitent plusieurs styles. En 1989, la modernité se niche au cœur du Louvre avec la pyramide de verre de l'architecte Pei, donnant accès aux nouveaux aménagements du musée. Musée depuis 1791-1793, le Louvre est aujourd'hui, avec ses sept départements et ses collections qui remontent à 7 000 ans avant J.-C., le plus vaste du monde.

Après être passée au-dessus de la 14, la ligne atteint la station Châtelet (corr. RER A, B et D et L. 4, 7, 11 et 14 du métro), puis passe au-dessus de la ligne 7 au droit de la station Louvre – Rivoli avant de desservir Palais Royal – Musée du Louvre (corr. L. 7) et Tuileries. À l'extrémité ouest de la rue de Rivoli, la ligne atteint la station Concorde (corr. L. 8 et 12). Sous la place de la Concorde, elle passe au-dessus de la ligne 12, puis descend franchement pour passer sous le collecteur d'Asnières et la ligne 8.

De nouvelles courbes et contre-courbes sont dépassées pour rejoindre l'avenue des Champs-Élysées sous laquelle la ligne 1 est désormais établie, côté sud. Après le raccordement avec la ligne 8, la 1 dessert la station Champs-Élysées – Clemenceau (corr. L. 13), passe sous les lignes 13 et 9 avant d'atteindre Franklin D. Roosevelt (corr. L. 9). À partir de là,

CARTE D'IDENTITÉ DE LA LIGNE 1

Longueur totale	16,628 km
dont en aérien	0,6 km
Nombre de stations	25
dont aérienne	1
dont correspondance	12
Longueur des stations	de 90 à 120 m
Longueur moyenne des interstations	693 m
Nombre de trains en ligne à la pointe	47
Nombre de départs (jour ouvrable)	360
Intervalle minimal (jour ouvrable)	1 mn 45
Matériel roulant	MP 59 et MP 89
Nombre de voitures par train	6
Atelier de maintenance	Fontenay
Atelier de révision	Fontenay

TRANSPARENCES à Bastille

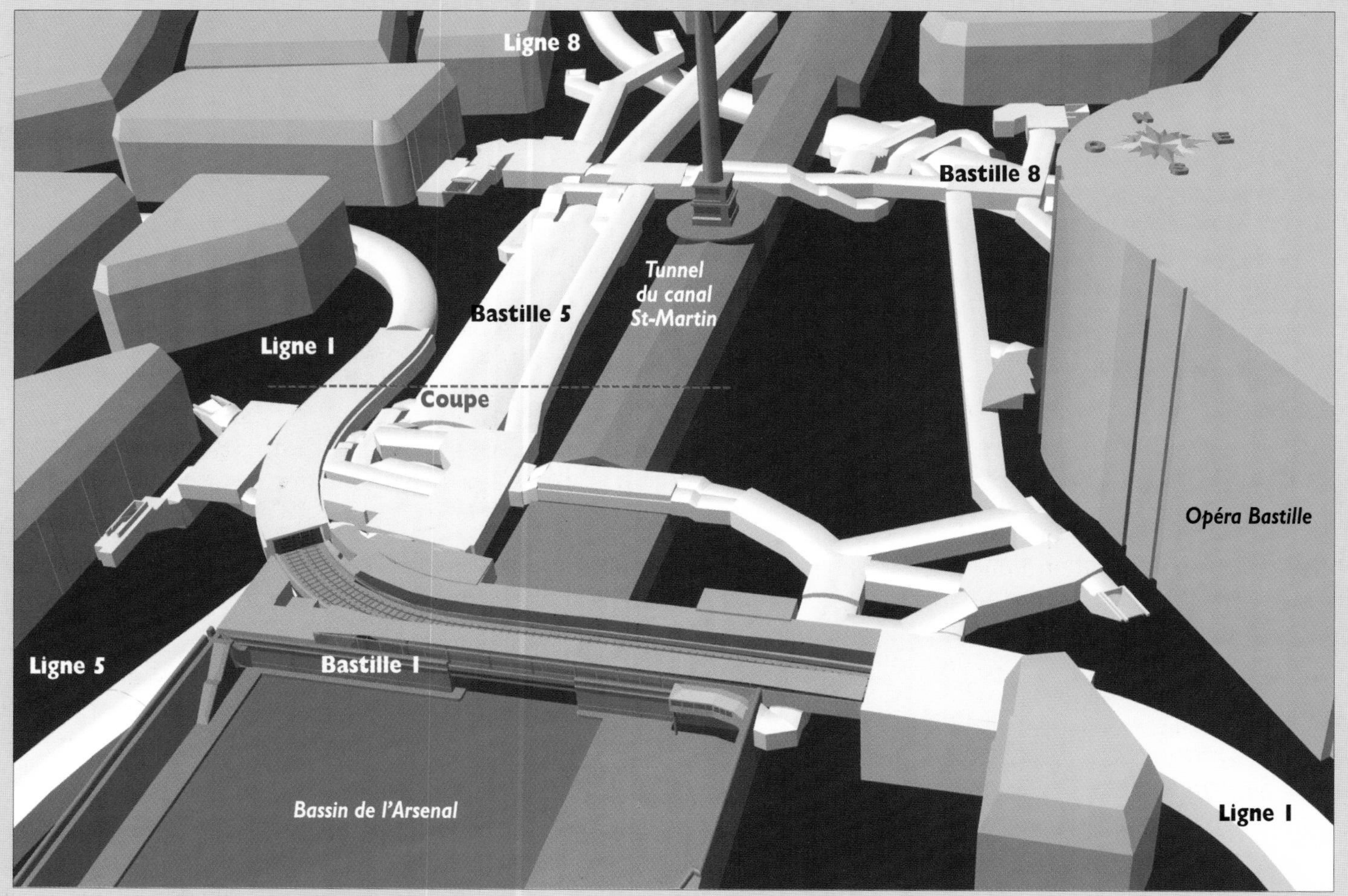

Ligne 8
Bastille 8
Tunnel
du canal
St-Martin
Bastille 5
Ligne 1
Coupe
Opéra Bastille
Ligne 5
Bastille 1
Bassin de l'Arsenal
Ligne 1

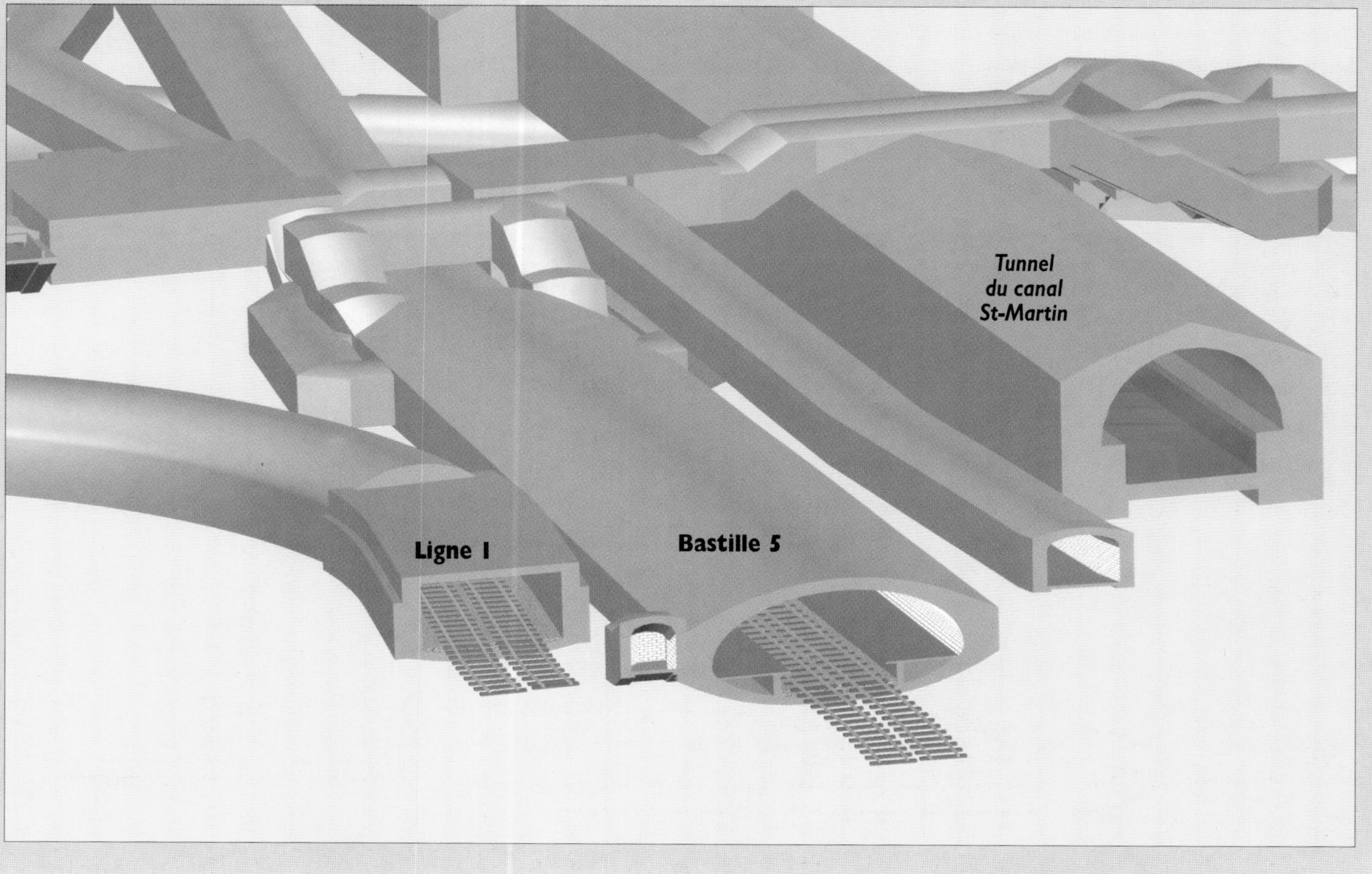

Tunnel
du canal
St-Martin
Ligne 1
Bastille 5

la ligne 1 suit le relief ascendant de l'avenue vers l'Étoile. Elle marque néanmoins un palier à la station George V, avant de reprendre son ascension vers Charles de Gaulle – Étoile (corr. RER A et L. 2 et 6 du métro). On trouve là un raccordement avec la ligne 6. La ligne croise également les lignes 2 du métro et A du RER. Un tunnel à une voie, déséquipé, permettait les échanges entre les lignes 1 et 2.

C'est désormais sous l'avenue de la Grande Armée que la ligne 1 redescend vers les stations Argentine et Porte Maillot (corr. L. C), cette dernière étant située au-delà de la boucle de l'ancien terminus qui passe au-dessus de la ligne 1 tout comme les ouvrages de la ligne C du RER. La station Porte Maillot est à quatre voies dont une en impasse. Elle se compose de deux stations standard accolées. Le souterrain à quatre voies se poursuit sous l'avenue Charles-de-Gaulle à Neuilly dans les Hauts-de-Seine jusqu'à la station Les Sablons. Plus loin, la station Pont de Neuilly est désormais une station de passage, le terminus ayant été reporté à La Défense.

Les ouvrages ont ici été profondément modifiés, un passage souterrain routier ayant été créé au-dessus du métro. L'établissement du tunnel du RER A a empêché le prolongement souterrain vers La Défense tel qu'il était

Les « dessus » du métro

LES CHAMPS-ÉLYSÉES

L'avenue qui relie la place de la Concorde à la place Charles de Gaulle-Étoile date de 1670, année où Le Nôtre perce le Grand-Cours au-delà de l'enceinte de Louis XIII. En 1710, il est prolongé jusqu'en haut de la butte de l'Étoile. Quelque 60 ans plus tard, ladite butte est nivellée et l'avenue est prolongée jusqu'au pont de Neuilly. Jusqu'au milieu du XVIIIe siècle, l'avenue des Champs-Élysées, dont le nom évoque un lieu de séjour des bienheureux de la mythologie grecque, reste un endroit peu fréquenté. À partir de 1830 elle est aménagée avec des trottoirs et un éclairage et voit s'installer cafés, restaurants et salles de théâtre. C'est véritablement sous le Second Empire que les Champs-Élysées prennent leur essor avec la construction d'immeubles élégants.

« Avenue des victoires », les Champs-Élysées accueillent en 1919 le défilé triomphal des armées françaises et alliées et, en 1944, celui de la Libération de Paris conduit par le général de Gaulle. Chaque année, à l'occasion de la fête nationale du 14 juillet, les hommes et les matériels de l'armée française descendent l'avenue, de l'Étoile à la Concorde.

Les Champs-Élysées se composent aujourd'hui de deux parties : des jardins occupés par plusieurs bâtiments dont les plus connus sont le palais de l'Élysée, le Petit Palais et le Grand Palais et un espace bâti à vocation touristique et commerciale. Ces dernières années, un réaménagement complet des contre-allées a redonné un nouveau lustre à l'avenue pour le plus grand plaisir des piétons.

Un MP 89 débouchant du souterrain se dirige vers la station Esplanade de la Défense au-delà du pont de Neuilly.

TERMINUS DE PORTE MAILLOT

(La Défense)
LES SABLONS
PORTE MAILLOT
Voie 1
Voie A
Voie1 bis
Voie B
Voie 2 bis
Voie 2
Ancien terminus de Porte Maillot
(Château de Vincennes)

CHANGEMENT DE DÉCOR

▼ LOUVRE – RIVOLI

C'est en septembre 1968 qu'à l'initiative d'André Malraux, alors ministre de la Culture, la station Louvre fut, sous la direction de l'architecte Robert Venter, transformée en antichambre du prestigieux musée. L'ensemble de la station fut recouvert de pierre de Bourgogne rappelant l'aspect des salles de sculpture du musée et doté de niches et vitrines abritant des reproductions d'œuvres d'art datant des antiquités égyptiennes, orientales et gréco-romaines, mais aussi du Moyen-Âge français. À noter qu'à partir de cette date, la fréquentation de la station augmenta de 30 %.

▲ BASTILLE

Les Prémices, les Idées, les Barrières, la Prise de la Bastille et la Marche sur Versailles, la Fureur et la Fête. Mises en fresques par Liliane Belembert et Odile Jacquot, cinq scènes de la Révolution de 1789 ont leur place sur les quais de la station Bastille 1. En couleurs et en relief, elles glorifient en ce lieu symbolique de Paris toute la mythologie d'une période qui bouleversa la France et ses institutions.

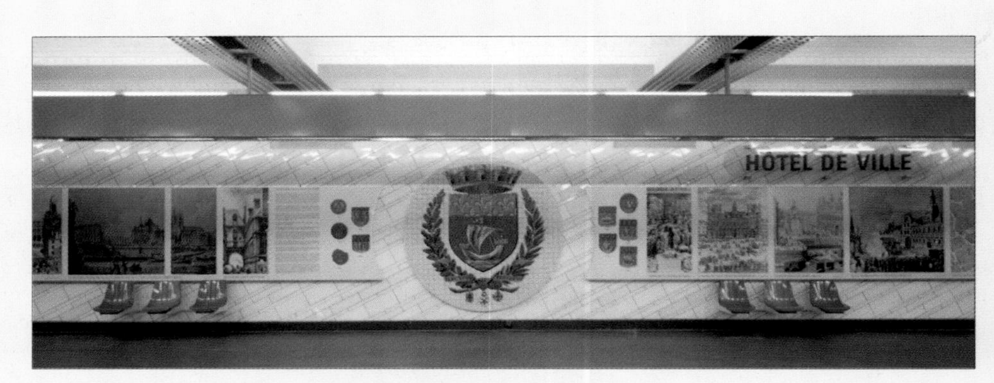

▲ HÔTEL DE VILLE

Traitée en rouge et bleu, les couleurs de la Ville de Paris, la station est consacrée à l'histoire de la Place de Grève et de la Maison commune, l'Hôtel-de-Ville.
Réalisé en mosaïque, un énorme blason de la ville rappelle par le vaisseau qui s'y trouve que, comme lui, Paris est battu par les flots mais ne sombre pas : *« fluctuat nec mergitur »*.

◄ FRANKLIN D. ROOSEVELT

Cette station de la ligne 1 fut la première du réseau à être équipée de vitrines en aluminium. En alternance avec celles-ci, des reproductions de tableaux en gemmail apportent des touches de couleurs très attrayantes dans cet univers souterrain.
La technique consiste à superposer et à juxtaposer des cristaux de verre coloré éclairés par derrière.

envisagé lors de l'extension de la ligne 1 à Pont de Neuilly. La ligne 1 passe donc au-dessus du tunnel du RER A avant de franchir les deux bras de la Seine sur le pont de Neuilly élargi pour l'occasion.

Elle atteint le niveau de la chaussée de l'ouvrage grâce à une rampe de 60 ‰ (la plus forte du réseau) que permet le roulement sur pneus. Désormais à la limite des territoires des communes de Puteaux et de Courbevoie, elle pénètre à nouveau en souterrain au niveau de la station dénommée Esplanade de La Défense.

Les deux voies du métro se séparent ensuite, utilisant chacune partiellement les ouvrages initialement prévus pour l'autoroute A14. Au-delà de la station, la voie 1 (direction La Défense) s'abaisse pour passer sous une bretelle routière, remonte pour franchir une liaison routière et s'abaisse à nouveau pour atteindre la demi-station d'arrivée La Défense Grande Arche. La voie 2 quant à elle, s'abaisse pour passer sous deux tunnels routiers avant de rejoindre la demi-station de départ vers Vincennes. Les deux demi-stations sont situées au-dessus de la gare du RER de part et d'autre de la mezzanine. En arrière-gare, deux communications et deux trottoirs de manœuvres permettent le retournement des rames.

COUPE DU COMPLEXE DE LA DÉFENSE

Parvis
Voirie de desserte locale
Niveau 4
Salle des échanges
Niveau 3
Quai de départ
Arrivée
A 14
Mezzanine
Niveau 2
A 14
RER ligne A
Directions
Cergy et St-Germain
RER ligne A
Directions
Boissy et Marne-la-Vallée

Un MP 59 franchit la Seine à l'air libre sur le pont de Neuilly avant de s'engouffrer sous le quartier de La Défense.

LIGNE 2

Nation – Porte Dauphine

La deuxième ligne du métro parisien porte aujourd'hui tout naturellement le n° 2. À l'origine du projet, la ligne 2 Nord devait relier Porte Maillot à Nation. Mais il fut décidé d'intervertir les terminus de la 1 et de la 2 Nord. Ainsi, la première irait à Porte Maillot et la seconde à Porte Dauphine.

L'HISTOIRE

Le viaduc de la ligne 2, au début du XXe siècle, à son passage au dessus du canal Saint-Martin, entre les stations Rue d'Allemagne (auj. Jaurès) et Aubervilliers (auj. Stalingrad).

Simultanément aux travaux de construction de la ligne 1, furent entrepris ceux des deux « embranchements » reliant l'Étoile à Porte Dauphine d'une part (ligne 2 Nord) et au Trocadéro d'autre part (ligne 2 Sud).

Ce premier tronçon de la ligne circulaire, long de près de 1 600 m, comportait trois stations voûtées :

- Place de l'Étoile, légèrement en courbe et située sous l'avenue de Wagram ;
- Victor Hugo, alors en courbe prononcée (90 m), sous la place Victor Hugo ;
- Porte Dauphine, terminus en raquette à quatre voies dont deux en impasse.

C'est le 13 décembre 1900, soit exactement un mois après la fin de l'Exposition universelle, que ce premier tronçon de la ligne 2 fut mis en service. Il était exploité par des navettes composées de trois voitures : deux remorques tractées par une motrice MM à deux loges de conduite qu'on changeait d'extrémité au terminus provisoire d'Étoile par une manœuvre en tiroir.

Dans le même temps, les travaux de construction des 11 750 m de la ligne 2 Nord entre Étoile et Nation furent entrepris. Son tracé suivait les avenues et boulevards ayant remplacé l'ancien mur des Fermiers généraux.

La section comprise entre les stations Anvers (exclue) et Colonel Fabien (exclue) fut établie en viaduc sur environ 2 km. Cette solution permettait de franchir aisément les voies des chemins de fer du Nord et de l'Est établies en tranchées profondes. Par ailleurs, les concepteurs firent remarquer à l'époque que les voyageurs ne seraient pas mécontents de voyager au grand air.

Les travaux

Comme pour la construction de la ligne 1, des travaux préparatoires furent nécessaires. Il s'agissait principalement de déviations de conduites d'eau, entraînant par là même leur modernisation, et de déviations d'égouts.

Divisés en neuf lots, les travaux de construction proprement dits furent réalisés sous la haute direction de Fulgence Bienvenüe, ingénieur en chef du service technique du Métropolitain de la Ville de Paris.

Les sections de la ligne 2 en souterrain avaient les mêmes caractéristiques que celles de la ligne 1 : voûte elliptique de 7,10 m d'ouverture pour une hauteur totale de 5,20 m

Le passage du souterrain de la ligne 2 au-dessus des tunnels ferroviaires des Batignolles dont on aperçoit l'arrondi des voûtes et qui ont aujourd'hui disparu.

Construction de la trémie de transition entre le tunnel et le viaduc dans l'interstation Anvers – Barbès-Rochechouart.

Construction du viaduc de longue portée permettant le franchissement des voies du chemin de fer de l'Est par la ligne 2 entre les stations La Chapelle et Aubervilliers (auj. Stalingrad).

L'imposant chantier de construction du viaduc de la ligne 2 avec, au premier plan, le montage d'une portée de 44,73 m au-dessus d'un important carrefour et, au second plan, la station Boulevard Barbès (auj. Barbès Rochechouart) en cours de réalisation.

dans l'axe, courbe de rayon supérieur à 75 m sauf terminus et raccordements, stations voûtées ou à couverture métallique. Contrairement à la ligne 1, leur creusement ne fit pas fait appel au bouclier, source de déboires; les fouilles furent réalisées à l'aide de divers procédés utilisant des boisages.

Ce sont les viaducs qui marquèrent l'originalité de cette deuxième ligne du métro parisien. On a dit plus haut le pourquoi de la décision, mais, lors de la construction, certains spécialistes avancèrent que la solution n'était pas forcément la plus avantageuse. En effet, le prix du mètre courant de viaduc était deux fois plus cher que celui des souterrains. Par ailleurs, la crainte qu'auraient pu avoir les voyageurs de circuler en souterrain s'avéra injustifiée avec l'expérience de la ligne 1. Enfin, l'effet esthétique sur l'environnement, sans parler du bruit et des vibrations, n'était pas très satisfaisant.

Une première difficulté apparut avec les fondations à cause de la grande hétérogénéité du sous-sol. Deux procédés furent utilisés : le battage de pieux en chêne et le fonçage de puits. Le montage des viaducs ne présenta pas de problèmes particuliers, les emprises étant assez larges. Cependant, ils furent plus délicats quand il fallut franchir certains carrefours importants.

Les viaducs comportaient des travées métalliques de longueurs variables allant de 19,48 m à 27,06 m. Seules quatre traversées avaient des longueurs plus grandes : 35,89 m pour le franchissement du boulevard Barbès, 43,47 m pour celui de la rue d'Aubervilliers et 75,25 m pour les deux traversées des voies des chemins de fer de l'Est (une travée) et du nord (deux travées). Les viaducs furent constitués de deux poutres de rive supportant le tablier à leur partie inférieure. Elles étaient à treillis en N, droite à leur partie inférieure et parabolique convexe à leur partie supérieure; pour les plus grandes travées, les poutres furent jumelées. Les tabliers sur lesquels étaient posées les voies furent en général constitués d'une chape de béton supportant le ballast, sauf pour les grandes travées où, à cause du poids, les rails furent directement posés sur des longerons recouverts d'une tôle de platelage. Les viaducs reposaient, par l'intermédiaire d'appareils à rotule, sur des piliers en fonte ornés ou, lorsque le terrain n'était pas assez stable, sur des piliers en maçonnerie.

L'un des points particuliers fut la construction des quatre stations en viaduc. Celles-ci reposent sur quatre files de poutres parallèles à l'axe du chemin de fer : deux supportant à la fois le tablier des voies et les quais latéraux,

Un ouvrage spécial d'épanouissement des galeries du terminus en boucle de Nation 2.

En 1902, construction à ciel ouvert sous le cours de Vincennes, du raccordement de la galerie de remisage des trains de la ligne 2 au terminus de Nation.

La galerie de remisage des trains de la ligne 2 (en rouge), parallèle à la ligne 1, établie sous le cours de Vincennes et située entre Nation et l'atelier de Charonne.

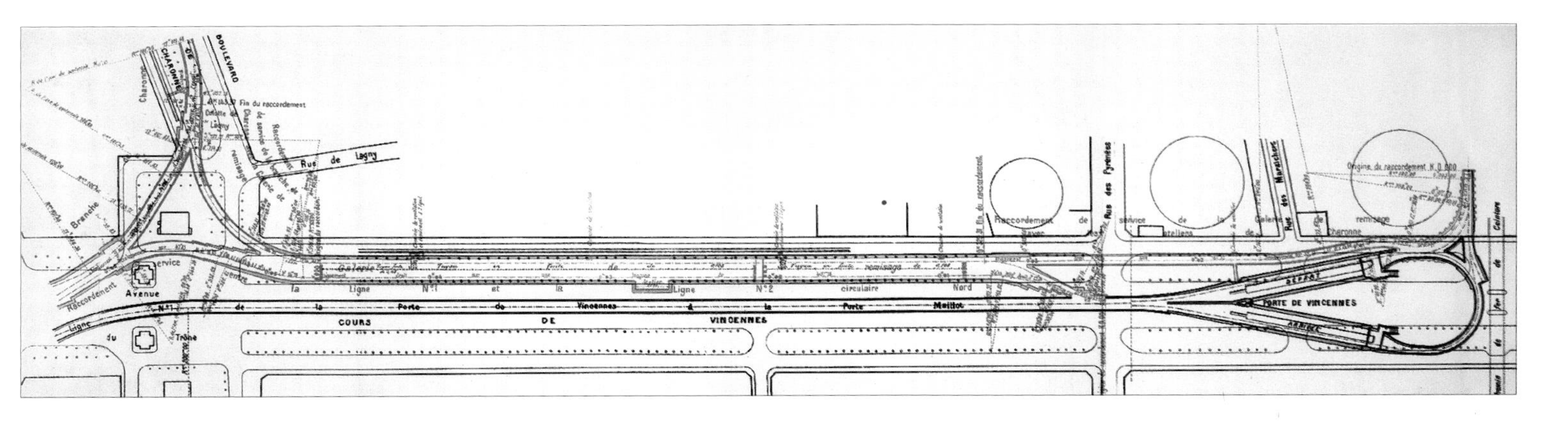

deux supportant le second appui des quais. Contrairement à celles des viaducs, les poutres de rives inférieures des stations à treillis en N étaient à semelle supérieure rectiligne et inférieure parabolique concave. Les poutres intérieures reposaient sur des piliers en fonte, semblables à ceux soutenant les viaducs, tandis que celles de l'extérieur reposaient sur des piliers en maçonnerie ; les quatre piliers d'extrémité étaient plus importants et surmontés d'un motif décoratif. Le terminus de Nation fut établi en boucle à double voie. La station terminale était à trois voies, car elle était prévue à l'origine pour servir également de terminus à la future ligne 6 (circulaire sud). Depuis 1967, elle est à deux voies desservant un quai central.

Les mises en service

Contrairement à la ligne 1 en 1900, la 2 fut mise en service en plusieurs étapes. Le 7 octobre 1902 eut lieu l'ouverture entre Étoile et Anvers où les trains repartaient en sens inverse ; l'absence de boucle imposa de recourir à des rames disposant d'une motrice à chaque bout. L'expérience de la ligne 1 entraîna, dès l'origine, une exploitation avec des trains de huit voitures. Le 31 janvier 1903, la ligne fut exploitée jusqu'à la station Rue de Bagnolet (auj. Alexandre Dumas), en attendant que les travaux soient achevés à Nation. La station terminale fut en effet remaniée, ce qui entraîna quelque retard. La ligne 2 fut

Au début du siècle, le terminus de Nation 2, alors à trois voies.

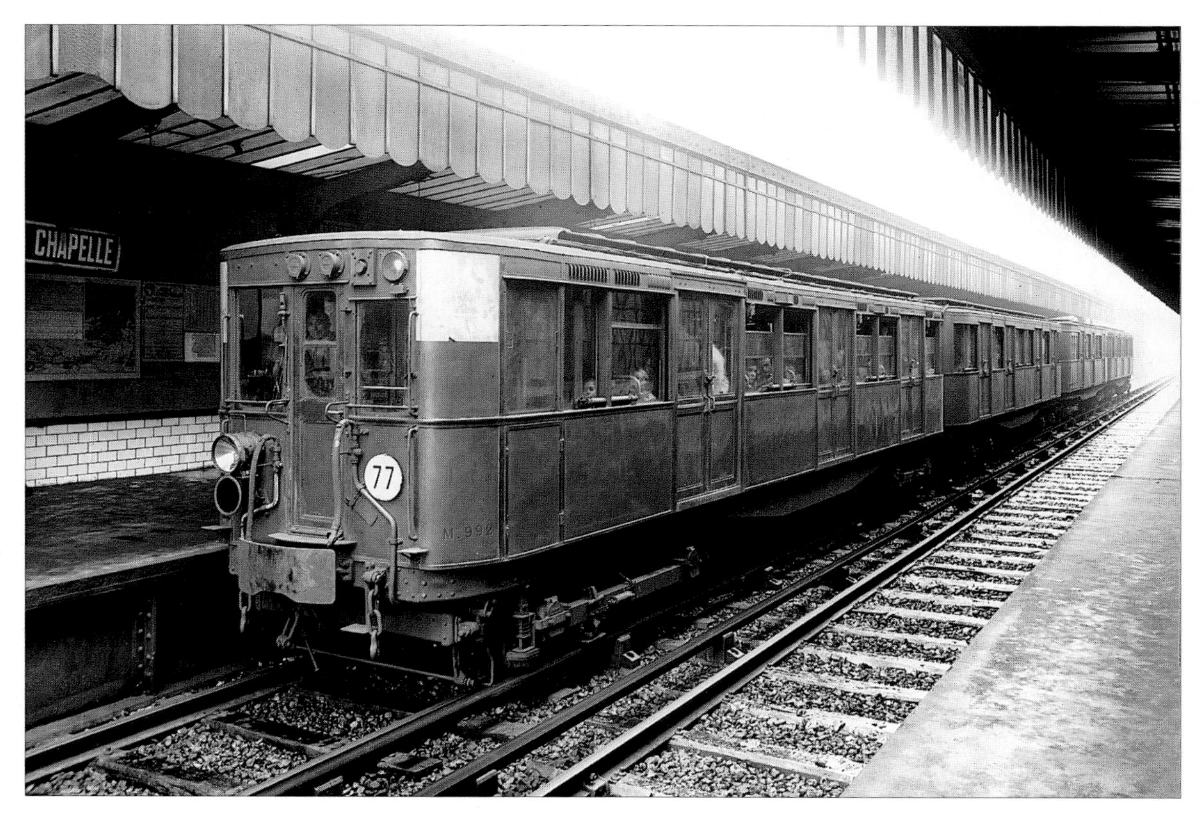

Arrêt dans la station La Chapelle d'une rame Sprague-Thomson à quatre voitures ; noter l'essai d'un support publicitaire sur la motrice.

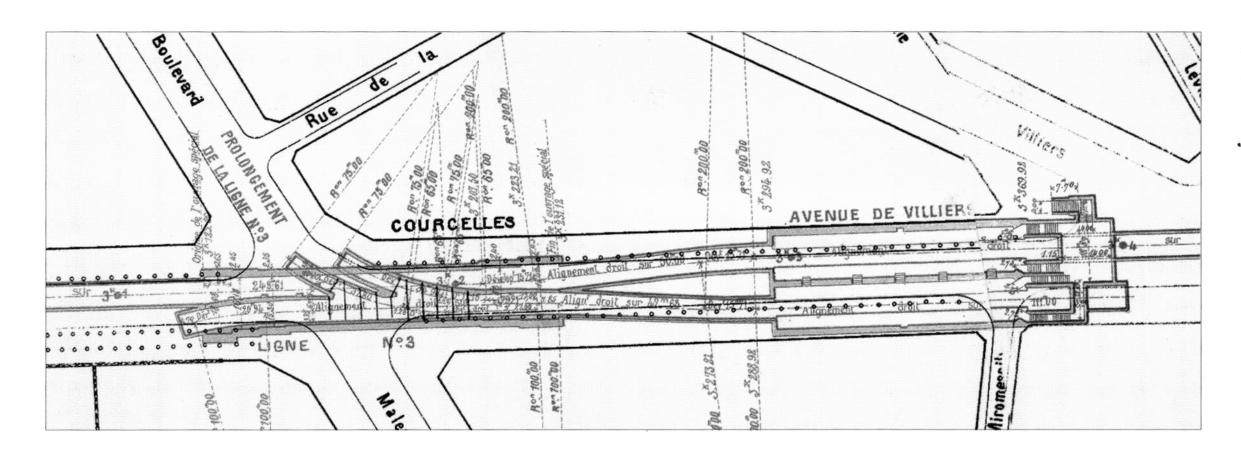

L'ouvrage double de la station Villiers fut construit en une seule fois, en avance sur l'ouverture de la ligne 3.

ouverte au public dans son intégralité le 2 avril 1903. Entre-temps, certaines stations qui n'avaient pas pu être terminées en 1902, avaient été mises en service. Dès lors, la ligne étant équipée d'une boucle à chaque extrémité, on put y faire circuler des rames de quatre voitures tractées par une seule motrice ou de huit voitures avec deux motrices.

Cependant, une catastrophe allait endeuiller Paris et son tout jeune métro. Le 10 août 1903, un court-circuit provoqua l'incendie d'une, puis de deux rames, à la station Ménilmontant, dégageant une épaisse fumée toxique. À la station Couronnes brutalement privée d'éclairage, cette fumée provoqua la panique et l'asphyxie d'un grand nombre de voyageurs : on dénombra 84 morts. Cette catastrophe entraîna la prise de mesures draconiennes et immédiates et conduisit à une réflexion approfondie sur les règles de sécurité à appliquer pour les lignes actuelles et futures.

Il apparut également que le matériel roulant devait, à l'avenir, présenter de meilleures garanties de sécurité et être plus puissant et plus résistant au feu. Par ailleurs, on se rendit rapidement compte que les matériels à essieux devenaient notoirement insuffisants et que seuls ceux à bogies étaient aptes à écouler un trafic toujours croissant. Dès lors, les commandes de matériels à bogies se succédèrent. La ligne 2 reçut en 1904 des motrices Thomson double (deux moteurs sur un bogie) à caisse en bois, mais avec loge de conduite métallique, puis en 1906 des motrices Sprague multiples avec la particularité d'avoir un panneautage métallique complet. A partir de 1914, la ligne 2 fut régulièrement exploitée avec des rames de cinq voitures. Le matériel Sprague-Thomson allait régner en maître sur la ligne jusqu'en 1981.

En 1979, les rames MF 67 avaient fait leur apparition, rames libérées d'autres lignes grâce à l'arrivée du nouveau MF 77. Le pilotage automatique fut d'ailleurs mis en service dès 1979 sur les nouvelles rames. En ce qui concerne l'exploitation, la ligne 2 fut équipée d'un PCC en mai 1973.

Affluence sur la ligne 2 à la station Barbès – Rochechouart où se présente un train, alors que les voyageurs de la rame précédente n'ont pas tous quitté le quai.

LA LIGNE 2 ET LA TRANCHÉE DES BATIGNOLLES

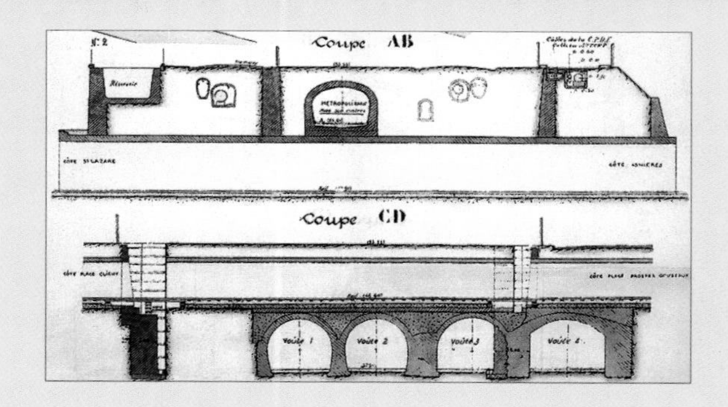

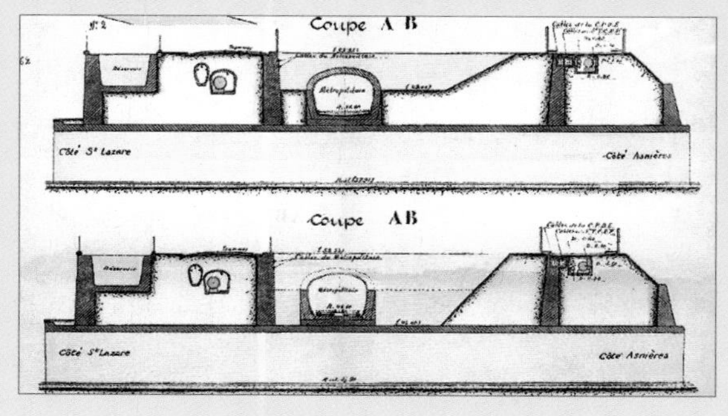

Phasage de la destruction des tunnels des Batignolles.

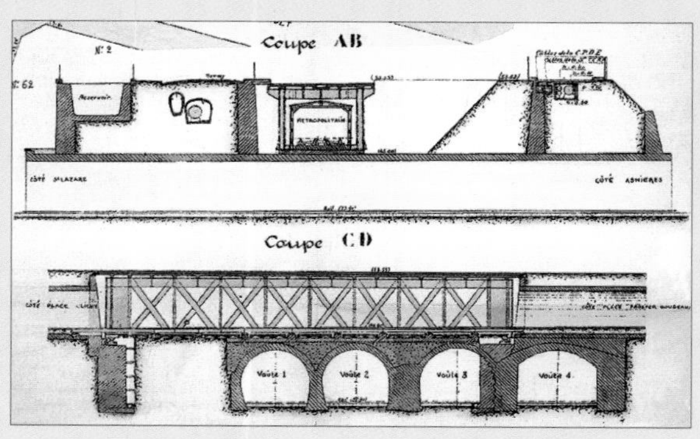

Étape finale de la suppression des tunnels des Batignolles : les terres ont été évacuées, laissant à nu les cintres qui soutenaient la maçonnerie durant les travaux ; au dessus, le caisson renfermant la ligne 2 du métro.

À quelques centaines de mètres de la gare Saint-Lazare, ses huit voies d'accès avaient été établies dans quatre tunnels, dont un sous la rue de Rome, longs de 321 m. Deux d'entre eux dataient de l'origine des lignes de Saint-Germain et de Versailles-RD, respectivement en 1837 et 1838. La ligne 2 du métro, qui avait été construite à fleur de sol sous le boulevard des Batignolles, passait au-dessus des voûtes de ces quatre ouvrages.

À plusieurs reprises, la suppression de ces tunnels avait été envisagée, notamment pour agrandir les emprises et permettre la pose de voies d'accès supplémentaires à la gare Saint-Lazare. Approuvé avant la Première Guerre mondiale, le projet redevint d'actualité après le conflit. Un grave accident survenu en octobre 1921 entraîna la décision et les travaux de démolition de trois des quatre tunnels commencèrent en mars 1922. Ils furent terminés en 1923, les ponts qui enjambaient ce qui était maintenant une tranchée étant mis en service progressivement entre 1923 et 1926.

Parmi ces ponts, celui du boulevard des Batignolles intéressait tout particulièrement le métro. Il fut construit sans interrompre la circulation des rames de la ligne 2. Après mise sur cintres métalliques de la voûte, celle-ci fut démolie, de même que les piédroits. Ensuite, les voies étant supportées provisoirement par des longerons, le radier du tunnel du métro fut à son tour démoli. Les parties métalliques du nouveau pont furent alors mises en place progressivement « autour » de la ligne 2. Il faut préciser que le pont des Batignolles est en réalité constitué de trois ouvrages accolés : un central renfermant la ligne 2 dans son tablier, encadré par deux ouvrages indépendants autorisant le passage de diverses galeries, conduites et égouts.

La voie de raccordement en forte pente de l'atelier de Charonne à la Petite Ceinture par où arrivaient tous les trains neufs.

La ligne 2 est raccordée à son atelier par une voie traversant la rue de Lagny grâce à un passage à niveau gardé, unique dans Paris.

L'atelier de Charonne dans son état ancien avec une rame Sprague-Thomson grise.

Jusqu'en 1981, les Sprague-Thomson se contorsionnent sur le viaduc entre Jaurès et Stalingrad.

À partir de 1979, les MF 67 circulent sur la ligne 2.

LE PARCOURS

Le terminus Nation de la ligne 2 est formé d'une boucle située sous la place du même nom (voir schéma). À l'extrémité sud de la station Avron, la voie 2 se scinde en deux voies parallèles (voies 2 et 4), l'une principale, l'autre servant aux garages situés sous l'avenue de Taillebourg. La station Nation est également à deux voies encadrant un quai central. L'une d'elles – la voie 3 – reçoit deux raccordements avec les lignes 1 et 9. La boucle est « fermée » par une voie, tandis qu'une autre parallèle se termine sur un heurtoir. À l'issue de la station terminus, on trouve trois, puis quatre voies : une de circulation, une de garage qui lui est parallèle, les deux se rejoignant à l'entrée de la station Avron. On rencontre également deux voies d'accès à la galerie de remisage de Vincennes,

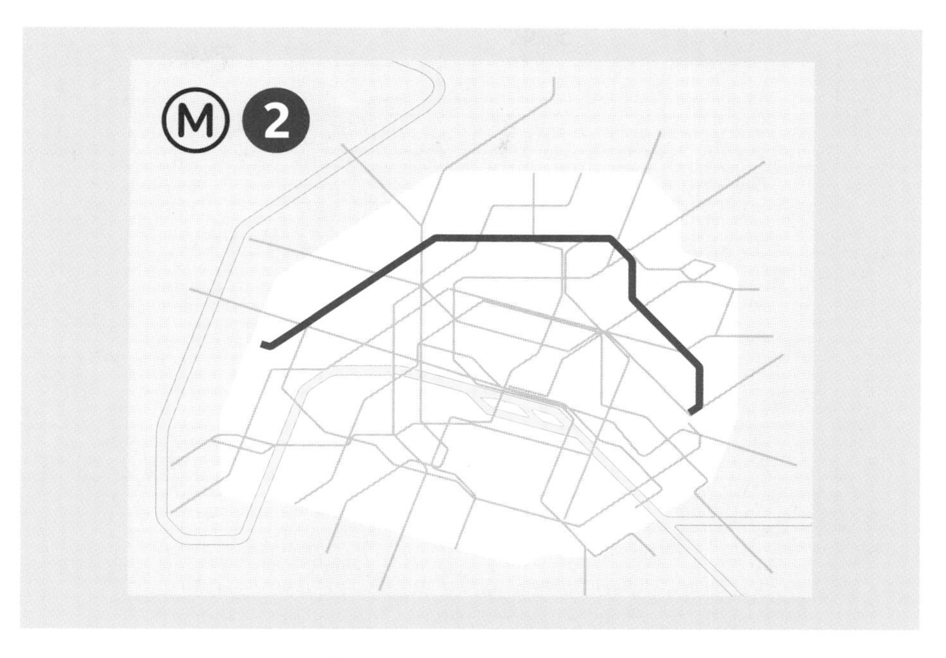

La galerie de remisage des rames de la ligne 2 sous le cours de Vincennes.

qui, par ailleurs, donne accès à un raccordement avec la ligne 1 et à l'atelier d'entretien de Charonne.

L'atelier de Charonne, ouvert en 1900 dans le XXe arrondissement, fut le premier atelier de la ligne 1 et celui de la ligne 2. Il possédait un dispositif de dépose de bogies en fosse sans levage de caisse surnommé « farfadet ». À l'ouverture de celui de Fontenay en 1934, lors du prolongement de la 1 à Château de Vincennes, il fut exclusivement destiné à la ligne 2.

Reconstruit entre 1981 et 1983, cet atelier occupe aujourd'hui une emprise de 10 900 m² dont la moitié couverte. Il est relié à la ligne 2 par un raccordement qui franchit la rue de Lagny par un passage à niveau avec barrière, le seul dans Paris. L'atelier de Charonne Maraîchers assure l'entretien des MF 67 de la ligne 2.

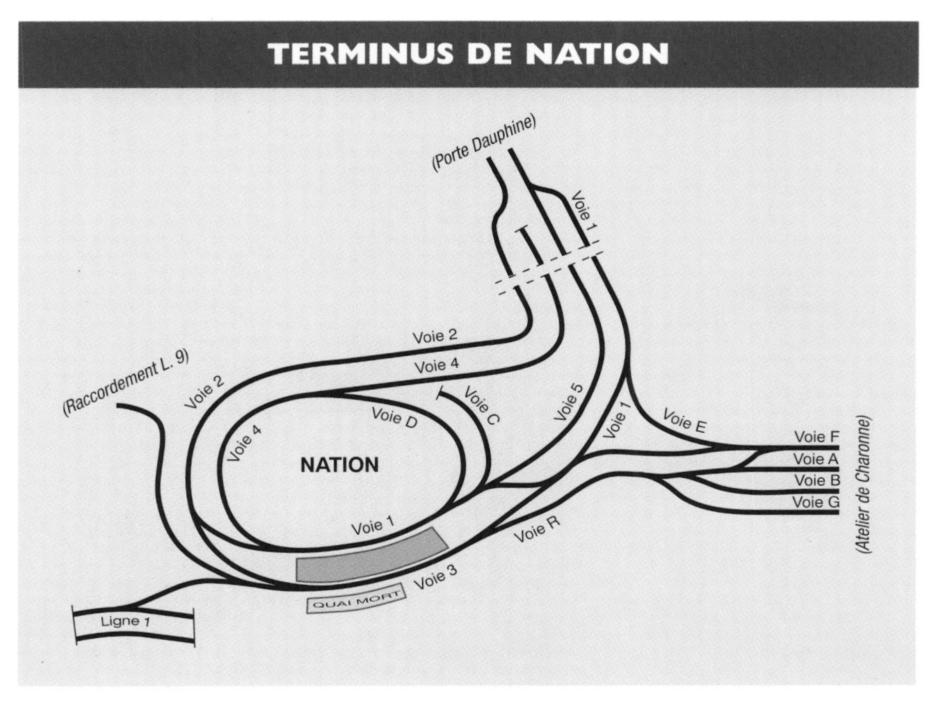

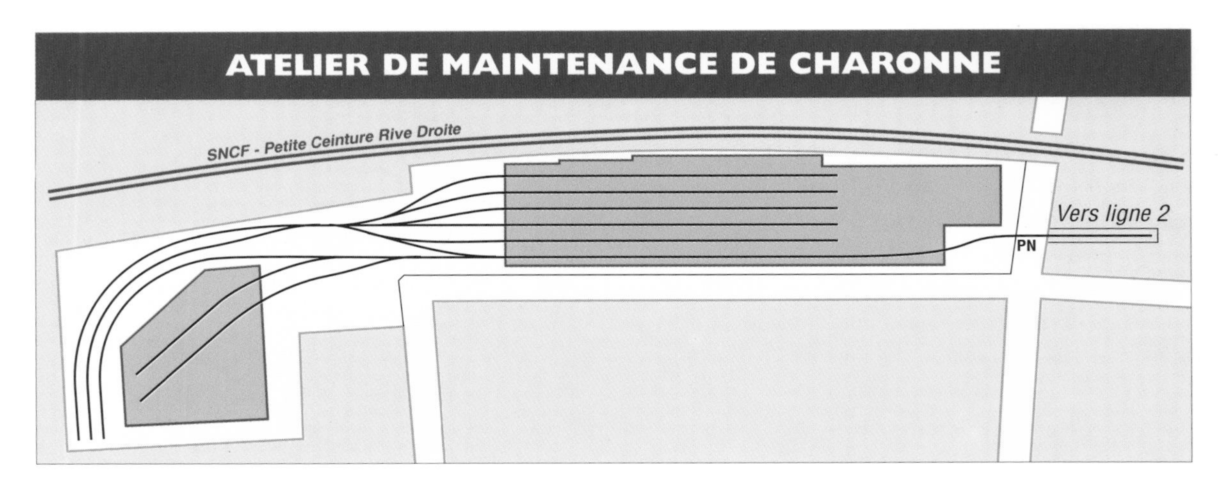

Les « dessus » du métro

STALINGRAD LA VILLETTE

La place Stalingrad n'a pas changé de nom bien que cette importante ville de Russie s'appelle depuis 1961 Volgograd. Elle rappelle aux Parisiens la victoire remportée, au début de 1943, par les armées soviétiques du maréchal Joukov sur les troupes allemandes du général Paulus.

C'est ici que l'on rencontre, au « détour » de la ligne du métro aérien, la rotonde de La Villette de Claude-Nicolas Ledoux. Celui-ci avait entrepris en 1785 la construction des bâtiments d'octroi de Paris, dont celle de la barrière Saint-Martin qui barrait, avec d'autres bâtiments, les routes de Flandre et d'Allemagne. La Rotonde qui subsiste de nos jours, ayant échappé aux destructions de la Révolution et de la Commune, illustre bien le style particulier de cet architecte protégé de la comtesse du Barry et concepteur des monumentales salines royales d'Arc-et-Senans dans le Doubs.

La perspective du bassin de La Villette du canal de l'Ourcq partage en deux l'angle formé par la rue de Flandre et l'avenue Jean-Jaurès et emmène tout droit dans ce coin de Paris où se côtoient désormais la Cité des Sciences, la Grande-Halle vestige des anciens abattoirs, la Cité de la Musique et la salle de spectacle du Zénith.

C'est peu avant Avron que la ligne 2 passe au-dessus de la ligne 9. Elle est alors établie sous le boulevard de Charonne. Le tracé ne présente pas ici de difficulté particulière pour desservir les stations Alexandre Dumas et Philippe Auguste. La ligne, qui est alors sous le boulevard de Ménilmontant, passe le raccordement avec la ligne 3, puis atteint la station Père Lachaise (corr. L. 3). Elle passe sous cette ligne dès la sortie de la station et poursuit sa route pour desservir Ménilmontant. C'est ensuite sous le boulevard de Belleville qu'elle continue. Peu après la station Couronnes, la 2 passe au-dessus de la 11 avant d'atteindre la station Belleville, où les deux lignes sont en correspondance. Nous sommes maintenant sous le boulevard de la Villette, où se trouve une voie d'évitement en impasse. Au-delà de la station Colonel Fabien, la ligne 2 s'élève en rampe de 40 ‰ pour sortir de terre et se placer sur son viaduc. La première station aérienne rencontrée est Jaurès permettant les correspondances avec les lignes 5 et 7 bis établies quant à elles en souterrain.

Les fameuses courbes et contre-courbes de 75 m de rayon entre Jaurès et Stalingrad au-dessus du boulevard de la Villette.

LES STATIONS DE LA LIGNE 2

(ancien nom entre parenthèses et en italique)

NATION

Voir ligne 1.

AVRON

Plateau situé à Rosny-sous-Bois et qui servit à la défense de Paris pendant la guerre de 1870.

ALEXANDRE DUMAS

(avant 1970 Bagnolet)
Écrivain français du XIXe siècle, auteur, entre autres, du *Comte de Monte-Cristo* et des *Trois Mousquetaires*.

PHILIPPE AUGUSTE

Roi de France de la dynastie des Capétiens, vainqueur de Bouvines en 1214.

PÈRE LACHAISE

Jésuite, confesseur de Louis XIV, qui séjourna ici dans une maison de repos ; le plus célèbre des cimetières parisiens.

MÉNILMONTANT

Ancien hameau centré autour d'une petite villa (« mesnil ») et qui fut connu sous le nom de « mesnil du mauvais temps » ou, en raison du relief, « mesnil montant ».

COURONNES

D'un lieu-dit « les Couronnes-sous-Savies », ancien nom de Belleville.

BELLEVILLE

Ancienne commune, lieu de villégiature des Parisiens.

COLONEL FABIEN

(avant 1945 Combat)
Pierre-Georges, dit Fabien, qui abattit en août 1941 un soldat allemand, réalisant ainsi l'un des premiers actes de résistance contre l'occupant nazi.

JAURÈS

(avant 1914 Rue d'Allemagne)
Universitaire, journaliste et homme politique socialiste français, fondateur du journal *l'Humanité* et assassiné en juillet 1914.

STALINGRAD

(avant 1942 Aubervilliers, Aubervilliers - Bd de la Villette jusqu'en 1946)
Ville de Russie, dénommée aujourd'hui Volgograd, qui vit en 1943 la victoire des troupes soviétiques sur l'armée allemande du général allemand Paulus.

LA CHAPELLE

Ancien village au nord de Paris où se trouvait l'église Saint-Bernard de la Chapelle.

BARBÈS – ROCHECHOUART

(avant 1907 Boulevard Barbès)
1- Révolutionnaire français du XIXe siècle qui passa de prison en exil volontaire.
2- Nom d'une abbesse qui dirigea au début du XVIIIe siècle l'abbaye de Montmartre.

ANVERS *Sacré-Cœur*

Port de Belgique sur l'Escaut, l'un des principaux en Europe.

PIGALLE

Sculpteur français du XVIIIe siècle.

BLANCHE

Place qua traversaient, au XVIIe siècle, les voitures chargées de plâtre venant des carrières de Montmartre.

PLACE DE CLICHY

Départ de la rue qui menait au village de Clichy, aujourd'hui commune au nord-ouest de Paris, dans les Hauts-de-Seine.

ROME

L'une des nombreuses rues du quartier de l'Europe, ici évoquant la capitale de l'Italie.

VILLIERS

Nom d'un ancien village rattaché à Paris.

MONCEAU

Nom d'un ancien village rattaché à Paris.

COURCELLES

Nom d'un ancien village rattaché à Paris.

TERNES

Château des Ternes, « villa externa » devenant « estern » puis « ternes », propriété de l'Évêque de Paris.

CHARLES DE GAULLE – ÉTOILE

Voir ligne 1.

VICTOR HUGO

Écrivain et poète français du XIXe siècle, auteur, entre autres, de *Ruy Blas, Hernani, Notre- Dame de Paris* et *les Misérables*.

PORTE DAUPHINE

Porte percée à l'extrémité de la belle Faisanderie de Marie-Antoinette, épouse du Dauphin.

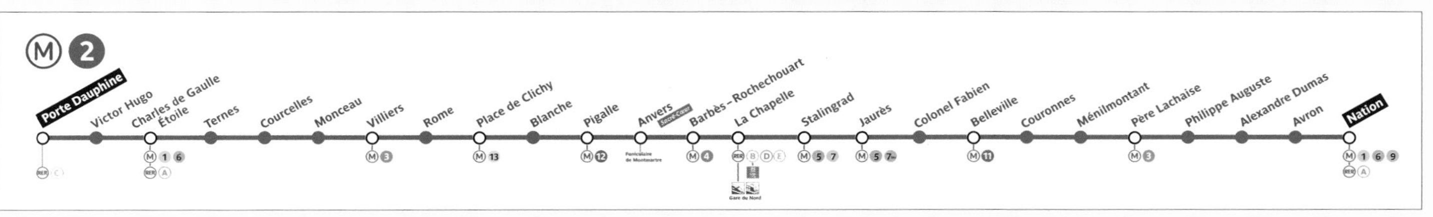

Les « dessus » du métro

PIGALLE

De la place de Clichy à la place Pigalle, on trouve le Paris des divertissements, hier comme aujourd'hui.

La place de Clichy date de 1789. A la fin de l'Empire, le maréchal Moncey y défend la capitale contre une attaque des troupes cosaques ; le monument de la place lui est dédié. Les boulevards de Clichy et de Rochechouart occupent l'emplacement du mur des Fermiers généraux et des chemins de ronde adjacents. On peut facilement imaginer la « spécialité » du quartier lorsqu'on retrouve là les adresses de La Taverne du Bagne, du bal de l'Ermitage et d'autres cabarets, dont, par exemple, celui au nom évocateur de Cabaret des Truands. Artistes, peintres — Picasso y vécut —, danseuses et comédiens y ont habité et y habitent encore.

Au beau milieu du boulevard de Clichy, la place Blanche doit son nom à la rue du même nom dont l'appellation pourrait venir des nombreuses voitures qui passaient par là lourdement chargées de plâtre. Côté nord, elle accueille le célèbre cabaret du Moulin-Rouge dont les ailes tournent toujours. C'est ici que naquit le French Cancan que dansèrent à merveille la Goulue et Valentin le Désossé. Toulouse-Lautrec y traînait ses pinceaux en s'essayant peut-être au grand écart.

La place Pigalle est célèbre, pas tant par celui à qui elle doit son nom, le sculpteur Jean-Baptiste Pigalle, que par l'étiquette d'endroit coquin qui lui colle aux trottoirs. Ici encore et toujours, d'innombrables touristes viennent s'encanailler dans ce qu'il reste du « gai Paris ».

Le boulevard de Rochechouart trace encore plus vers l'est de la capitale cette route des plaisirs, au pied de la butte Montmartre. Le peintre Caillebotte y vécut un temps, Auguste Renoir y eut un atelier, le compositeur Gustave Charpentier y avait élu domicile.

Le profil en dents de scie du viaduc de la ligne 2 entre Stalingrad et Barbès – Rochechouart.

C'est en serpentant sur son viaduc en courbes et contre-courbes de 75 m de rayon pour éviter la rotonde de l'octroi construit par l'architecte Ledoux que la ligne 2 poursuit sa route, passant successivement au-dessus de la ligne 7 bis, du canal Saint-Martin et de la ligne 7. À Stalingrad, elle donne correspondance avec les lignes 5 et 7, continue désormais sur le boulevard de la Chapelle pour franchir en une seule portée de 75,25 m de long la tranchée SNCF de la gare de l'Est. Elle passe ensuite au-dessus du souterrain profond de la ligne 5 qui est parallèle à cette dernière. La station La Chapelle, donnant un accès direct à la gare du Nord souterraine toute proche (corr. SNCF et lignes B et D du RER), est ensuite dépassée. La tranchée des voies SNCF de la gare du Nord est franchie grâce à deux viaducs d'une portée de 75,25 m chacun. C'est à l'issue de l'une de ses plus longues interstations – 725 m – que la ligne 2 atteint la dernière station du tronçon aérien

CHANGEMENT DE DÉCOR

JAURÈS

Quelques parois vitrées de cette station aérienne ont été décorées de vitraux, dessinés par Jacques-Antoine Ducatez qui représentent des drapeaux cernant la forteresse de la Bastille.

TRANSPARENCES à Villiers

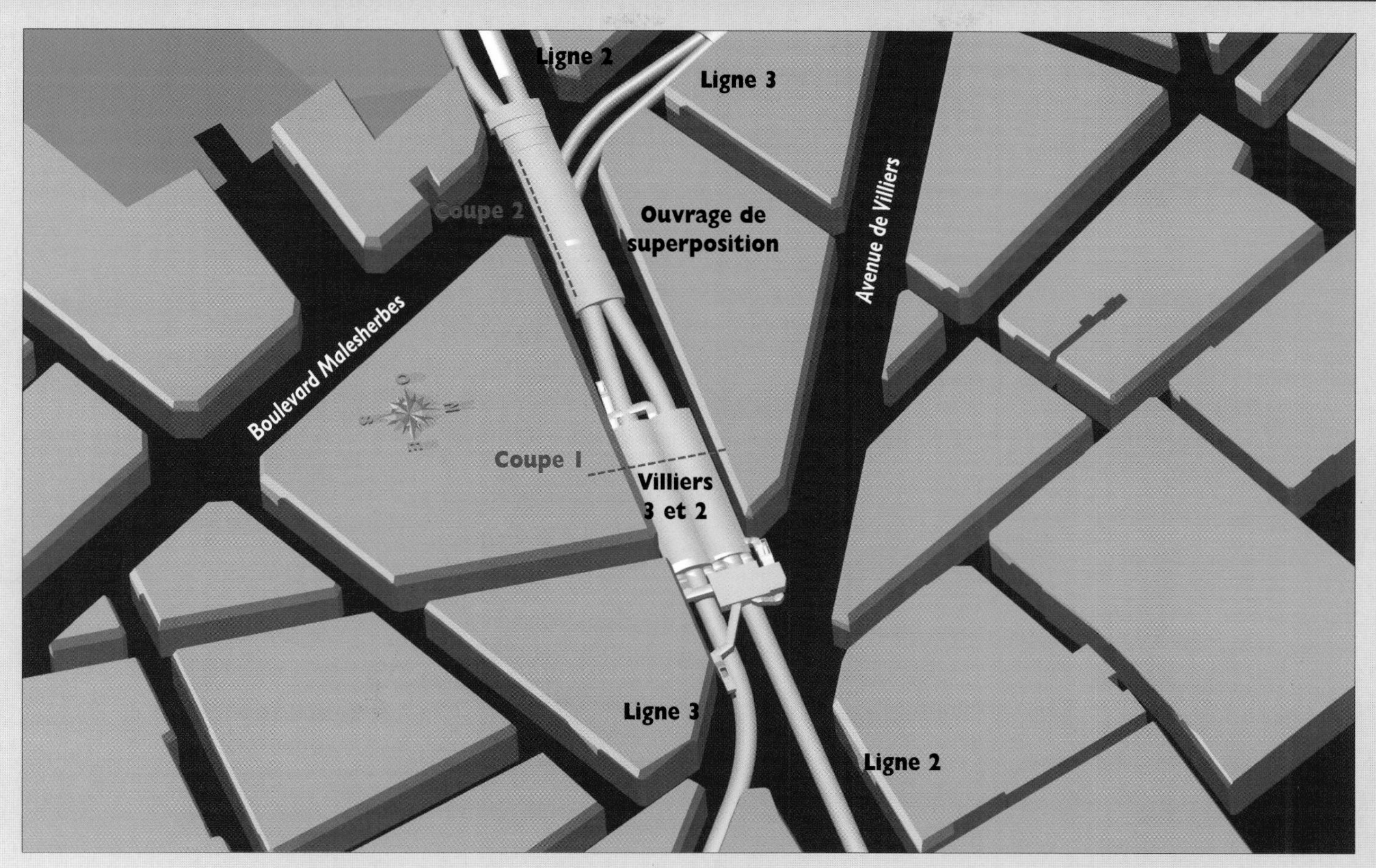

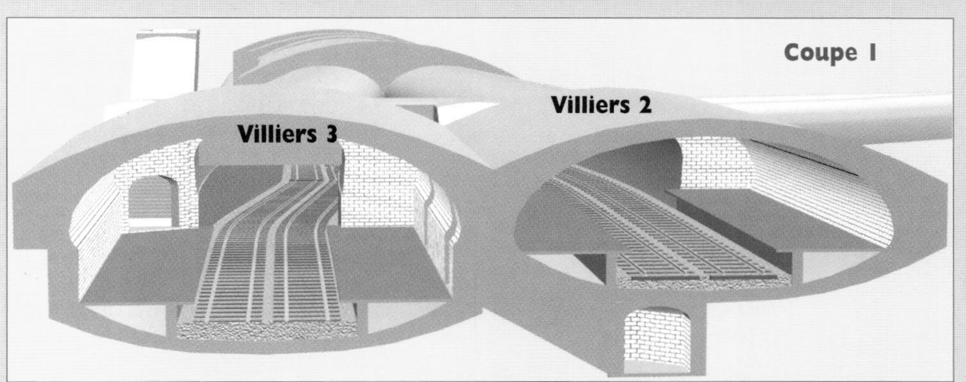

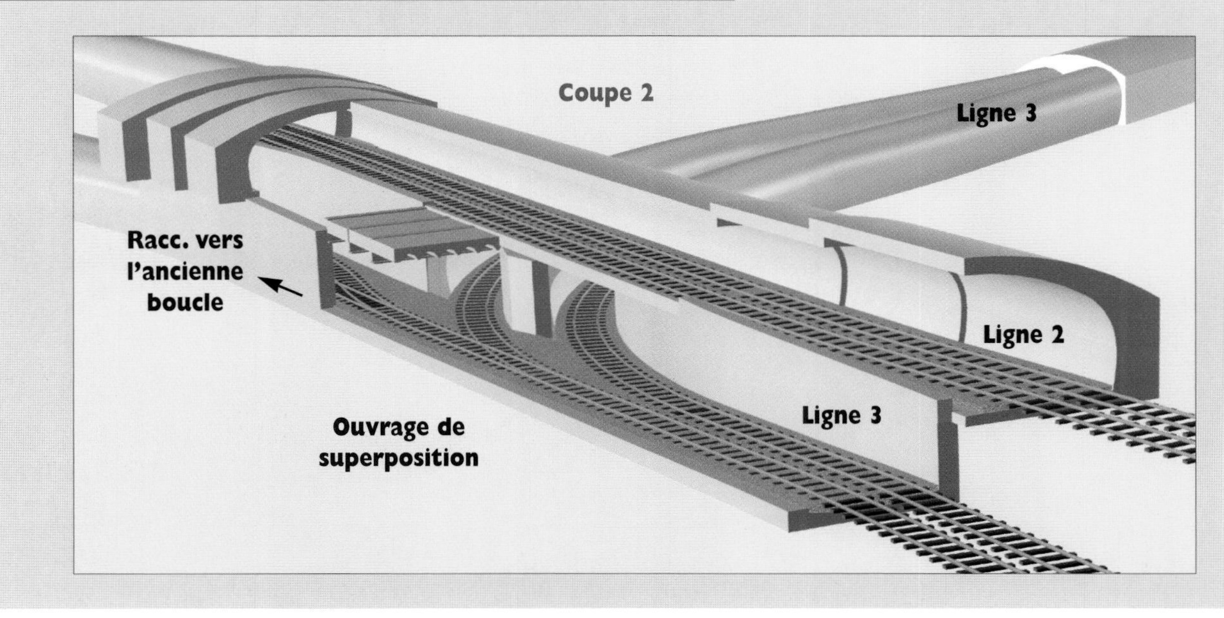

Depuis la démolition des tunnels des Batignolles, la ligne 2 franchit les voies SNCF dans le tablier du pont supportant le boulevard des Batignolles.

CARTE D'IDENTITÉ DE LA LIGNE 2

Longueur totale	12,316 km
dont en aérien	2,2 km
Nombre de stations	25
dont aériennes	4
dont correspondances	10
Longueur des stations	de 75 m à plus de 115 m
Longueur moyenne des interstations	509 m
Nombre de trains en ligne à la pointe	39
Nombre de départs (jour ouvrable)	344
Intervalle minimal (jour ouvrable)	1 mn 50
Matériel roulant	MF 67
Nombre de voitures par train	5
Atelier de maintenance	Charonne
Atelier de révision	Choisy

TERMINUS DE PORTE DAUPHINE

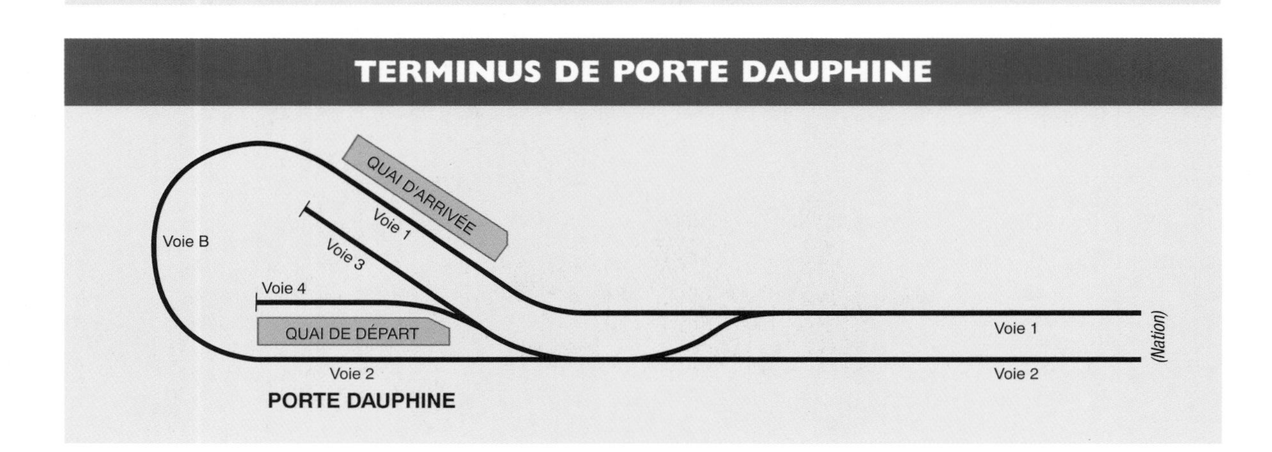

Barbès – Rochechouart (corr. L. 4). Après quelques mètres en palier et après avoir croisé la ligne 4, la ligne 2 plonge en rampe de 40 ‰ pour retrouver le souterrain boulevard Rochechouart et desservir la station Anvers, à proximité de laquelle se trouve un raccordement avec les lignes 4 et 5, puis Pigalle (corr. L. 12). Nous sommes alors déjà sous le boulevard de Clichy, la 2 passe au-dessus de la ligne 12, dépasse une voie d'évitement en impasse et dessert au passage les stations Blanche et Place de Clichy (corr. L. 13).

C'est toujours avec un profil en pente vers l'ouest, amorcé à Anvers, que la ligne 2 poursuit sa route, maintenant sous le boulevard des Batignolles. Elle passe au-dessus de la ligne 13 et dessert Rome, station à fleur de sol située à l'emplacement de l'ancien aqueduc de l'Ourcq. Depuis 1925, date de la démolition des tunnels ferroviaires des Batignolles, c'est dans l'ouvrage qui permet au boulevard des Batignolles de franchir la tranchée du même nom occupée par les voies SNCF de la gare Saint-Lazare, que la ligne 2 se loge pour rejoindre Villiers, station de correspondance avec la 3 qui lui est parallèle. Après être passée au-dessus des deux tunnels à voie unique de cette dernière, la ligne 2, alors sous le boulevard de Courcelles, dessert successivement les stations Monceau, Courcelles et Ternes.

À partir de cette dernière station, la ligne 2 remonte en suivant la topographie de la colline de l'Étoile pour atteindre la station Charles de Gaulle – Étoile (corr. L. A du RER et 1 et 6 du métro), au milieu des ouvrages de ces lignes de métro et de RER. Après se trouve la plus grande interstation de la ligne 2 (893,4 m) qui permet d'atteindre la station Victor Hugo. À la sortie de la station, la ligne plonge brusquement en pente de 34,5 ‰ pour atteindre son terminus ouest : Porte Dauphine. Ce terminus, l'un des premiers du réseau, est en boucle à voie unique de 30 m de rayon, deux voies de garage en impasse complétant ces installations très modestes. À noter que, avec la circulation en boucle permanente à Nation et à Porte Dauphine, les trains de la ligne 2 ne changent quasiment jamais de sens.

Les « dessus » du métro

LA PLACE CHARLES-DE-GAULLE

Dès 1730, plusieurs voies se croisent à ce qu'on appelait alors « l'étoile de Chaillot ». C'est sous le règne de Louis XV, que la colline est abaissée de 5 m afin de donner une pente plus douce et plus praticable à la voie venant de la place Louis XV (Concorde). Cinq voies rayonnent de cette place, désormais ronde au lieu d'être octogonale.

Au retour d'Austerlitz, Napoléon ordonne qu'un arc de triomphe soit érigé en l'honneur des victoires de ses armées. La première pierre est posée le 15 août 1806, mais les travaux s'éternisent, ce qui empêche Napoléon de voir l'édifice terminé, l'inauguration n'ayant lieu qu'en 1836 sous le règne de Louis-Philippe. Avec ses 50 m de haut et ses 40 m de « façade », l'arc de triomphe de l'Étoile est le plus grand du genre. De nombreux artistes choisis par Thiers participèrent à sa décoration; Rude les éclipsa tous avec sa sculpture du groupe allégorique connu sous le nom de « La Marseillaise », tournée vers les Champs-Élysées.

Un décret de Napoléon III de 1854 décide du plan actuel de la place de l'Étoile avec douze voies; sept avenues sont percées. De plus, une rue circulaire est tracée autour de la place. L'architecte Hittorff édifie douze hôtels particuliers identiques qui terminent la constitution de ce vaste ensemble architectural particulièrement réussi.

La place Charles-de-Gaulle est aujourd'hui l'une des plus prestigieuses de Paris. L'arc de triomphe, haut lieu touristique de l'ouest de la capitale, abrite à sa base la tombe du Soldat inconnu depuis 1921, sur laquelle brûle la flamme depuis le 11 novembre 1923.

Les voies de garage, à l'amorce de la boucle, au terminus de Porte Dauphine.

LIGNES 3 ET 3 bis

Gallieni – Pont de Levallois–Bécon
Gambetta – Porte des Lilas

La ligne 3, dite « du boulevard de Courcelles à Ménilmontant », était, avec les lignes 1 et 2, la seule que la Ville de Paris se soit formellement engagée à construire dans sa convention avec la Compagnie du métropolitain de Paris. Prolongée à plusieurs reprises et remaniée dans sa partie est, elle relie aujourd'hui Pont de Levallois, à l'ouest, à Galliéni sur la commune de Bagnolet, à l'est.

L'HISTOIRE

L'un des tout premiers matériels à bogies avec motrices Thomson série 300 à la station République en 1904.

Se développant sur 7,5 km, (8,8 avec les boucles), le premier tronçon de la ligne 3 reliait la station Avenue de Villiers à Gambetta, en passant par Saint-Lazare, Opéra et République. La ligne était donc destinée à relier entre eux les quartiers animés du centre de Paris.

La station terminale Avenue de Villiers était parallèle à celle de la ligne 2. L'exploitation, qui envisageait à l'origine d'envoyer des trains à Porte Maillot via la ligne 2, étant abandonnée, la configuration de la station fut modifiée : elle devenait un terminus et une boucle de retournement sous le parc Monceau fut donc créée. De plus, son prolongement vers le nord-ouest étant prévu, il importait de faire passer les voies sous celles de la ligne 2 ; on abaissa donc le niveau des voies dans la station, ce qui lui donne son aspect actuel.

Chantier de construction des deux stations jumelées à Villiers en 1902 avec, à droite, l'abaissement de la plate-forme de la ligne 3 pour lui permettre de passer plus tard sous la ligne 2 placée ici à gauche.

Amorce du prolongement futur de la ligne 3 à l'extrémité ouest de la station Villiers et préparation de la plate-forme supérieure destinée à accueillir les voies de la ligne 2.

Le terminus Gambetta était en boucle. Dans celle-ci, se trouvait deux demi-stations de chacune deux voies desservant un quai central. Deux souterrains à deux voies l'un sous l'avenue Gambetta, l'autre sous la rue Belgrand, indiquaient les intentions de prolongement. Le souterrain sous la rue Belgrand donnait accès à l'atelier de Saint-Fargeau.

La ligne desservait pas moins de dix-sept stations, dont quatre avaient été conçues avec une couverture métallique en raison de leur très faible profondeur ; il s'agissait de Saint-Lazare, d'Havre – Caumartin, d'Opéra et de Père Lachaise.

Les travaux

Comme pour les autres lignes, des travaux préliminaires furent nécessaires avant de construire les tunnels. Ici encore, on dévia conduites de gaz, conduites d'eau et égouts.

Si les travaux de percement des tunnels présentèrent les difficultés que l'on pourrait qualifier d'habituelles, malgré quelques passages délicats en raison de la consistance du sous-sol, plusieurs points singuliers méritent d'être soulignés.

Le plus important fut la réalisation de l'ouvrage de superposition de la place de l'Opéra.

Emprise du chantier de construction de l'ouvrage de superposition des lignes 3, 7 et 8 à la place de l'Opéra où on distingue le sommet de la voûte du tunnel de la 3.

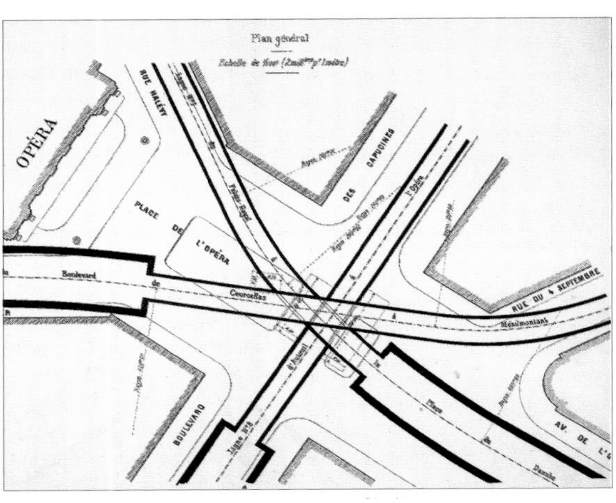

Plan du croisement des lignes 3, 7 et 8 sous la place de l'Opéra.

À droite : vue intérieure de l'ouvrage d'Opéra prise depuis le niveau de la future ligne 7.

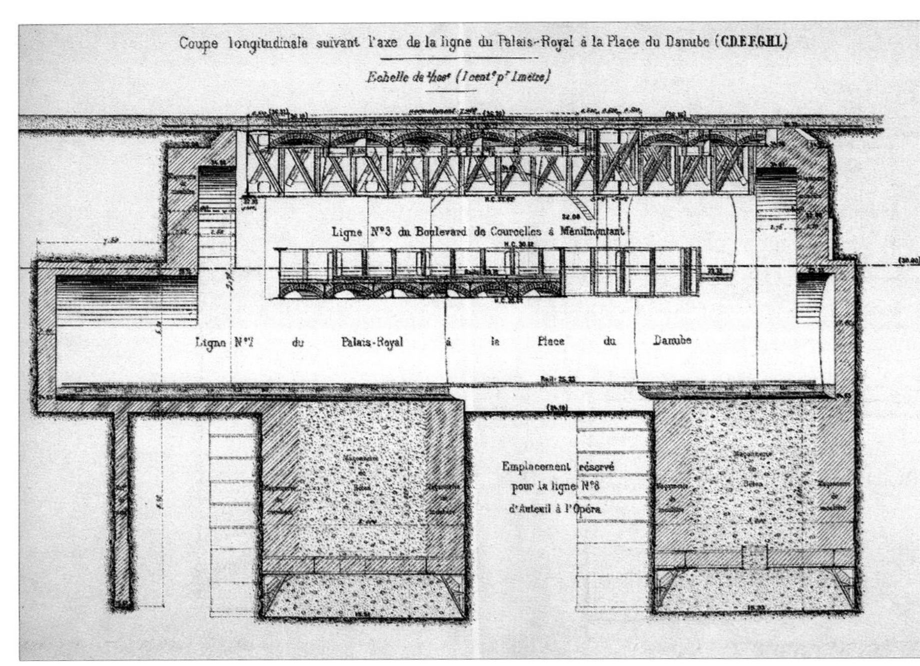

Dessin de l'ouvrage d'Opéra avec le tablier supportant la chaussée, les niveaux des lignes 3 et 7 et celui de la 8 réservé.

C'est ici qu'en effet devaient se croiser trois lignes, soit de haut en bas : la 3, la 7 (Palais Royal – Place du Danube) et la 8 (Auteuil – Opéra prolongée vers les Grands Boulevards). Il fut décidé de construire en une seule fois la totalité de l'ouvrage, afin d'en minimiser les coûts et les nuisances pour les riverains et pour la circulation déjà dense au cœur de ce quartier prestigieux. De plus, l'exploitation de la ligne 3 ne serait ainsi pas perturbée lors de l'établissement ultérieur des

Réalisation en 1903 de la couverture métallique de la station Saint-Lazare avec, au fond, la façade de la gare devant laquelle passent omnibus à chevaux et tramways à air comprimé.

deux autres lignes. Cet important ouvrage fut réalisé en un peu moins d'un an, de mars 1903 à février 1904 par l'entrepreneur Chagnaud.

D'autres ouvrages particuliers devaient être construits, mais de bien moindre importance ; il s'agissait du franchissement du collecteur de Clichy (par-dessus), de la traversée de la future ligne 4 (par-dessous) au boulevard Sébastopol et de celle du canal Saint-Martin (par-dessous), enfin du croisement de la ligne 2 (par-dessus) au boulevard de Ménilmontant. Le franchissement du canal Saint-Martin fut le premier passage du métro sous un « cours d'eau ». Il fut réalisé en 60 jours après assèchement du canal à cet endroit pour en consolider les maçonneries et réaliser le radier qui lui faisait défaut.

Mise en service et prolongements

En raison de difficultés rencontrées dans la réalisation du tunnel aux abords de Père Lachaise et de Gambetta, la ligne 3 fut mise en service en deux fois : entre Villiers et Père Lachaise le 19 octobre 1904, puis jusqu'à Gambetta le 25 janvier 1905. Elle bénéficiait des premières mesures de sécurité prises à la suite de la catastrophe de Couronnes survenue sur la ligne 2 en août 1903 : éclairage protégé, sectionnement de l'alimentation électrique de la ligne, mise en place de téléphones de pleine voie, etc. Composées de matériels à bogies, les rames comportaient cinq voitures, dont trois motrices, formation qui deviendra classique dans le métro.

Dès 1901, un projet de réseau complémentaire fut présenté. Il comprenait, entre autres, deux prolongements de la ligne 3 : le premier, de Villiers à la Porte de Champerret concédé en 1903 (dénommé alors ligne 3 bis), le second, de Gambetta à Porte des Lilas concédé en 1907.

Long de 1 824 m, le premier prolongement prenait naissance au début de la boucle de Villiers qui fut abandonnée. Grâce au dénivelé

Vue de la station Gambetta « départs » quelques jours avant l'ouverture de la partie est de la ligne en 1905.

Premiers essais de franchissement, par une rame en bois, du « pont » de la ligne 3 dans l'ouvrage d'Opéra.

réalisé quelques années auparavant, la ligne 3 passait sous la ligne 2 par deux souterrains jumeaux à voie unique et se dirigeait vers le nord-ouest. Le prolongement comportait quatre nouvelles stations : Malesherbes, Wagram, Péreire et Porte de Champerret. La station terminale Porte de Champerret, établie sous le boulevard Berthier, disposait de deux fois deux voies encadrant un quai central (un « arrivées », un « départs »), voies reliées par une boucle à double voie de 70 m de rayon.

En raison d'un état inégal d'avancement des travaux, ce prolongement fut mis en service en deux fois : le 23 mai 1910 jusqu'à la station Péreire, le 15 février 1911 jusqu'à Porte de Champerret. La ligne 3 Gambetta – Porte de Champerret mesurait désormais 8 776 m.

Le second prolongement, long de 1 500 m, de la ligne 3 dans Paris fut celui qui la poussa jusqu'à la porte des Lilas, au nord-est de la capitale. C'était alors les années vingt et le réseau de métro comprenait déjà plusieurs lignes dont la 7 qui reliait Pré-Saint-Gervais ou Porte de la Villette à Opéra. Le prolongement de la 3 prévoyait également un raccordement avec cette ligne à proximité de Pré-Saint-Gervais (dénommé ligne 3 ter). On envisageait en effet à l'époque une exploitation particulière des deux lignes, par des modes différents selon les heures de la journée :

1. exploitation séparée des lignes avec, pour la ligne 3, circulation de rames entre Porte de Champerret et Porte des Lilas (station A) et navettes entre celle-ci (station B) et Pré-Saint-Gervais située sur la boucle de la ligne 7 (aujourd'hui 7 bis) ;
2. exploitation commune des deux lignes, les trains en provenance de Porte de Champerret passant par la station Porte des Lilas B et rejoignant la 7 par la voie « navette », tandis que dans l'autre sens, les trains venant de la 7 rejoignent la 3 par une voie de raccordement, dite « des Fêtes ».

Le prolongement proprement dit se développait, à partir du côté « départ » de la boucle de Gambetta, sous l'avenue Gambetta et comprenait trois nouvelles stations : Pelleport, Saint-Fargeau et Porte des Lilas. En raison de la nature du sous-sol, les stations reçurent des structures renforcées de même type que celles des stations de la ligne 7 aux Buttes-Chaumont. De plus, à cause du profil

À gauche, inauguration du prolongement de la ligne 3 à Pont de Levallois – Bécon en 1937.

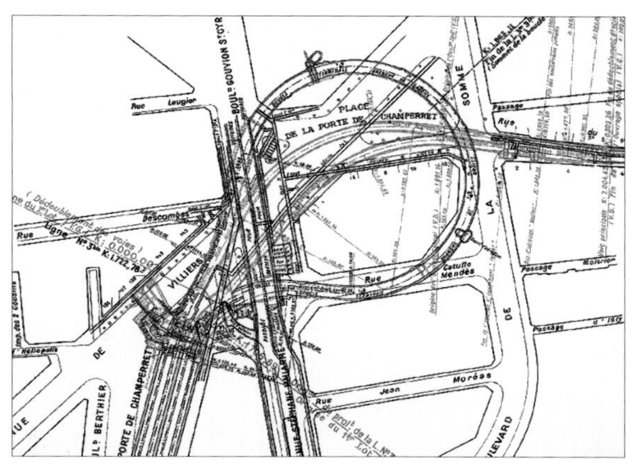

Plans de la boucle terminale de Porte de Champerret sous les bastions des fortifications (en haut) et de la même boucle après le prolongement de la ligne à Levallois alors que les « fortifs » ont disparu (en bas).

en long, elles furent construites à grande profondeur (entre 19 et 25 m sous la surface du sol) et furent donc équipées d'ascenseurs aboutissant directement au niveau de la rue. Les édicules qui les abritaient marquent encore aujourd'hui une présence visible à l'air libre du métro dans ce quartier de Paris.

L'ensemble de ces ouvrages fut mis en service le 27 novembre 1921. L'exploitation commune des lignes 3 et 7 fut abandonnée, mais on conserva la navette entre Porte des Lilas et Pré-Saint-Gervais ; la « voie des Fêtes » devint donc inutile, la demi-station Pré-Saint Gervais, implantée au voisinage de la rue Haxo, reste une station morte dont les accès extérieurs ne furent même pas construits.

À la fin des années 1920, l'idée avait fait son chemin de prolonger le métro en proche banlieue. Un décret du 24 décembre 1929 déclara d'utilité publique quinze prolongements dont celui de la ligne 3 de Porte de Champerret au Pont de Levallois.

Ce nouveau tronçon de 1 840 m passait sous la

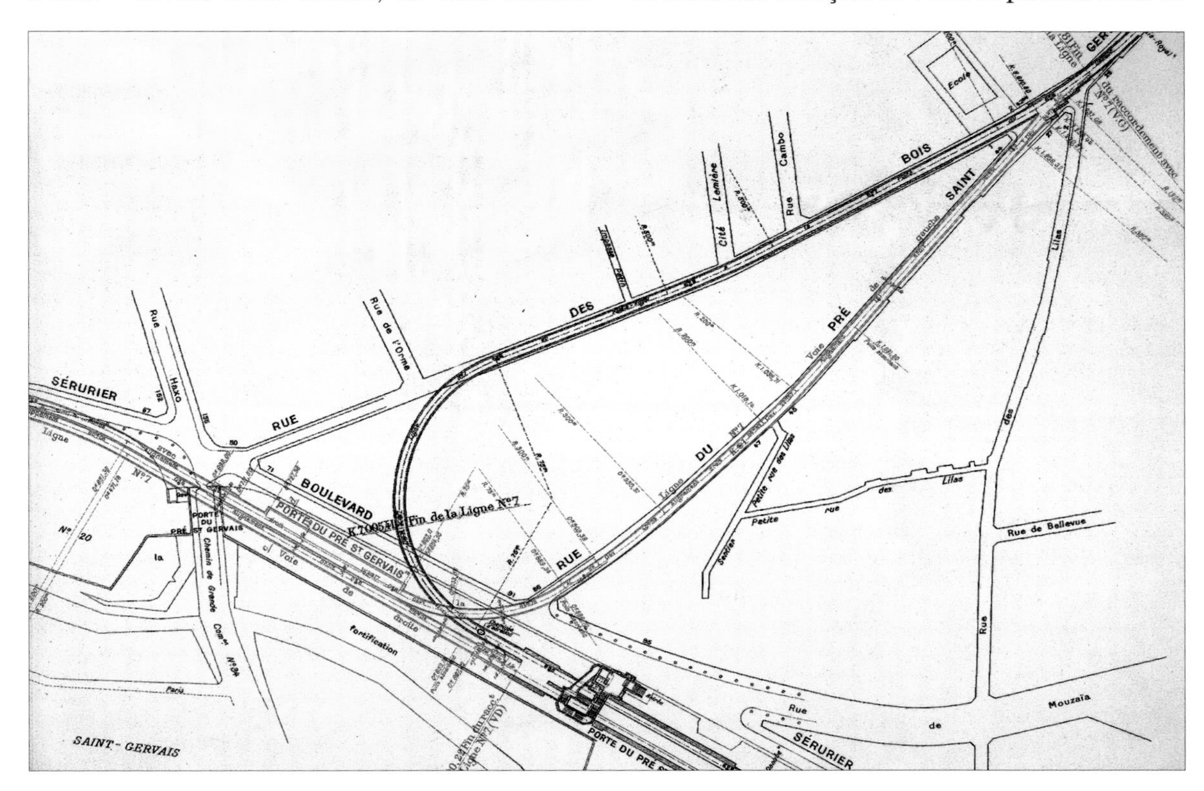

Plan de situation de la boucle de la ligne 7 bis avec la « voie des Fêtes » qui la croise à proximité de la station « Haxo », ici appelée « Porte du Pré-Saint-Gervais » que jouxte la « voie navette ».

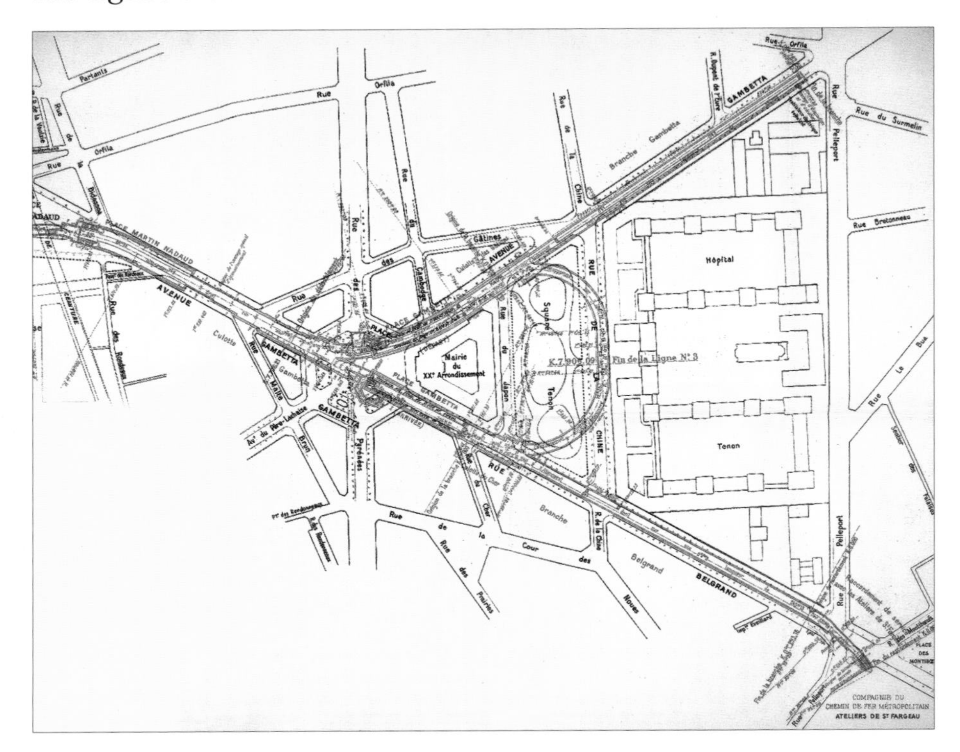

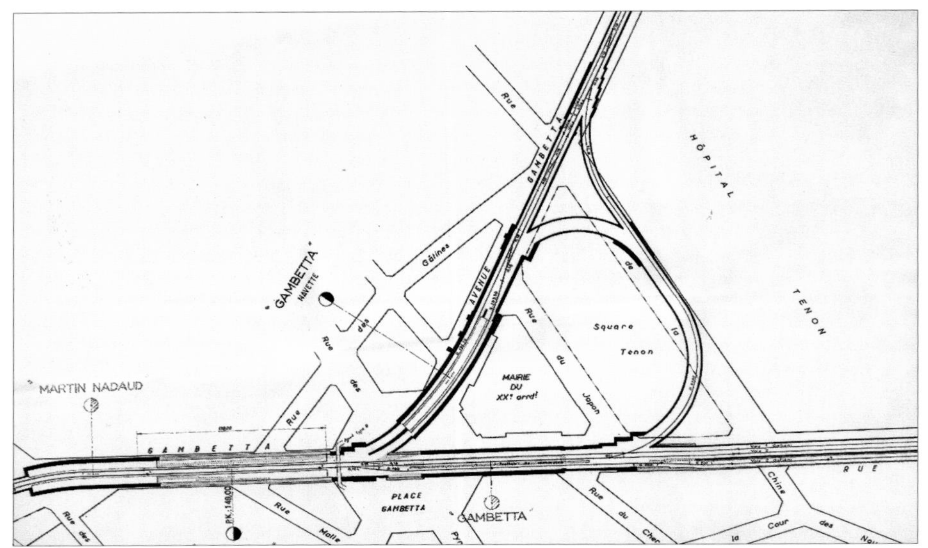

boucle terminale, puis se dirigeait vers Levallois-Perret, commune qu'il desservait par trois nouvelles stations : Rue Vallier (aujourd'hui, Louise-Michel), Place Anatole-France et Pont de Levallois – Bécon.
Le nouveau terminus comportait trois voies à quai. L'ouverture au public eut lieu le 24 septembre 1937.

Quelque 34 ans plus tard, le tracé de la ligne 3 fut à nouveau modifié. Le 2 avril 1971, elle fut prolongée de 1 370 m de Gambetta à Galliéni, sur la commune de Bagnolet. Le nouveau terminus fut construit au cœur d'un vaste complexe situé à la jonction de l'autoroute A3 et du boulevard périphérique et associant parking, gare routière et centre commercial.

Un profond remaniement des installations de la station Gambetta fut réalisé dans le cadre de cette opération :

- la demi-station « départs » devint le terminus de la 3 bis ;
- la demi-station « arrivées » fut supprimée et devint un tunnel à trois voies ;
- une nouvelle station fut créée par allongement de la station Martin-Nadaud qui disparut (mise en service le 23 août 1969), son accès sur la place du même nom devint un accès à la nouvelle station Gambetta.

Ce prolongement entraîna, le 27 mars 1971, le « débranchement » du tronçon Gambetta – Porte des Lilas dont l'exploitation devint indépendante sous le n° 3 bis.

La ligne 3 fut équipée du PCC en 1970 et du pilotage automatique en 1973.

En ce qui concerne le matériel roulant, elle fut la première ligne à recevoir en 1967 les nouvelles rames MF 67.

Plans de la station Gambetta avec, en haut la situation initiale en terminus en boucle, et, en bas, après absorption de la station Martin-Nadaud lors du prolongement de la ligne à Galliéni.

La station Saint-Lazare carrossée avec des publicités « métropolitaines », et un tout nouveau MF 67.

LE PARCOURS

C'est au cœur du complexe d'échanges de Porte de Bagnolet à Bagnolet dans le département de Seine-Saint-Denis que se situe le terminus Gallieni ; celui-ci comprend quatre voies pour deux quais.

En arrière-gare, les quatre voies se poursuivent sur plus de 240 m avec deux trottoirs de manœuvre et plusieurs positions de garage.

Le prolongement de la ligne en 1971 a sensiblement modifié la configuration des ouvrages existants. La ligne 3, après avoir dépassé la station Porte de Bagnolet, comporte, sous la rue Belgrand, deux tunnels distincts :

• un ancien tunnel à deux voies reliant la ligne à l'atelier d'entretien de Saint-Fargeau, dont une voie sert aujourd'hui au sens

L'atelier de maintenance de Saint-Fargeau datant de 1904 et modernisé à plusieurs reprises.

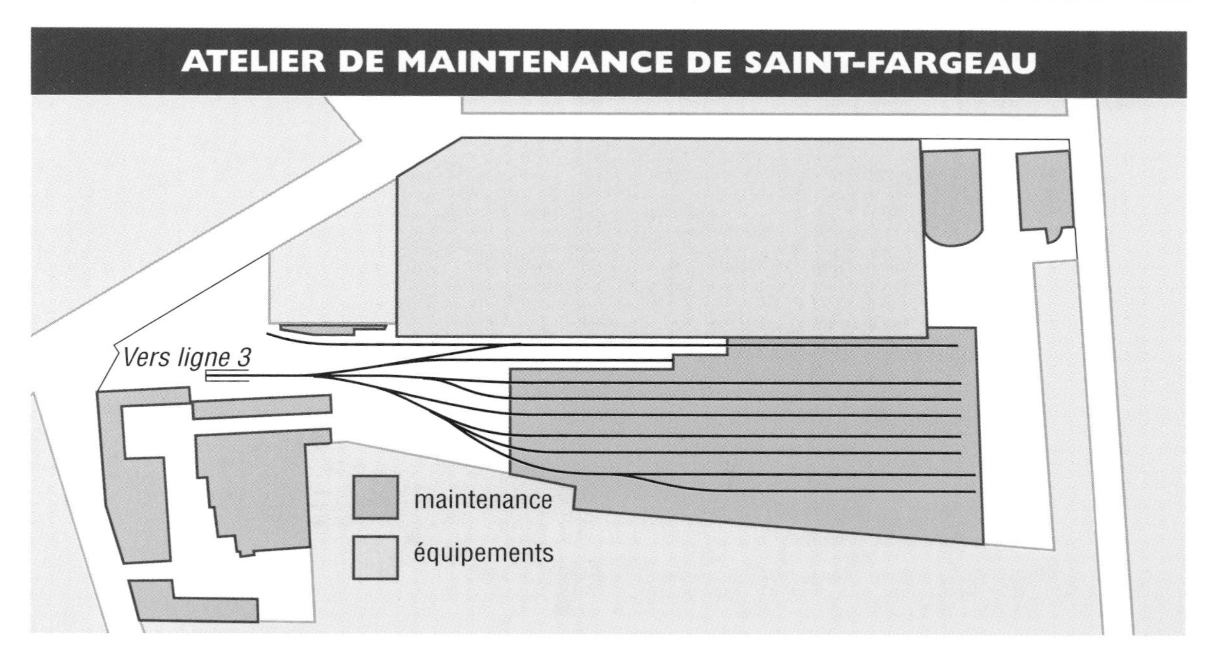

Vues diamétralement opposées de la station Gambetta, l'une prise depuis l'ancienne station Martin-Nadaud (à droite), l'autre montrant les quais de cette dernière servant aujourd'hui d'accès (ci-dessous).

Galliéni – Levallois et l'autre au raccordement avec l'atelier ;

• un nouveau tunnel à une voie servant au sens Levallois – Galliéni et passant sous la voie de raccordement à l'atelier grâce à un saut-de-mouton souterrain.

L'atelier d'entretien de Saint-Fargeau fut ouvert en 1904 dans le XXe arrondissement de Paris. Il fut modernisé, une première fois en 1966-1967 pour l'arrivée du MF 67 et une seconde fois en 1993 pour l'arrivée du MF 88. S'étendant sur une surface de 15 600 m², il assure, outre l'entretien des trains de la ligne 3, la maintenance renforcée du MF 88 de la ligne 7 bis. Enfin, il dispose dans ses emprises d'un atelier de révision assurant la maintenance des équipements pneumatiques de sécurité de tous les trains du métro et du RER.

Les « dessus » du métro

LE PÈRE LACHAISE

C'est un riche commerçant, Régnault de Wandonne, qui achète au XVe siècle un terrain appartenant à l'évêque de Paris. Il fait construire sur cette colline plantée sa maison de campagne, la Folie-Regnault. En 1626, des jésuites acquièrent la Folie-Regnault pour y installer une maison de repos. Le père La Chaise y habite lorsqu'il devient le confesseur de Louis XIV. C'est à la suite d'une visite du roi dans sa jeunesse, que le site prend le nom de Mont-Louis. Le domaine des jésuites est vaste et devient rapidement un lieu de plaisir très en vogue, animé par les nombreuses fêtes que donne le frère du confesseur. En 1763, les jésuites sont chassés du royaume et le domaine de 17 ha est vendu. Il devient propriété de la Ville de Paris dans les premières années de l'Empire. Cela tombe bien, car le préfet de la Seine cherche des terrains pour y établir de nouveaux cimetières pour Paris. Le cimetière de l'Est y est ouvert en mai 1804. Au cours des ans, il est plusieurs fois agrandi pour atteindre une superficie de 44 ha et est baptisé cimetière du Père-Lachaise.
Le cimetière abrite dans un repos éternel de très nombreux personnages illustres comme Héloïse et Abélard, Molière et La Fontaine, l'agronome Parmentier, le maréchal Ney et beaucoup d'autres militaires d'Empire, le mathématicien Monge, le peintre Géricault, Chopin, le philosophe Auguste Comte, Alfred de Musset, les peintres Delacroix et Ingres, le compositeur Rossini, le préfet Haussmann, le poète Apollinaire, l'actrice Sarah Bernhardt, Colette, Édith Piaf ou Yves Montand.

TERMINUS DE GALLIENI (L. 3) ET DE GAMBETTA (3 BIS)

Sur plusieurs dizaines de mètres, ces trois voies (voie 1, voie 2 et voie Z) se retrouvent dans un souterrain unique jusqu'à l'entrée de la station Gambetta (corr. L. 3 bis). Un raccordement avec la ligne 3 bis (voir plus loin) et plusieurs voies de garage en impasse existent, réutilisant l'ancienne boucle de retournement des trains avant le prolongement primitif de la ligne 3 vers Porte des Lilas.

Continuant vers l'ouest sous l'avenue Gambetta, la ligne 3 descend en pente de 40 ‰. Sa plus longue interstation, 831 m, passe au-dessus de la ligne 2 et atteint la station Père Lachaise (corr. L. 2). Désormais sous l'avenue de la République et toujours en pente de 40 ‰, la ligne 3 dépasse un raccordement avec la ligne 2 et dessert les stations Saint-Maur et Parmentier établies en palier. Après être passée sous le canal Saint-Martin et plusieurs collecteurs, la ligne remonte toujours en rampe de 40 ‰ sur 155 m pour se positionner en palier sous la place de la République. Au-delà du raccordement avec la ligne 5, la ligne 3 aborde la station République puis passe d'une part au-dessous des lignes 5, 8 et 9, d'autre part au-dessus de la ligne 11, toutes ces lignes étant en correspondance avec elle dans cette station.

Remontant alors sous la rue de Turbigo, la ligne 3 se place à nouveau en palier, dessert Temple, dépasse une voie d'évitement en impasse, passe au-dessus du raccordement 3/11 et arrive à la station Arts et Métiers (corr. L. 11).

C'est sous la rue Réaumur que la ligne poursuit sa route, recevant au passage le raccordement avec la 11 avant de passer sous la ligne 4 à la station de correspondance Réaumur – Sébastopol. Peu après Sentier, la ligne croise la ligne B du RER, assez profonde à cet endroit, dessert les stations Bourse et Quatre-Septembre, cette dernière sous la rue du même nom.

Débouchant sous la place de l'Opéra, la ligne 3 se situe au niveau supérieur de l'ouvrage de superposition des lignes 3, 7 et 8, puis atteint la station de correspondance entre ces lignes et le RER (Auber) à Opéra.

Située sur la « voie des Fêtes », entre la 3 bis et la 7 bis, la station Haxo, sans accès extérieurs, n'a jamais été ouverte au public.

Les « dessus » du métro

LA BOURSE

C'est à la place du couvent des Filles-Saint-Thomas, installé là en 1640 le jour de la Saint-Thomas, supprimé sous la Révolution et détruit en 1807 et 1808, qu'est construite la Bourse des valeurs, d'après les plans de l'architecte Alexandre Théodore Brongniart. Commencé en 1808, il n'est achevé qu'en 1827 bien après sa mort, alors que le préfet Chabrol l'avait inauguré auparavant, à la fin de 1826. L'édifice originel, de forme rectangulaire, mesurait 69 m sur 41. Il est agrandi de 1902 à 1907 et se présente aujourd'hui sous la forme d'un bâtiment en forme de croix entouré de colonnes corinthiennes.

La Bourse des valeurs, créée en 1724, avait occupé divers bâtiments avant de s'installer dans ses nouveaux murs en 1827. Elle y cohabita pendant quelques années avec le tribunal de commerce et la chambre de commerce. Aujourd'hui, la traditionnelle et bruyante « corbeille » pour les cotations est informatisée.

CARTE D'IDENTITÉ DES LIGNES 3 ET 3 BIS

	3	3 bis
Longueur totale	11,665 km	1,289 km
dont en aérien	0 km	0 km
Nombre de stations	25	4
dont aériennes	0	0
dont correspondances	9	2
Longueur des stations	de 75 m à plus de 115 m	75 m
Longueur moyenne des interstations	486 m	433 m
Nombre de trains en ligne à la pointe	40	4
Nombre de départs (jour ouvrable)	361	259
Intervalle minimal (jour ouvrable)	1 mn 45	3 mn
Matériel roulant	MF 67	MF 67
Nombre de voitures par train	5	3
Atelier de maintenance	Saint-Fargeau	Saint-Fargeau
Atelier de révision	Choisy	Choisy

Franchissement de la ligne 3 (niveau inférieur) par la ligne 2 à l'extrémité ouest de la station Villiers.

L'abaissement des voies de la ligne 3 est ici bien visible par la hauteur inhabituelle de la voûte de la station Villiers.

Plus loin, la ligne 3, par ailleurs raccordée à la 7, est située sous la rue Auber à l'aplomb de la gare RER avant d'atteindre Havre – Caumartin (corr. L. A du RER et 9 du métro). Elle croise ensuite, d'une part, la ligne 9 dans un angle très fermé, d'autre part, la ligne 12 établie plus profondément.

À Saint-Lazare, la ligne 3 passe au-dessus de la 13 située exactement sous la station qui permet les correspondances entre les lignes 3, 9 et 13 (Météor un peu plus tard). Elle est alors sous la rue de Rome qu'elle remonte vers le nord-ouest jusqu'à Europe, d'où elle rejoint Villiers (corr. L. 2), via la rue de Constantinople.

Après avoir abandonné l'ancienne boucle terminale disposée sous le parc Monceau et aujourd'hui en grande partie déséquipée, la ligne 3 passe sous la 2 en deux tunnels séparés et rejoint la station Malesherbes sous la place du même nom. Elle continue sa route sous l'avenue de Villiers et dessert Wagram et Péreire (corr. L. C du RER). À l'issue de cette station, elle descend en pente de 40 ‰ pour passer sous les ouvrages souterrains de cette branche de la ligne C du RER, puis remonte par la rue de Courcelles et le boulevard Berthier pour atteindre l'ancien terminus de Porte de Champerret. Ce dernier possède quatre voies à quai et une boucle de garage en grande partie à deux voies.

Au-delà, les voies de la 3 passent sous celles de ladite boucle et pénètrent sur le territoire de la commune de Levallois-Perret dans le département des Hauts-de-Seine, peu avant la station Louise Michel dont les quais sont plus étroits que d'ordinaire. La ligne arrive à la station Anatole France, à quais décalés en raison de l'étroitesse de la rue du même nom.

LES STATIONS DES LIGNES 3 ET 3 BIS

(ancien nom entre parenthèses et en italique)

PONT DE LEVALLOIS – BÉCON

1- Pont sur la Seine entre Levallois-Perret et Courbevoie.
2- Nom d'un lieu-dit de Courbevoie.

ANATOLE FRANCE

Écrivain et académicien français, prix Nobel de littérature en 1920.

LOUISE MICHEL

(avant 1946 Vallier)
Anarchiste qui prit part à la Commune de Paris en 1871 et fut déportée en Nouvelle-Calédonie.

PORTE DE CHAMPERRET

Lieu-dit du Champ-Perret appartenant à un sieur Perret.

PÉREIRE

Famille de banquiers qui prit part activement aux débuts des chemins de fer en France.

WAGRAM

Village près de Vienne où Napoléon remporta une victoire sur les Autrichiens en 1809.

MALESHERBES

Magistrat, ministre de Louis XVI et membre de l'Académie française, guillotiné en 1792 sous la Terreur.

VILLIERS

Nom d'un village rattaché à Paris.

EUROPE

Place située sur les voies SNCF du réseau Saint-Lazare où aboutissent plusieurs rues portant des noms de villes européennes.

SAINT-LAZARE

Frère de Marthe et de Marie-Madeleine, il aurait été le premier évêque de Marseille ; importante gare SNCF, de banlieue notamment.

HAVRE – CAUMARTIN

(avant 1926 Caumartin)
1- Port à l'embouchure de la Seine.
2- Famille de magistrats français.

OPÉRA

Monument construit par Charles Garnier de 1862 à 1874, aujourd'hui plus spécialement consacré à la danse.

QUATRE-SEPTEMBRE

Date de la proclamation de la IIIe République le 4 septembre 1870.

BOURSE

Bâtiment également appelé palais Brongniart, l'un de ses architectes, haut lieu du marché des valeurs mobilières.

SENTIER

Soit un sentier qui menait aux fortifications, soit une déformation du mot «chantier» d'abattage d'arbres.

RÉAUMUR – SÉBASTOPOL

(avant 1907 Rue Saint-Denis)
1- Physicien et naturaliste, inventeur d'un thermomètre.
2- Port de Crimée (Ukraine) sur la mer Noire pris par une armée franco-anglaise en 1855.

ARTS ET MÉTIERS

Conservatoire national, musée et établissement d'enseignement supérieur.

TEMPLE

Ancien monastère fortifié de l'ordre des Templiers, dans lequel Louis XVI et sa famille furent emprisonnés, et qui fut rasé en 1808.

RÉPUBLIQUE

Grande place, occupant l'emplacement du bastion de l'ancienne porte du Temple de l'enceinte de Charles V, et ornée en son centre d'une statue monumentale qui symbolise la République.

PARMENTIER

Pharmacien militaire qui vulgarisa la culture de la pomme de terre en France.

RUE SAINT-MAUR

Moine du VIe siècle, disciple de Saint-Benoît, dont les reliques sont aujourd'hui conservées à Saint-Maur-des-Fossés.

PÈRE LACHAISE

Voir ligne 2.

GAMBETTA

Avocat et homme politique du XIXe siècle qui proclama la République le 4 septembre 1870.

PORTE DE BAGNOLET

De la commune de Bagnolet.

GALLIENI

Maréchal de France, gouverneur de Paris en 1914, il participa à la bataille de la Marne, ministre de la Guerre.

LIGNE 3 BIS

PELLEPORT

Vicomte et général de division sous l'Empire et la Restauration.

SAINT-FARGEAU

Président du Parlement de Paris, puis député révolutionnaire, il vota pour la mort de Louis XVI.

PORTE DES LILAS

De la commune des Lilas.

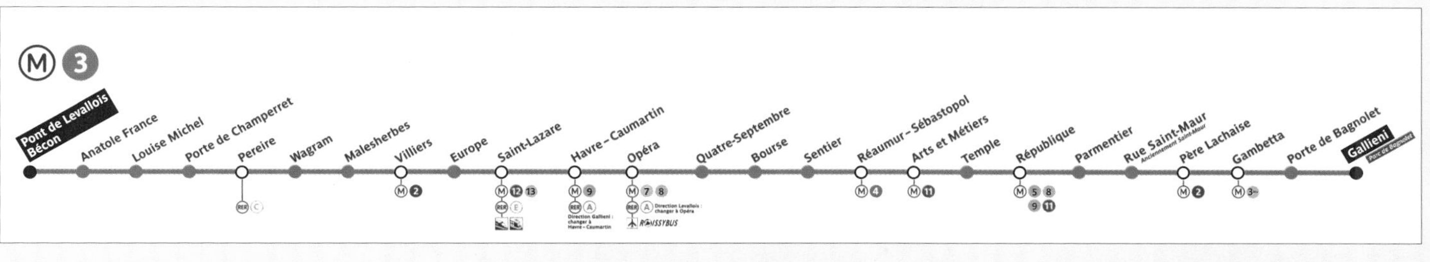

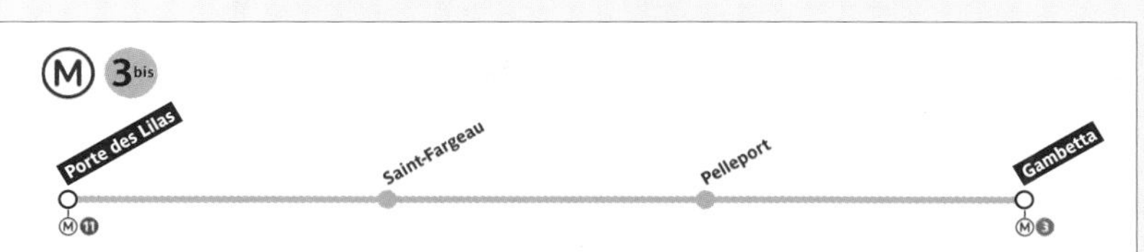

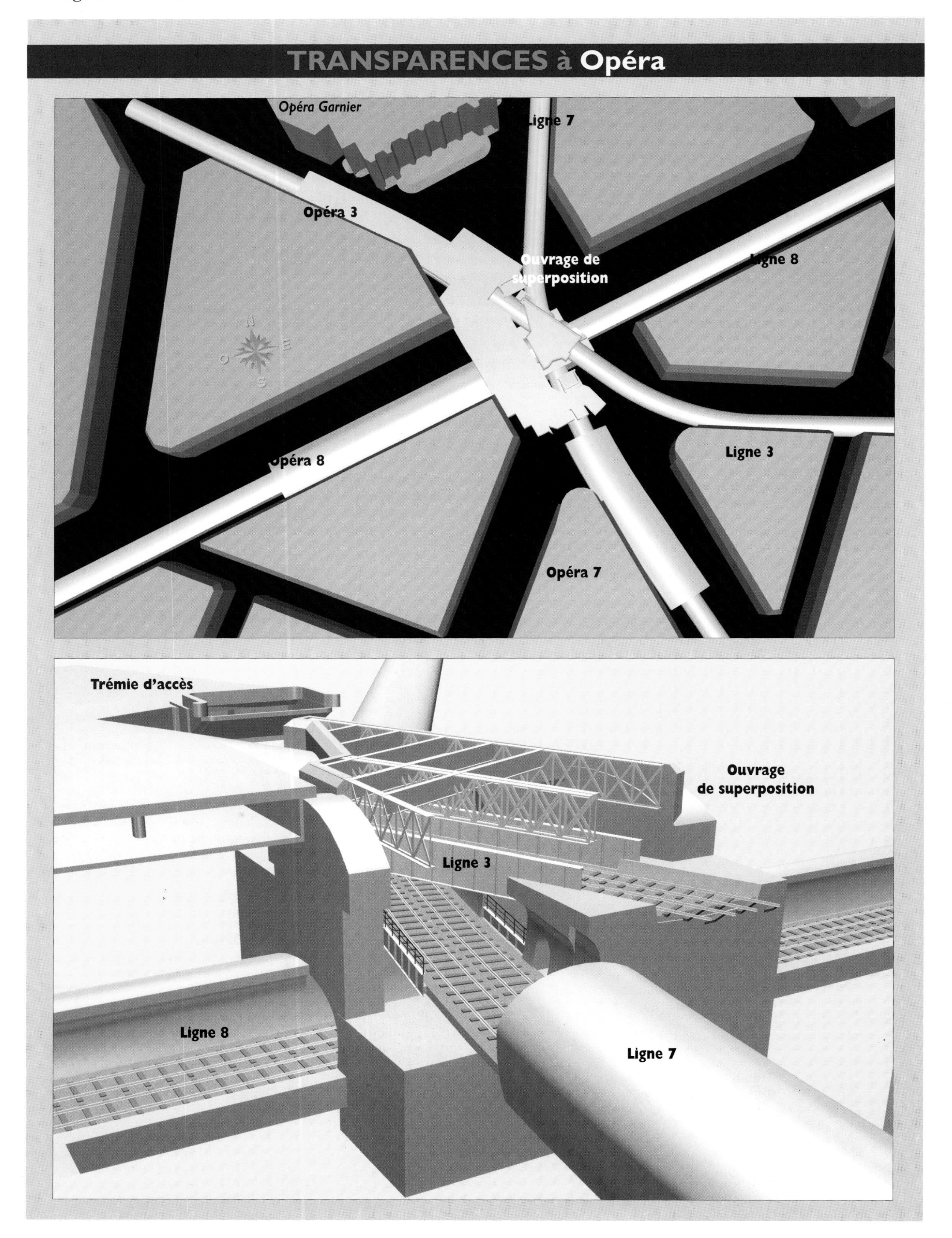
TRANSPARENCES à Opéra
Opéra Garnier
Opéra 3
Ligne 3
Opéra 7
Trémie d'accès
Ouvrage
de superposition
Ligne 3
Ligne 8
Ligne 7

INSTALLATIONS DE PORTE DE CHAMPERRET ET TERMINUS DE PONT DE LEVALLOIS

PONT DE LEVALLOIS - BÉCON
Voie D
Voie E
Voie 4
Voie 2
QUAI DE DÉPART
Voie 2
Voie 2
Voie C
TROTTOIR DE MANŒUVRE
Voie T
Voie 1
Voie 1
QUAI D'ARRIVÉE
Voie 1
Voie A
Voie 4
Voie 3
PORTE DE CHAMPERRET
Voie 2
Voie 1
(Gallieni)

Elle atteint son terminus de Pont de Levallois – Bécon avec deux quais desservis par trois voies qui se prolongent en arrière-gare pour le garage des trains.

La ligne 3 bis

La très courte ligne 3 bis (1300 m) est l'ancienne extrémité est de la ligne 3 avant son « prolongement » à Gallieni. Le terminus Gambetta est à deux voies en impasse encadrant un quai central sous l'avenue Gambetta. La ligne 3 bis remonte l'avenue du même nom, dessert les stations profondes Pelleport et Saint-Fargeau, avant d'arriver au terminus en boucle de Porte des Lilas.

D'une station « Porte des Lilas bis », à deux voies à quai, partent, vers la boucle de la ligne 7 bis, la « voie navette » ainsi que la « voie des Fêtes » où se trouve la station fantôme Haxo (demi-station Porte du Pré-Saint-Gervais, sans accès).

TERMINUS DE PTE DES LILAS

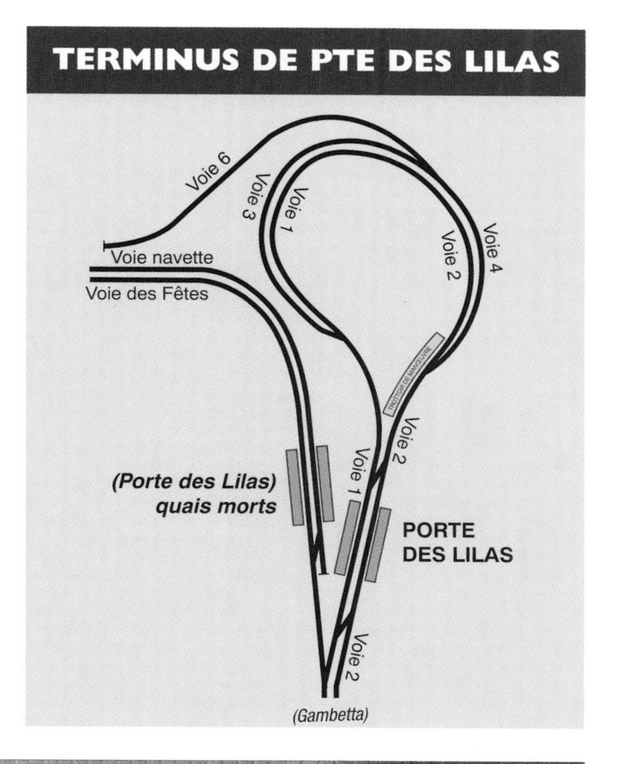

L'ancienne station Gambetta « départ » de la ligne 3, aujourd'hui terminus de la 3 bis.

LIGNE 4

Porte de Clignancourt – Porte d'Orléans

Avec la ligne 4, le métro reliait pour la quatrième fois depuis 1900 la rive gauche de la Seine à la rive droite. Mais, pour la première fois, les voies passaient, non plus au-dessus, mais sous le fleuve. La ligne est aujourd'hui l'une des plus chargées du métro de Paris.

L'HISTOIRE

Les Parisiens découvrent les premières « stations-cathédrales » du métro, ici la station Cité.

Le réseau du métropolitain de Paris concédé en 1898 comprenait six lignes dont une devait relier la porte de Clignancourt, au nord de Paris, à la porte d'Orléans au sud. Le tracé établi devait aller au plus court. La ligne traversait la Seine à la pointe occidentale de l'Île de la Cité et rejoignait la rue de Rennes en passant à proximité d'une annexe du palais de l'Institut. La rue de Rennes devant être prolongée jusqu'à la Seine, la ligne ne serait donc pas établie en tréfonds d'immeubles. Elle allait ensuite directement à la porte d'Orléans par le boulevard Raspail et l'avenue d'Orléans.

Plusieurs graves difficultés allaient naître de ce tracé qui fut rapidement contesté. La construction des voiries, sous lesquelles devait se situer la ligne 4, tarda à se faire, tant

Évacuation, par les trains de la Compagnie des Chemins de fer de l'Est, des déblais de construction de la ligne 4 à Gare de l'Est en 1905.

le prolongement de la rue de Rennes – on sait aujourd'hui qu'il ne fut pas réalisé – que le percement du boulevard Raspail entre la rue de Rennes et le boulevard du Montparnasse. Le tracé dut être revu, ce qui entraîna d'importants retards.

En raison de l'abandon du prolongement de la rue de Rennes, la ligne 4 devait finalement passer, d'une part en tréfonds d'immeubles, ce qui sembla une solution médiocre, et d'autre part sous l'Institut. Ce tracé entraîna de vives protestations des membres des Académies et leur irréductible opposition. Aussi, pour ne pas retarder davantage la réalisation de la ligne, qui apparaissait comme la plus attendue par les Parisiens, la Compagnie du métro accepta un tracé alternatif, déjà prévu, par le Châtelet, le milieu de l'Île de la Cité, la place Saint-Michel et le quartier des Écoles.

Une autre modification de tracé fut imposée à cause du retard pris par le percement du boulevard Raspail. La ligne 4 fut donc tracée intégralement, de façon provisoire, affirmait-on, sous la rue de Rennes jusqu'à la gare Montparnasse, puis sous le boulevard du Montparnasse, avant de retrouver la partie sud du boulevard Raspail déjà percée. La desserte de la gare fut un argument de poids pour ne pas modifier le tracé de la ligne 4 par la suite.

La ligne 4, longue de 11 400 m dessert aujourd'hui 26 stations, soit une interstation moyenne de 456 m. *(suite page 182)*

Réalisation à ciel ouvert de la couverture métallique de la station Réaumur – Sébastopol.

LA TRAVERSÉE SOUS-FLUVIALE DE

Première ligne du réseau métropolitain à avoir une orientation nord-sud, la ligne 4 devait obligatoirement franchir la Seine. Le tracé initial plaçait ce franchissement entre les palais du Louvre et de l'Institut : la solution sous-fluviale s'imposait donc. Cependant, en raison notamment de l'opposition farouche de l'Académie au passage du métro sous les pieds de ses illustres membres, le tracé de cette partie fut reporté plus à l'est. La ligne, après avoir desservi la place du Châtelet, devait franchir en oblique le grand bras du fleuve en amont du pont au Change, continuer sous le marché aux fleurs et la caserne de la Cité (auj. la préfecture de police), traverser, également en oblique, le petit bras en amont du pont Saint-Michel et franchir la place du même nom avant de continuer sous la rue Danton. Deux stations étaient prévues, l'une à Cité, l'autre à Saint-Michel.

Premiers du genre à Paris, les travaux portaient sur une longueur de près de 1 100 m entre la rue des Halles et le boulevard Saint-Germain et incluaient deux stations dont une de correspondance très importante. Un concours fut lancé afin d'étudier toutes les solutions possibles et choisir le réalisateur. Un projet annexé au programme du concours spécifiait que :

- le profil en long ne devait pas dépasser les 40 ‰ entre le début du lot et la Seine ;
- la traversée du fleuve devait être en palier entre la place du Châtelet et les 2/3 du petit bras du fleuve ;
- le rail devait être à 14 m au-dessous du niveau de l'eau ;
- le profil entre le dernier tiers du petit bras et le boulevard Saint-Michel ne devait pas dépasser les 40 ‰, la station Saint-Michel étant bien sûr prévue en palier.

Il était en outre spécifié que le souterrain serait constitué de deux tubes métalliques, de même que les stations qu'on pourrait alors qualifier de « londoniennes ».

Treize candidats présentèrent une trentaine de projets à une commission ad hoc, avec comme différence majeure la méthode d'exécution soit par cheminement horizontal, soit par fonçage vertical.

Le 18 mars 1905, le choix se porta sur l'entreprise Chagnaud dont le projet présentait l'avantage de recourir à un seul ouvrage contenant les deux voies. Il préconisait en outre la méthode des caissons enfoncés verticalement dans le lit du fleuve, méthode qui permettait un relèvement sensible du niveau des rails, donc une diminution des déclivités et de la profondeur des stations.

Le chantier, commencé dès 1905, comprenait la réalisation du souterrain courant entre Châtelet et le grand bras de la Seine, de la traversée de ce dernier par trois caissons, de la station Cité grâce à trois caissons, du tunnel courant entre Cité et le petit bras, de la traversée de celui-ci par deux caissons, du souterrain courant entre le petit bras et la station Saint-Michel, de cette dernière grâce à trois caissons, enfin du souterrain courant jusqu'au boulevard Saint-Germain.

Pour les souterrains courants, le bouclier ne fut employé qu'entre la station Saint-Michel et le boulevard Saint-Germain ; pour le reste, la méthode des galeries boisées fut utilisée. Tous ces souterrains, de 7,30 m d'ouverture, reçurent un cuvelage constitué de voussoirs en fonte épousant parfaitement leur forme elliptique.

Sur une très courte portion de 14,50 m de long située entre le caisson n° 5 et la partie basse du quai Saint-Michel sur la rive gauche, dans une zone où la présence d'une ligne de chemin de fer (auj. ligne C du RER) empêchait l'emploi de caissons, le terrain de mauvaise consistance fut congelé afin d'effectuer les terrassements dans de bonnes conditions. Après remblaiement de quelques mètres dans la Seine afin de mieux fixer la soixantaine de tubes de congélation, une solution de saumure à - 24° circula, congelant le terrain en 40 jours. Les travaux de cette courte portion

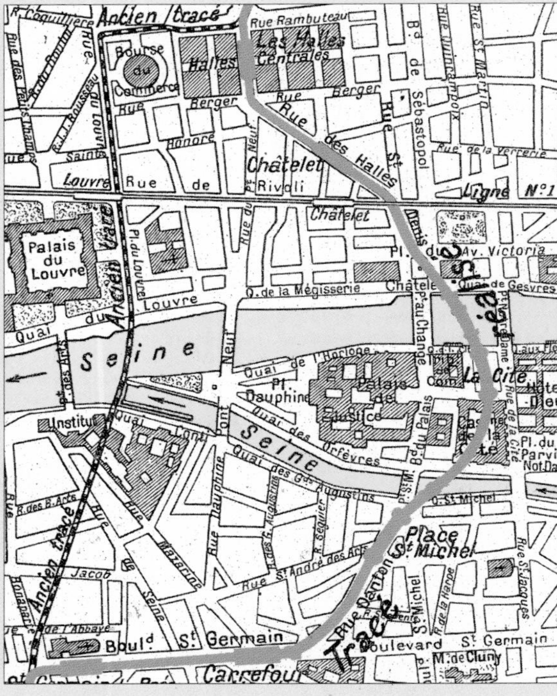

Plan du tracé initial abandonné de la ligne 4 dans sa partie centrale et du nouvel itinéraire par l'île de la Cité.

Dessin de la traversée sous-fluviale de la 4.

GNE 4 ENTRE CHÂTELET ET SAINT-MICHEL

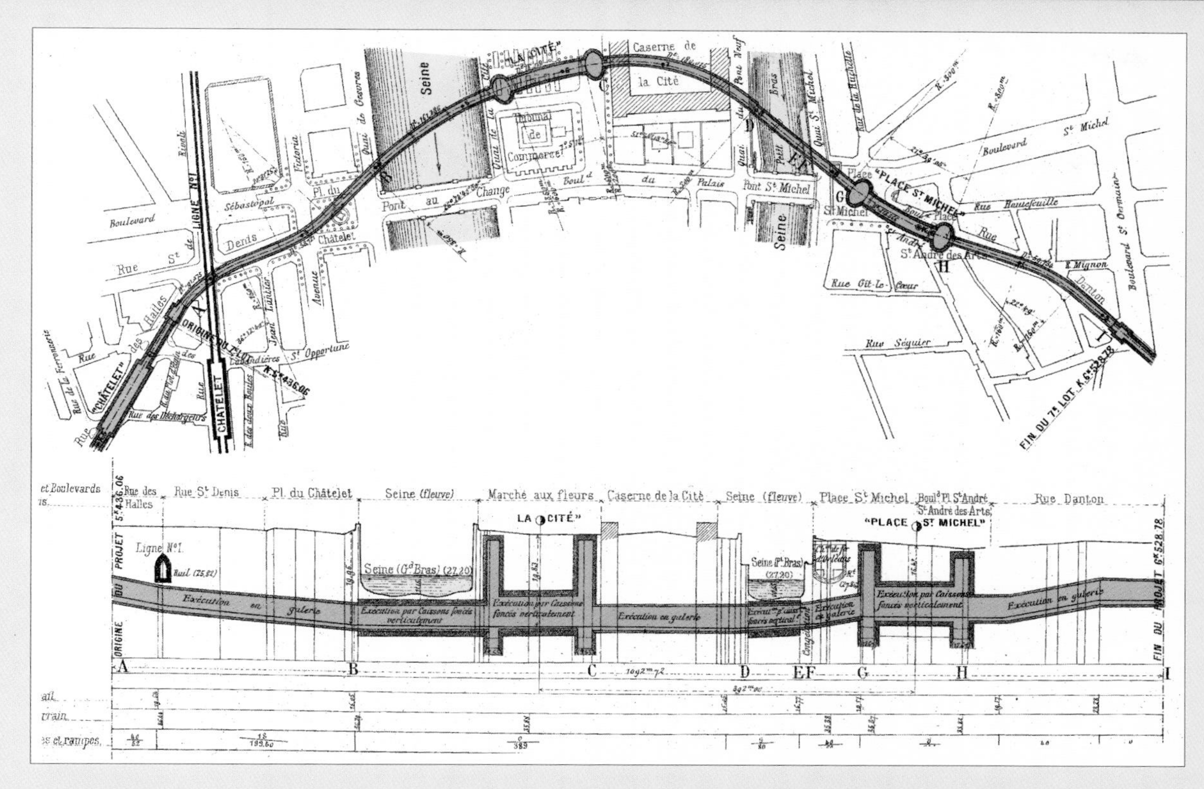

Plans du tracé et du profil en long de la traversée sous-fluviale.

durèrent une dizaine de mois, entre décembre 1908 et septembre 1909.

La partie essentielle et la plus spectaculaire fut la traversée sous-fluviale elle-même et la réalisation des deux stations. Pour la première, la technique choisie, on l'a dit, fut celle des caissons enfoncés dans le lit de la Seine. Le principe était simple : il s'agissait de placer bout à bout des caissons préfabriqués dans une tranchée (la souille) creusée dans le lit du fleuve, afin de constituer un véritable tunnel dans le prolongement de ceux réalisés de part et d'autre.

La réalisation fut très complexe et très audacieuse pour l'époque. On était en plein cœur du Paris historique – l'Île de la Cité – et il s'agissait d'une première tout au moins en ce qui concernait l'ampleur des travaux.

Cinq caissons furent nécessaires pour traverser le fleuve :

- trois pour les 122,10 m en courbe de 350 m de rayon sous le grand bras ;
- deux pour les 41,10 m en alignement sous le petit bras.

Par manque de place à proximité du chantier, les caissons furent fabriqués sur la partie basse du quai des Tuileries, en aval du pont de Solférino aujourd'hui disparu. Chaque caisson était composé d'un cuvelage en fonte abritant les deux voies, lui-même entouré d'une carcasse métallique. L'étanchéité indispensable à la flottaison des caissons fut assurée par des tôles fixées sur les armatures extérieures de la carcasse métallique. Le caisson proprement dit reposait sur deux couteaux qui laissaient libre un espace de 1,80 m de haut appelé « chambre de travail ». De la base des couteaux au point le plus haut du caisson, l'ensemble mesurait 9,05 m.

Afin de les amener à leur lieu d'échouage près du pont au Change en remontant le fleuve, les caissons furent obturés provisoirement à leurs deux extrémités. Le lançage latéral dans la Seine du premier caisson eut lieu en août 1905, après que le niveau du fleuve ait été relevé de 40 cm par la fermeture partielle du barrage de Suresnes pour disposer d'une meilleure profondeur.

Après positionnement du caisson à l'aplomb de son lieu d'échouage entre deux estacades de blocage, on procéda au montage du cuvelage intérieur, puis au remplissage de béton de l'espace compris entre ce dernier et l'enveloppe extérieure. Le poids augmentant par ce fait, l'ensemble s'enfonça lentement jusqu'à reposer au

Les différentes étapes de l'installation des caissons dans la Seine : montage (1), fermeture en vue du transport par flottaison (2), mise à l'eau (3), transport par flottaison (4), positionnement à son lieu d'échouage (5), fonçage dans la Seine (6).

La chambre de travail pour le terrassement d'un caisson dans le lit de la Seine, lieu dans lequel les ouvriers travaillaient sous air pressurisé.

fond du fleuve. Après montage des cheminées d'accès à la chambre de travail et des sas à air qui les surmontaient, le fonçage par air comprimé put commencer, la descente étant « assistée » par un lestage d'eau des caissons. Les travaux de terrassement dans un air pressurisé furent, on l'imagine, très pénibles et méritoires. Il faut noter que, pour la première fois, on fit usage d'un nouvel appareil de liaison entre la surface et la chambre de travail : le téléphone.

Le premier caisson – côté rive droite – fut foncé à la fin 1905-début 1906 et le cinquième et dernier – côté rive gauche – au printemps-été 1907. Enfin, pour constituer le tunnel définitif, les caissons furent réunis entre eux et avec les tunnels encadrants, tandis que la chambre de travail était bétonnée et que l'espace restant dans les tranchées creusées dans la Seine était comblé pour assurer le blocage de l'ensemble.

Les chantiers de construction des stations Cité et Saint-Michel furent à la fois importants, complexes et spectaculaires parce parfaitement visibles. Ici aussi, en raison de la nature aqueuse du terrain, la technique des caissons fut employée. Les ouvrages étaient cependant de dimensions beaucoup plus grandes que les précédents : 12,50 m de haut et 16,50 m de large. Chaque station, longue de 118 m, fut constituée de trois caissons : un caisson de 66 m de long contenant la station proprement dite à voûte en plein cintre et deux caissons elliptiques encadrants, destinés à recevoir accès et ascenseurs et fermés par une couverture métallique. L'ossature métallique fut montée sur place dans une fouille située à 3 m au-dessous du niveau du sol. Pour plus de facilité, chacun des trois caissons fut enfoncé dans le sol séparément, leur partie basse étant déjà bétonnée.

Après achèvement de l'ensemble de ces travaux colossaux, le tronçon central de la ligne 4, entre Châtelet et Raspail, fut ouvert au public en janvier 1910, assurant la jonction des deux parties extrêmes ouvertes en 1908 au nord et 1909 au sud. La ligne 4 était désormais exploitée en totalité.

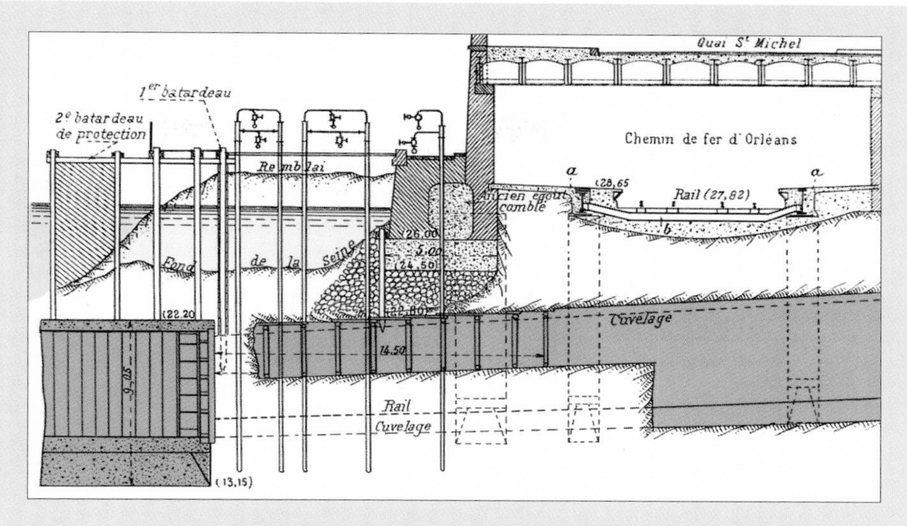

Coupe de la zone de congélation du sous-sol en bordure du petit bras de la Seine côté rive gauche.

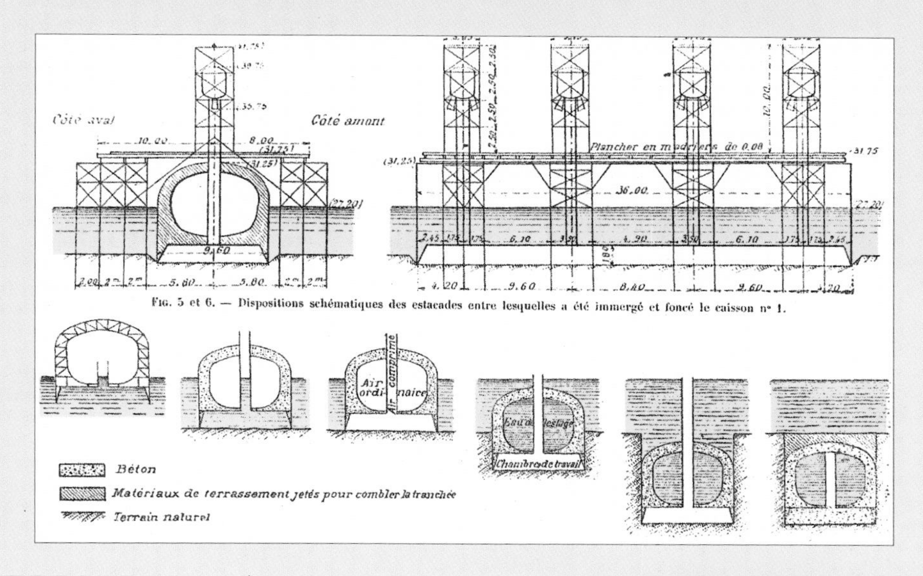

Les étapes du fonçage d'un caisson dans le lit du fleuve.

La station Saint-Michel en 1907, en très grande partie enfoncée dans le sol, avec au premier plan l'un des caissons elliptiques d'extrémité devant lequel passe un tramway à accumulateurs et au fond deux autobus Brillié-Schneider.

L'un des tunnels du terminus de Porte de Clignancourt « traversant » les fortifications au nord de Paris.

Les travaux

Les travaux de percement de la ligne 4 ne posèrent pas de problèmes particuliers, si l'on excepte la traversée sous-fluviale. Les habituels remaniements d'égouts et de canalisations eurent lieu en préliminaire aux travaux de construction proprement dits. Néanmoins, le parcours comportait quelques ouvrages spéciaux, tous en rapport avec d'autres lignes en service ou prévues :

- la station Gare du Nord qui était superposée à la boucle terminale de la ligne 5 servant à l'époque au retournement des trains et la station Gare de l'Est qui est établie au-dessus de l'ouvrage commun des lignes 5 et 7, cet ensemble ayant été construit simultanément ;
- les stations Cité et Saint-Michel qui furent constituées de caissons à ossature métallique foncés dans le sol.

La section de ligne comportant la traversée des deux bras de la Seine et la réalisation des stations Cité et Saint-Michel présenta bien sûr une difficulté toute particulière. Un concours fut lancé afin de trouver les meilleurs moyens possibles de l'époque pour la résoudre.

La Commission chargée d'apprécier les résultats du concours, où siégeait notamment l'ingénieur en chef Bienvenüe, préféra le projet d'un entrepreneur bien connu, M. Chagnaud, qui avait déjà réalisé la construction du grand collecteur de Clichy et, pour le métro, l'ouvrage commun de croisement des trois lignes à Opéra.

Le choix entérina deux types de solutions techniques : adoption du souterrain unique et utilisation de la technique des caissons métalliques foncés (enfoncés) verticalement dans le lit de la Seine.

Les caissons de longueurs variables furent montés sur les berges du fleuve, fermés à chaque extrémité, mis à l'eau et amenés par flottaison à leur point d'échouage. Ils furent ensuite foncés dans le fond du fleuve d'octobre 1905 à juillet 1907, avant d'être joints entre eux pour former le tunnel définitif (voir encadré).

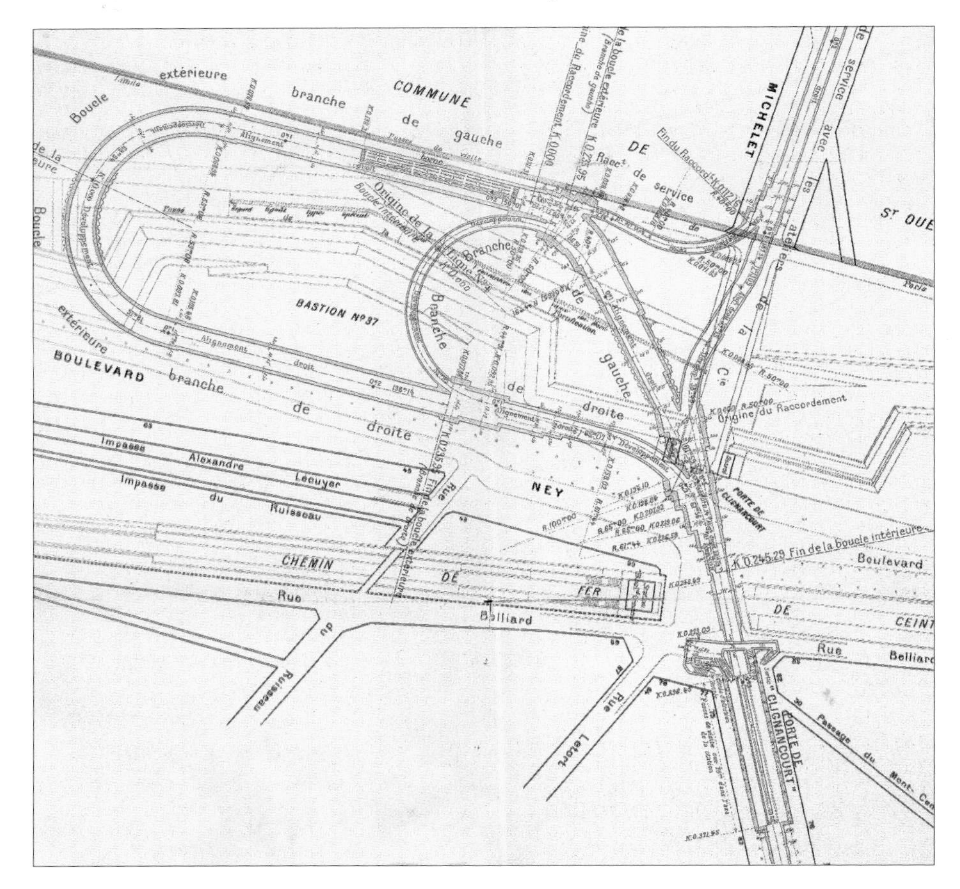

Plan du terminus de Porte de Clignancourt, avec ses boucles traversant les fortifications.

Plan du croisement de la ligne 6 par la ligne 4 au droit de la station Denfert-Rochereau.

Mise en service

La partie comprise entre Porte de Clignancourt et Châtelet (5 000 m) étant prête la première, elle fut mise en service le 21 avril 1908. Quant à la partie sud comprise entre Porte d'Orléans et Raspail (1 740 m), elle fut ouverte aux voyageurs le 30 octobre 1909.

Il fallut attendre le 9 janvier 1910 pour voir l'inauguration du tronçon Châtelet - Raspail (3 900 m) et la mise en service intégrale de la ligne 4, quelques jours avant la grande inondation.

La ligne 4 fut exploitée jusqu'en 1928 avec des rames de cinq voitures, dont trois motrices à deux moteurs, puis deux motrices à quatre moteurs. Le matériel Sprague-Thom-

Croisement de deux rames Sprague-Thomson, une verte et une grise, dans la station Gare du Nord.

Un tout nouveau MP 59 arrive dans la station Mouton-Duvernet entièrement rénovée.

L'ancienne station Les Halles, aujourd'hui disparue.

son roula sur la ligne 4 jusqu'en 1967 ; il était progressivement remplacé depuis octobre 1966 par les rames sur pneus MP 59, à six voitures, ce qui avait exigé au préalable l'allongement des stations à 90 m. La ligne fut équipée du PCC en 1969 et du pilotage automatique en 1971.

La seule modification du tracé initial de la ligne 4 fut sa déviation, le 3 octobre 1977, au niveau de la station Les Halles. Cette dernière fut déplacée vers l'est pour la rapprocher de la gare RER de Châtelet – Les Halles et ainsi faciliter les correspondances entre le métro et le réseau express régional. La déviation put être construite à ciel ouvert, à la faveur de la gigantesque excavation creusée pour l'établissement du complexe des Halles.

Lors des travaux de déviation de la ligne, l'ancien tunnel de la 4 mis à l'air libre avant sa destruction ; on aperçoit la nouvelle station Les Halles en chantier, à gauche de la grue.

LE PARCOURS

La ligne 4 est entièrement située dans Paris intra-muros et dispose de deux terminus en boucle. Le terminus nord, Porte de Clignancourt, comporte deux boucles distinctes situées entre le boulevard Ney et le boulevard périphérique :

- la petite boucle à une voie de quelque 500 m de développement, utilisée au retournement des trains entre la voie d'arrivée et la voie de départ ;
- la grande boucle, à trois voies (A, B et C) plus longues, qui sert au garage des rames, d'un développement plus important que la précédente.

En outre, une voie dédoublée sur quelques dizaines de mètres sert de raccordement aux ateliers de Saint-Ouen. S'étendant sur 34 000 m², le site industriel de Saint-Ouen abrite en réalité trois ateliers : l'atelier de maintenance des trains (AMT) de la ligne 4, la révision du MF 77 et des véhicules auxiliaires et enfin la révision des équipements électroniques de tous les matériels. L'atelier de révision et l'atelier d'entretien (AMT) furent ouverts en 1908, modernisés et agrandis à plusieurs reprises.

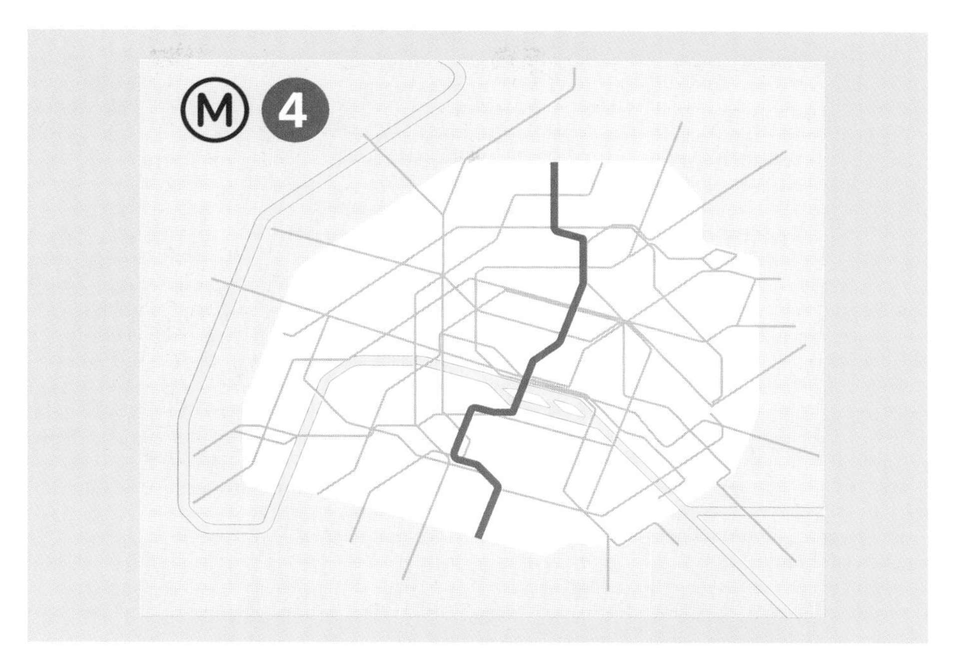

La gare terminus proprement dite est à deux voies situées à l'extrémité nord du boulevard d'Ornano. La ligne suit cet axe et dessert au passage Simplon avant de passer au-dessus de la ligne 12 et d'atteindre la station Marcadet – Poissonniers permettant la cor-

L'atelier de maintenance de Saint-Ouen.

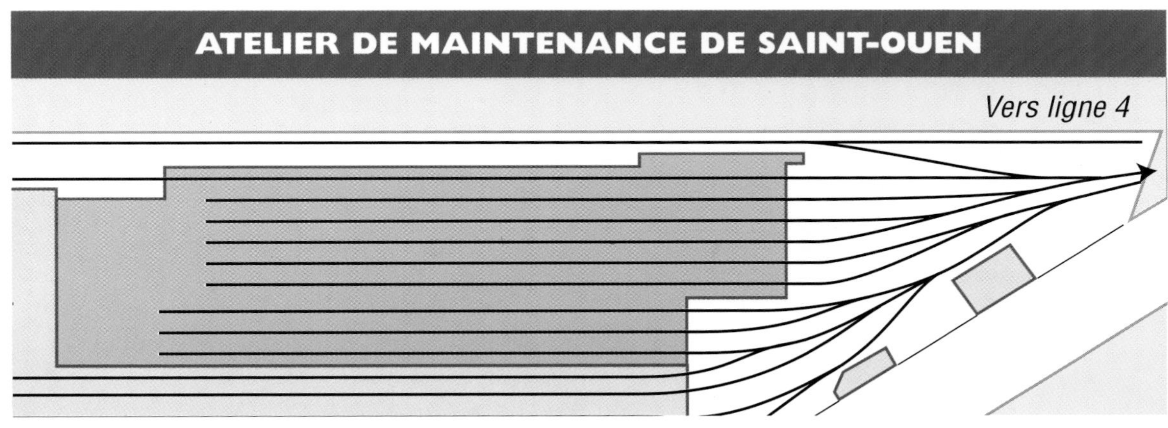

Jonction des voies des boucles de Porte de Clignancourt dont on aperçoit la station au fond.

Le poste de manœuvres local de Porte de Clignancourt.

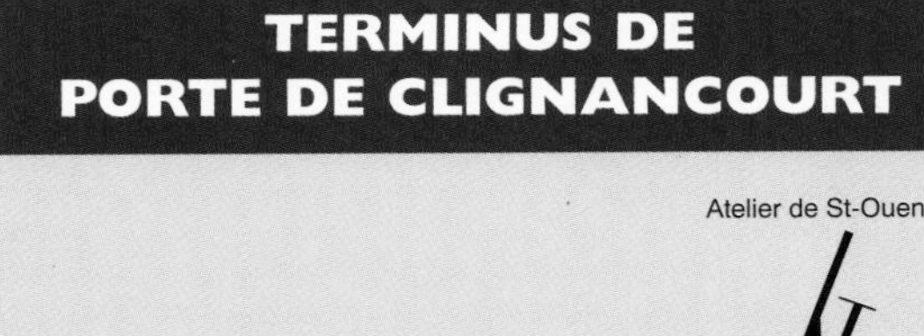

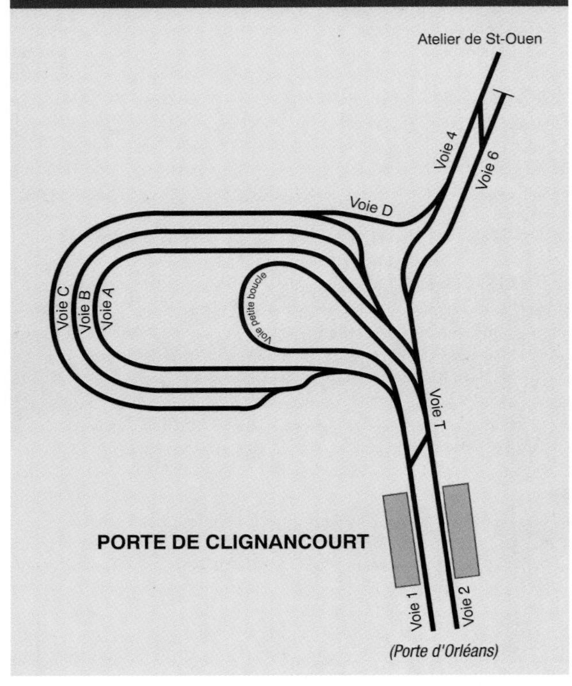

respondance avec cette ligne. Elle poursuit ensuite sous le boulevard Barbès, dessert Château Rouge et Barbès – Rochechouart (corr. L. 2). Après une longue interstation (685 m) sous le boulevard Magenta, la rue de Dunkerque et la place de Roubaix, la ligne 4 passe sous un ancien aqueduc désaffecté et reçoit le raccordement avec les lignes 2 et 5, avant d'atteindre Gare du Nord (corr. L. B, D et E du RER et 5 du métro), station placée au-dessus des ouvrages des lignes B et D du RER et 5 du métro.

C'est par les rues de Dunkerque et d'Alsace que la ligne descend pour atteindre Gare de l'Est, station à plancher métallique située immédiatement sous l'ouvrage commun des lignes 5 et 7 avec lesquelles elle est en correspondance.

Les « dessus » du métro

LES GARES DU NORD ET DE L'EST

L'embarcadère de la ligne reliant Paris à la frontière belge est inauguré en juin 1846. La ligne ne dépasse pas alors la ville de Creil. La façade est modeste comme les installations de la gare. Ces dernières devenant rapidement insuffisantes, en raison de l'accroissement important du trafic, on décide en 1857 de l'agrandir. C'est le baron de Rothschild, propriétaire du réseau, qui fait appel en 1860 à Jacques Ignace Hittorff, architecte français d'origine allemande. L'embarcadère primitif est démonté et remonté à Lille. En 1865, la nouvelle gare du Nord présente aux Parisiens sa façade spectaculaire de 160 m de long, avec 25 statues représentant les villes étrangères et françaises desservies par le Chemin de fer du Nord.

C'est après de nombreuses discussions que l'emplacement de la gare de l'Est est décidé. La gare, très proche de celle du Nord, est commencée en 1847 et terminée en 1850. La ligne Paris - Strasbourg y aboutit en juillet 1852. À la fin du siècle dernier, ici aussi, l'accroissement du nombre de lignes et du trafic entraîne l'agrandissement du bâtiment et l'établissement de voies supplémentaires. La gare est à nouveau agrandie à la fin des années 1920, la façade primitive toujours conservée étant prolongée jusqu'à la rue du Faubourg-Saint-Martin déviée, en dédoublant à l'est son aile ouest avec demi-rosace et statue.

LES STATIONS DE LA LIGNE 4

(ancien nom entre parenthèses et en italique)

PORTE D'ORLÉANS
À la sortie de Paris, au début de la route qui mène à Orléans.

ALÉSIA
Place forte gauloise (aujourd'hui en Côte d'Or) où Vercingétorix se rendit à César.

MOUTON-DUVERNET
Général sous Louis XVIII rallié à Napoléon pendant la période des « Cent-Jours ».

DENFERT-ROCHEREAU
Colonel qui défendit Belfort pendant la guerre de 1870.

RASPAIL
Chimiste et homme politique du XIXe siècle.

VAVIN
Homme politique du XIXe siècle.

MONTPARNASSE – BIENVENÜE
(avant 1942 Montparnasse)
1- Du Mont-Parnasse, ancienne colline arasée au XVIIIe siècle, évoquant pour les étudiants d'alors une montagne de Grèce.
2- Fulgence Bienvenüe, ingénieur et inspecteur général de la ville de Paris qui dirigea la construction du métro.

SAINT-PLACIDE
(avant 1913 Vaugirard)
L'un des disciples de Saint-Benoît au VIe siècle.

SAINT-SULPICE
Aumônier et évêque de Bourges sous le règne de Dagobert 1er.

SAINT-GERMAIN-DES-PRÉS
Église bâtie alors sur des prés bordant la Seine et qui contient les reliques de Germain, conseiller du roi Childebert 1er et évêque de Paris.

ODÉON
Théâtre construit au XVIIIe siècle, du nom d'un édifice à gradins destiné aux auditions musicales.

SAINT-MICHEL
Archange protecteur de l'Église.

CITÉ
Île berceau de Paris, jadis habitée par les Parisii.

CHÂTELET
Voir ligne 1.

LES HALLES
Marché public datant du XIIe siècle, remanié au XIXe par Baltard et aujourd'hui centre de commerces et de loisirs.

ÉTIENNE MARCEL
Marchand drapier du XIVe siècle et Prévôt des Marchands en opposition avec le dauphin, futur Charles V.

RÉAUMUR – SÉBASTOPOL
Voir ligne 3.

STRASBOURG – SAINT DENIS
(avant 1931 Boulevard Saint-Denis)
1- Capitale de l'Alsace, sur l'affluent du Rhin.
2- Premier évêque de Lutèce, décapité à Montmartre.

CHÂTEAU D'EAU
D'une fontaine qui fut déplacée à La Villette et remplacée par une autre, elle-même transférée place Daumesnil.

GARE DE L'EST *Verdun*
Gare tête des lignes vers l'Est de la France et de l'Europe, d'où l'on peut aller notamment à Verdun dans la Meuse, célèbre pour sa bataille en 1916.

GARE DU NORD
Gare tête des lignes vers le Nord de la France, le Benelux, l'Allemagne et la Scandinavie.

BARBÈS – ROCHECHOUART
Voir ligne 2.

CHÂTEAU ROUGE
Belle demeure en brique et en pierre édifiée en 1780 dans un vaste parc, abritant successivement le poste de commandement du roi Joseph en 1814, puis plus tard un bal, avant d'être démolie en 1882.

MARCADET – POISSONNIERS
(avant 1931 Marcadet)
1- D'un marché (*mercadus* en latin) qui se serait tenu à cet endroit au temps de la foire du Lendit (Landy).
2- Voie qu'empruntaient les pêcheurs pour apporter leurs produits à Paris jusqu'à l'arrivée du chemin de fer en 1850.

SIMPLON
Col des Alpes, entre le Valais suisse et le Piémont en Italie, percé du plus long tunnel ferroviaire européen avant celui sous la Manche.

PORTE DE CLIGNANCOURT
Ancien hameau rattaché à Paris.

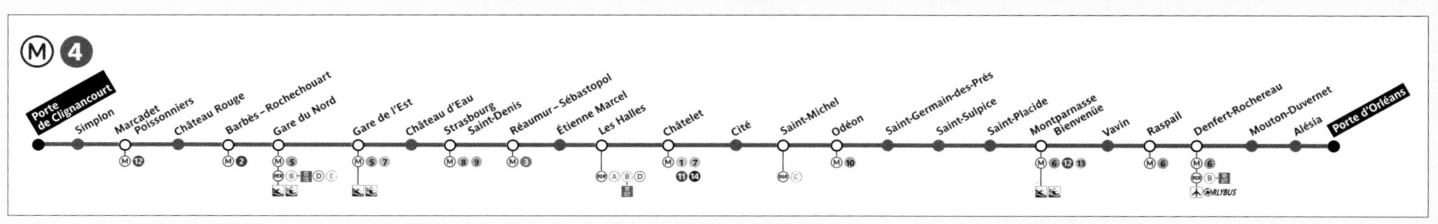

Les « dessus » du métro

LES HALLES

C'est au XIIe siècle que Louis VI décide de transférer le marché de la place de Grève dans l'actuel quartier des Halles. Quatre siècles plus tard, François Ier ordonne la transformation du grand marché. Au début du XVIIIe siècle, la proximité du cimetière des Innocents inquiète et indigne de nombreux scientifiques ; on décide donc de sa fermeture, ce qui est fait en 1780.

Napoléon III ordonnant une refonte totale des Halles de Paris, une commission, à laquelle appartient l'architecte Victor Baltard, étudie plusieurs systèmes de marchés publics en Europe. Appuyé par le préfet Haussmann, Baltard, bien que peu convaincu par l'architecture métallique très en vogue, conçoit dix pavillons carrés séparés par des rues couvertes : les fameux « parapluies ».

Pendant de nombreuses années, les Halles connaissent une extraordinaire activité. Mais elles provoquent des embarras inextricables au cœur de Paris et la question de leur déménagement se pose avant même la Seconde Guerre mondiale. À la fin des années 1950 le transfert à Rungis est décidé, ainsi que la démolition des pavillons de Baltard, dont deux sont conservés et remontés, l'un à Nogent-sur-Marne, l'autre au Japon. Tout le monde s'accorde pour dire qu'il faut donner une nouvelle vocation culturelle au quartier. Après bien des hésitations, projets et polémiques, et... l'élection d'un maire à Paris en 1977, l'affaire se débloque et débouche sur l'inauguration en 1979 du Forum des Halles, suivie en 1986 par l'ouverture du « Nouveau Forum ».

Gigantesque aménagement urbanistique au cœur du cœur de Paris, le Forum est le plus grand centre commercial de la capitale, au pied de l'église Saint-Eustache, desservi par la gare RER de Châtelet – Les Halles.

À droite, ambiance aquatique pour le tympan décoré de la station Château d'Eau.

Désormais établie à fleur de sol sous les boulevards de Strasbourg et de Sébastopol, la ligne 4 présente un alignement droit de près de 1 200 m. Au passage sont desservies les stations Château d'Eau, Strasbourg – Saint-Denis (croisement et correspondance L. 8 et 9) et Réaumur – Sébastopol (corr. L. 3). Pour permettre la circulation des trains de six voitures, ces trois stations à couverture métallique furent allongées à 90 m par une couverture en béton armé. Un peu plus au sud, la ligne emprunte la rue de Turbigo, dépasse la station Étienne Marcel et aborde le périmètre du complexe de Châtelet – Les Halles. À la station Les Halles déplacée à l'occasion de l'ouverture de la gare RER, la ligne 4 donne correspondance aux lignes A, B et D du réseau régional.

Après Châtelet (corr. L. 1, 7, 11 et 14), la ligne 4 plonge pour passer sous ces lignes (sauf la 14 établie plus bas), et surtout sous le grand bras et le petit bras de la Seine entre lesquels se trouvent l'île de la Cité et la station Cité. Le franchissement s'opère grâce à des

CARTE D'IDENTITÉ DE LA LIGNE 4	
Longueur totale	10,599 km
dont en aérien	0 km
Nombre de stations	26
dont aériennes	0
dont correspondances	13
Longueur des stations	de 90 m à 115 m
Longueur moyenne des interstations	424 m
Nombre de trains en ligne à la pointe	44
Nombre de départs (jour ouvrable)	424
Intervalle minimal (jour ouvrable)	1 mn 35
Matériel roulant	MP 59
Nombre de voitures par train	6
Atelier de maintenance	Saint-Ouen
Atelier de révision	Fontenay

TRANSPARENCES à Saint-Michel

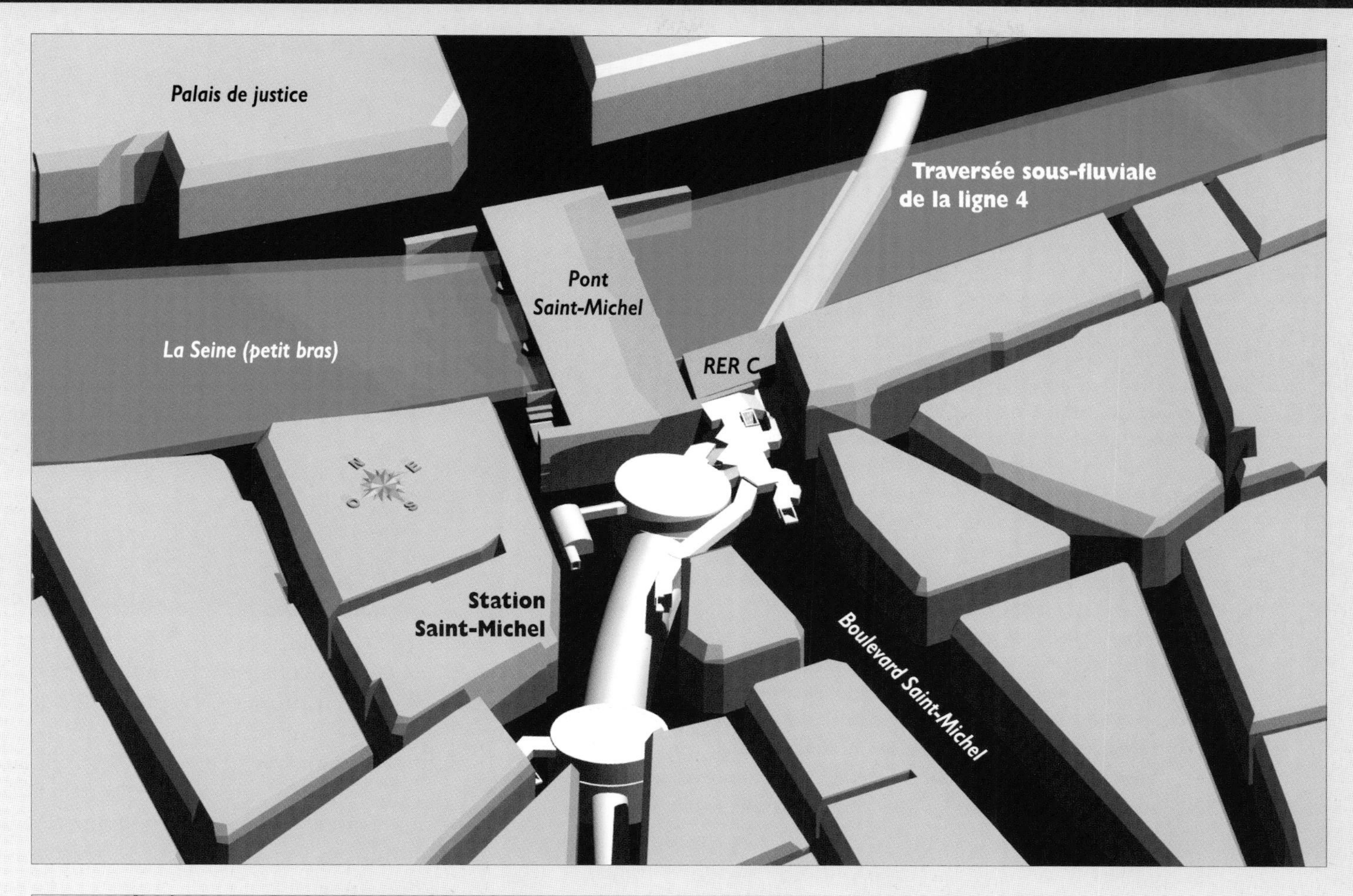

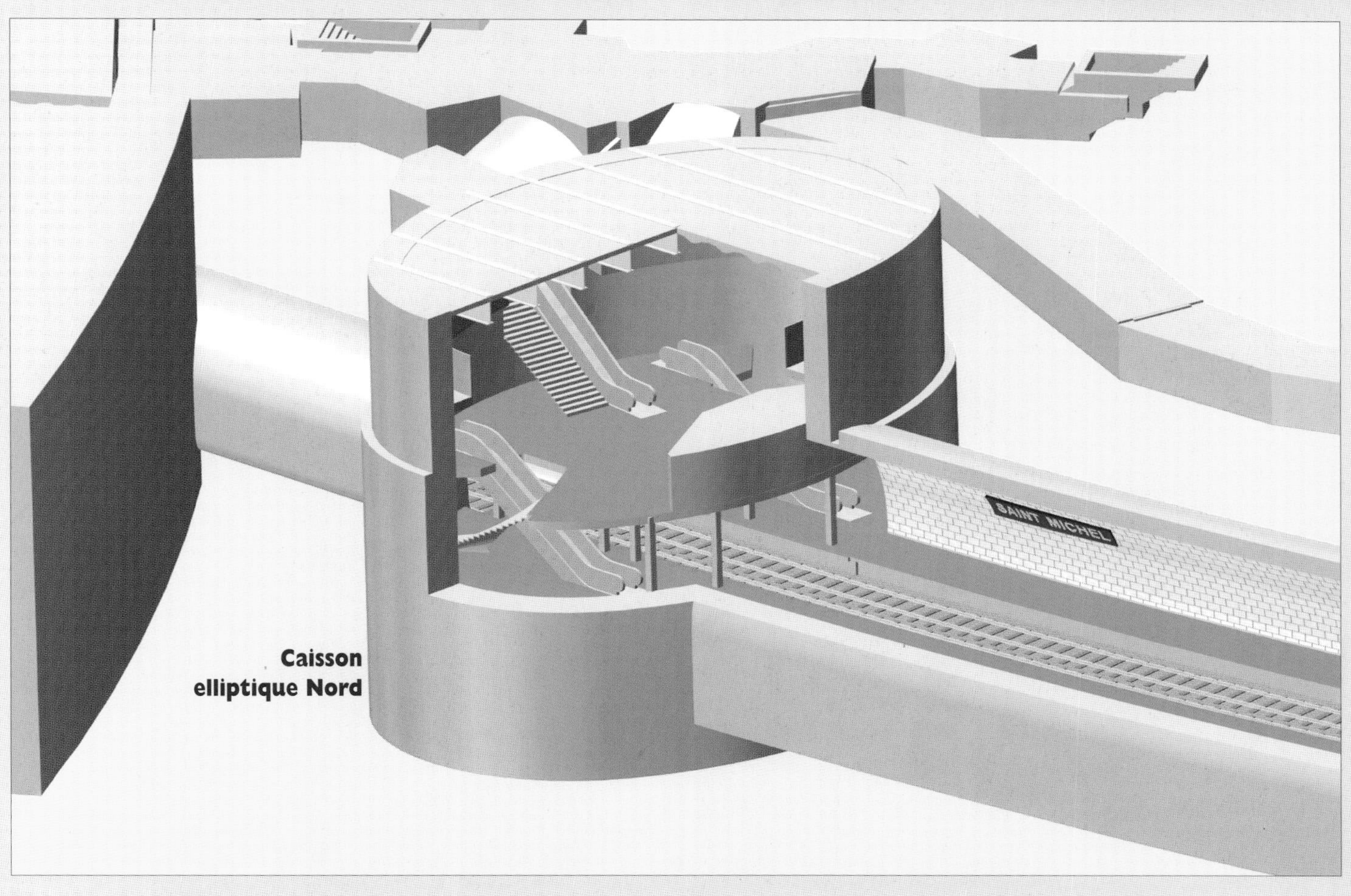

Les « dessus » du métro

L'ÎLE DE LA CITÉ

Paris est née de la possibilité de franchir aisément la Seine grâce à plusieurs îles facilement défendables. Ce site protégé incite les Parisii, peuple celte de marins et de pêcheurs, à s'installer au IIIe siècle sur l'île de la Cité. Ils en font leur capitale, Lucotetia qui devient Lutetia par contraction. En 52 avant J.-C., les Romains s'en emparent et accroissent son développement. Au cours des siècles, le caractère défensif de l'île se renforce, favorisant l'installation des pouvoirs civils et religieux.

L'île de la Cité change aussi de physionomie au cours des siècles. Alors que, pendant longtemps, deux ponts seulement la relient aux rives, ils sont quatre à la fin du XVIe siècle. Sous Henri IV, la construction du Pont Neuf, premier pont à ne posséder aucune maison, et de la place Dauphine en accroît la superficie par le rattachement de plusieurs îlots situés à l'extrémité aval. En faisant raser de nombreuses maisons entre le Palais de Justice et Notre-Dame, Haussmann fait disparaître de nombreux souvenirs du Paris médiéval.
Aujourd'hui, la Cité est essentiellement le lieu d'implantation, d'une part du pouvoir judiciaire avec le Palais de Justice et le tribunal de commerce, d'autre part de la police avec la préfecture. L'un des plus importants hôpitaux de Paris, l'Hôtel-Dieu, occupe l'emplacement d'un ancien établissement de soins.
L'édifice emblématique du centre de Paris est sans conteste la cathédrale Notre-Dame, construction gothique dont les travaux débutent en 1163. Ils durent jusqu'en 1345, date à laquelle sont achevées les chapelles du chœur. Maltraitée par la Révolution, la cathédrale est restaurée au XIXe siècle par Viollet-le-Duc, qui y ajoute la flèche qui la domine.

caissons métalliques, technique utilisée également pour les stations Cité et Saint-Michel (corr. L. B et C du RER).

Maintenant sur la rive gauche de la Seine, la ligne 4 est établie sous la rue Danton. Elle passe au-dessous de la 10 avec laquelle elle est reliée par un raccordement de configura-

En haut à droite, la salle des billets symétrique de la station Saint-Michel.

Arrêt de deux MP 59 à la station Cité, dont on voit le revêtement métallique de l'un des puits elliptiques.

tion particulière, puis atteint Odéon (corr. L. 10) sous le boulevard Saint-Germain. Elle continue par ce boulevard, passe sous le collecteur de Bièvre et au-dessus de la ligne 10 puis dessert la station Saint-Germain-des-Prés. Après une courbe de 75 m de rayon, la ligne se positionne sous la rue de Rennes, passe une seconde fois au-dessus de la 10 et dessert successivement les stations Saint-Sulpice et Saint-Placide. Elle était auparavant passée au-dessus de la ligne 12, avant de décrire une courbe prononcée de 75 m de rayon pour atteindre Montparnasse – Bienvenüe (corr. L. 6, 12 et 13), station située sous le boulevard Montparnasse. Elle parcourt alors l'une des plus courtes interstations du métro parisien – 285 m –, passe au-dessus de la 12 avec laquelle elle est raccordée et dessert la station Vavin. Elle oblique alors sous le boulevard Raspail où un ouvrage spécial attend la déviation de la ligne sous ce boulevard (voir historique), puis est raccordée à la ligne 6 et atteint Raspail (corr. L. 6). Elle monte ensuite pour passer au-dessus de cette même ligne 6 et arrive à Denfert-Rochereau (corr. L. B du RER et 6 du métro).

La dernière ligne droite emmène la ligne 4 sous l'avenue du Général-Leclerc avec deux stations : Mouton-Duvernet, qui n'est séparée de Denfert-Rochereau que de 263 m, et Alésia.

Le terminus de Porte d'Orléans, à couverture métallique, est à trois voies et comporte, en arrière-gare, une boucle en très grande partie à deux voies (voie 1 boucle avec trottoir et voie 3), servant au retournement et au garage des trains.

SAINT-GERMAIN-DES-PRÉS

En 542, le roi Childéric Ier, fils de Clovis, revenant d'une expédition contre les Wisigoths, ramène les reliques de saint Vincent, diacre de Saragosse. À la demande de l'évêque de Paris (futur saint Germain), une basilique est consacrée en 558 pour en abriter les reliques ; elle prend le double nom de Saint-Vincent et Sainte-Croix. Un peu plus tard, on lui adjoint une abbaye. En 576, saint Germain est inhumé dans la basilique qui devient le lieu de sépulture des premiers Mérovingiens. Plus tard, elle prend le nom de Saint-Germain-des-Prés en raison de la proximité des Prés-aux-Clercs et pour la distinguer de Saint-Germain-le-Vieux dans l'île de la Cité.

Au IXe siècle, les Normands détruisent en grande partie les lieux. Ils sont reconstruits en l'an 1000, désormais protégés par une enceinte. Au cours des siècles suivants, se constitue là un bourg de plus en plus actif. L'abbaye de Saint-Germain devient l'un des centres intellectuels les plus importants en Europe. La Révolution de 1789 pille et incendie les bâtiments, les 50 000 ouvrages étant en presque totalité détruits, tandis qu'une partie des 7 000 manuscrits peuvent être sauvés.

Rendue au culte en 1803, après avoir été une raffinerie de salpêtre, l'église Saint-Germain-des-Prés est en grande partie l'abbatiale qui remplaça celle détruite par les Normands. Les nombreuses restaurations qu'elle a subies lui donnent son aspect actuel d'église romane à chœur gothique.

En partie défiguré au XIXe siècle par le percement du boulevard Saint-Germain et de la rue de Rennes, le quartier a néanmoins conservé quelques-unes de ses rues et places pittoresques. Du Palais du Luxembourg, siège du Sénat, au quai de Conti, le quartier abrite des monuments comme l'église Saint-Sulpice, le théâtre de l'Odéon, l'Hôtel de la Monnaie ou l'Institut de France, siège de l'Académie française fondée par Richelieu en 1635, des restaurants et des cafés célèbres.

TERMINUS DE PORTE D'ORLÉANS

(Porte de Clignancourt)
Voie 1
Voie Z
Voie 2
PORTE D'ORLÉANS
Voie 3
Voie 1
TROTTOIR DE MANŒUVRE
Voie 1 boucle
Voie 3

LIGNE 5

Place d'Italie – Bobigny - Pablo Picasso

La ligne 5 a connu une histoire complexe faite de remaniements successifs, notamment pendant les premières années de son exploitation. Ligne de l'est parisien, elle n'atteint aucune porte dans sa partie sud, tandis qu'au nord elle pénètre en banlieue pour desservir depuis quelques années Bobigny, la préfecture du département de Seine-Saint-Denis.

L'HISTOIRE

Peu après la station Quai de la Rapée, une rame Sprague-Thomson gravit la rampe de 40 ‰ qui doit l'amener sur le viaduc d'Austerlitz.

La ligne 5 a été constituée par l'union de deux longs tronçons conçus à l'origine comme deux lignes distinctes :

• la ligne du boulevard de Strasbourg au pont d'Austerlitz (quai de la Rapée) ;

• la fraction de la ligne 2 sud allant de place d'Italie au quai de la Rapée.

Une loi de 1903 décida de reporter le terminus de la ligne 5 à la gare du Nord pour en assurer un meilleur trafic. L'ancien terminus en boucle de Gare du Nord (aujourd'hui abandonné) se situait sous le boulevard de Denain, la place devant la gare étant occupée par la station de la ligne 4. Le reste de la boucle de

En 1906, le chantier de la construction simultanée de la boucle terminale de la ligne 5 et de la station Gare du Nord de la ligne 4, placée au-dessus.

retournement des trains était situé sous la rue de Saint-Quentin, les deux branches se rejoignant sous le boulevard de Magenta. C'est sous ce dernier que la ligne 5 se juxtapose au tunnel de la ligne 7 jusqu'à la station Gare de l'Est.

Tandis que la ligne 7 monte vers le nord, la 5 descend vers le sud pour atteindre la place de la République. La ligne continue ensuite vers la place de la Bastille et la Seine qu'elle franchit grâce à un viaduc métallique. Au-delà, la ligne poursuit sa route en aérien vers Place d'Italie.

Longue de 6650 m, la ligne comprend 14 stations, y compris les deux terminus. Les 13 stations souterraines sont toutes voûtées, sauf celles des gares du Nord et de l'Est et les deux accolées à l'ouvrage souterrain du canal Saint-Martin.

Les travaux

Comme pour toutes les lignes, des travaux préparatoires furent nécessaires pour libérer le sous-sol. Ceux concernant le déplacement des conduites d'eau et de gaz furent peu importants, contrairement aux remaniements d'égouts qui furent parfois délicats.

Plusieurs points de la ligne nécessitèrent des travaux particuliers, notamment pour la superposition des ouvrages aux abords des gares du Nord et de l'Est et pour le franchissement de la Seine. *(suite page 196)*

Réalisation, à la même époque, de l'ouvrage commun aux lignes 5 (voûte à droite) et 7, à Gare de l'Est.

LE VIAD

Avant de s'établir à faible profondeur sur la rive droite, la ligne 5 venant de la butte d'Italie devait traverser la dépression de la vallée de la Seine sur près de 900 m. Pour ne pas créer de trop fortes rampes, il fut décidé de traverser celle-ci en viaduc, y compris sur le fleuve entre les stations Gare d'Austerlitz et Place Mazas (aujourd'hui Quai de la Rapée).
L'ouvrage devant être établi au-dessus des ports d'Austerlitz et de la Rapée et par ailleurs assez près du pont d'Austerlitz, le Service de la navigation demanda qu'il ne comporte aucun appui dans le fleuve afin de ne pas gêner la navigation. Soumis à concours en 1903 par MM. Bienvenüe, Biette et Briotet, l'avant-projet prévoyait donc un viaduc d'une seule portée entre les deux rives de la Seine. L'entreprise lauréate fut la Société de Construction de Levallois-Perret avec un ouvrage en acier doux laminé d'une travée de 140 m d'ouverture, « battant » les 107,50 m de long du pont Alexandre III.

Le tracé de la ligne 5 aux abords du viaduc d'Austerlitz.

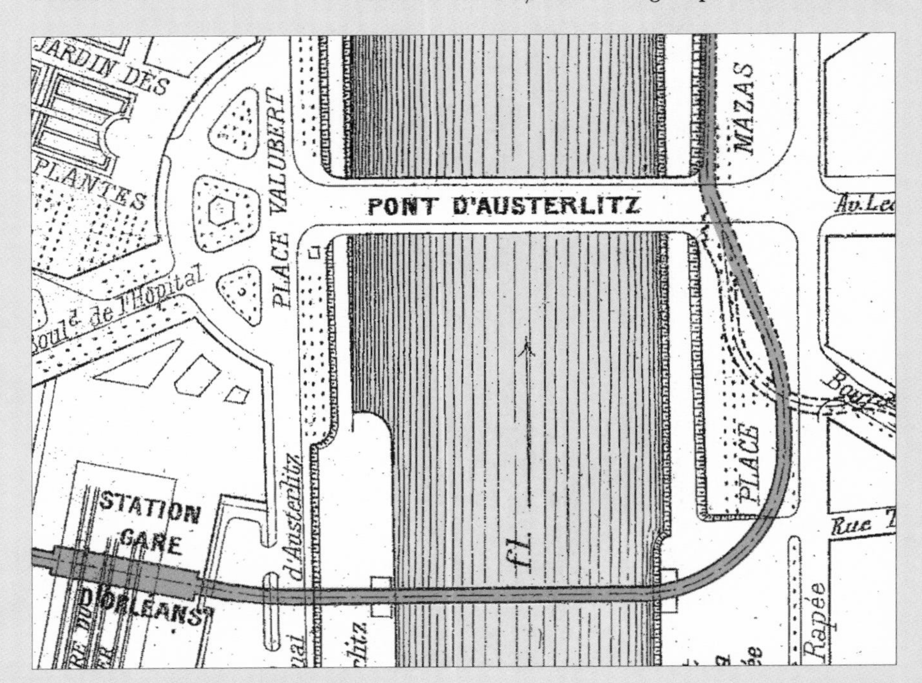

Le viaduc d'Austerlitz est constitué de deux grands arcs paraboliques avec trois articulations – une au sommet et deux proches des rives. Le tablier supportant les voies non ballastées se situe à peu près au niveau de ces dernières articulations, à quelque 11,30 m au-dessus des eaux. La faible hauteur par rapport au fleuve obligea les concepteurs à placer les arcs au-dessus du tablier, ici à 20 m. Ce dernier, large de 8,50 m entre garde-corps, fut suspendu aux arcs par seize montants verticaux dans la partie centrale et portés de part et d'autre par quatre montants latéraux. Pour contrarier la force du vent, les montants de suspension ont été reliés par des entretoisements verticaux en croix là où la hauteur nécessaire au passage des trains était suffisante ; afin de rigidifier l'ensemble, les arcs ont été eux-mêmes reliés entre eux par des contreventements en croix de Saint-André.
Sur les rives, les culées sur lesquelles sont appuyés les arcs du viaduc furent établies sur des massifs en maçonnerie de 22 m de long sur 18 de large. Au-dessus, se trouvent les culées proprement dites, surmontées chacune de deux pylônes de 15 m de haut encadrant le tablier.
La construction de cet important ouvrage débuta en novembre 1903. Elle se fit grâce à un échafaudage en bois monté sur plusieurs piliers installés dans la Seine. Le tablier fut d'abord assemblé et rivé, puis ce fut au tour des arcs jusqu'au clavetage définitif. Les travaux se terminèrent en décembre 1904 et l'échafaudage fut démonté à la mi-1905. Les culées, les piliers et les arcs reçurent une décoration conçue par l'architecte Camille Formigé qui puisa son inspiration notamment dans la symbolique du monde aquatique.
Comme pour le viaduc de Passy, l'ouvrage fut renforcé en 1936 afin d'admettre un accroissement de la charge des trains.
Si le viaduc d'approche côté rive gauche entre la station Gare d'Austerlitz et la Seine présente des caractéristiques assez proches des ouvrages courants, il en va tout autrement de celui de la rive droite en raison de la configuration complexe des lieux. Après avoir franchi la Seine, puis le bas port de Bercy également en viaduc pour ne pas créer d'entrave à la circulation, la ligne 5 devait descendre en faisant une courbe de 75 m de rayon pour passer sous la place Mazas, à l'une des extrémités du pont d'Austerlitz, puis remonter pour traverser en aérien le canal Saint-Martin à son débouché dans la Seine.
Contrairement à tous les usages de l'époque, les constructeurs MM. Daydé et Pillé imaginèrent, non pas un viaduc courbe selon un contour polygonal, mais un ouvrage doté de poutres de côté courbes, parallèles à l'enveloppe du gabarit du matériel roulant. Cet ouvrage, en courbe de 75 m de rayon et en rampe de 40 ‰, comprend deux travées de 40,35 m et 34,05 m de longueur (côté extérieur). Ainsi, puisque les entretoises porteuses du tablier sont horizontales et que les poutres de côté, n'ayant bien sûr pas la même longueur, ont des pentes différentes, le viaduc est hélicoïdal. Ce dernier repose, d'une part, sur des ancrages à rotule sur la culée du viaduc principal et sur les deux piliers intermédiaires, d'autre part, sur un appui à dilatation à la partie basse du viaduc, côté entrée du souterrain.

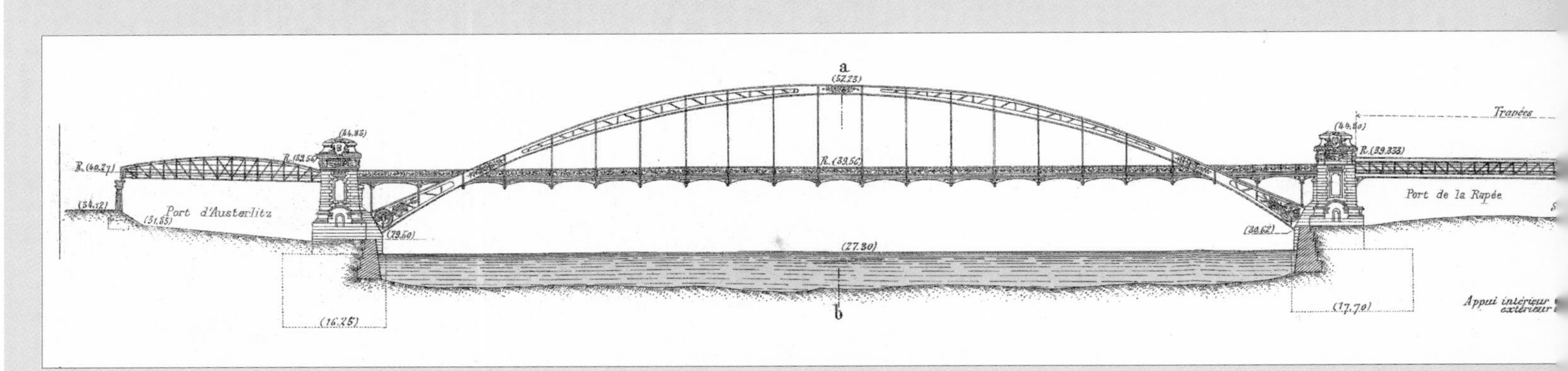

AUSTERLITZ

Le chantier de construction du viaduc d'Austerlitz lors du montage des arcs, alors que le tablier repose sur un échafaudage en bois.

L'élégant viaduc d'Austerlitz terminé, franchi par un train de quatre voitures.

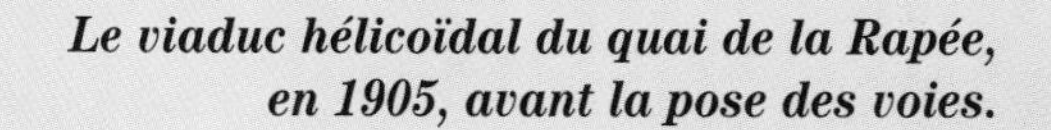

Le viaduc hélicoïdal du quai de la Rapée, en 1905, avant la pose des voies.

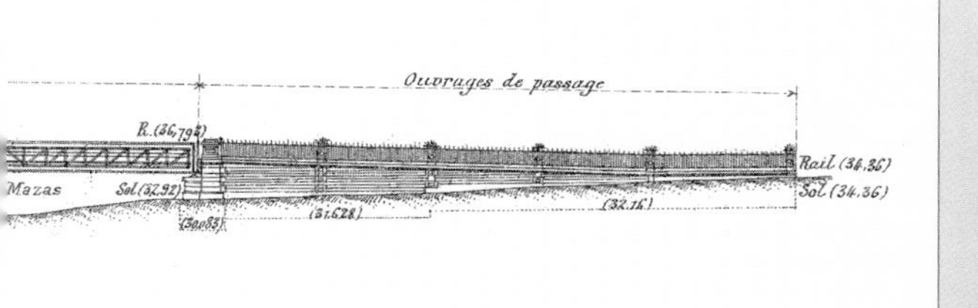

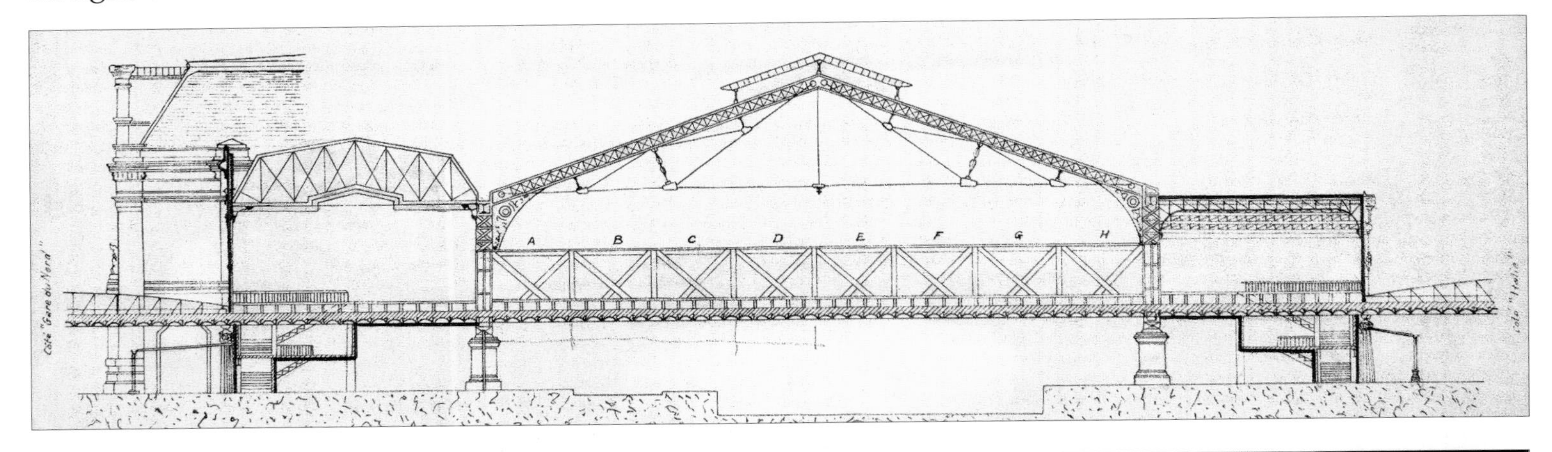

Dessin montrant la position de la station Gare d'Austerlitz disposée transversalement au bâtiment de la gare du Paris-Orléans.

Les viaducs accolés de la station Gare d'Austerlitz au-dessus des voies du PO allant à la gare d'Orsay.

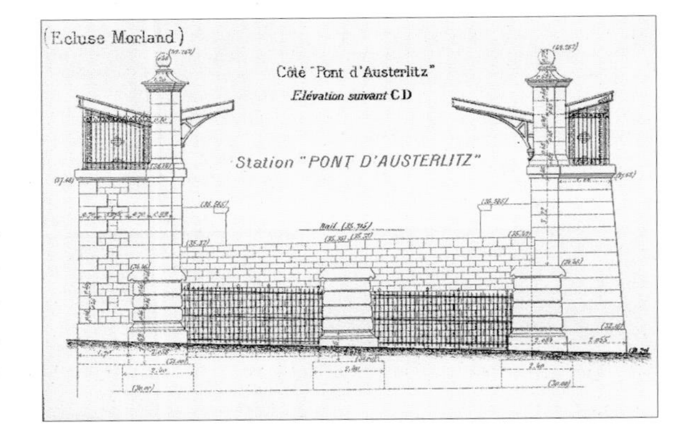

Coupe de la station Pont d'Austerlitz (auj. Quai de la Rapée) située à l'air libre à proximité du débouché du canal Saint-Martin dans la Seine.

À Gare du Nord, la boucle de retournement des trains étant située en partie sous la station de la ligne 4, les travaux concernèrent la totalité des ouvrages spéciaux à cette configuration. À Gare de l'Est, la juxtaposition des ouvrages des lignes 5 et 7, disposés eux-mêmes au-dessus de celui de la ligne 4, entraînèrent également la réalisation d'importants travaux d'ensemble.

L'ouvrage le plus important fut celui permettant le franchissement de la Seine en aérien. Sur une demande expresse du Service de la navigation, l'avant-projet dressé sous la direction de M. Bienvenüe précisait qu'aucun appui de l'ouvrage ne devait être pris dans la Seine, afin de laisser toute la largeur du fleuve libre. Ainsi, le viaduc d'Austerlitz, entièrement métallique, franchit le cours d'eau d'une seule portée, avec une ouverture de 140 m de long à environ 11,5 m au dessus de l'eau. Il est constitué par deux arcs paraboliques à trois articulations suspendant le tablier sur lequel reposent les voies par seize montants chacun. La construction de l'ouvrage dura environ un an, de novembre 1903 à décembre 1904. Quant à l'ouvrage d'accès côté rive droite, il est à deux travées en rampe de 40 ‰ et a la particularité d'avoir une forme curviligne au lieu d'une forme polygonale. Cet ouvrage hélicoïdal présente donc à la fois la rampe maximale admise sur le métro (roulement fer) et le rayon minimal (75 m).

Mise en service, remaniements et prolongements

C'est le 2 juin 1906 que la ligne 5 fut mise en service entre Place d'Italie et Gare d'Orléans, soit 1 555 m. Un peu plus d'un mois après, le 13 juillet, les rames traversaient la Seine et atteignaient Place Mazas (auj. Quai de la Rapée), une navette assurant la liaison vers Gare de Lyon. Cette dernière fut suppri-

A partir de 1942, la ligne 5 dessert la proche banlieue nord-est de Paris, avec ici une rame au terminus d'Église de Pantin.

mée quinze jours plus tard, les trains de la ligne 5 rebroussant à Place Mazas pour aller à Gare de Lyon par le raccordement à voie unique. Le 17 décembre 1906, la ligne fut prolongée jusqu'à Lancry (auj. Jacques Bonsergent) et la manœuvre de rebroussement supprimée, la correspondance avec la ligne 1 étant désormais assurée à Bastille.

À partir de mai 1907, la ligne 5, qui partageait son terminus de Place d'Italie avec la 2 Sud, se retrouva seule « utilisatrice » des installations. En effet, la 2 Sud disposait désormais de son propre terminus, construit dans la perspective du prolongement vers Nation.

Le 17 octobre 1907 allait être une date marquante pour la ligne 5 : son exploitation était en effet fusionnée avec la ligne 2 Sud. Ainsi étaient supprimés deux terminus contigus gênants pour les voyageurs à Place d'Italie. Une seule ligne était formée : la 5 entre Étoile et Lancry, prolongée jusqu'à Gare du Nord le 15 novembre 1907. Pendant de nombreuses années, la ligne 5 –Étoile – Gare du Nord – fut la ligne la plus longue du réseau. Le tronçon manquant entre Place d'Italie et Nation de ce qui sera la ligne 6 (Nation – Étoile) ne fut ouvert que plus tard.

Il fallut attendre la fin des années 1920 pour que la ligne 5 fût à nouveau sur le devant de la scène. En effet, la convention de 1929 sur le prolongement de plusieurs lignes de métro en banlieue prévoyait la construction d'un tronçon Porte de Pantin – Église de Pantin. Celui-ci était à mettre en relation avec un projet de ligne à l'étude entre le boulevard de la Villette et la Porte de Pantin. C'est cet ensemble qui forma le prolongement de la ligne 5 de Gare du Nord à Église de Pantin.

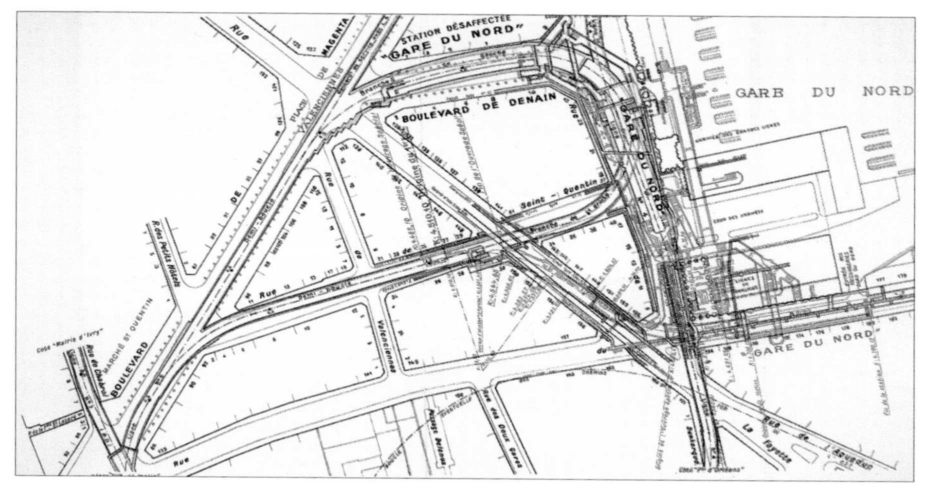

Plan du débranchement de la ligne 5 à Gare du Nord, avec abandon de la boucle terminale, pour son prolongement à Église de Pantin.

Déclaré d'utilité publique en janvier 1935, le prolongement de la ligne à Porte de Pantin fut mis en chantier dans le courant de 1936, le gros œuvre étant achevé en 1939. Dénommé à l'origine ligne 5 bis, il prenait naissance dans la partie est de la boucle terminale de la ligne 5 à Gare du Nord, ce qui impliqua la réalisation d'une nouvelle station pour desservir cette gare, et remontait ensuite vers le nord-est. Sous l'avenue Jean-Jaurès, la ligne allait alors être établie selon un tracé rectiligne, un tracé primitif plus tortueux desservant la Mairie du XIXe ayant été abandonné. Deux stations (Laumière et Ourcq) furent construites entre Jaurès et Porte de Pantin, terminus partiel, à 3480 m de Gare du Nord. La ligne franchissait alors les limites de Paris pour pénétrer sur le territoire de la commune de Pantin. Deux stations étaient construites, Hoche et Église de Pantin, terminus de la ligne.

Une rame Sprague dans la courbe de 75 m de rayon à l'extrémité du viaduc hélicoïdal d'Austerlitz.

Arrivée, en 1978, des premiers trains MF 67 qui vont peu à peu évincer les Sprague-Thomson.

L'inondation d'Église de Pantin qui retarda l'heure de la retraite des vieilles rames Sprague-Thomson en mettant hors service du matériel moderne.

Le mois d'octobre 1942 fut celui des changements pour la ligne 5 (Étoile – Gare du Nord) :

• le 6, l'exploitation se faisait entre Place d'Italie et Gare du Nord, la ligne 6 reliant maintenant directement Étoile à Nation en passant par Place d'Italie (situation actuelle) ;

• le 12, le prolongement à Église de Pantin était mis en service, la ligne 5 devenant la ligne Place d'Italie – Église de Pantin.

A la même époque, un prolongement vers le sud fut envisagé, de la place d'Italie à la place de Rungis par la rue Bobillot. Ce projet intéressant le XIIIe arrondissement ne vit aucun commencement d'exécution. Pas plus que le projet de prolongement vers Vitry-sur-Seine, dans le début des années 1970.

Un dernier prolongement fut mis en service le 25 avril 1985 pour desservir Bobigny, la préfecture du département de Seine-Saint-Denis.

La ligne 5 fut équipée du PCC en 1973 et du pilotage automatique en 1978. Cette même année, elle commença à être dotée du MF 67.

LE PARCOURS

La ligne 5 a son terminus sud au cœur du XIIIe arrondissement de Paris à Place d'Italie. Bien que sa configuration soit en boucle, le retournement des trains se fait par une manœuvre en tiroir. Les installations voyageurs sont constituées d'un quai central encadré par la voie d'arrivée et celle de départ. Le terminus est relié à l'atelier de maintenance d'Italie et à la ligne 6.

La ligne 5 commence sa progression vers le nord-est par le boulevard de l'Hôpital. Après avoir dépassé le raccordement 5/7, elle aborde la station Campo-Formio, puis descend vers Saint-Marcel. Elle commence alors son parcours aérien en passant du souterrain au viaduc par une rampe de 40 ‰, placé sur le côté est du boulevard. Elle quitte ce dernier pour entrer dans les emprises SNCF de la gare d'Austerlitz, croise la ligne 10 établie en profondeur et pénètre dans la station Gare d'Austerlitz (corr. L. C du RER et 5 du métro) installée sous la grande verrière de l'établissement dans un axe perpendiculaire aux voies ferrées. La station proprement dite est supportée par deux viaducs métalliques accolés de 50 m de portée ; les 25 m restants se trouvent de part et d'autre de cet ouvrage, inclus dans les bâtiments annexes du hall principal.

La ligne 5 passe ensuite au-dessus du quai d'Austerlitz, puis franchit la Seine d'un seul trait par un élégant viaduc métallique en arc

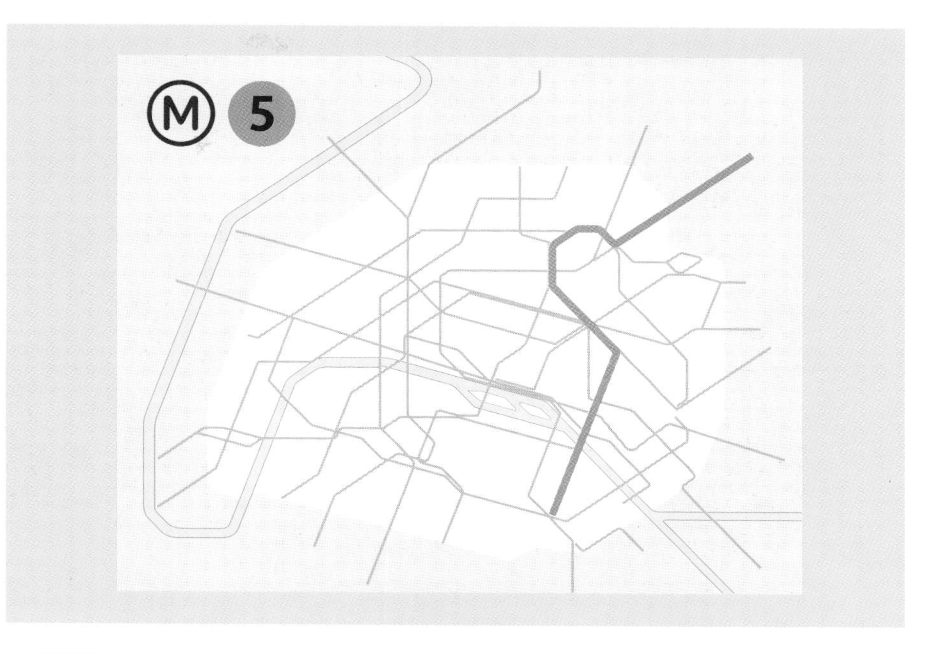

Les « dessus » du métro

LA SALPÊTRIÈRE

L'histoire de l'Hôpital de la Salpêtrière remonte au XVIIe siècle. À cette époque, Louis XIII fait aménager dans cet endroit une fabrique de poudre, composée notamment de salpêtre, ce qui donne son nom au futur hôpital.

En 1656, le roi Louis XIV décide une opération de nettoyage de Paris où environ 50 000 vagabonds et mendiants provoquent troubles et désordres. De gré ou de force, ces gens sont donc internés afin de faire travailler les plus valides dans ce qu'on appelle alors l'Hôpital général. Ce dernier se compose de plusieurs maisons dont la Salpêtrière réservée aux femmes. En 1679, quelque 4 000 personnes y sont internées. En 1684, Louis XIV décide d'ajouter à la Salpêtrière un quartier destiné à recevoir les femmes de mauvaise vie ou condamnées par la justice : la Maison de Force. Celle-ci est fermée définitivement deux ans après les massacres de 1792 et remplacée par la prison de Saint-Lazare. En 1796, l'hôpital est spécialisé dans les maladies mentales et nerveuses, puis devient un hospice pour vieillards. Au début du XXe siècle, l'Hôpital de la Pitié est ouvert à côté de la Salpêtrière, les deux établissements étant aujourd'hui réunis sous le nom d'Hôpital de la Pitié-Salpêtrière.

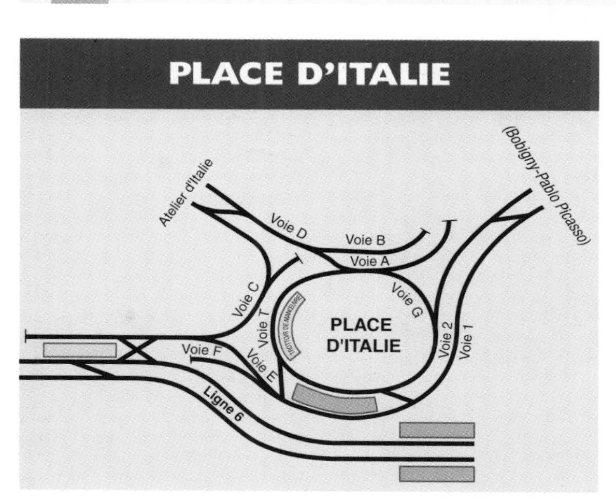

À gauche, arrêt dans la station aérienne Gare d'Austerlitz d'un MF 67 en nouvelle livrée RATP.

L'un des sites remarquables de la ligne 5 : le franchissement de la verrière de la gare d'Austerlitz alliant métal, pierre et verre.

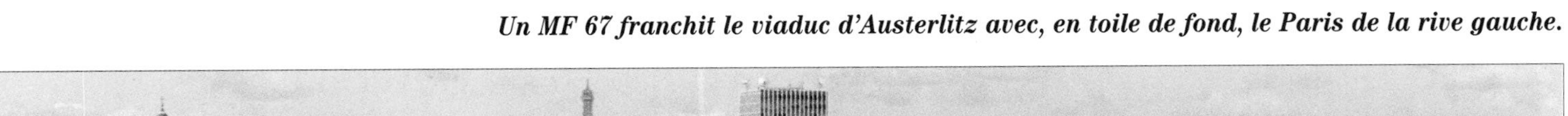

Un MF 67 franchit le viaduc d'Austerlitz avec, en toile de fond, le Paris de la rive gauche.

LES STATIONS DE LA LIGNE 5

(ancien nom entre parenthèses et en italique)

PLACE D'ITALIE

Lieu où arrivait la route venant de Rome, via Lyon.

CAMPO-FORMIO

Petite ville d'Italie où fut signé, en 1797, un traité entre la France et l'Autriche, à la suite de l'une des campagnes napoléoniennes.

SAINT-MARCEL

Évêque de Paris du début du Ve siècle dont les reliques sont à Notre-Dame.

GARE D'AUSTERLITZ

(avant 1930 Gare d'Orléans)
Ancienne gare d'Orléans, tête des lignes desservant le sud-ouest de la France et l'Espagne, portant l'ancien nom d'un village de la République tchèque (aujourd'hui Slavkov) où Napoléon remporta une victoire sur les Autrichiens et les Russes en 1805.

QUAI DE LA RAPÉE

(avant 1907 Place Mazas, puis Pont d'Austerlitz jusqu'en 1916)
Ministre de la Guerre de Louis XV qui possédait là une résidence.

BASTILLE

Voir ligne 1.

BRÉGUET – SABIN

1- Famille d'horlogers, d'inventeurs et d'industriels d'origine suisse.
2- Échevin de Paris en 1777.

RICHARD-LENOIR

Nom de deux associés qui dirigeaient la première manufacture de coton à Paris au XVIIIe siècle.

OBERKAMPF

Manufacturier allemand du XVIIIe siècle naturalisé français, inventeur des premières toiles imprimées.

RÉPUBLIQUE

Voir ligne 3.

JACQUES BONSERGENT

(avant 1946 Lancry)
Civil fusillé au fort de Vincennes en 1940 après avoir été condamné à la suite d'une altercation avec un sous-officier allemand.

GARE DE L'EST

Voir ligne 4.

GARE DU NORD

Voir ligne 4.

STALINGRAD

(avant 1942 Aubervilliers, puis Aubervilliers - Bd de la Villette jusqu'en 1946)
Voir ligne 2.

JAURÈS

Voir ligne 2.

LAUMIÈRE

Général mort pendant la campagne du Mexique en 1863.

OURCQ

Affluent de la Marne et canal qui la relie à la Seine, via le canal Saint-Martin.

PORTE DE PANTIN

De la commune de Pantin.

HOCHE

Général pacificateur de la Vendée sous la Révolution et ministre de la Guerre.

ÉGLISE DE PANTIN

L'une des églises de la commune de Pantin.

BOBIGNY – PANTIN – RAYMOND QUENEAU

À la limite de ces deux communes, station évoquant le nom de l'écrivain auteur notamment de « Zazie dans le métro ».

BOBIGNY – PABLO PICASSO

Peintre, dessinateur, graveur et sculpteur espagnol contemporain qui vécut la plus grande partie de sa vie en France.

JACQUES BONSERGENT
INGÉNIEUR DES ARTS ET MÉTIERS
PREMIER FRANÇAIS VICTIME DE SON COURAGE
ET DE SES SENTIMENTS FRATERNELS
FUSILLÉ LE 23 DÉCEMBRE 1940

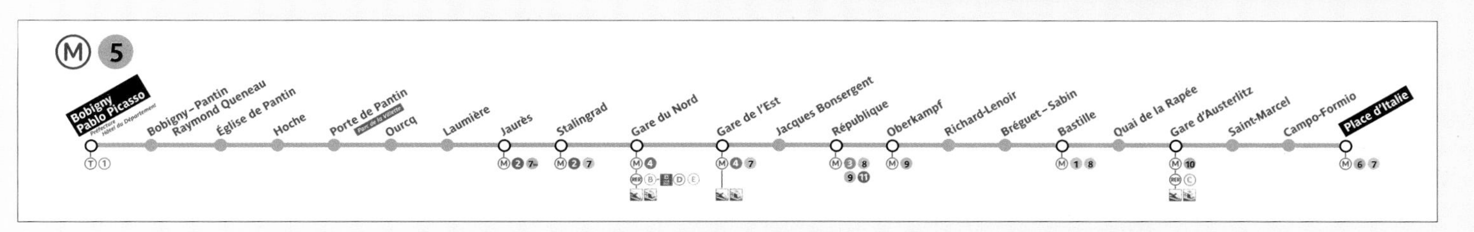

de 140 m de long. Elle est alors sur la rive droite où, après deux travées métalliques hélicoïdales en pente de 40 ‰, elle retrouve provisoirement le souterrain pour franchir le débouché du pont d'Austerlitz. Après être passée au-dessus du raccordement avec la 1, la ligne 5 est à nouveau établie à l'air libre au niveau de la station Quai de la Rapée. Elle en profite pour franchir, sur un ouvrage métallique de 38,50 m de portée, le canal Saint-Martin à son débouché dans la Seine, avant de plonger pour retrouver son parcours souterrain sous le boulevard Bourdon. Après avoir dépassé les tunnels des lignes A et D du RER, celui de la ligne 14 du métro et la station Arsenal (fermée au public), la ligne 5 atteint Bastille où elle est en correspondance avec les lignes 1 et 8.

Après être passée sous la ligne 8, elle se place latéralement au canal Saint-Martin, sous le boulevard Richard Lenoir, et dessert les stations Bréguet – Sabin et Richard-Lenoir, toutes deux construites à fleur de sol. Ayant rejoint le boulevard Voltaire, la ligne 5 se place à côté de la 9 avec laquelle elle est en correspondance à Oberkampf. Elle aborde

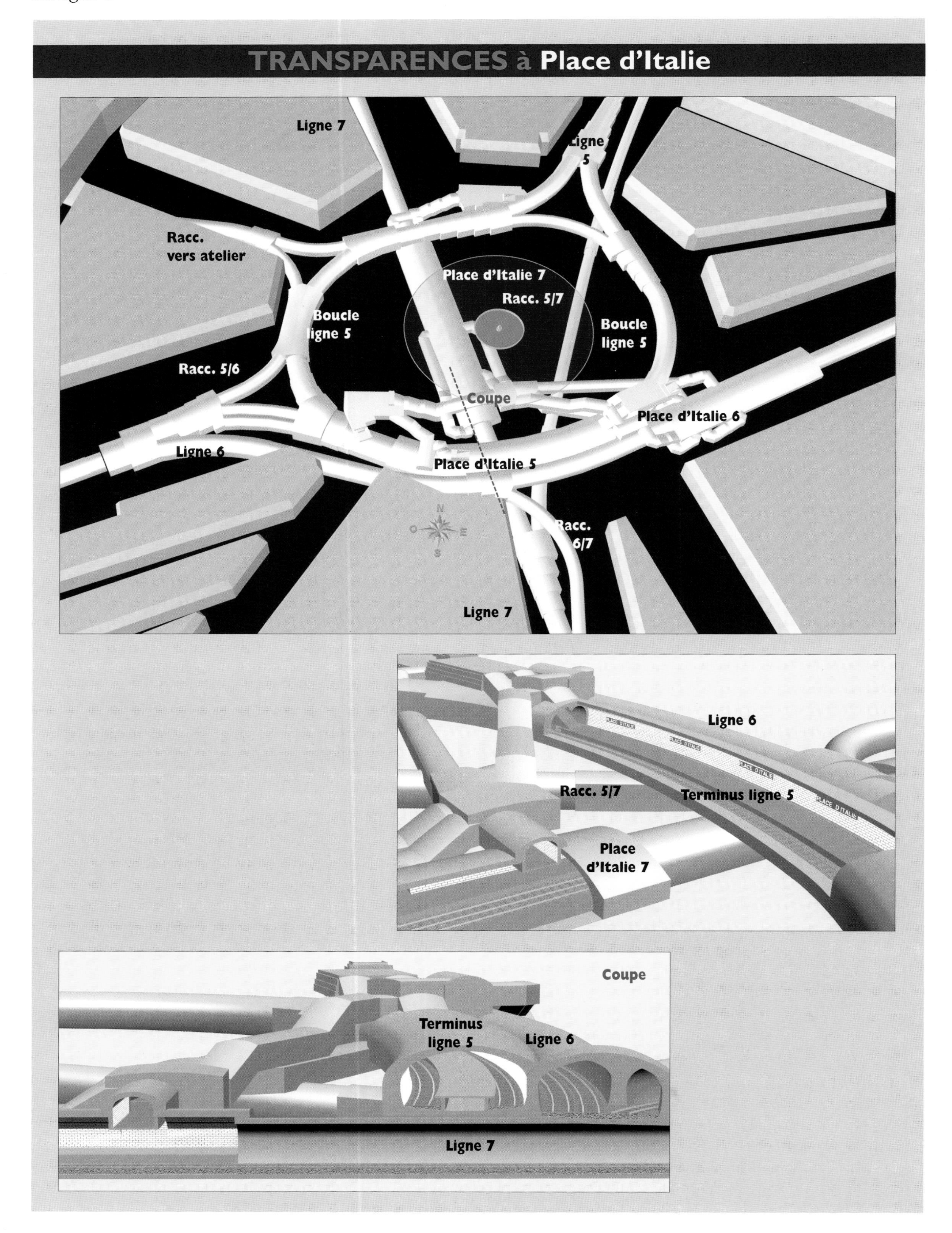
TRANSPARENCES à Place d'Italie
Ligne 7
Ligne 5
Racc.
vers atelier
Place d'Italie 7
Racc. 5/7
Boucle
ligne 5
Boucle
ligne 5
Racc. 5/6
Coupe
Place d'Italie 6
Ligne 6
Place d'Italie 5
acc.
6/7
N
O
E
S
Ligne 7
Ligne 6
Racc. 5/7
Terminus ligne 5
Place
d'Italie 7
Coupe
Terminus
ligne 5
Ligne 6
Ligne 7

ensuite le sous-sol bien encombré de la place de la République, passe au-dessus des lignes 3, 9 et 11 et dessert la station République (corr. L. 3, 8, 9 et 11). La 5 est ici raccordée aux lignes 3 et 8, alors qu'elle est déjà sous le boulevard Magenta qu'elle suit sur quelques centaines de mètres en desservant au passage la station Jacques Bonsergent.

C'est par la rue du Faubourg-Saint-Martin qu'elle atteint la station Gare de l'Est (corr. L. 4 et 7). La station est située sous la place devant la gare, juste au-dessus de la ligne 4, et accolée en partie à celle de la ligne 7. Après être passée sur la ligne 7, la ligne 5 s'enfonce plus profondément dans le sol. Une fois dépassé le raccordement 2/4/5, la ligne s'engage sous une courte partie du boulevard Magenta, puis sous la rue de Saint-Quentin avant de passer cette fois-ci sous la ligne 4 et atteindre la station Gare du Nord (corr. L. B, D et E du RER et L. 4 du métro) située sous la rue du Faubourg-Saint-Denis. Pour continuer sa route vers le nord-est, la ligne 5 suit les

Les « dessus » du métro

LA RÉPUBLIQUE

Au XVIIIe siècle, l'actuelle place de la République n'est qu'un grand carrefour à l'emplacement de l'ancienne porte du Temple. Là aboutissent les boulevards Saint-Martin et du Temple et les rues du Temple et du Faubourg-du-Temple. Deux autres rues y aboutiront au XVIIIe siècle. Une fontaine alimentée par le bassin de la Villette y est érigée en 1811 et dès lors le carrefour s'appelle le « château d'eau ».
Quand Haussmann fait percer les boulevards Voltaire et Magenta ainsi que l'avenue de la République, le carrefour devient la place rectangulaire que nous connaissons aujourd'hui. La fontaine qui s'y trouvait est remplacée par une autre plus grande, plus en rapport avec les dimensions du site.
En 1879, la place prend le nom de Place de la République. En 1883, la deuxième fontaine est elle-même remplacée, le 14 juillet 1884, par une statue de la République inaugurée par le Président Jules Grévy.

La rame 40 arrêtée à la station Bastille de la ligne 5.

CARTE D'IDENTITÉ DE LA LIGNE 5	
Longueur totale	14,634 km
dont en aérien	2,5 km
Nombre de stations	22
dont aériennes	2
dont correspondances	9
Longueur des stations	de 75 m à 90 m
Longueur moyenne des interstations	697 m
Nombre de trains en ligne à la pointe	45
Nombre de départs (jour ouvrable)	358
Intervalle minimal (jour ouvrable)	1 mn 45
Matériel roulant	MF 67
Nombre de voitures par train	5
Atelier de maintenance	Bobigny
Atelier de révision	Choisy

Les « dessus » du métro

LE CANAL SAINT-MARTIN ET LE CANAL DE L'OURCQ

L'idée de construire un canal pour amener à Paris les eaux de la Marne et de l'Ourcq remonte au XVIe siècle. Des études sont menées au siècle suivant, mais elles restent sans suite en raison de la mort de Colbert et de Riquet, l'ingénieur qui construisit le canal du Midi. Le projet revient à l'ordre du jour en 1787, mais n'est pas réalisé. En 1802, la décision est prise de réaliser une voie navigable entre l'Ourcq et la Seine, avec deux branches, l'une vers Saint-Denis, l'autre vers le bassin de l'Arsenal à Paris. Le canal de l'Ourcq est construit de 1802 à 1826. Long de 107 km, il commence dans la région de La Ferté-Milon et se termine dans le bassin de la Villette dans le XIXe arrondissement de Paris.

Le canal Saint-Denis, commencé en 1802 et achevé en 1826, est long de 6 500 m. Il relie, depuis une gare d'eau établie au nord du bassin de la Villette, le canal de l'Ourcq à la Seine au niveau de Saint-Denis.

Le canal Saint-Martin, long de 3 200 m, joint depuis 1825 le bassin de la Villette à celui de l'Arsenal. La moitié nord du canal est à l'air libre, tandis que sa moitié sud est en souterrain, sensiblement à partir de la rue du Faubourg-du-Temple jusqu'à la place de la Bastille. Entre celle-ci et la Seine, le bassin de l'Arsenal, ancien fossé de l'enceinte de Charles V, le relie à la Seine en aval du pont d'Austerlitz.

rues du Faubourg-Saint-Denis et Perdonnet et les boulevards de La Chapelle et de la Villette. Elle passe sous la ligne 2, ici en viaduc, et sous la tranchée abritant les voies SNCF du réseau Est pour atteindre la station Stalingrad (corr. L. 2 et 7) après sa plus longue interstation dans Paris intra-muros (996 m). De l'autre côté de la place de Stalingrad, après une courbe de 105 m de rayon, la ligne passe sous le canal Saint-Martin, puis dessert la station Jaurès (corr. L. 2 et 7 bis). La ligne est alors déjà située sous l'avenue Jean-Jaurès qu'elle suit jusqu'à son extrémité périphérique en un tracé quasiment rectiligne, desservant Laumière, Ourcq et Porte de Pantin, terminus partiel comportant trois voies à quai et deux voies de garage.

C'est peu avant la station Hoche que la ligne 5 quitte Paris pour la commune de Pantin dans le département de Seine-Saint-Denis. Elle est alors placée sous l'avenue Jean-Lolive (RN 3). L'ancien terminus Église de Pantin comprend aujourd'hui deux voies à quai encadrées, en arrière-gare, par deux voies de garage. Quelque 980 m plus loin, la station Bobigny – Pantin – Raymond Queneau nous indique que la ligne est sur la limi-

La ligne 5 le long du canal de l'Ourcq, entre les stations Bobigny – Pantin - Raymond Queneau et Bobigny - Pablo Picasso.

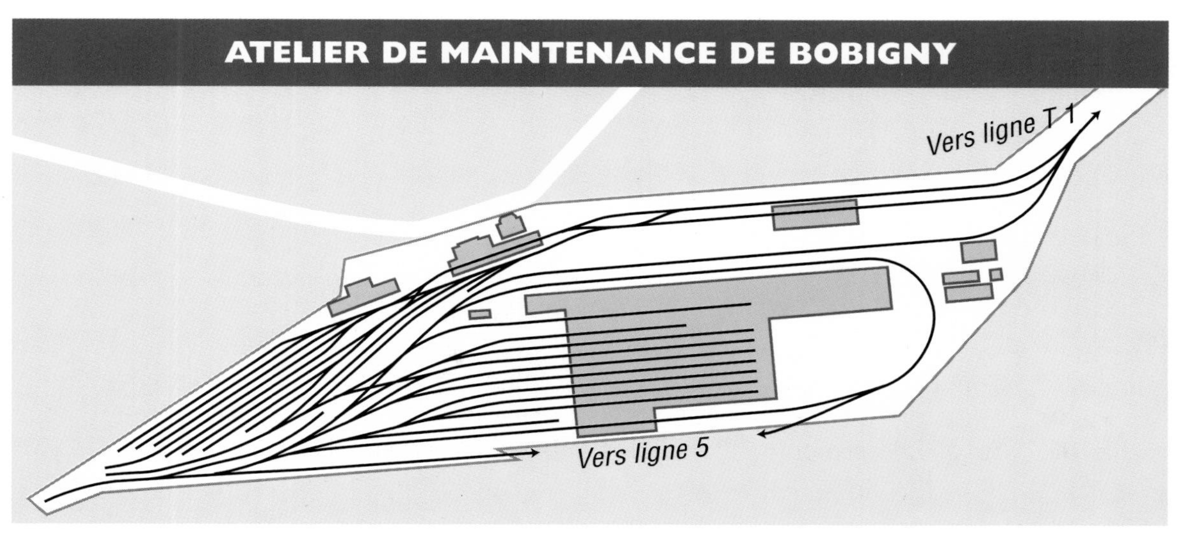

Vue de la ligne 5 longeant l'imposant faisceau de garage de Bobigny.

Cohabitation d'un MF 67 et d'un tramway de la ligne T1 à l'atelier de Bobigny.

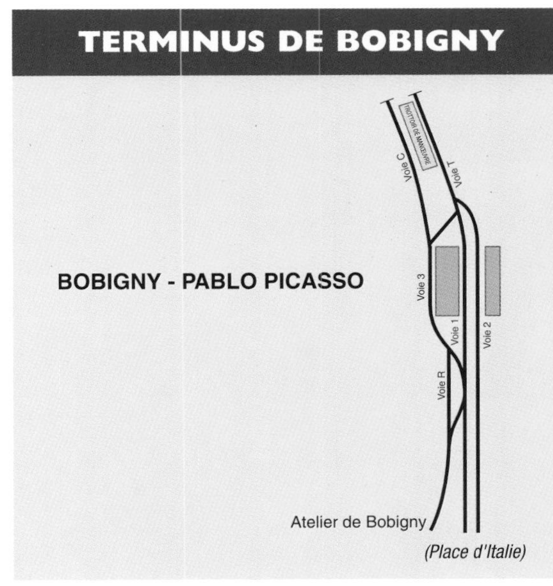

te de ces deux communes du nord-est parisien. Peu après cette station, la ligne quitte la RN 3 et s'enfonce pour passer sous le canal de l'Ourcq. Elle remonte à la surface pour se placer entre la berge nord du canal et les installations SNCF de Paris-Ourcq. La ligne passe ensuite sous les voies du réseau Est et de la Grande Ceinture et poursuit sa progression à l'air libre sur environ 1 500 m.

Après le passage sous la rue Jean-Jaurès, la ligne est raccordée à l'extrémité ouest du faisceau de garage de l'atelier mixte métro/tramway de Bobigny. Plus loin, le tracé à trois voies (voie 1, voie 2, voie de raccordement atelier) s'infléchit vers le nord et s'enfonce progressivement pour passer sous les voies de la Grande Ceinture complémentaire SNCF et atteindre le terminus de Bobigny – Pablo Picasso, au terme d'une longue interstation de 2 426 m. Les installations voyageurs se composent de trois voies à quai, complétées d'une voie avec trottoir de manœuvre et d'une voie de garage.

Le vaste atelier d'entretien de Bobigny (43 900 m^2) est situé le long du canal de l'Ourcq sur le territoire de la préfecture de Seine-Saint-Denis. Ouvert en 1988, il a été aménagé en 1991-1992 pour assurer la maintenance de proximité renforcée du tramway Saint-Denis – Bobigny.

LIGNE 6

Nation – Charles de Gaulle - Étoile

La ligne 6 actuelle fut construite sous le numéro 2 et sous l'appellation « Circulaire Sud » entre Étoile et Place d'Italie. La partie comprise entre Place d'Italie et Nation, construite un peu plus tard, était désignée sous le numéro 6. Aujourd'hui, la ligne 6 relie directement Charles de Gaulle – Étoile à Nation et a la particularité d'être établie en grande partie en aérien.

L'HISTOIRE

La station Avenue de Suffren de la ligne 2 Sud (Place d'Italie – Étoile), dans les premiers mois de son ouverture.

À l'origine, le premier réseau concédé comportait une grande ligne circulaire par les anciens boulevards extérieurs. Mais, rapidement, ses concepteurs décidèrent de remplacer le système d'exploitation en circuit fermé par celui, plus facile et plus pratique, de la navette. Ainsi il serait construit deux lignes distinctes aux exploitations indépendantes : la 2 et la 6.

Le projet primitif faisait passer les trains par les gares d'Orléans (Austerlitz) et de Lyon, puis par la ligne 1 entre Gare de Lyon et Nation. L'abandon de l'exploitation en circuit fermé et en tronc commun à plusieurs lignes entraîna la recherche d'un nouvel itinéraire pour aller de la place d'Italie à celle de la Nation. Ce sera la ligne prévue sous le n° 6 (Italie – Nation), par le tracé que nous connaissons aujourd'hui, via Bercy.

La ligne 2 ou « Circulaire Nord » fut ouverte en 1903, tandis que se poursuivaient les travaux de construction de la « Circulaire Sud » avec la phase délicate de la traversée de la Seine à Passy, le court tronçon Étoile – Trocadéro étant déjà en service depuis 1900.

La ligne 6 quittait la place de l'Étoile par l'avenue Kléber pour rejoindre Trocadéro, puis continuait vers la Seine pour la franchir sur un viaduc. C'est toujours en aérien qu'elle continuait vers l'est avant de retrouver un

La station Passy, terminus provisoire entre 1903 et 1906, alors que seule une partie accueillait les trains en provenance d'Étoile.

parcours souterrain avant Montparnasse. Plus loin, elle remontait à l'air libre jusqu'à Place d'Italie. Après un bref passage en souterrain, la ligne réapparaissait en surface et franchissait une seconde fois la Seine sur le viaduc de Bercy avant de s'engouffrer une nouvelle fois sous terre et resurgir à Bel-Air pour franchir le chemin de fer de la Bastille à Verneuil-l'Étang.

Aujourd'hui, la ligne 6 se développe sur 13600 m dont 6100 en aérien, soit environ 45 % de la longueur totale. Elle dessert 28 stations, dont 13 à l'air libre.

Les travaux

D'inévitables travaux préparatoires furent exécutés, soit pour déplacer égouts et canalisations, soit pour consolider certains terrains minés par d'anciennes carrières, notamment aux alentours de la place Denfert-Rochereau.

Les travaux proprement dits ne posèrent pas de difficultés particulières. Les souterrains et les viaducs courants étaient du même type que ceux de la ligne 2. Il en était également ainsi pour les stations souterraines. Les stations aériennes présentaient plusieurs différences par rapport à celles de la ligne 2 : les quais et les voies étaient désormais entièrement couverts et les côtés étaient non plus vitrés, mais fermés par un mur en briques formant des motifs géométriques, côté extérieur.

Par ailleurs, quatre stations aériennes sont de types propres à la ligne 6. Passy est ainsi établie en partie à fleur de sol et en partie en viaduc à flanc de coteau. *(suite page 210)*

Montage, en 1903, de la station Avenue de Suffren (auj. Sèvres – Lecourbe) de la ligne 2 Sud sur la partie centrale du boulevard Garibaldi.

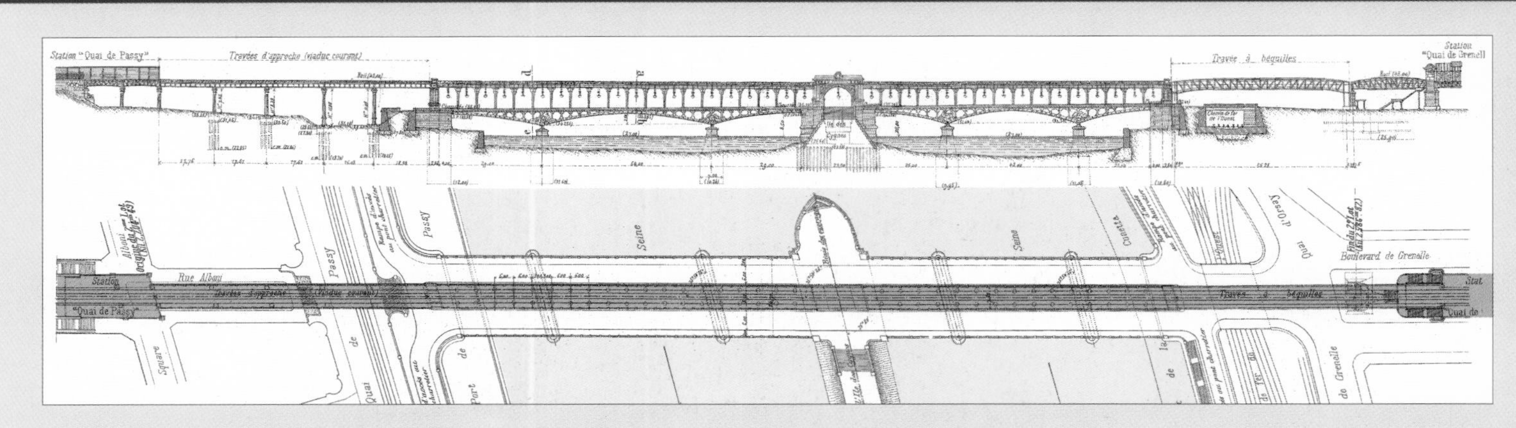

Travaux de réalisation du viaduc de Passy en 1905, avec mise en place de la travée spéciale enjambant le quai de Grenelle et les voies de la ligne Invalides – Versailles-Rive-Gauche ; on distingue, au fond, la silhouette de l'ancien Trocadéro.

Le « grand bras » de la Seine franchi par un train de quatre voitures sur le viaduc de Passy.

SSY ET DE BERCY

PASSY
La construction du viaduc de Passy donna lieu, entre mai 1903 et avril 1906, à un important chantier allant bien au-delà de l'établissement de la ligne du métro.
En effet, à cet endroit, la Seine est divisée en deux bras par l'Île des Cygnes et il n'existait qu'une passerelle datant de 1878. Il fut décidé de la remplacer par un pont charretier métallique qui supporterait le viaduc du métro disposé au-dessus d'un large promenoir central. Pour permettre la traversée des piétons pendant les travaux de construction, la passerelle fut maintenue, mais déplacée de 30 m vers l'aval.
L'ouvrage de franchissement retenu en 1902 fut celui de MM. Daydé et Pillé. Long de 380 m, il comprenait successivement, de la rive droite à la rive gauche :
• cinq travées droites continues entre la station Passy et la culée du pont projeté, soit une longueur de 90 m ;
• un pont sur le « grand bras » de la Seine (côté rive droite), long de 114 m ;
• un ouvrage monumental en maçonnerie sur l'Île des Cygnes dû à l'architecte Camille Formigé et décoré de motifs sculptés ;
• un pont de 90 m sur le « petit bras » de la Seine ;
• deux travées métalliques d'environ 86 m de long entre le pont et la station aujourd'hui dénommée Bir-Hakeim.

BERCY
Le franchissement de la Seine en amont de Paris se fit grâce au pont de Bercy. Cet ouvrage en pierre construit en 1864 dut être élargi de 5,50 m vers l'amont pour supporter celui du métro. Afin de respecter le style de l'ensemble, le viaduc du métro fut réalisé avec un platelage métallique, mais supporté par deux murs en pierre, percés de 41 petites arcades en plein cintre reposant en partie sur le pont routier d'origine et en partie sur son élargissement.
Aujourd'hui, le viaduc du métro occupe le centre du pont, depuis son nouvel élargissement au début des années 1990.

Travaux de construction des arches en pierre supportant le tablier métallique du viaduc de Bercy.

L'élargissement de 5,50 m du pont de Bercy afin de supporter le viaduc de la ligne 6.

Une rame de quatre voitures (deux motrices et deux remorques à caisse en bois et à essieux) sur le viaduc de Bercy ; au premier plan, les cheminées de deux remorqueurs à vapeur.

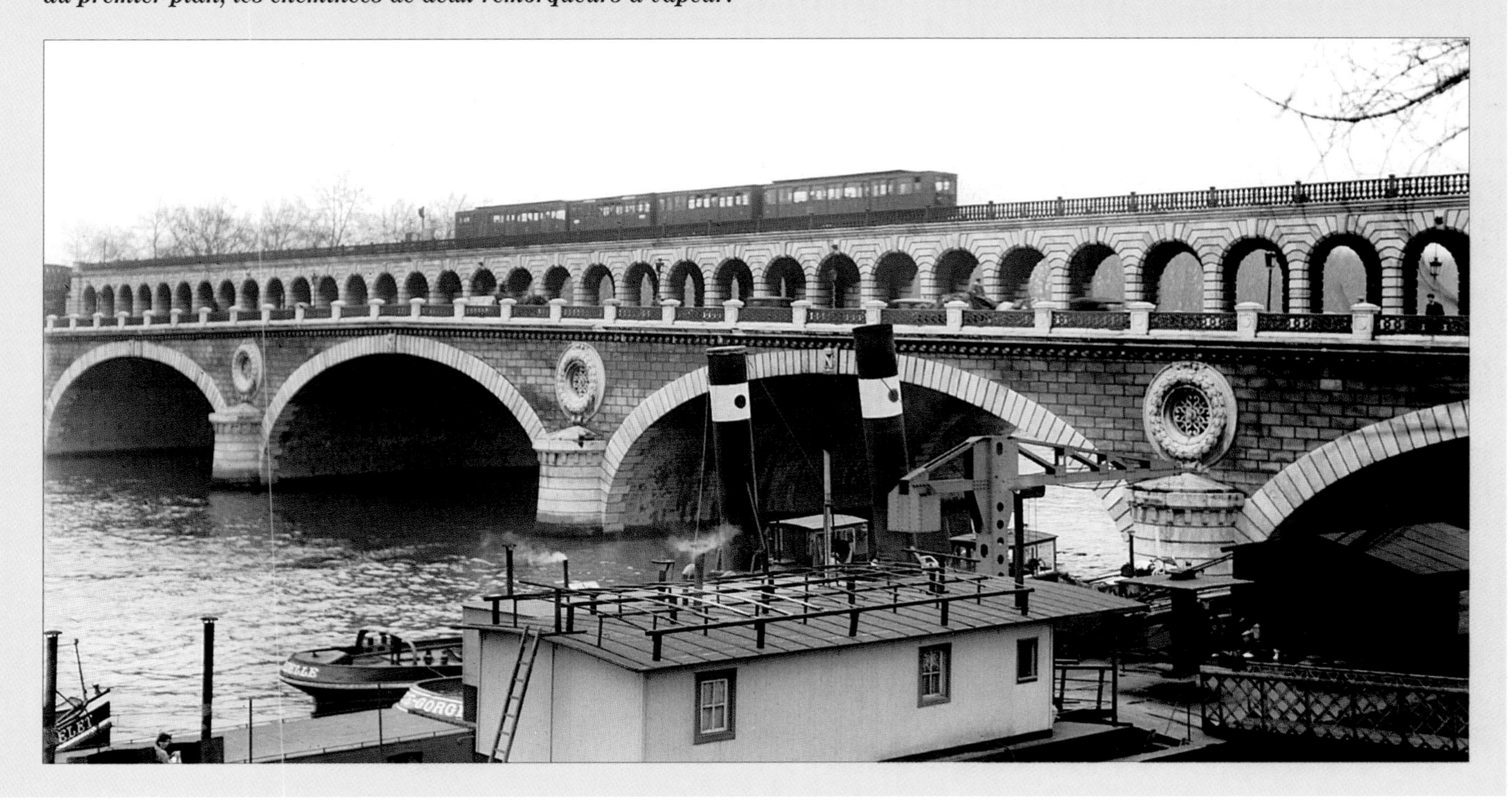

Conditions hivernales en novembre 1980, pour les voyageurs, le matériel roulant et les installations de la ligne 6 sur son parcours aérien.

Les trois autres, Saint-Jacques, Corvisart et Bel-Air, sont construites presqu'à fleur de sol, en transition entre souterrain et viaduc pour les deux premières.

Deux ouvrages particuliers furent construits pour la ligne 6, concernant le franchissement de la Seine en viaduc, à Passy à l'ouest et à Bercy à l'est.

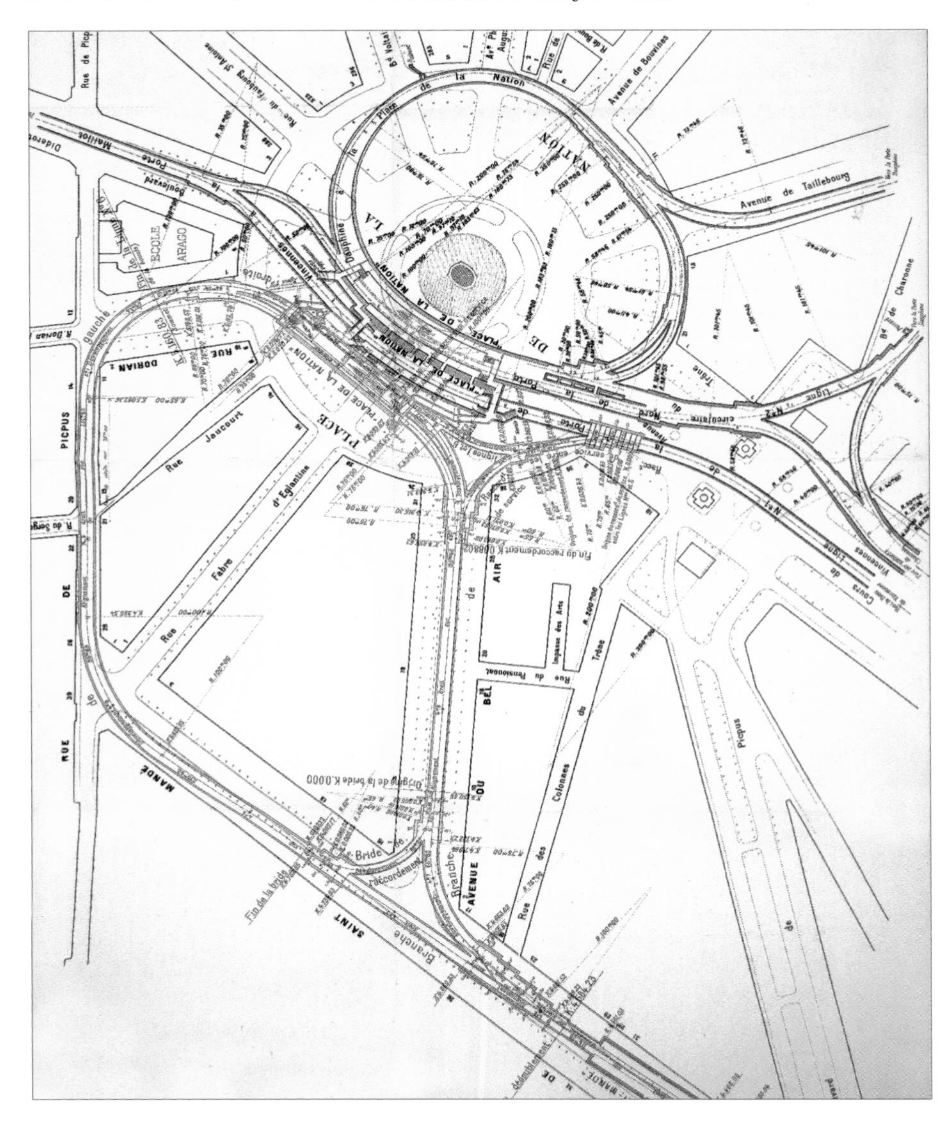

Plan de la boucle terminale de Nation 6 (plan orienté géographiquement).

Mise en service

La ligne 6 telle que nous la connaissons aujourd'hui fut mise en service en plusieurs étapes et sous différentes configurations.

L'embranchement Étoile – Trocadéro faisait partie des premiers tronçons mis en service en 1900. Trois ans plus tard, le 5 novembre 1903, la ligne poussait jusqu'à Passy, en attendant la traversée de la Seine. La station ne fut ouverte que sur une partie de sa longueur définitive et pouvait accepter des trains de quatre voitures seulement. La ligne était désignée alors comme « Circulaire ou ligne 2 Sud ». Le 24 avril 1906, elle était prolongée jusqu'à Place d'Italie, où était construit un nouvel atelier d'entretien. En octobre 1907, son exploitation étant fusionnée avec celle de la ligne 5, la « 2 Sud » disparaissait sous cette numérotation.

La ligne désignée à l'origine comme ligne 6 allait en réalité d'Italie à Nation. Dès 1906, les travaux étaient terminés, mais la mise en service tardait, la Compagnie du métropolitain étant peu pressée de desservir des quartiers excentrés et faiblement peuplés à l'époque. Néanmoins, sur l'insistance de la Ville de Paris, la ligne fut ouverte au public le 1er mars 1909.

Pendant de nombreuses années, la ligne 6 allait se cantonner au seul tronçon Italie – Nation. L'Exposition coloniale de 1931 se tenant au bois de Vincennes, cette configuration fut modifiée. La ligne 8 qui desservait l'Exposition était en correspondance à Daumesnil avec la courte ligne 6. Pour assurer une meilleure diffusion des visiteurs dans le sud de Paris, il fut décidé de la « prolonger » jusqu'à Étoile en utilisant les voies de la 5, cette dernière étant limitée au parcours Gare du Nord – Place d'Italie : la ligne 6 allait donc

Le mariage de l'ancien et du nouveau, avec une rame Sprague dans la nouvelle gare à quatre voies de Kléber, en 1970.

La ligne 6 en 1974, lors des travaux d'équipement de la voie pour la circulation des trains sur pneu.

de Nation à Étoile. La clôture de l'Exposition allait faire revenir l'exploitation des deux lignes à la « case départ » pendant onze ans encore.

Ce n'est qu'avec le prolongement de la ligne 5 à Pantin, le 6 octobre 1942, en pleine période d'occupation, que la configuration actuelle des lignes 5 et 6 devint effective : la ligne 5 reliait Place d'Italie à Église de Pantin et la ligne 6 allait d'Étoile à Nation.

Au cours des dernières décennies du XXe siècle, plusieurs changements affectèrent la ligne 6, tant sur le plan du matériel roulant, avec la mise en circulation des trains sur pneu MP 73 en juillet 1974, que sur celui de l'exploitation avec la modification du terminus Étoile (report de la fonction « départ » à la station Kléber portée à quatre voies), la mise en service du PCC en 1974 et du pilotage automatique en 1975.

Une rame sur pneu MP 73 franchit la Seine sur le viaduc de Bercy pendant l'hiver 1987.

LE PARCOURS

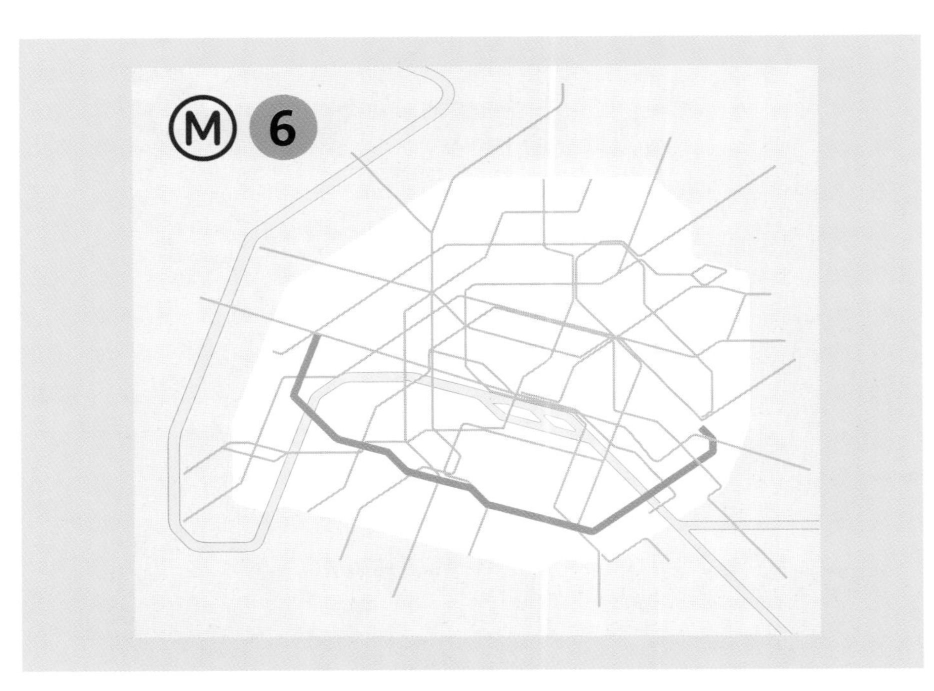

Le terminus Nation (corr. L. A du RER et 1, 2 et 9 du métro) est établi en boucle, partiellement sous la partie sud de la place de la Nation. À partir de la station Picpus, les deux voies empruntent l'avenue du Bel-Air pour atteindre la station terminale à quai central. Les trains peuvent pénétrer alternativement sur chacune des deux voies. Juste en amont de la station, on trouve un raccordement de service avec la ligne 1.

Les deux voies se poursuivent au-delà, d'abord sous l'avenue Dorian, l'une d'elles desservant le trottoir de manœuvre. Plus loin, la voie de garage se dédouble sous la rue de Picpus, un côté fermant la boucle en « revenant » vers Nation, l'autre se terminant sur un heurtoir, tandis que celle utilisée en voie principale rejoint Picpus sous l'avenue de Saint-Mandé.

Un MP 73 sur la fosse de visite sur la partie ouest de la boucle terminale de Nation.

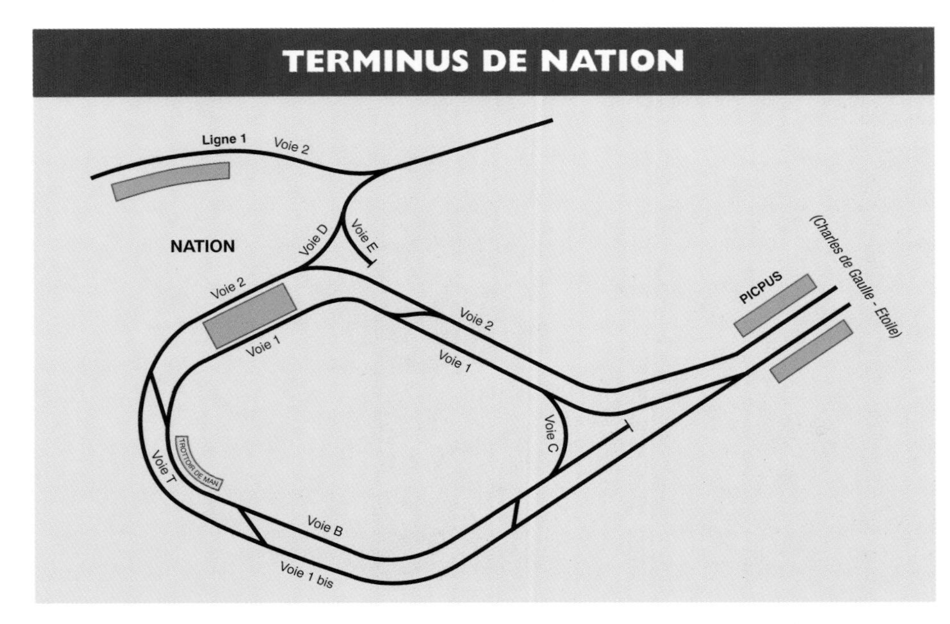

L'exploitation du terminus varie selon les heures de la journée :

- en heures creuses, les voies situées entre Nation et Picpus (voies B et 1B) servent au garage des rames, le retournement des trains se fait par la « manœuvre trottoir » ;
- en heures de pointe, les voies servant aux garages étant libres, les trains entrent alternativement sur chacune des deux voies à quai, puis rejoignent Picpus en parcourant l'intégralité de la boucle.

Afin de franchir l'emprise de l'ancienne ligne SNCF de la Bastille transformée en promenade et piste cyclable, la ligne 6 rejoint la surface au droit de la station Bel-Air. Après une courbe de 75 m de rayon lui permettant de se placer sous le boulevard de Reuilly, la ligne

À proximité de Bercy, le long du bâtiment du ministère de l'Économie et des Finances, vue en perspective de la ligne 6 aujourd'hui.

atteint la station Daumesnil (corr. L. 8), passe au-dessus de la ligne 8 avec laquelle elle est raccordée et amorce sa descente vers la Seine. En raison de l'instabilité du sous-sol sur 350 m environ, la ligne 6 repose sur de nombreux puits de consolidation avant de rejoindre Dugommier. Établie ensuite sous le boulevard de Bercy, elle continue sa descente pour se retrouver en palier aux droits des ouvrages supérieurs de franchissement des voies SNCF de l'avant-gare de Lyon. Une voie d'évitement et le raccordement avec la ligne 14 dépassés, elle atteint la station Bercy (corr. L. 14). C'est une centaine de mètres plus loin, après être passée au-dessus de la ligne 14, que la ligne 6 sort à l'air libre, entre le Palais omnisports de Paris-Bercy et le long bâtiment du ministère de l'Économie et des Finances. Elle franchit alors la Seine sur un viaduc de 171 m de long assis sur le pont de Bercy.

Désormais sur la rive gauche, la ligne 6 dessert la station aérienne Quai de la Gare au-dessus du terre-plein central du boulevard Vincent Auriol. Elle franchit, toujours en

CARTE D'IDENTITÉ DE LA LIGNE 6

Longueur totale	13,665 km
dont en aérien	6,1 km
Nombre de stations	28
dont aériennes	13
dont correspondances	11
Longueur des stations	de 75 m à 80 m
Longueur moyenne des interstations	505 m
Nombre de trains en ligne à la pointe	37
Nombre de départs (jour ouvrable)	344
Intervalle minimal (jour ouvrable)	1 mn 55
Matériel roulant	MP 73
Nombre de voitures par train	5
Atelier de maintenance	Italie
Atelier de révision	Fontenay

LES STATIONS DE LA LIGNE 6

(ancien nom entre parenthèses et en italique)

CHARLES DE GAULLE – ÉTOILE

(avant 1970 Étoile)
Voir la 1.

KLÉBER

Général français qui s'illustra en Vendée, à Fleurus en 1794, dirigea l'armée du Rhin et succéda à Bonaparte en Égypte où il fut vainqueur des Turcs.

BOISSIÈRE

Du souvenir d'une croix à laquelle il était d'usage de suspendre du buis le jour des Rameaux.

TROCADÉRO

Fort de la baie de Cadix en Espagne pris par les troupes françaises en 1823, qui donna son nom à un palais remplacé en 1937 par celui de Chaillot.

PASSY

Nom d'un ancien village rattaché à Paris.

BIR-HAKEIM *Tour Eiffel*

(avant 1949 Grenelle)
Fort de Libye non loin de Tobrouk, où des troupes françaises libres résistèrent aux Allemands et aux Italiens, permettant aux Britanniques de gagner la bataille d'El Alamein.

DUPLEIX

Administrateur et gouverneur général, en 1742, des Établissements français en Inde où il étendit l'influence de la France.

LA MOTTE-PICQUET – GRENELLE

(avant 1913 La Motte-Picquet)
1- Amiral du XVIIIe siècle qui prit la Grenade et la Martinique aux Anglais.
2- Nom d'un ancien village rattaché à Paris.

CAMBRONNE

Général qui participa à la bataille de Waterloo où il se rendit célèbre par un « mot de cinq lettres ».

SÈVRES – LECOURBE

(avant 1907 Avenue de Suffren, puis Rue de Sèvres jusqu'en 1913)
1- De la commune de Sèvres.
2- Général révolutionnaire qui lutta contre les Suisses et les Russes ; il fut destitué par Bonaparte.

PASTEUR

Chimiste et biologiste, membre de l'Académie des Sciences et de l'Académie française, il étudia notamment les fermentations, inventa une méthode de conservation des liquides (la « pasteurisation ») et réalisa le premier vaccin contre la rage.

MONTPARNASSE – BIENVENÜE

(avant 1942, Montparnasse)
Voir ligne 4.

EDGAR QUINET

Historien, professeur au Collège de France et homme politique du XIXe siècle.

RASPAIL

Voir ligne 4.

DENFERT-ROCHEREAU

Voir ligne 4.

SAINT-JACQUES

L'un des douze apôtres, frère de saint Jean l'Évangéliste.

GLACIÈRE

D'un ancien village rattaché à Paris situé à proximité d'étangs d'où l'on extrayait de la glace.

CORVISART

Médecin personnel de Napoléon 1er.

PLACE D'ITALIE

Voir ligne 5.

NATIONALE

Rue du quartier en souvenir de la Garde Nationale de 1848.

CHEVALERET

Outil qui servait aux tanneurs de peaux au XVIIIe siècle.

QUAI DE LA GARE

Gare d'eau servant à amarrer les bateaux au XVIIIe siècle.

BERCY

Ancien hameau rattaché à Paris et célèbre pour ses entrepôts de vins aujourd'hui démolis.

DUGOMMIER

(avant 1939 Charenton)
Général et député de la Convention.

DAUMESNIL

Général et gouverneur du fort de Vincennes qu'il défendit contre les Alliés en 1814.

BEL-AIR

Nom d'un lieu-dit.

PICPUS

(avant 1937 Saint-Mandé)
Ancien village rattaché à Paris.

NATION

Voir ligne 1.

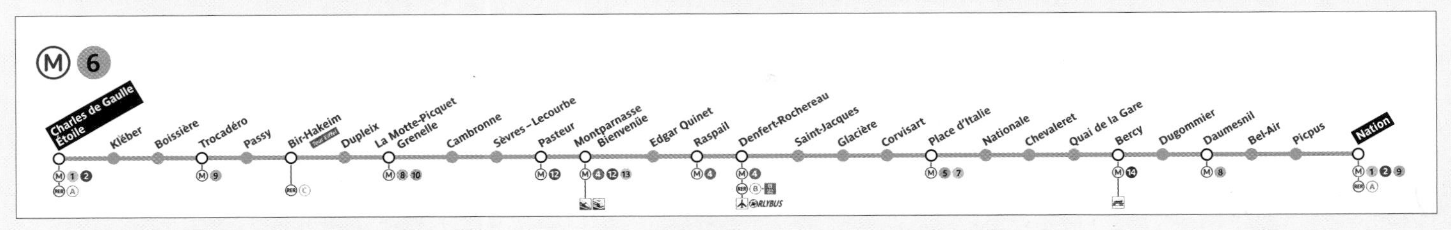

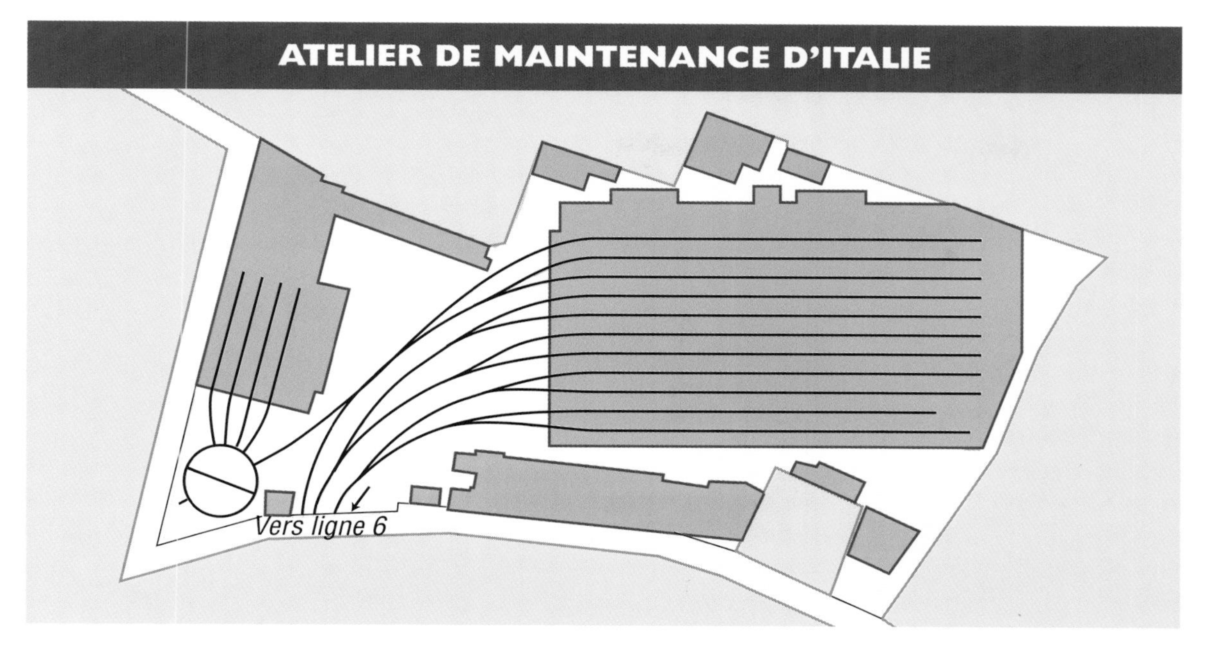

viaduc, la tranchée abritant les voies SNCF de la gare d'Austerlitz, dessert la station Chevaleret, puis monte en rampe de 33,2 ‰ jusqu'à Nationale.

C'est pour franchir la « butte » de la place d'Italie que la ligne se retrouve en souterrain. Elle atteint la station Place d'Italie (corr. L. 5 et 7), passe au-dessus du raccordement 5/7 et au-dessus de la ligne 7, puis est successivement raccordée à la ligne 7 et à la ligne 5, ainsi qu'à l'atelier de maintenance des trains (AMT) d'Italie. Ouvert en 1906 dans le XIIIe arrondissement de Paris près de la place d'Italie, l'atelier couvre aujourd'hui une surface de 11 500 m² ; il a été modernisé en 1973 pour accueillir le MP 73 qui équipe la ligne. Jusqu'à l'ouverture de l'atelier de Bobigny en 1988, l'entretien des trains de la ligne 5 se faisait également dans cet établissement.

L'atelier de maintenance d'Italie.

La configuration croisée du raccordement entre les lignes 6 et 5 au terminus de cette dernière à Place d'Italie.

Les « dessus » du métro

DENFERT-ROCHEREAU

La route d'Orléans pénétrait dans Paris en franchissant le mur des Fermiers généraux à la barrière d'Enfer. La place se forme en 1760 dans Paris et en 1789 hors Paris et reçoit entre 1784 et 1787 deux bâtiments d'octroi construits par l'architecte Ledoux.
Le lion qui trône au centre de la place actuelle est une réplique, en dimension réduite, de celui de Belfort sculpté par Bartholdi, en hommage aux défenseurs de la ville qui résistèrent aux attaques prussiennes sous le commandement du colonel Denfert-Rochereau.
C'est au sud-est de cette place qu'est situé le terminus de la ligne de Sceaux, l'embarcadère comme on disait à l'époque, inauguré en juin 1846. Lors du prolongement de la ligne jusqu'à la gare du Luxembourg en avril 1895, une nouvelle gare souterraine est construite sous la place Denfert-Rochereau. L'ancien bâtiment qui épousait une partie de la raquette de retournement des trains fut conservé avec quelques réaménagements, tandis que l'ancienne plate-forme subsiste pour garer des trains ou servir éventuellement de terminus intermédiaire.

Après une légère montée, la ligne 6 retrouve la surface pour un second tronçon en aérien à la station Corvisart, établie à fleur de sol, au centre du boulevard Blanqui.

Restant quasiment en palier tandis que le sol marque ici une petite dépression (passage de la Bièvre, petit affluent de la Seine), la ligne dessert la station Glacière avant de poursuivre sa progression vers l'ouest pour retrouver le souterrain après la station Saint-Jacques. C'est toujours en palier qu'elle atteint Denfert-Rochereau (corr. L. B du RER et 4 du métro), après être passée sous la ligne B du RER, la station elle-même étant établie sous la ligne 4.

La ligne 6 est maintenant sous le boulevard Raspail, en compagnie de la ligne 4 jusqu'à Raspail (corr. L. 4). Elle la quitte dès l'extrémité de la station pour se placer sous le boulevard Edgar-Quinet et dépasser une voie d'évitement et le raccordement 6/4. Après la station Edgar Quinet, la 6 passe au-dessus de la ligne 13 et atteint Montparnasse – Bienvenüe (corr. SNCF et L. 4, 12 et 13), établie sous le boulevard de Vaugirard. C'est après une longue interstation de près de 630 m, que la ligne dessert Pasteur (corr. L. 12), station située sous le boulevard du même nom.

Pour la quatrième fois, la ligne 6 remonte à la surface pour se placer, sur environ 2 670 m, sur son viaduc métallique. Elle dessert successivement les stations aériennes Sèvres – Lecourbe et Cambronne placées au centre du boulevard Garibaldi. Après avoir dépassé la place Cambronne, enjambée grâce à une portée de 44,73 m, la ligne 6, désormais au-dessus du boulevard de Grenelle, atteint la station La Motte-Picquet – Grenelle (corr. L. 8 et 10). Ce sont ensuite les stations Dupleix et Bir-Hakeim (corr. L. C du RER) qui sont desservies.

La ligne 6 à Sèvres – Lecourbe dont le carrefour est franchi par deux portées de 38,60 m (côté extérieur).

TRANSPARENCES à Montparnasse - Bienvenüe

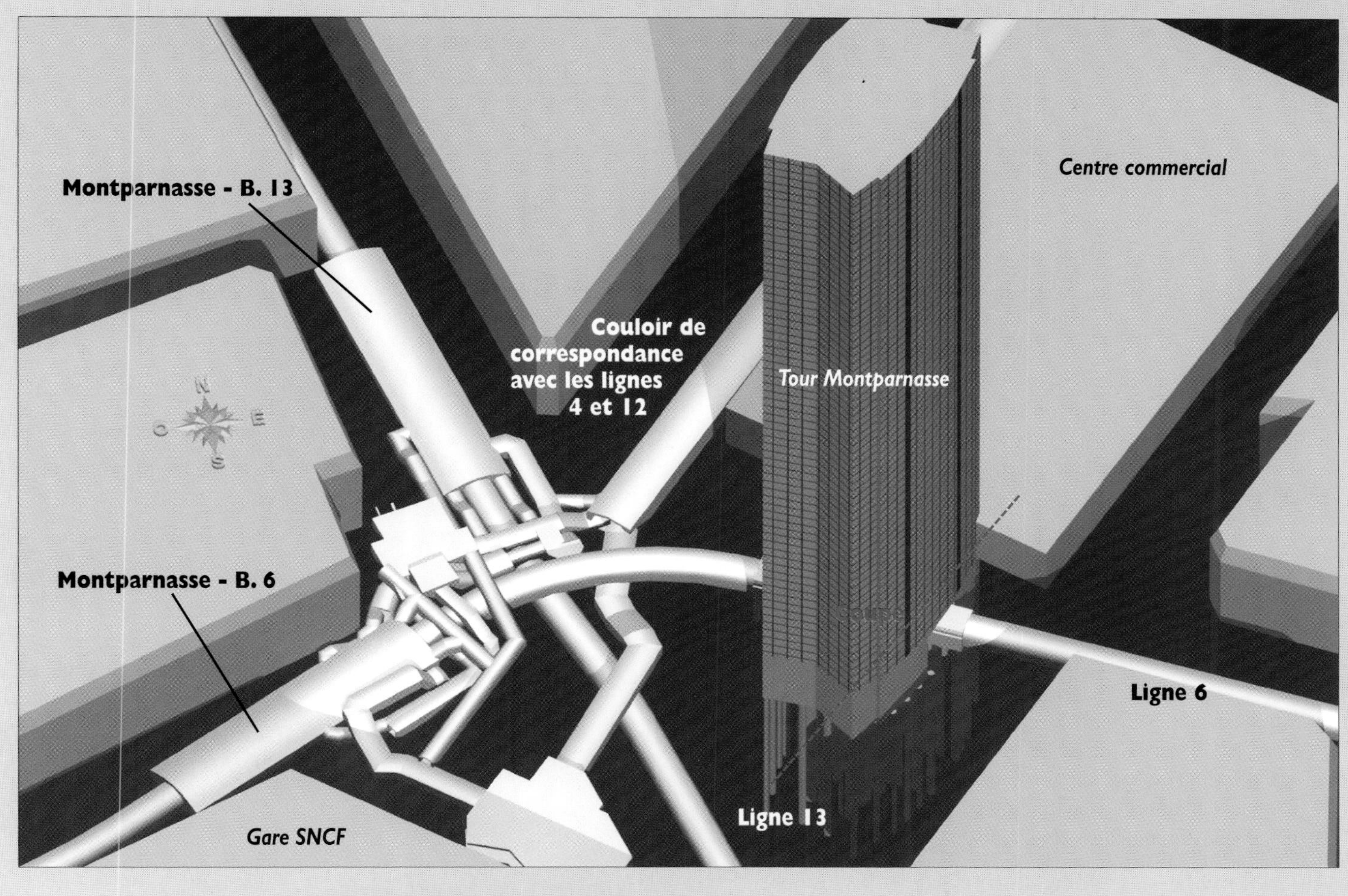

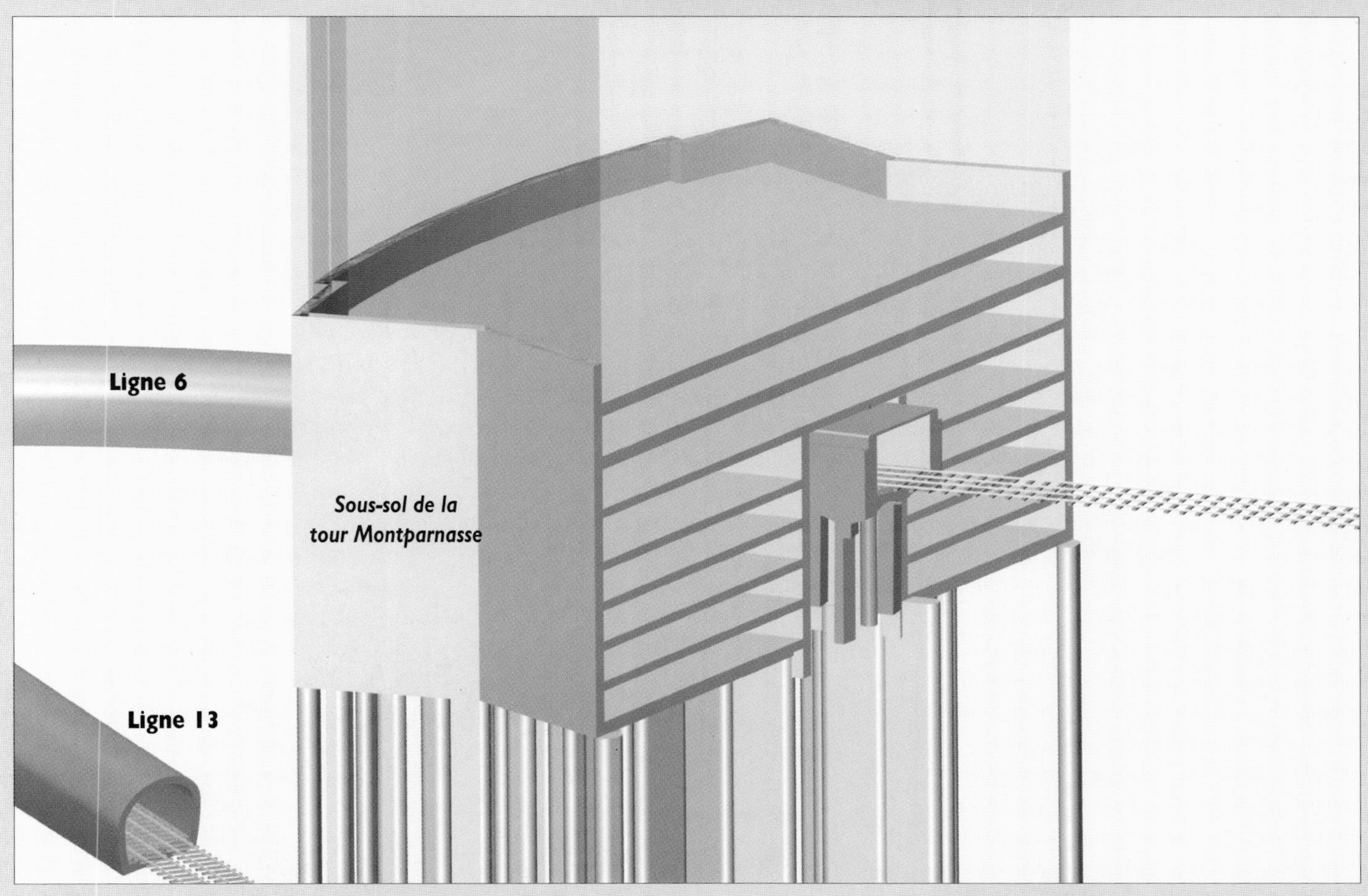

Le nouveau guichet de la station Dupleix.

Les « dessus » du métro

LA TOUR EIFFEL

Viaducs de Garabit dans le Cantal, gare de Pest (Budapest) la capitale hongroise, charpente métallique de la statue de la Liberté à New York, Gustave Eiffel voit grand. Avec la tour qu'il entreprend de construire à Paris pour l'Exposition de 1889, il voit haut.

C'est en un peu plus de 2 ans, de janvier 1887 à mars 1889, que 200 ingénieurs et ouvriers sous la direction de Gustave Eiffel construisent la tour Eiffel. Située rive gauche, au nord-ouest du Champ-de-Mars et en bordure de Seine, elle se présente comme un harmonieux entrelacs de poutrelles métalliques rivetées qui forme une pyramide reposant sur quatre piliers situés aux quatre points cardinaux. Elle comprend trois niveaux placés à 57,6 m, 115,7 m et 276 m. L'installation d'antennes de radio puis de télévision porta sa hauteur à 318 m.

Il faut 5 mois pour réaliser les fondations ; ensuite la progression du chantier se fait à raison de 10 m par mois, puis, à partir du deuxième étage, de 30 m. L'inauguration a lieu le 31 mars 1889 par le président du Conseil qui monte à pied jusqu'au premier étage, tandis que son ministre du Commerce se rend, toujours à pied, jusqu'au sommet où il annonce à Gustave Eiffel sa nomination dans l'ordre de la Légion d'Honneur.

Monument très contesté à son époque, ne l'appelle-t-on pas le « chandelier creux », la Tour Eiffel doit être démolie en 1910, la concession ayant été fixée à 20 ans. Mais Eiffel en fait le siège de laboratoires scientifiques, notamment météo, et elle devient un important support d'antenne pour les transmissions, rôle qui s'accroît pendant la Première Guerre mondiale. La tour est sauvée et, depuis, elle a reçu plus de 120 millions de visiteurs qui, d'en haut, ont découvert Paris, la capitale qu'elle symbolise aux yeux du monde entier.

Après être passée au-dessus du quai et de la tranchée de la ligne C du RER par un ouvrage métallique de 57 m de long, la ligne 6 quitte la rive gauche et le XVe arrondissement de Paris et franchit une nouvelle fois la Seine, grâce au viaduc métallique de Passy, long de 230 m, supporté par le pont de Bir-Hakeim, pour se retrouver sur la rive droite beaucoup plus élevée. De ce fait, la ligne emprunte le souterrain à Passy, station en partie en aérien (viaduc et tranchée) et en partie en souterrain sous la rue de l'Alboni dans le XVIe arrondissement.

La ligne 6 a ici sa plus longue interstation (739,4 m) et la plus tortueuse de son parcours. Après être passée sous la rue Franklin, elle laisse le raccordement 6/9 et atteint la place sous laquelle se trouve la station Trocadéro (corr. L. 9).

Elle s'approche de son terminus occidental, via l'avenue Kléber, dessert la station Boissière, puis aborde, 470 m plus loin, la station Kléber. Cette dernière, véritable terminus de la ligne 6, dispose de quatre voies à quai et une voie de garage en impasse côté Boissière.

Les installations terminales se prolongent par la « boucle » au sommet de laquelle se trouve, après le raccordement 6/1, la station Charles de Gaulle – Étoile (corr. L. A du RER et 1 et 2 du métro) à une voie bordée de deux quais (à gauche pour la descente des voyageurs et à droite pour la montée). Cette station est établie sous la place du même nom. Deux voies en impasse complètent les installations du terminus Kléber – Étoile.

TERMINUS DE KLÉBER – ÉTOILE

CHARLES DE GAULLE ÉTOILE
Ligne 1
Voie R
Voie E
Voie 2E
Voie 4E
Voie C
Voie B
Voie 1E
Voie 4
Voie 3
KLÉBER
Voie 2
Voie 1
Voie D
BOISSIÈRE
(Nation)

Les « dessus » du métro

LE TROCADÉRO

C'est sur la hauteur de Chaillot que Marie de Médicis fait construire en 1583 une maison de campagne dont les jardins établis en terrasse descendent jusqu'à la Seine. Plus tard vendue et agrandie, elle devient le couvent de la Visitation que jouxte un monastère d'hommes, celui dit des Bons-Hommes. En 1787, lors de l'achèvement du mur des Fermiers généraux, le village de Chaillot est rattaché à Paris.

Au début du XIXe siècle, Napoléon envisage d'y construire un palais pour le Roi de Rome, sorte de cité impériale à l'image du Kremlin moscovite. Bien que le projet ne se soit pas réalisé, l'arasement de la colline est entrepris et les pentes aménagées.

Le nom actuel de Trocadéro date de l'époque où le roi Charles X veut célébrer par un obélisque la prise d'un petit fort de Cadix en Espagne, le Trocadéro. Une fois encore le projet ne se concrétise pas ; néanmoins, un fortin en carton sera « pris » par de vaillants soldats lors d'une fête populaire en 1827.

L'Exposition de 1878 va donner une fois de plus à la Ville de Paris l'occasion de réaliser de grands travaux d'aménagement. La colline est en grande partie nivelée et un palais hispano-mauresque y est construit. Déplaisant à beaucoup de monde, on décide de le remplacer pour l'ouverture de l'Exposition universelle de 1937. Ainsi naît le palais de Chaillot actuel, vaste monument sobre et triste, dont les deux ailes courbes de 195 m de long chacune englobent celles de l'ancien Trocadéro. Séparées par une terrasse de 60 m sous laquelle on trouve un grand théâtre, ces deux ailes, qui abritent plusieurs musées, s'ouvrent sur les jardins du Trocadéro et ses bassins, offrant une vue grandiose sur la Seine, la tour Eiffel, le Champ-de-Mars et l'École militaire.

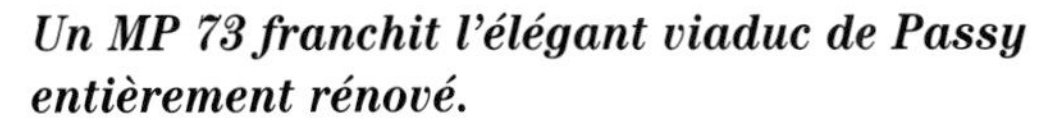

Un MP 73 franchit l'élégant viaduc de Passy entièrement rénové.

LIGNES 7 ET 7 bis

La Courneuve – Villejuif/Ivry
Louis Blanc – Pré-Saint-Gervais

La plus longue ligne du réseau de métro dessert le centre de Paris et pénètre en banlieue à chacune de ses extrémités. Dotée d'une branche au nord pendant de longues années, elle l'a perdue avec le débranchement du tronçon Louis Blanc – Pré-Saint-Gervais. Quelques années plus tard, elle en gagné une nouvelle, au sud, lors de son prolongement à Villejuif.

L'HISTOIRE

Arrêt à la station Porte d'Italie d'une rame Sprague à destination de Porte de la Villette.

À l'instar d'autres lignes du métro parisien, la ligne 7 a connu à ses débuts des projets de tracés maintes fois remaniés. La concession d'origine de 1898 retenait une ligne de la place du Danube au Palais-Royal. Cependant le manque de place en ce dernier lieu fit, sur le papier, déplacer le terminus sous la place du Carrousel. Cependant, aucun accord ne put être trouvé avec l'État et les administrations des Beaux-Arts et des Finances pour pouvoir passer sous le palais du Louvre. En 1905, le conseil municipal décida donc de reporter le terminus à l'Hôtel de Ville. Dans la foulée, le terminus nord de la ligne à Place du Danube était lui reporté à Place des Fêtes, puis à la Porte du Pré-Saint-Gervais. Enfin, il fut décidé de réaliser une ligne 7 bis, embranchement de la ligne 7 de Louis Blanc à Porte de la Villette. En 1907, il fut décidé de prolonger encore la ligne jusqu'à Bastille.

Les travaux

Les travaux de construction de la ligne 7 (Porte de la Villette) et 7 bis (Pré-Saint-Gervais) rencontrèrent des difficultés variables. Si la première branche citée ne présenta pas de problèmes majeurs de réalisation, il n'en fut pas de même pour la seconde. Ceci est tellement vrai que, bien que concédé après celui du Pré-Saint-Gervais, le tronçon vers Porte de la Villette fut terminé et ouvert le premier.

Avant de présenter les travaux de la branche désormais désignée 7 bis vers Pré-Saint-Gervais, examinons les points singuliers du « tronc commun ». Le premier est celui du croisement des lignes 3, 7 et 8 à la place de l'Opéra.

On sait qu'un ouvrage spécial de superposition fut construit dès la réalisation de la ligne 3. Il en fut de même aux abords de la gare de l'Est lors de la réalisation des lignes 4 et 5, où des ouvrages communs furent construits simultanément.

Le saut-de-mouton souterrain du croisement des deux branches au carrefour Faubourg-Saint-Martin/La Fayette est un ouvrage spécial comportant quatre tunnels, soit trois à voie unique et un à voie double. Située au sud de cet ensemble, la station Louis Blanc, d'un type particulier, est divisée en deux demi-stations à deux voies encadrant un quai central plus un quai latéral permettant ainsi de disposer dans tous les cas d'un quai situé à droite par rapport au sens de circulation.

Les travaux de la ligne en direction de Pré-Saint-Gervais furent, eux, très difficiles en raison de la nature même du sous-sol. C'est en effet dans ce secteur que se situaient d'anciennes carrières de gypse qui furent exploitées jusqu'au milieu du XIXe siècle. Parfois, plusieurs étages de carrières, étapes dans l'extraction du gypse, existaient comme par exemple sous la place du Danube. En fin d'exploitation, les carrières étaient sommairement remblayées, tandis que certains piliers de soutènement étaient détruits pour provoquer l'effondrement pur et simple des terrains supérieurs.

Maquette de la station Danube, station qui fut établie en partie sur un viaduc souterrain dans une zone de carrières de gypse.

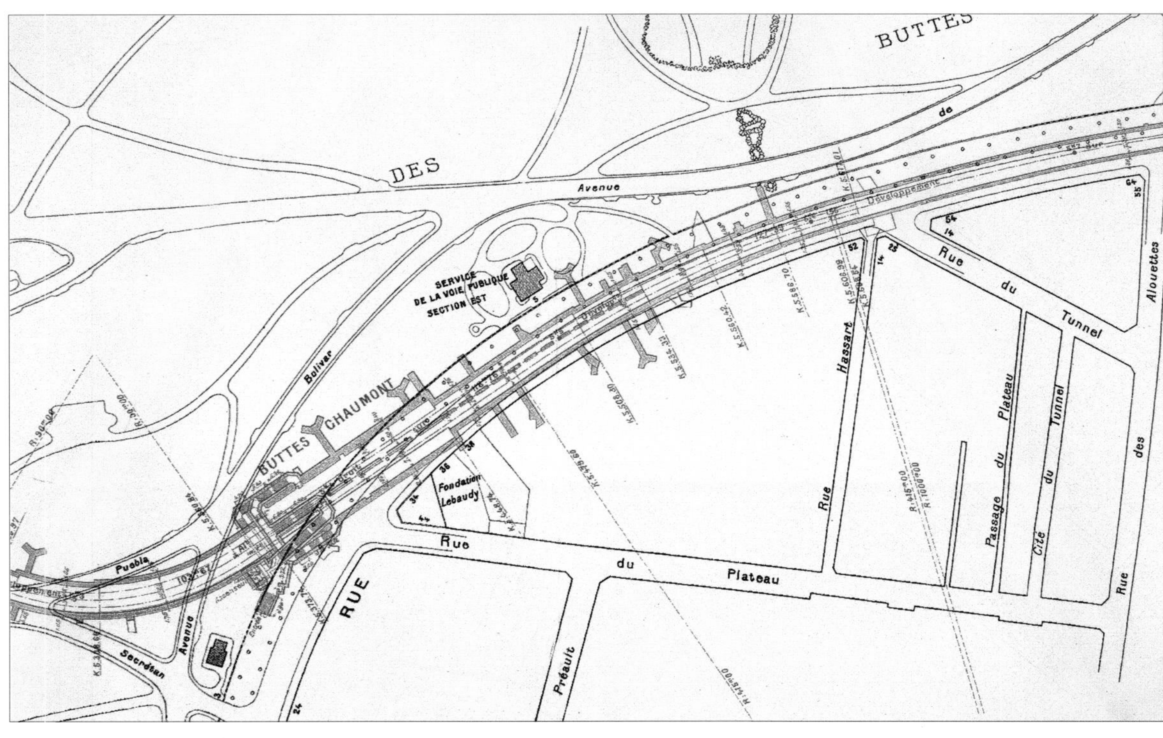

Plan de la station Buttes Chaumont dont les piédroits sont renforcés et solidement ancrés dans le sous-sol.

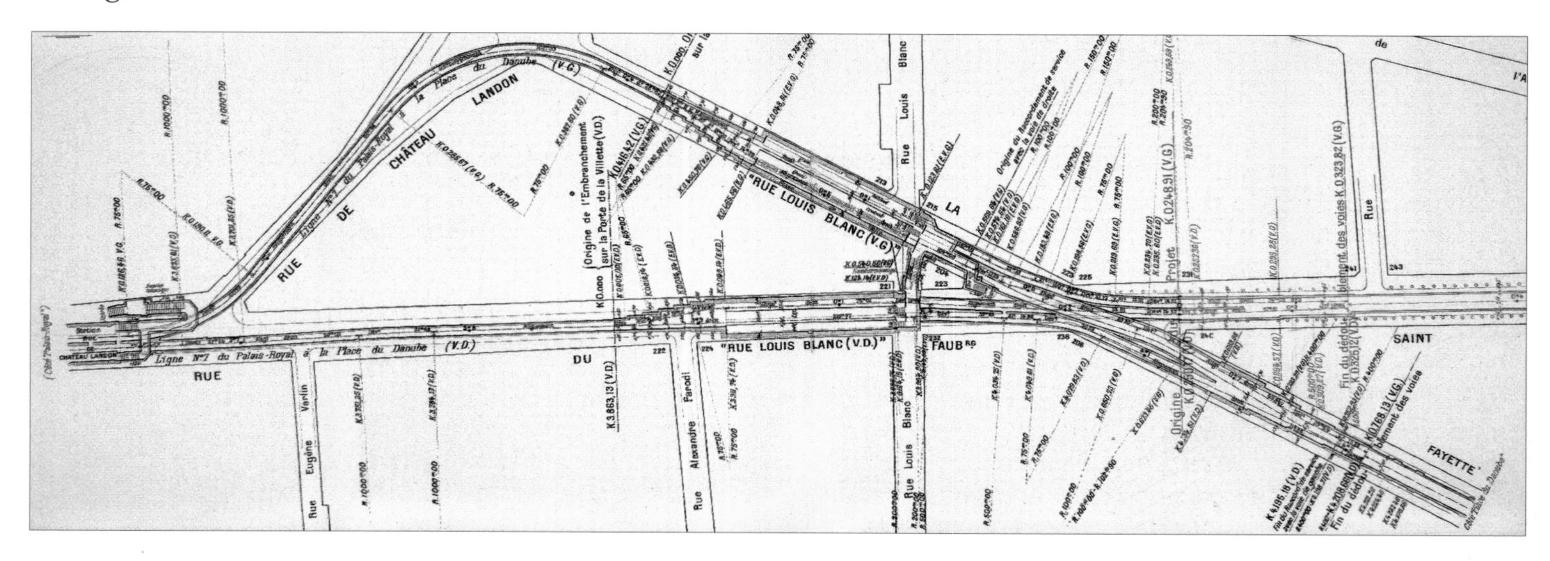

Plan de l'insertion dans la voirie du complexe de Louis Blanc, où se situe le débranchement de la ligne 7 bis.

La station Buttes Chaumont fut construite à l'emplacement d'une vaste grotte formée par l'extraction du gypse avec deux demi-stations à voie unique, séparées par un piédroit commun, et dont le radier repose sur des puits maçonnés. Le souterrain courant fut lui aussi séparé en deux parties sur plusieurs dizaines de mètres, avec des fondations sur puits et parfois un radier armé de fers ronds. Enfin, dans l'ensemble de cette zone difficile, afin de prévenir tout mouvement latéral sous la poussée des terrains, des ancrages horizontaux furent réalisés en butée des anciens piliers de gypse ou en Y contre la plus grande masse de remblai possible.

La station Danube fut elle aussi l'objet de traitements très particuliers en raison du sous-sol occupé par les carrières d'Amérique. Elle fut également établie en deux demi-stations à voûte en plein cintre séparée par un piédroit renforcé, avec un radier nervuré et armé de fers ronds.

L'originalité de cette station résidait dans le fait qu'elle était assise sur un véritable viaduc souterrain reposant sur de nombreux piliers dont certains atteignaient 35 m de haut. Une partie du tunnel adjacent fut également réalisée grâce à cette même technique qui assurait, et qui assure encore aujourd'hui, une grande stabilité à l'ensemble, indépendante d'éventuelles réactions des terrains environnants.

Mises en service et prolongements

En raison des difficultés mentionnées plus haut, la ligne 7 fut mise en service le 5 novembre 1910 d'abord entre Opéra et Porte

Arrêt de deux trains de la ligne 7 dans la station Gare de l'Est, avec la ligne 5 à droite de la photo.

Affluence à la station de correspondance Place d'Italie, dans les années 1940.

de la Villette. La branche Louis Blanc – Pré-Saint-Gervais fut ouverte au public quelques mois plus tard, le 18 janvier 1911, les trains étant envoyés alternativement sur chacune des branches. Il faut noter ici une particularité de l'époque : la station « Boulevard de la Villette » ne permettait la correspondance avec la station aérienne de la ligne 2, d'ailleurs baptisée « Rue d'Aubervilliers », que grâce à un trajet extérieur avec contremarque. Cette anomalie ne sera supprimée qu'à la mise en service du prolongement de la ligne 5 à Église de Pantin, les correspondances entre les trois stations, désormais baptisées tout simplement « Aubervilliers Bd de la Villette » (auj. Stalingrad), étant enfin établies.

Malgré la guerre mondiale qui désorganisa les chantiers à cause d'une double pénurie, d'hommes et de matériaux, la ligne 7 fut prolongée d'Opéra à Palais Royal le 1er juillet 1916, en pleine bataille de Verdun et sur fond d'offensive alliée sur la Somme.

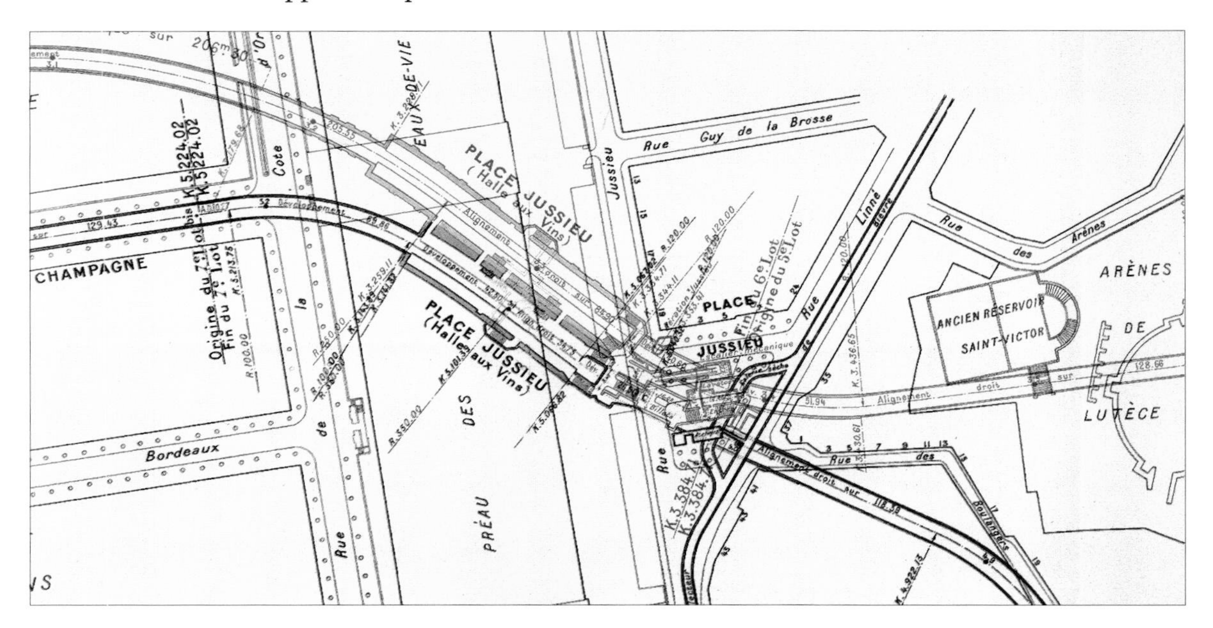

Plan de la juxtaposition des stations de longueurs inégales des lignes 7 (en rouge) et 10 à Jussieu.

Deux vues des travaux de la traversée sous-fluviale de la ligne 7 entre Sully – Morland et Jussieu, avec bétonnage du tunnel circulaire à voussoirs métalliques.

Le prolongement à Hôtel de Ville fut déclaré d'utilité publique en mars 1910. Les travaux se déroulèrent dans un environnement souterrain difficile, en tréfonds d'une annexe des Magasins du Louvre, du temple de l'Oratoire, d'un immeuble et sous les jardins de la Colonnade du Louvre. Plus loin, le tracé longeait la Seine pour atteindre la station terminus provisoire de Pont Marie. Deux nouvelles stations intermédiaires furent construites : Pont Neuf et Pont Notre-Dame (auj. Châtelet), adossées au quai bordant la rive droite de la Seine. Ici encore, les travaux de réalisation ne furent pas faciles en raison à la fois de la proximité du fleuve et d'une nappe aquifère importante, mais aussi de l'existence de vestiges du vieux Paris comme des murs de protection, des fondations de l'ancienne prison du Châtelet, des fondations d'anciens

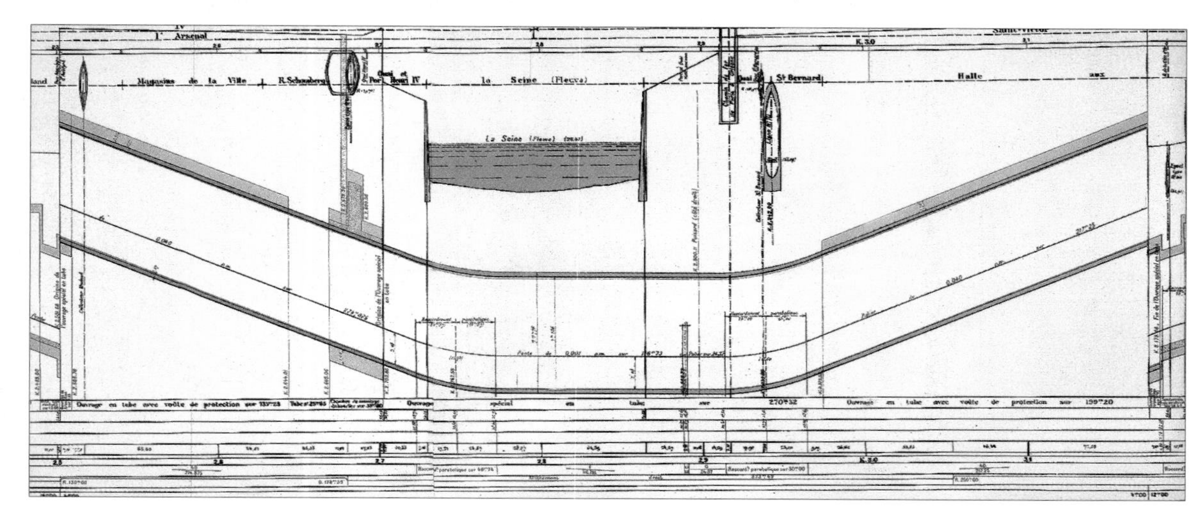

Profil en long du tunnel foré de la traversée sous-fluviale de la ligne 7, entre Sully – Morland et Jussieu.

Arrivée d'une rame Sprague-Thomson à la station Porte d'Italie.

immeubles ou encore la présence de l'ancien canal des Cagnards dont une partie de la voûte fut réutilisée pour le métro. En outre, le tracé devait laisser réservée la place pour une éventuelle jonction ferroviaire entre les gares de Lyon et du Nord. Ce prolongement de 1 915 m fut mis en service le 16 avril 1926.

Entre-temps, les discussions allèrent bon train pour établir la suite du tracé de la ligne 7, plusieurs solutions, elles-mêmes évolutives, étant évoquées. Initialement, la ligne 7 devait aller à Bastille, tandis qu'une ligne reliant les portes d'Italie et de Choisy au boulevard Saint-Germain jusqu'à Odéon, en correspondance avec la ligne de « Ceinture intérieure », avait été déclarée d'utilité publique en mars 1910 et concédée à titre ferme. Toutefois, dès 1919, un conseiller municipal proposa la modification de ces dispositions. Arguant du fait que les voyageurs des Ve et XIIIe arrondissements de Paris seraient plus intéressés à aller vers le centre de Paris, il soumit le projet de souder ces deux lignes pour n'en faire qu'une et ainsi relier une nouvelle fois la rive droite à la rive gauche.

La « Ceinture intérieure » devant passer elle aussi sous la Seine, un tronc commun aux deux lignes fut envisagé. Mais le ministre des Travaux publics fit savoir que, bien que favorable à ces modifications, il était opposé au franchissement de la Seine par un tronc commun à deux lignes ; un double franchissement fut donc étudié et décidé. Le 23 mai 1923, le raccordement constituant la ligne 7 fut déclaré d'utilité publique.

Les travaux se poursuivirent activement et un premier prolongement de la ligne 7 d'une interstation entre Pont Marie et Sully – Morland eut lieu le 3 juin 1930. Quelques mois auparavant, le 15 février 1930, la partie sud de la ligne, dont les travaux avaient été rondement menés, fut mise en service entre Place d'Italie et Monge, en attendant l'achèvement du passage sous la Seine. Là, le raccordement avec la ligne 10, permit provisoirement une exploitation continue entre Invalides et Place d'Italie, puis trois semaines plus tard, le 7 mars 1930, les trains arrivèrent à Porte de Choisy. La traversée sous-fluviale étant achevée, le 26 avril 1931 la ligne 7 prenait sa configuration actuelle, les trains allant de Pré-Saint-Gervais ou La Villette à Porte d'Ivry. Quinze ans plus tard, au lendemain de la fin du second conflit mondial, le 1er mai 1946, la ligne 7 était prolongée jusqu'à Mairie d'Ivry.

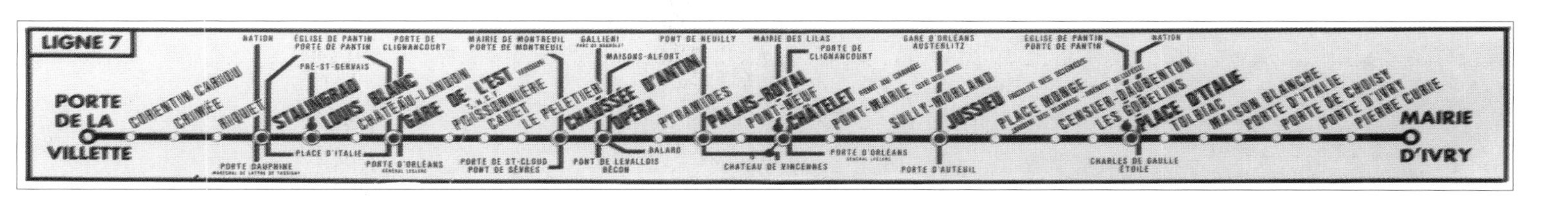

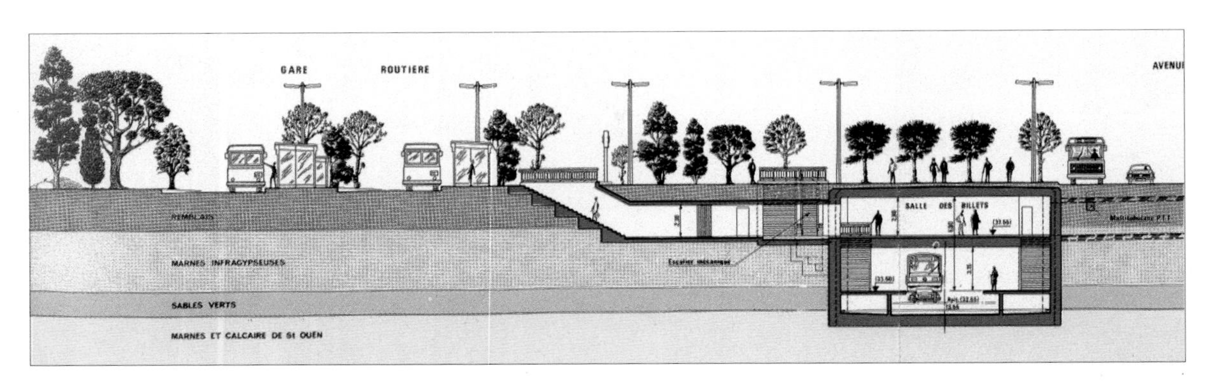

Dessin d'une station-cadre et du tunnel du prolongement de la ligne 7 au nord (section Fort d'Aubervilliers - Quatre Chemins).

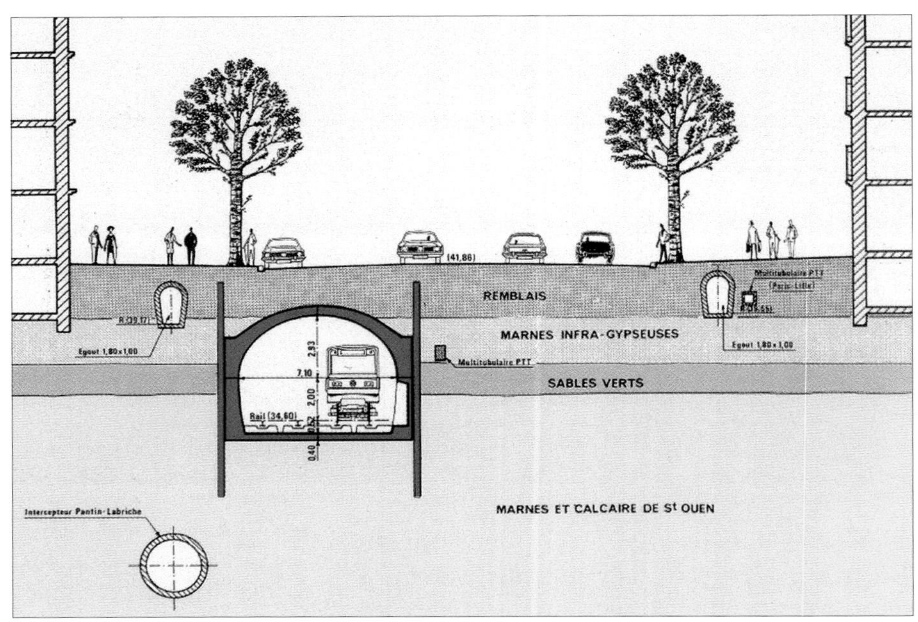

Pendant de nombreuses années, la ligne 7 resta dans cette configuration. Mais en raison du déséquilibre du trafic entre les deux branches (la station Porte de la Villette étant un important terminus de lignes d'autobus), il fut décidé d'exploiter de façon indépendante celle du Pré-Saint-Gervais, ce qui fut fait le 3 décembre 1967 sous le n° 7 bis.

Décidé en 1975, un prolongement de la ligne 7 en banlieue nord fut entrepris jusqu'à Fort d'Aubervilliers. Exécutés en grande partie à ciel ouvert, les travaux de réalisation de ce nouveau tronçon de 2 346 m durèrent un peu plus de 3 ans. Le prolongement comprenant deux nouvelles stations fut mis en service le 4 octobre 1979. La ligne fut encore prolongée d'une interstation jusqu'à La Courneuve, le 6 mai 1987. Quelques années aupara-

Réalisation en tranchée du prolongement de la ligne 7 au nord, le long de la RN 2 ; au premier plan, la station Fort d'Aubervilliers.

Les travaux de la branche « Villejuif » au sud de la station Maison Blanche avec, à gauche, le débranchement de la voie 2 en provenance du Kremlin-Bicêtre.

Un nouveau MF 77 de la ligne 7 passant à la machine à laver à Porte d'Ivry.

vant, la ligne 7 retrouvait une fourche, mais au sud cette fois, avec la mise en service, en deux étapes, d'une branche partant de Maison Blanche vers Villejuif :

- jusqu'au Kremlin-Bicêtre le 10 décembre 1982 avec création d'une nouvelle interstation Maison Blanche – Le Kremlin-Bicêtre (ce que ne manqua pas de relever avec humour le maire de cette dernière commune!) ;
- jusqu'à Villejuif – Louis Aragon avec trois nouvelles stations, le 28 février 1985.

La ligne 7 fut l'une des premières à être équipée d'un PCC en 1969 (et en 1975 pour la 7 bis), tandis que le pilotage automatique fit son apparition en 1977 (sauf 7 bis).

C'est aussi sur elle que fut expérimentée la méthode des départs programmés à partir de 1969, permettant une réduction toujours utile des intervalles.

Quant au matériel roulant, la ligne 7 fut la deuxième ligne du réseau, après la 3, à utiliser les nouveaux trains MF 67 à partir de 1971. En 1979, elle reçut les premiers trains fer de la nouvelle génération, le MF 77.

LE PARCOURS

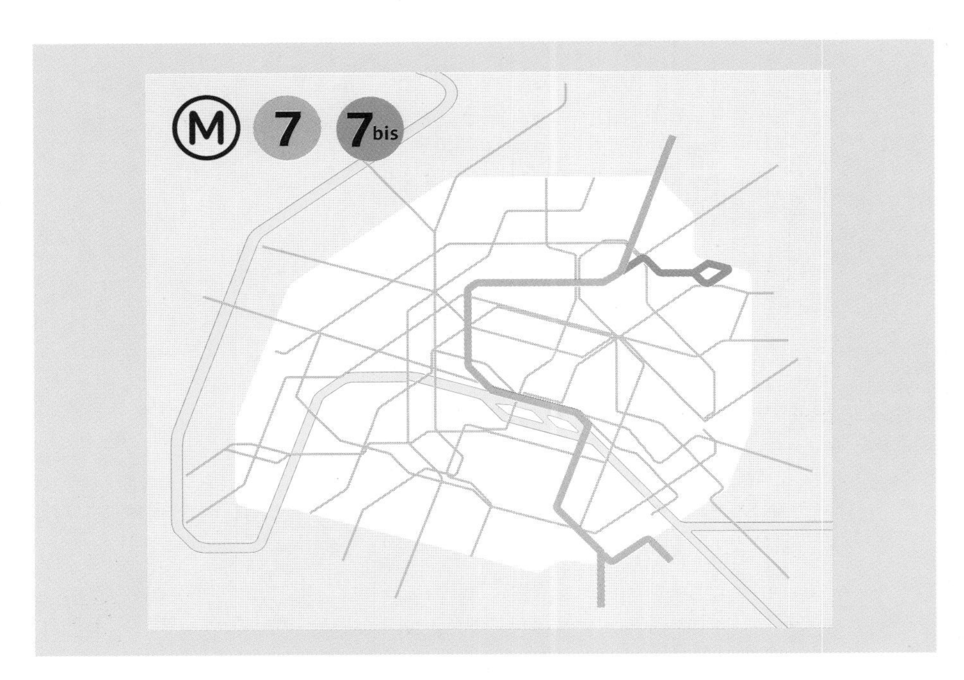

C'est sous l'avenue Paul-Vaillant-Couturier (RN 2), au carrefour des 4 Routes à La Courneuve en Seine-Saint-Denis, que se situe le terminus nord de la ligne 7 La Courneuve – 8 mai 1945. La station est en correspondance avec la ligne de tramway reliant Saint-Denis à Bobigny (T1). Les installations qui s'étendent sur environ 650 m (voir schéma) comprennent trois voies desservant deux quais, la voie centrale pouvant servir à la fois aux arrivées et aux départs. Ces voies sont prolongées par trois voies de garage, dont une sert, sur sa portion la plus proche de la gare, de tiroir de manœuvre.

D'abord placée sous l'avenue Paul-Vaillant-Couturier, puis sous l'avenue Jean-Jaurès, la ligne dessert les stations Fort d'Aubervilliers et Aubervilliers – Pantin – Quatre Chemins. Quelque 400 m plus loin, les deux voies de la ligne 7 pénètrent dans le XIXe arrondissement de Paris, puis se séparent pour aborder les installations de Porte de la Villette.

TERMINUS DE LA COURNEUVE ET INSTALLATIONS DE PORTE DE LA VILLETTE

Voie C
Voie B
Voie A
Voie T
TROTTOIR
Voie Z
LA COURNEUVE - 8 MAI 1945
Voie 1
Voie 2
Ateliers de la Villette
Voie R
Voie boucle
Voie 1
Voie 4 bis
Voie B
Voie A
Voie 3
Voie 4
PORTE DE LA VILLETTE
Voie 1
Voie 2
(Mairie d'Ivry/Villejuif - Louis Aragon)

Les « dessus » du métro

LA VILLETTE

Dans le « coin » nord-est de Paris, triangle délimité par le boulevard MacDonald, le canal de l'Ourcq et le canal Saint-Denis, là où se trouvaient les anciens abattoirs de la Villette, la Cité des Sciences et de l'Industrie offre depuis mars 1986 un équipement scientifique de grande ampleur. Le bâtiment d'architecture futuriste se positionne face à trois éléments : l'eau par les douves qui le ceinturent, la végétation par trois serres géantes et la lumière captée par deux coupoles rotatives de 17 m de diamètre. Les quelque 5 millions de visiteurs annuels peuvent découvrir là un lieu multiforme et interactif avec expositions permanentes et temporaires, planétarium, médiathèque, cinéma, etc. Face au bâtiment, la grande sphère métallique de la Géode, avec ses 36 m de diamètre et ses 6 433 triangles d'acier qui réfléchissent le ciel d'Île-de-France, accueille une salle de cinéma hémisphérique parmi les plus grandes en Europe.

Lieu de découverte très prisé par les enfants, les étudiants et les plus grands, la Cité des Sciences et de l'Industrie est l'un des rares lieux de la capitale où l'on peut tout à la fois apprendre, découvrir et s'amuser.

La voie 1 venant de La Courneuve descend en pente de 40 ‰ pour passer sous les trois voies de la boucle de l'ancien terminus qui servent au garage des rames et sous celle du raccordement aux ateliers de la Villette. Ce dernier situé à cheval sur Paris et Aubervilliers s'étend sur 75 000 m². Il abrite un petit atelier d'entretien de véhicules auxiliaires métro, mais est surtout le lieu d'implantation du parc technique pour la maintenance des infrastructures et équipements du métro où sont chargés et déchargés les trains de travaux intervenant de nuit sur le réseau (voir chapitre IV) . La voie 1 remonte ensuite pour se placer au même niveau que la voie 2 afin de desservir la station Porte de la Villette dont les quatre voies desservant deux quais sont disposées sous l'avenue Corentin-Cariou.

À nouveau, la ligne 7 descend en pente de 40 ‰ pour passer sous le canal Saint-Denis, puis remonte en rampe de même valeur avant d'atteindre la station Corentin Cariou, placée sous la rue de Flandre. Elle dessert ensuite les stations Crimée et Riquet puis atteint Stalingrad (corr. L.2 et 5).

Désormais sous la rue du Faubourg-Saint-Martin, elle passe au-dessus de la ligne 5 et sous un important égout, ce qui l'oblige à descendre puis à remonter pour atteindre la station Louis Blanc. La configuration du site est ici particulière, la ligne 7 se scindant à l'origine en deux branches : l'une vers Porte de la Villette, l'autre vers Pré-Saint-Gervais. Bien que la branche Louis Blanc – Pré-Saint-Gervais soit maintenant exploitée de façon indépendante sous le n° 7 bis, les installations de Louis Blanc sont restées en l'état mais utilisées différemment (voir plus loin 7 bis).

En ce qui concerne la ligne 7, ses deux voies se séparent au niveau du carrefour rue du Faubourg-Saint-Martin/rue La Fayette :

- la voie 1 passe sous la rue La Fayette où se trouve la demi-station Louis Blanc « supérieure » à un quai central encadré de deux voies dont celle d'arrivée de la 7 bis, puis emprunte la rue de Château-Landon avant de retrouver la rue du Faubourg-Saint-Martin ;
- la voie 2, qui reste sous la rue du Fau-

INSTALLATIONS DE LOUIS BLANC

(La Courneuve)
(Pré-Saint-Gervais)
Voie 1 Ligne 7
Voie 2 Ligne 7
Voie 1 Ligne 7 bis
Voie 2 Ligne 7 bis
Voie 2
LOUIS BLANC (supérieur)
QUAI MORT
Voie 1
LOUIS BLANC (inférieur)
QUAI MORT
Voie 2
Voie 1 Ligne 7
(Mairie d'Ivry/Villejuif Louis Aragon)

CHANGEMENT DE DÉCOR

Pont Neuf

Situé juste de l'autre côté de la Seine, l'Hôtel de la Monnaie est ici rappelé par des reproductions de grande taille de pièces collées à la voûte, d'outils de presse et de gravures symbolisant la frappe des monnaies.

bourg-Saint-Martin, passe sous les voies 1 et Z de la ligne 7 bis, dessert l'autre demi-station Louis Blanc « inférieure », également à quai central encadré de deux voies dont celle de départ de la 7 bis.

Au-delà, les deux voies de la ligne 7, ici en pente de 40 ‰, se retrouvent après avoir desservi la station Château-Landon dont les deux voies sont séparées par un piédroit central (corr. SNCF Gare de l'Est).

C'est après une courbe prononcée et une courte rampe de 40 ‰ que la ligne 7 prend une direction sensiblement est-ouest pour aborder le complexe de correspondance de Gare de l'Est (corr. SNCF et L. 4 et 5 du métro). La station est au même niveau et en partie

Le court raccordement des lignes 5 (à gauche) et 7 (à droite), à l'extrémité de la station Gare de l'Est.

Le quai commun aux lignes 5 et 7 à la station Gare de l'Est, aujourd'hui.

CARTE D'IDENTITÉ DE LA LIGNE 7	
Longueur totale	18,594 km (+ 3,882)
dont en aérien	0 km
Nombre de stations	34 (+4)
dont aériennes	0
dont correspondances	10
Longueur des stations	de 75 m à 110 m
Longueur moyenne des interstations	610 m
Nombre de trains en ligne à la pointe	65
Nombre de départs (jour ouvrable)	384
Intervalle minimal (jour ouvrable)	1 mn 40 (tronc commun)
Matériel roulant	MF 77
Nombre de voitures par train	5
Atelier de maintenance	Choisy
Atelier de révision	Saint-Ouen

accolée à celle de la ligne 5, toutes les deux disposées sous la place devant la gare. Un très court raccordement relie ici les deux lignes, tandis que la ligne 4 passe à cet endroit au-dessous de l'ouvrage commun.

La ligne poursuit sa progression par la rue de Chabrol, passant sous un important collecteur mais au-dessus de la ligne B du RER. Retrouvant la rue La Fayette, la 7, ici en alignement quasi-parfait de plus de 1 600 m, dessert successivement les stations Poissonnière, Cadet et, après une voie d'évitement en impasse, Le Peletier. Après Chaussée d'Antin – La Fayette (corr. L. 9), où un raccordement permet la liaison avec la ligne 3, la ligne 7 passe au-dessus de la 9 et suit la rue Halévy qui longe l'un des côtés de l'Opéra. C'est place de l'Opéra qu'elle croise, dans un même ouvrage souterrain, les lignes 3 (située au-dessus) et 8 (située au-dessous), tandis que la ligne A du RER est enfouie bien plus profondément. La station Opéra permet la correspondance avec ces deux lignes de métro et avec le RER à la gare d'Auber située sous la rue du même nom. La ligne 7, désormais sous l'avenue de l'Opéra, passe au-dessus du collecteur de Clichy ce qui la place à fleur de sol et entraîne sa couverture par un tablier métallique. Elle atteint Pyramides (corr. L. 14) au droit de la station de la ligne 14, puis Palais Royal (corr. L. 1).

Au-delà, on a vu que des contraintes d'insertion pour éviter le palais du Louvre avaient entraîné un tracé sinueux. Aussi, la ligne 7 serpente-t-elle pour passer successivement sous les rues Saint-Honoré, de l'Oratoire, de Rivoli – passant ici sous la ligne 1 – et le quai du Louvre où se trouve la station Pont Neuf. Continuant sous les quais le long de la rive

Croisement de deux MF 77 des lignes 7 (en haut) et 8 sous la place de l'Opéra.

LES STATIONS DE LA LIGNE 7

(ancien nom entre parenthèses et en italique)

VILLEJUIF - LOUIS ARAGON

1- Commune du Val-de-Marne.
2- Écrivain, cofondateur du surréalisme qui se consacra ensuite à l'illustration des thèses du communisme.

VILLEJUIF - LÉO LAGRANGE

Homme politique qui, étant sous-secrétaire d'État aux Sports et aux Loisirs, favorisa la démocratisation du sport.

LE KREMLIN-BICÊTRE

Commune limitrophe de Paris dans le département du Val-de-Marne .

MAIRIE D'IVRY

Commune du Val-de-Marne.

PIERRE CURIE

Physicien qui découvrit le radium, avec sa femme Marie.

PORTE D'IVRY

Au départ de la route menant à Ivry.

PORTE DE CHOISY

Au départ de la route menant à la commune de Choisy-le-Roi.

PORTE D'ITALIE

Au départ de la RN 7 menant vers l'Italie.

MAISON BLANCHE

Du nom d'un hameau possédant une maison isolée.

TOLBIAC

Ville de Rhénanie où les Francs vainquirent les Alamans en 496.

PLACE D'ITALIE

Voir ligne 5.

LES GOBELINS

Manufacture royale fondée au XVe siècle au bord de la Bièvre et devenue aujourd'hui Manufacture nationale de tapisseries.

CENSIER - DAUBENTON

1- Petit cul-de-sac donnant dans la rue Mouffetard, appelé Sans Chief (sans tête).
2- Naturaliste du XVIIIe siècle, collaborateur de Buffon.

PLACE MONGE

Nom du célèbre mathématicien des XVIII-XIXe siècles, créateur de la géométrie descriptive et l'un des fondateurs de l'École polytechnique.

JUSSIEU

Famille de naturalistes et de botanistes du XVIIIe siècle.

SULLY - MORLAND

1- Conseiller et ministre du roi Henri IV.
2- Colonel mort à Austerlitz.

PONT MARIE

Pont sur la Seine construit sous Louis XIII par l'entrepreneur général Christophe Marie.

CHÂTELET

(avant 1926 Pont Notre Dame, puis Pont Notre Dame - Pont au Change jusqu'en 1934)
Voir ligne 1.

PONT NEUF

Le premier pont de Paris à ne pas avoir des maisons sur ses flancs, achevé au début du XVIIe siècle.

PALAIS ROYAL - MUSÉE DU LOUVRE

(avant 1989 Palais Royal)
Voir ligne 1.

PYRAMIDES

Victoire que remporta Bonaparte en Égypte en 1798.

OPÉRA

Voir ligne 3.

CHAUSSÉE D'ANTIN

Rue qui remplace un ancien sentier conduisant à Clichy et aboutissant à l'Hôtel du duc d'Antin.

LE PELETIER

Dernier Prévôt des marchands avant la Révolution de 1789.

CADET

Famille de chimistes et d'agronomes des XVIIIe et XIXe siècles.

POISSONNIÈRE

Rue appartenant à l'itinéraire (voir ligne 4) qui permettait d'apporter aux Halles les produits de la marée venant du Pas-de-Calais.

GARE DE L'EST

Voir ligne 4.

CHÂTEAU-LANDON

Rue où se trouvait la propriété de la famille de Château-Landon.

LOUIS BLANC

Historien et homme politique du XIXe siècle gagné aux idées socialistes, membre du Gouvernement provisoire en 1848.

STALINGRAD

(avant 1942 Aubervilliers, puis Aubervilliers - Bd de la Villette jusqu'en 1946)
Voir ligne 2.

RIQUET

Ingénieur qui dirigea au XVIIe siècle le creusement du canal du Midi.

CRIMÉE

Péninsule de Russie sur la mer Noire.

CORENTIN CARIOU

(avant 1946 Pont de Flandre)
Conseiller municipal du XIXe arrondissement de Paris, pris en otage et fusillé par les Allemands en 1942.

PORTE DE LA VILLETTE

Ancien bourg, signifiant petite ville, rattaché à Paris.

AUBERVILLIERS - PANTIN - QUATRE CHEMINS

Au croisement de la route du Bourget et de celle reliant Aubervilliers et Pantin.

FORT D'AUBERVILLIERS

L'un des nombreux forts qui ceinturent la capitale depuis le XIXe siècle.

LA COURNEUVE - 8 MAI 1945

Date de la reddition des forces allemandes.

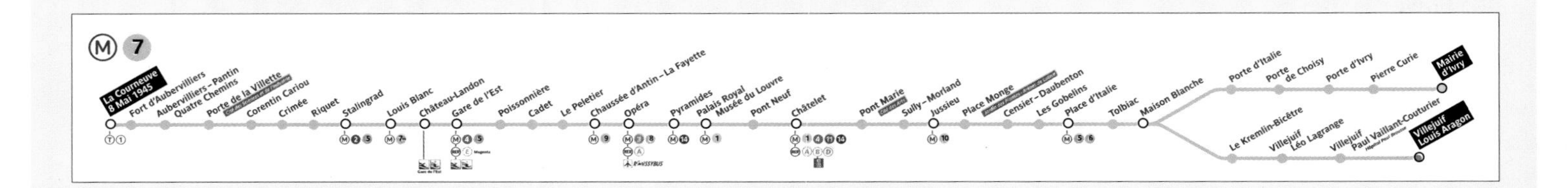

droite de la Seine, la ligne 7 dispose ici d'une voie d'évitement centrale pouvant également servir pour une manœuvre de changement de voie en cas de service provisoire. Plus loin vers l'est, la ligne 7 atteint la station Châtelet (corr. L. A, B, D du RER et 1, 4, 11 et 14 du métro). Elle croise ici la ligne 4 du métro et la ligne B du RER. Toujours sous les quais de la Seine, la 7 dessert ensuite les stations Pont Marie et Sully – Morland passant à plusieurs reprises au-dessus de la ligne 14 dont le tracé est très proche.

À l'issue de cette dernière station, la ligne 7 vire pour prendre une direction nord-est/sud-ouest et « plonge » en déclivité de 40 ‰ afin de passer sous la Seine et sous les lignes C du RER et 10 du métro. Elle remonte ensuite en rampe de 40 ‰ sous les emprises de la faculté des Sciences pour atteindre Jussieu, station de correspondance avec la ligne 10 dont les ouvrages jouxtent ceux de la 7. Après quelques dizaines de mètres en palier et en tréfonds d'immeubles sous lesquels passe le collecteur de Bièvre, la ligne 7 reprend son ascension en rampe de 40 ‰ sous le square des arènes de Lutèce pour atteindre le raccordement avec la ligne 10, les stations Monge et, après une nouvelle descente de 40 ‰, Censier – Daubenton sous la rue Monge.

Le profil en dents de scie se poursuit puisque la ligne 7 commence alors « l'ascension » de la butte d'Italie par l'avenue des Gobelins pour desservir la station Les Gobelins et atteindre Place d'Italie (corr. L. 5 et 6), passant successivement sous les ouvrages de la boucle de la ligne 5, le tunnel de la 6 et celui du raccordement 7/6. Elle reçoit un peu plus loin, sous l'avenue d'Italie, deux raccordements, l'un avec la 5, l'autre avec la 6. Ensuite elle continue sa montée vers Tolbiac et redescend jusqu'à Maison Blanche. C'est sensiblement au niveau de son passage sous les emprises de la Petite Ceinture SNCF, que se situe le débranchement de l'itinéraire « Villejuif » dont la voie 2 passe sous le tunnel de la branche « Ivry ».

La branche vers Mairie d'Ivry

Au-delà du débranchement, la ligne dessert Porte d'Italie, station atteinte après une courbe qui la place sous le boulevard Masséna, boulevard extérieur qu'elle suit jusqu'à Porte de Choisy. Après une seconde courbe faisant à nouveau changer la ligne de direction pour la placer selon un axe nord-ouest/sud-est, elle aborde la station Porte d'Ivry. Les installations s'étendent sous l'avenue du même nom à Paris et sous l'avenue

Les « dessus » du métro

L'OPÉRA

Depuis 1669, l'Opéra a connu pas moins de onze adresses différentes avant d'être installé dans un édifice digne de ce grand art. C'est un décret impérial de septembre 1860 qui déclare d'utilité publique la construction d'une salle destinée à l'opéra pour remplacer celle de la rue Le Peletier, salle au sortir de laquelle Napoléon III échappa de justesse à un attentat.

Le quartier très chic de la chaussée d'Antin est choisi par l'Empereur, en raison des nombreuses voies qui y convergent et par le nombre de surfaces non bâties. Un concours est lancé et, sur 171 projets présentés, cinq sont finalement retenus après plusieurs présélections. Le vainqueur est Charles Garnier et la première pierre est posée en juillet 1862. Les travaux sont rapidement contrariés par la nature du sous-sol à cet endroit qui vit passer jadis l'un des bras de la Seine. Ils durèrent donc plus longtemps que prévu, d'autant que les crédits vinrent à manquer pour achever l'ouvrage. Finalement, le nouvel Opéra est inauguré en 1875, au début de la IIIe République, en présence du Président Mac-Mahon, du roi d'Espagne Alphonse XII, du lord-maire de Londres et du bourgmestre d'Amsterdam.

L'Opéra de Paris est parmi les plus grands du monde avec des dimensions impressionnantes : 172 m de long, 101 m de large et 79 m de haut. Sa façade monumentale sur la place de l'Opéra et ses aménagements intérieurs devaient, par le luxe déployé, témoigner des fastes du Second Empire. La salle rouge et or, dont le plafond fut redécoré en 1964 par le peintre Chagall, offre cinq étages de loges contenant plus de 2 100places. La scène, quant à elle, est impressionnante par son volume et ses possibilités. Depuis l'ouverture de l'Opéra Bastille, le Palais Garnier est notamment consacré à la danse.

Les « dessus » du métro

LE PALAIS-ROYAL

En 1624, le cardinal de Richelieu s'installe à Paris près du palais du Louvre où résident le roi et sa famille. Il fait construire entre 1627 et 1629 l'Hôtel de Richelieu qu'il fait agrandir à partir de 1634. Le vaste ensemble jardin prend le nom de Palais-Cardinal et, à la mort de Richelieu en 1642, devient propriété royale. En octobre 1643, Anne d'Autriche, devenue régente à la mort de Louis XIII, quitte le Louvre et s'y installe avec ses deux fils, dont Louis XIV ; dès lors le palais s'appelle le Palais-Royal. En 1692,

Louis XIV donne le Palais-Royal à son frère dont le fils, Philippe d'Orléans, devient le propriétaire à sa mort. Devenu Régent en 1715 à la mort de Louis XIV, il fait embellir le palais. En 1763, un incendie détruit l'aile est du palais. L'ensemble qui enserre les jardins que nous connaissons aujourd'hui est le résultat des travaux entrepris par Philippe d'Orléans à partir de 1781. Pour éponger ses dettes, il fait construire pavillons à loyers et boutiques et percer plusieurs rues. Dans le même temps, on achève la construction du pavillon ouest du palais qui abrite aujourd'hui la Comédie-Française. La Révolution de 1789 envoie Philippe d'Orléans, ou Philippe Égalité, à l'échafaud et le palais devient propriété de l'État. En 1814, la Restauration fait revenir l'édifice à la famille d'Orléans qui entreprend d'importants travaux de remise en état. En 1854, Napoléon III confisque le Palais Royal pour en faire la résidence de son oncle Jérôme. À la chute de l'Empire, il revient une nouvelle fois à l'État. La Commune l'incendie en partie et le préfet Chabrol reconstruit les parties détruites. Aujourd'hui, le Palais-Royal abrite le Conseil d'État, le Conseil constitutionnel et le ministère de la Culture.

INSTALLATIONS DE PORTE D'IVRY ET TERMINUS DE MAIRIE D'IVRY

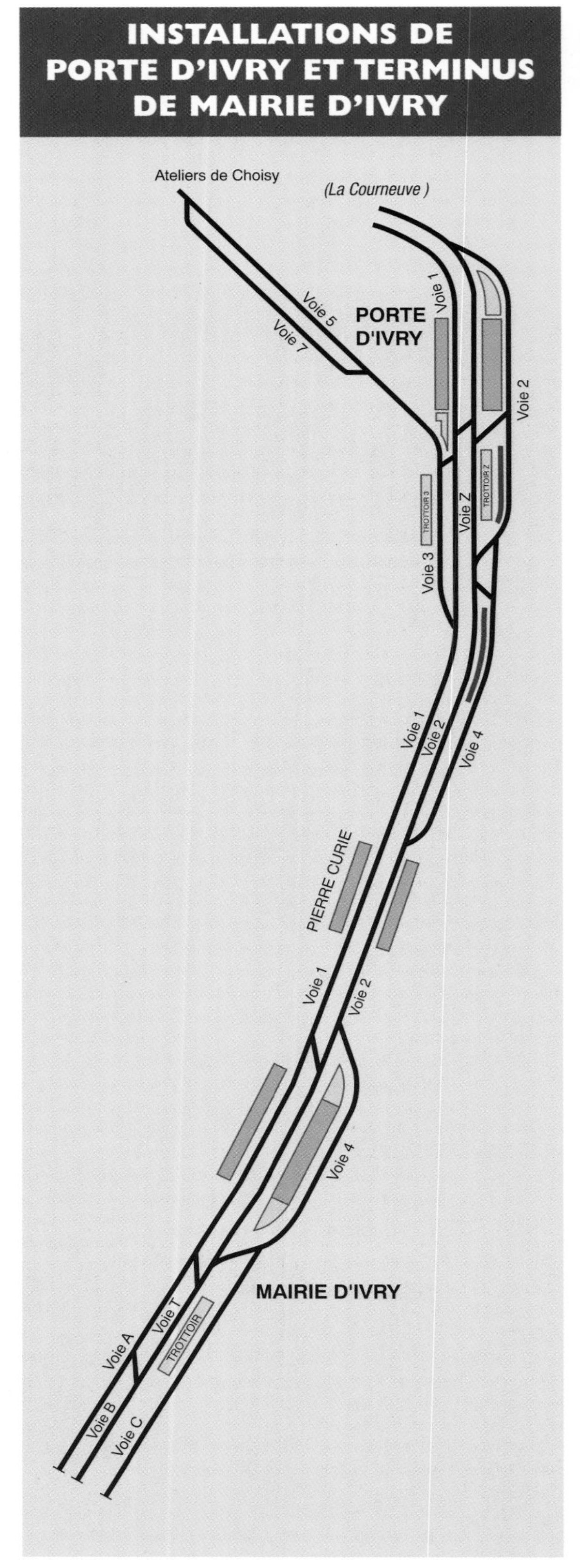

TERMINUS DE VILLEJUIF – LOUIS ARAGON

(La Courneuve)
Voie 1
Voie 2
VILLEJUIF - LOUIS ARAGON
TROTTOIR
Voie A
Voie B
Voie C

Maurice-Thorez à Ivry dans le Val-de-Marne. Elles comprennent trois voies desservant deux quais, quelques voies pour le garage des rames et celle du raccordement avec l'atelier d'entretien. La première station sur le territoire de la commune d'Ivry est Pierre Curie. La ligne descend ensuite en pente de 36,75 ‰ pour atteindre Mairie d'Ivry.

Le terminus est à trois voies à quai et trois voies de garage situées sous la rue Robespierre.

Les ateliers de Choisy s'étendent dans le XIIIe arrondissement de Paris sur une vaste zone de 34 350 m² en bordure du boulevard périphérique. Ouverts en 1931, ils ont une double vocation : l'entretien de proximité et renforcé des MF 67 de la ligne 7 avec l'atelier de maintenance (AMT) et la révision de tous les matériels MF 67.

ATELIER DE MAINTENANCE DE CHOISY

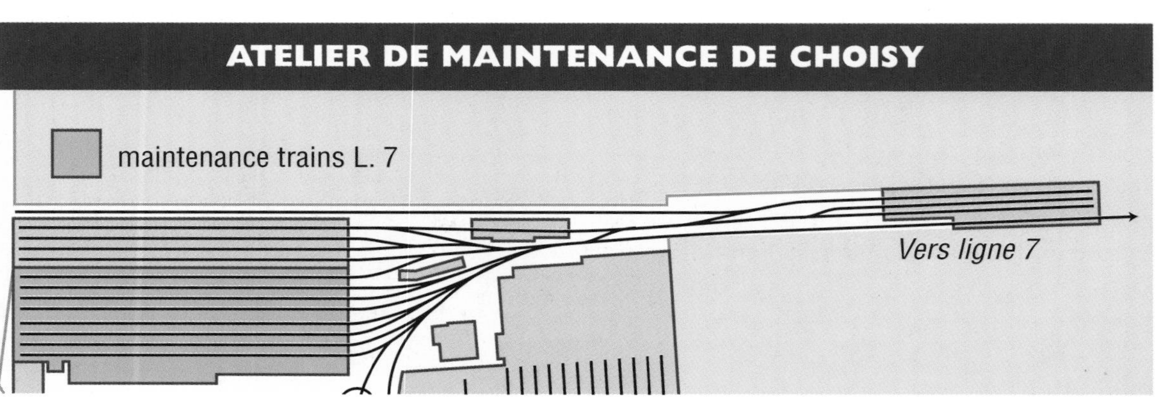

TRANSPARENCES à Gare de l'Est

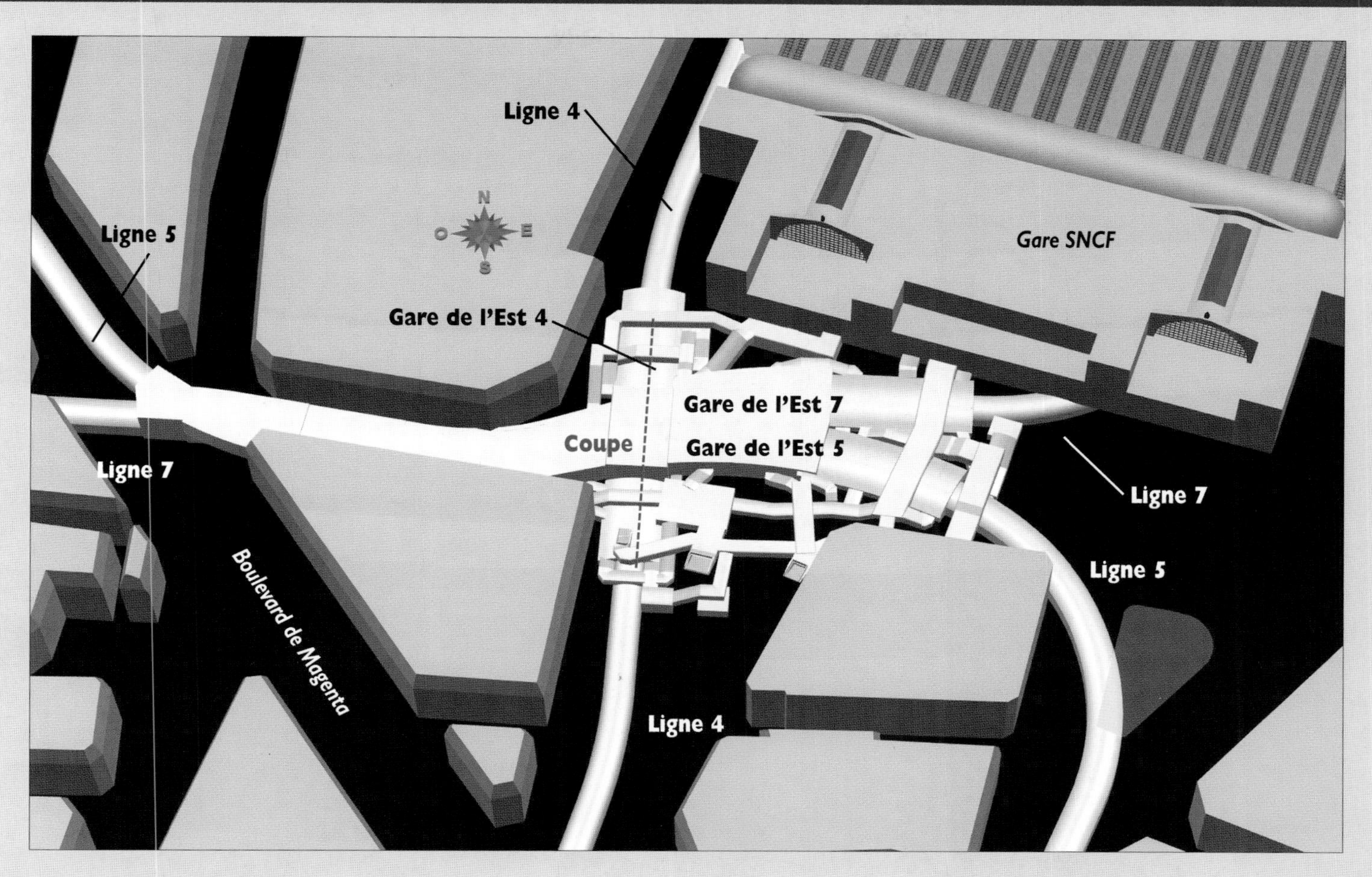

La branche vers Villejuif – Louis Aragon

C'est sous l'avenue de la porte d'Italie que cette branche de la ligne 7 poursuit sa route vers le sud. Les deux voies, après s'être séparées pour permettre à l'une d'elles de passer sous celles de la branche « Mairie d'Ivry », se retrouvent et pénètrent sur le territoire de la commune du Kremlin-Bicêtre sous l'avenue de Fontainebleau (RN 7). C'est au terme d'une longue interstation de 1 160 m, en partie en forte rampe, que la ligne atteint Le Kremlin-Bicêtre. Puis se sont les stations Villejuif – Léo Lagrange et, après une nouvelle portion en rampe de 40 ‰ sur un kilomètre en partie sous l'avenue Maxime Gorki, Villejuif – Paul Vaillant-Couturier qui sont desservies.

La station Villejuif – Louis Aragon marque le terminus de la ligne avec deux voies à quai et de longues installations de garage à trois voies.

La ligne 7 bis

On a décrit plus haut la configuration des installations de la station Louis Blanc, communes aux lignes 7 et 7 bis, nous n'y reviendrons pas. Néanmoins, il nous faut indiquer comment fonctionne le terminus Louis Blanc de la 7 bis. Les opérations sont les suivantes :

- un train arrivant par la voie 1 de Pré-Saint-Gervais, à l'autre extrémité de la ligne, marque l'arrêt dans la station terminale Louis Blanc « supérieur » (quai d'arrivée) pour la descente des voyageurs ;
- il repart à vide en sens inverse, par la voie Z, jusqu'à la voie 2 ;

Correspondance entre un MF 77 de la ligne 7 et un MF 88 de la 7 bis à Louis Blanc inférieur.

LES STATIONS DE LA LIGNE 7 BIS

(ancien nom entre parenthèses et en italique)

LOUIS BLANC
Voir ligne 7.

JAURÈS
(avant 1914 Rue d'Allemagne)
Voir ligne 2 .

BOLIVAR
Général sud-américain qui affranchit, au XIXe siècle les colonies espagnoles d'Amérique du Sud (Venezuela, Colombie, Équateur, Pérou).

BUTTES CHAUMONT
Parc créé par Haussmann sur des hauteurs qui avaient servi en 1814 à la défense de Paris.

BOTZARIS
L'un des héros de la guerre d'Indépendance grecque, au début du XIXe siècle.

PLACE DES FÊTES
Place où se déroulaient les fêtes de la commune de Belleville.

PRÉ-SAINT-GERVAIS
Commune qui jouxte Paris au nord-est.

DANUBE
Grand fleuve européen qui prend sa source dans la Forêt-Noire et se jette dans la mer Noire.

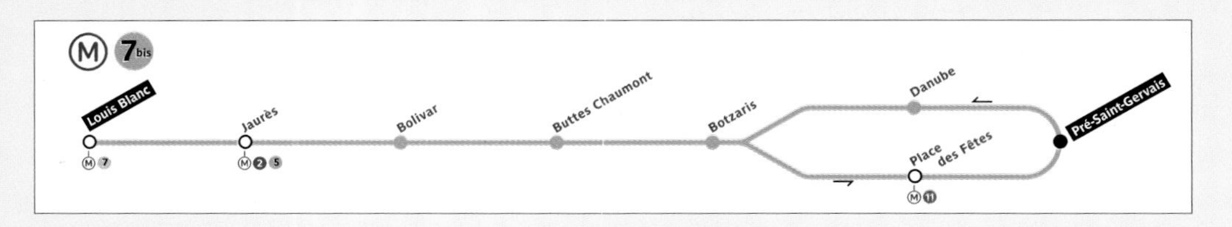

CARTE D'IDENTITÉ DE LA LIGNE 7 BIS

Longueur totale	3,066 km
dont en aérien	0 km
Nombre de stations	8
dont aériennes	0
dont correspondances	3
Longueur des stations	75 m
Longueur moyenne des interstations	488 m
Nombre de trains en ligne à la pointe	6
Nombre de départs (jour ouvrable)	215
Intervalle minimal (jour ouvrable)	4 mn 10
Matériel roulant	MF 88
Nombre de voitures par train	3
Atelier de maintenance	Saint-Fargeau
Atelier de révision	Saint-Ouen

• il revient ensuite, par la voie 2 banalisée, à Louis Blanc « inférieur » pour reprendre des voyageurs en direction de Pré-Saint-Gervais (quai de départ) ;

• il repart par la même voie 2 vers cette direction.

La ligne 7 bis est d'abord établie sous la rue La Fayette. Quelques centaines de mètres plus loin, elle passe sous le canal Saint-Martin et le collecteur du Nord et atteint la station Jaurès (corr. L. 2 et 5). Une courbe de 100 m de rayon permet à la ligne de se placer sous l'avenue Secrétan afin de gravir la rampe de 40 ‰ et desservir Bolivar. Elle continue son ascension, passe sous le parc des Buttes Chaumont et dessert juste à sa lisière la station Buttes Chaumont établie profondément. La 7 bis longe alors le parc sous la rue Botzaris qui le borne au sud et atteint la station Botzaris.

C'est ici que commence la boucle terminale de la 7 bis ; le tunnel sous la rue de Crimée, d'abord à une voie, puis à deux voies, atteint la profonde station à quai central Place des Fêtes et redevient à une voie sous la rue du Pré-Saint-Gervais. La ligne laisse sur sa gauche le long raccordement avec la ligne 3 bis, dit « voie des Fêtes » et atteint le sommet de la boucle dans une courbe située sous le carrefour rue des Bois / boulevard Sérurier. Par ce dernier, elle atteint son terminus de Pré-Saint-Gervais, station à quai central encadré par la voie de la 7 bis et par celle du second raccordement avec la ligne 3 bis dite «voie navette». La boucle continue à deux voies sur près de 900 m sous la rue David d'Angers où se situe la station Danube à quai central, puis sous la rue du Général Brunet avant de retrouver la station Botzaris.

BOUCLE DE PRÉ-SAINT-GERVAIS

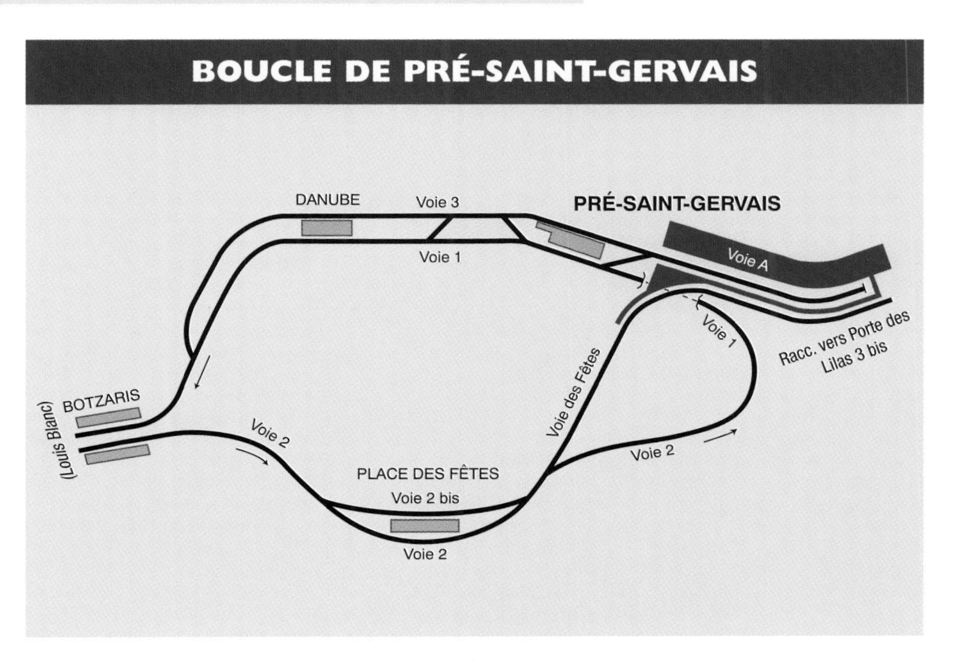

Les « dessus » du métro

LES BUTTES-CHAUMONT

Très inspiré de l'exemple londonien, Napoléon III fait créer à Paris squares, parcs et jardins afin de faire « respirer » la capitale. Le parc des Buttes-Chaumont est l'une de ces réalisations.

La décision est prise en 1863 afin d'assainir un quartier insalubre du nord-est de Paris et dont le sous-sol était occupé en très grande partie de carrières. Sous la haute autorité du préfet Haussmann, le terrain très accidenté est remodelé par l'ingénieur Alphand qui crée dans ce nouveau parc paysager, falaises, grottes, lac, ruisseaux et cascades. Sur le lac une île est surmontée d'une réplique d'un petit temple de la déesse Vesta, dit « de la Sybille ».

LIGNE 8

Balard – Créteil

Reliant à l'origine l'Opéra à la porte d'Auteuil, la ligne 8 a vu son tracé modifié au cours des ans. Abandonnant la desserte du XVIe arrondissement à la ligne 10 pour aller à Place Balard, elle fut prolongée pour irriguer les Grands Boulevards et les quartiers du sud-est de la capitale. Plus tard, elle rejoignit, d'abord la proche banlieue pendant la Seconde Guerre mondiale, puis, au début des années 1970, Créteil, la nouvelle préfecture du Val-de-Marne.

L'HISTOIRE

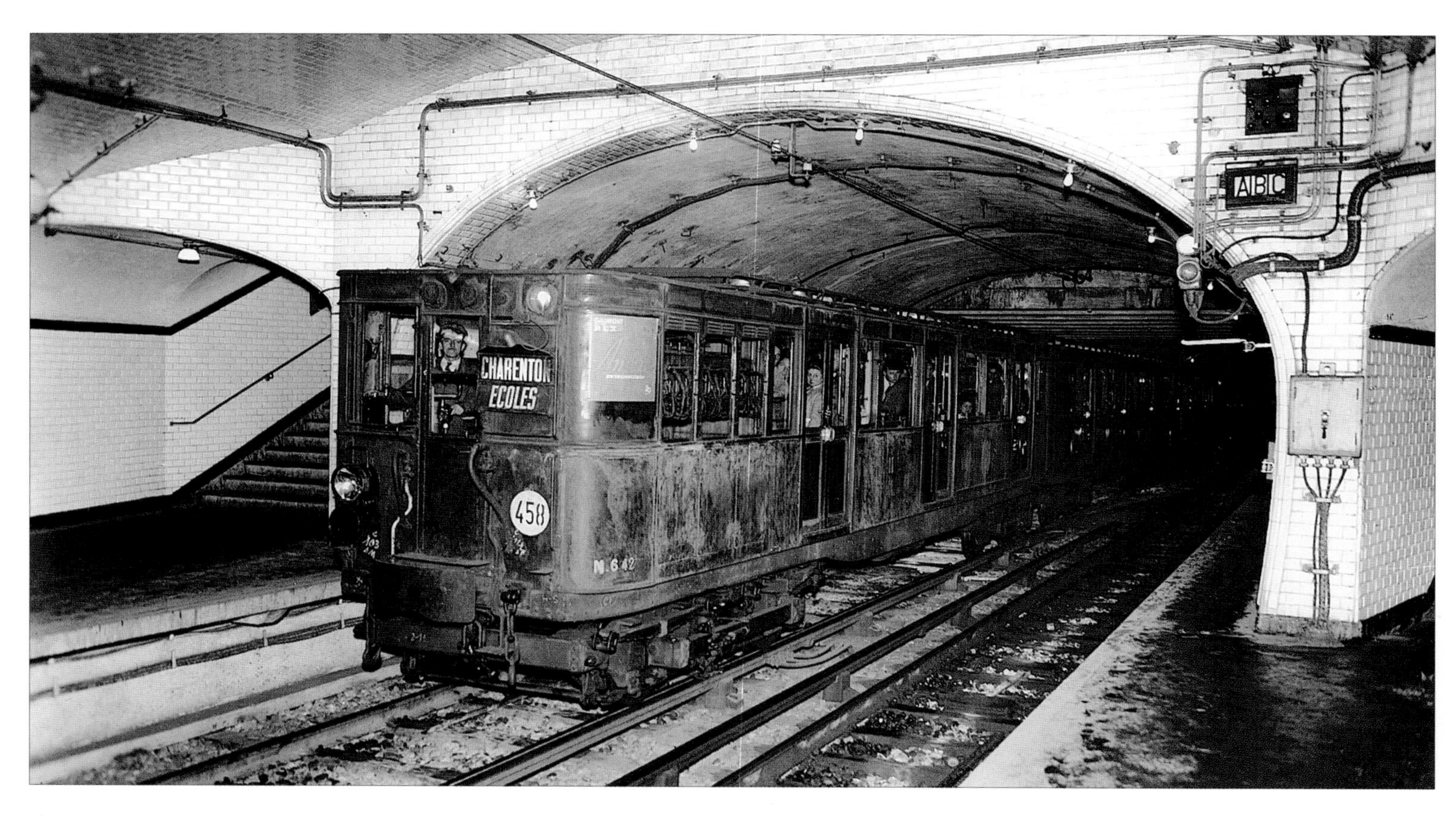

La destination de cette rame de la ligne 8 ne fait aucun doute : Charenton – Écoles ouvert en octobre 1942.

La ligne 8 était la dernière prévue par la concession du 30 mars 1898. Devant relier l'Opéra à la porte d'Auteuil par Grenelle, elle fut déclarée d'utilité publique le 6 avril 1903. En mars 1910, une loi fut adoptée qui prévoyait, entre autres, la réalisation d'une branche de la ligne 8 vers la porte de Sèvres (auj. Balard) avec envoi alternatif des trains sur chaque branche. On verra plus loin que la conception de la station boulevard de Grenelle (auj. La Motte-Picquet – Grenelle) tint compte de cette future exploitation.

La station terminale d'Opéra fut construite sous le boulevard des Capucines, à l'ouest de la place de l'Opéra. La ligne 8 se dirigeait vers la Madeleine, puis vers la Concorde avant de passer sous la Seine. Rive gauche, la station Invalides fut disposée côté est de l'esplanade

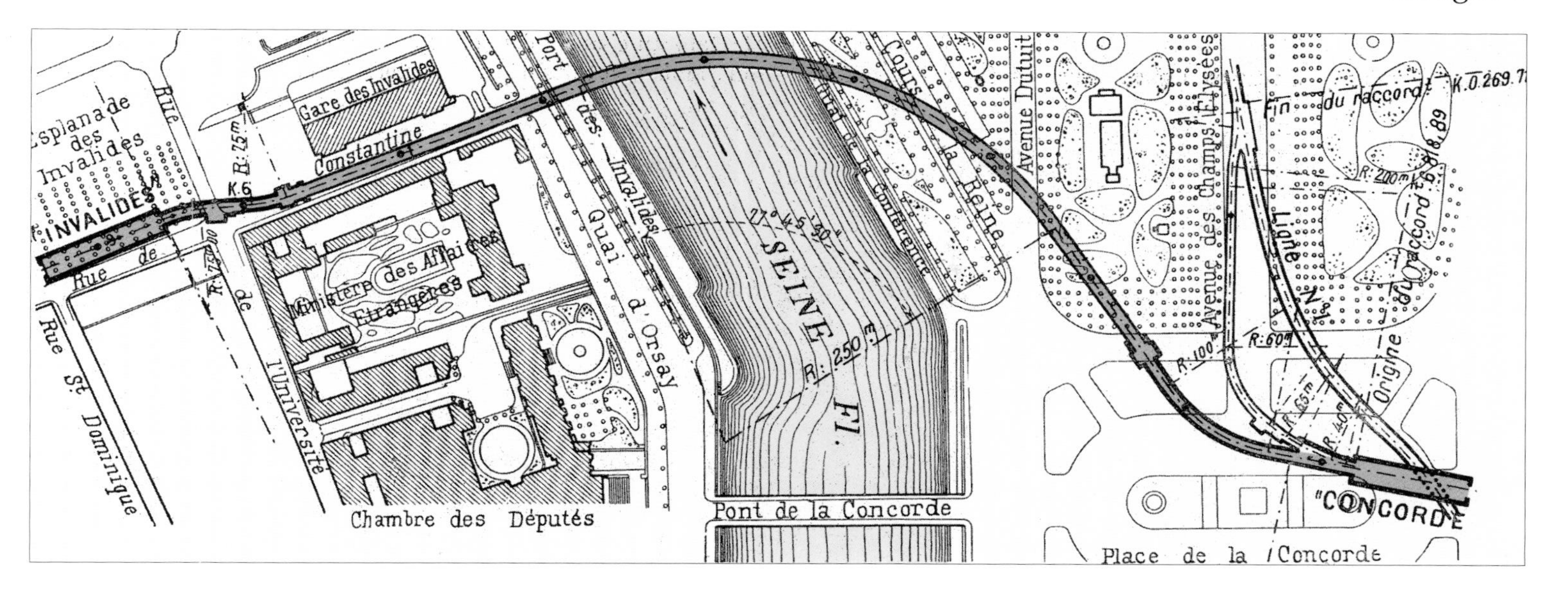

Tracé de la traversée sous-fluviale de la ligne 8 entre Invalides et Concorde.

en raison d'une implantation prévue de la future ligne Circulaire intérieure. Elle se dirigeait vers l'ouest pour rejoindre le boulevard de La Motte-Picquet et atteindre la station de bifurcation Boulevard de Grenelle. Au-delà, la ligne allait vers Auteuil.

Les travaux

La ligne comprenait, pour les parties courantes, des ouvrages voûtés à deux voies. En certaines parties basses du tracé, ils étaient du type renforcé avec piédroits de 1 m d'épaisseur et radier de 0,80 m sur l'axe du tunnel.

Les stations étaient soit du type à couverture métallique, soit du type voûté. Entre les stations Boulevard de Grenelle et Opéra, deux stations étaient du premier type, École Militaire et Concorde, et six du second, Opéra, Madeleine, Invalides, La Tour-Maubourg, (Champs de Mars, aujourd'hui fermée) et Boulevard de Grenelle.

La ligne 8 comportait un certain nombre d'ouvrages spéciaux liés, soit aux conditions géographiques, soit aux types d'exploitation envisagés. Nous ne mentionnerons que pour mémoire l'ouvrage de superposition des trois lignes 3, 7 et 8 qui fut construit sous la place de l'Opéra lors de l'établissement de la première d'entre elles (la 3) en 1903-1904.

C'est la traversée sous-fluviale entre les ponts de la Concorde et des Invalides qui marqua l'un des principaux points singuliers de la ligne 8. Celle-ci se développait sur une longueur de 836 m entre les stations Concorde et Invalides. Le choix se porta sur un souterrain foré à deux voies, constitué d'un ouvrage spécial en tube de près de 609 m de long, en courbe de 250 m de rayon et présentant des déclivités de 35 ‰ rive droite et de 40 ‰ rive gauche. Le tube qui contenait les voies avait une forme circulaire de 7,24 m de diamètre intérieur et un revêtement constitué d'anneaux comprenant 13 voussoirs chacun. Les travaux durèrent près de 3 ans, d'avril 1908 à janvier 1911.

La station aujourd'hui dénommée La Motte-Picquet – Grenelle fut construite en fonction de la réalisation de la future branche vers Place Balard, les trains devant alternativement être envoyés, soit vers Auteuil, soit vers Balard. Le remaniement du tracé des lignes 8 et 10, que nous expliquerons plus loin, modifiera quelque peu les ouvrages construits.

Dans sa configuration définitive, la station devait être constituée d'un ouvrage à trois voies :

- une voie latérale pour les trains Opéra – Auteuil ou Balard, l'aiguillage de séparation se situant à la sortie de la station, côté sud-ouest ;
- deux voies encadrant un quai central, l'une pour les trains Auteuil – Opéra, l'autre pour les trains Balard – Opéra, voies se rejoignant à la sortie de la station, côté Opéra ; l'exploitation de l'embranchement était rendue facile par l'arrêt obligatoire en station des trains provenant des deux branches et devant successivement emprunter le tronc commun vers Opéra.

Côté sud, c'est la faible largeur de la rue du Commerce (12 m), prolongeant l'avenue de la Motte-Picquet, qui rendit difficile pour les ingénieurs l'implantation des quatre voies des deux branches. La place manquant en largeur, il fallait en trouver en hauteur : ainsi, il fut décidé de superposer les voies sous ladite rue, dans un ouvrage spécial à deux étages.

Dans une première étape, les travaux consistèrent à ne réaliser que la station à quai central pour la ligne Opéra – Auteuil. L'ouvrage de superposition de la rue du Commerce fut lui construit en grande partie en une seule fois pour ne pas gêner l'exploitation de la ligne.

Mise en service, prolongements et remaniements

La ligne 8, dans la partie qui nous intéresse ici, fut mise en service le 13 juillet 1913 entre Beaugrenelle (auj. Charles Michels sur la 10) et Opéra, l'ouverture du prolongement à Auteuil se faisant le 30 septembre. Les stations Invalides et Concorde furent ouvertes plus tard, respectivement les 24 décembre 1913 et 12 mars 1914.

Dans sa délibération du 29 décembre 1922, le conseil municipal modifia la consistance du réseau principal. La ligne 8 devenait un axe parabolique joignant Auteuil à Porte de Charenton, via Opéra, République, Bastille, Daumesnil et Porte de Picpus (auj. Porte Dorée). On verra que cette ligne devait avoir un tracé commun avec le prolongement vers République et Porte de Montreuil de la ligne 9 du réseau complémentaire de 1910.

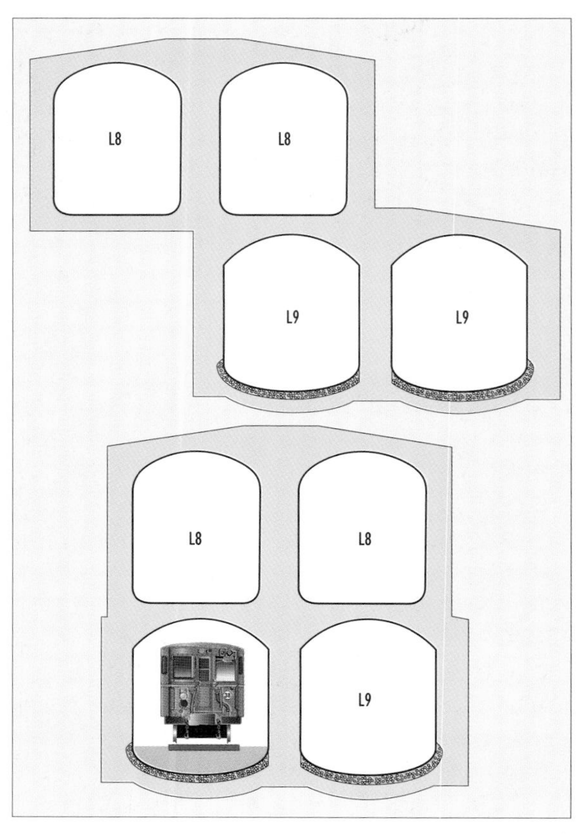

Dessins montrant la superposition partielle, puis totale des ouvrages des lignes 8 et 9 sous les Grands Boulevards.

La progression de la ligne 8 vers l'est débuta le 30 juin 1928 avec un court prolongement de 643 m d'Opéra à Richelieu – Drouot. La nouvelle station, longue de 105 m (une nouveauté), était située au début du boulevard des Italiens et donnait correspondance avec la non moins nouvelle station de la ligne 9 située, elle, sous le boulevard Haussmann récemment percé jusqu'aux Grands Boulevards.

C'est sous le boulevard Montmartre, à partir du carrefour Richelieu-Drouot, que les ouvrages des lignes 8 et 9 se côtoient et ce jusqu'à la rue Vivienne. À partir de là, un ouvrage commun de 11 m de large contient les deux lignes sur deux étages : le bas pour la ligne 9, le haut pour la ligne 8. Quatre stations de 105 m de long furent construites entre Richelieu – Drouot et République. Elles furent établies également dans un ouvrage commun de superposition, de 20,20 m de large, chaque station étant en réalité deux demi-stations à voie unique. Il convient de noter la complexité des accès à ces stations particulières et plus particulièrement à la station Strasbourg – Saint-Denis où était établie la correspondance avec la ligne 4.

C'est à l'extrémité est de la station Saint-Martin, aujourd'hui fermée au trafic, que la configuration des ouvrages change : les deux souterrains inférieurs (ceux de la ligne 9) se séparent et s'élèvent progressivement pour venir se placer de part et d'autre de ceux, supérieurs, de la ligne 8. Plus à l'est, sur quelques mètres, un autre ouvrage spécial comprend, au même niveau, deux souterrains de chacun deux voies, l'un englobant les voies est-ouest des deux lignes, l'autre les voies de sens inverse.

Fin du petit faisceau de garage, dans l'interstation République – Filles du Calvaire.

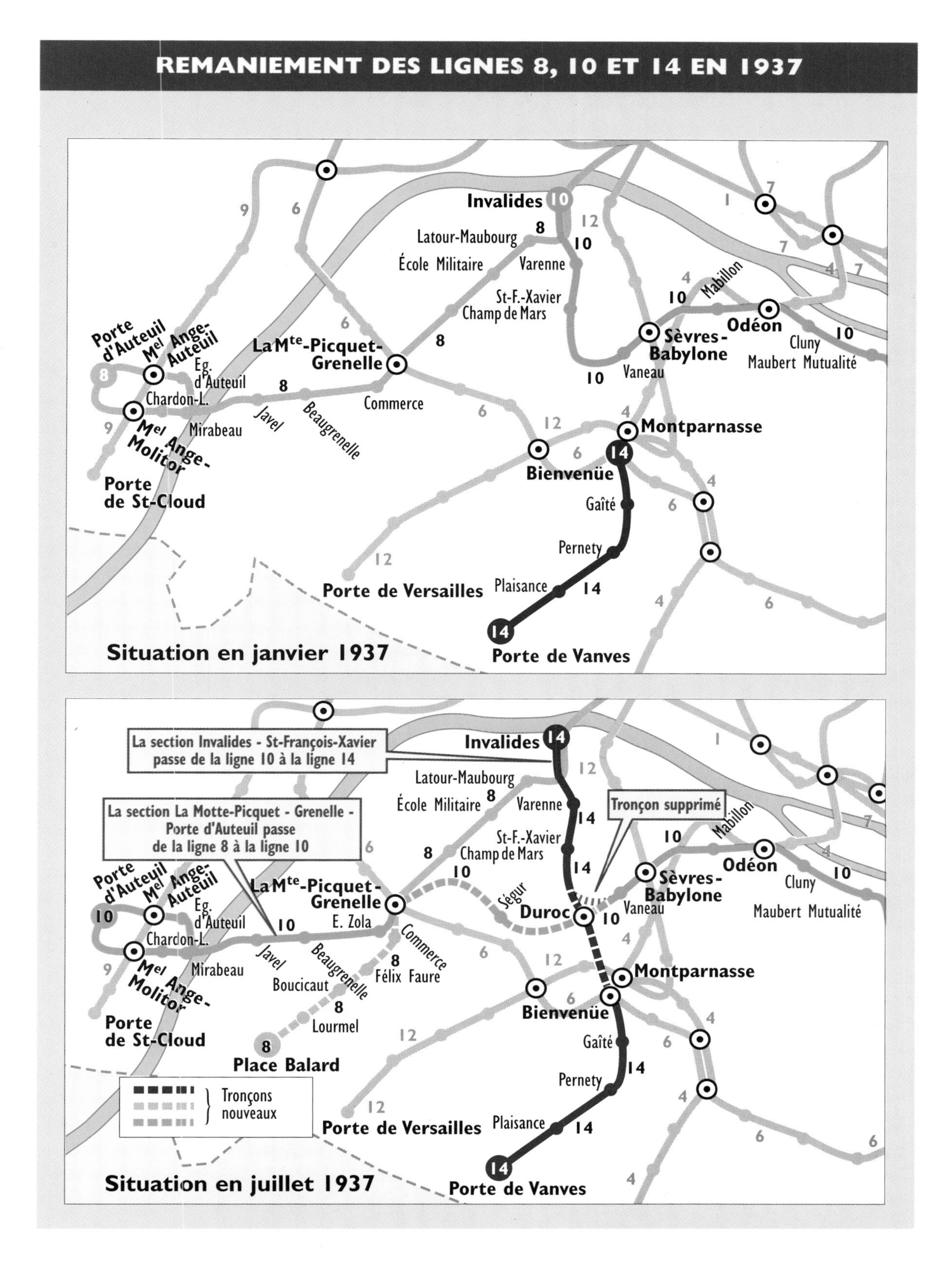

Le chantier de la station République fut complexe en raison du passage déjà existant des lignes 3 et 5 et de leurs accès. Dès l'extrémité est de la station, la ligne 8 se détachait de la ligne 9 pour se diriger vers Bastille, puis vers Porte Dorée et Porte de Charenton.

Les travaux furent achevés pour l'Exposition coloniale de 1931 qui se tint dans le bois de Vincennes. Les quelque 8 000 m supplémentaires de la ligne furent ouverts au public le 5 mai 1931 avec 17 nouvelles stations. Exploitée avec des trains de sept voitures dès son ouverture, la ligne connut un trafic conséquent, ne cessant d'amener de nombreux visiteurs aux portes de l'exposition et de les ramener ; les stations situées à l'ouest de Richelieu – Drouot ne faisant que 75 m, deux voitures vides de voyageurs et gardées par des employés de la CMP, restaient sous le tunnel.

L'histoire de la ligne 8 fut aussi marquée, dans la seconde moitié des années 1930, par le remaniement de son tracé dans sa partie sud-ouest. À l'époque, on préféra abandonner

Plans de situation de la station La Motte-Picquet – Grenelle, avant et après le remaniement de 1937.

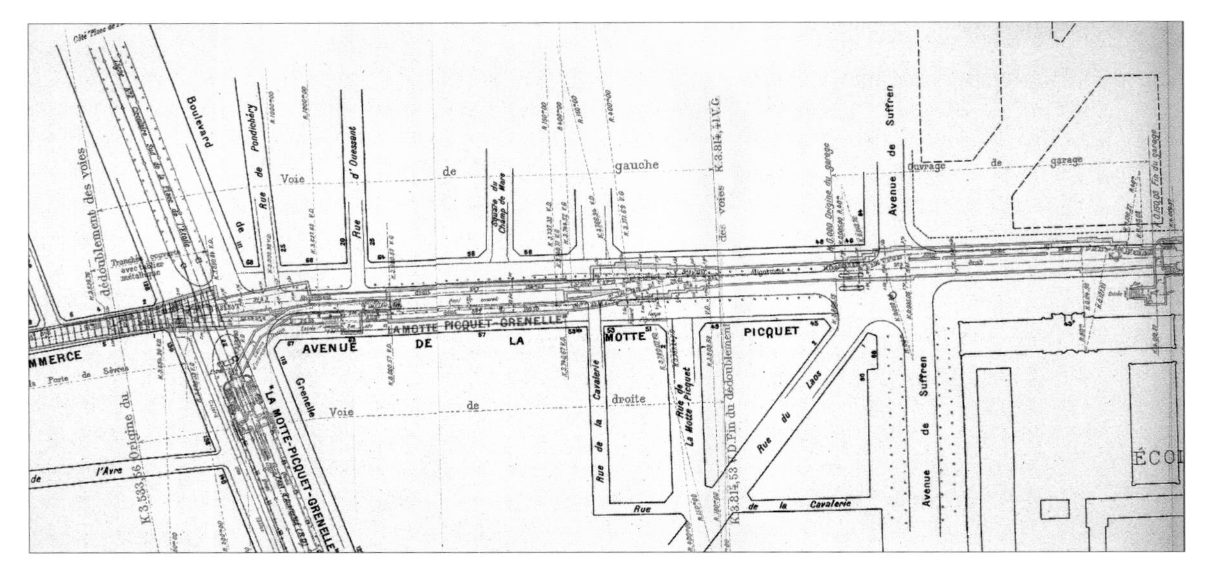

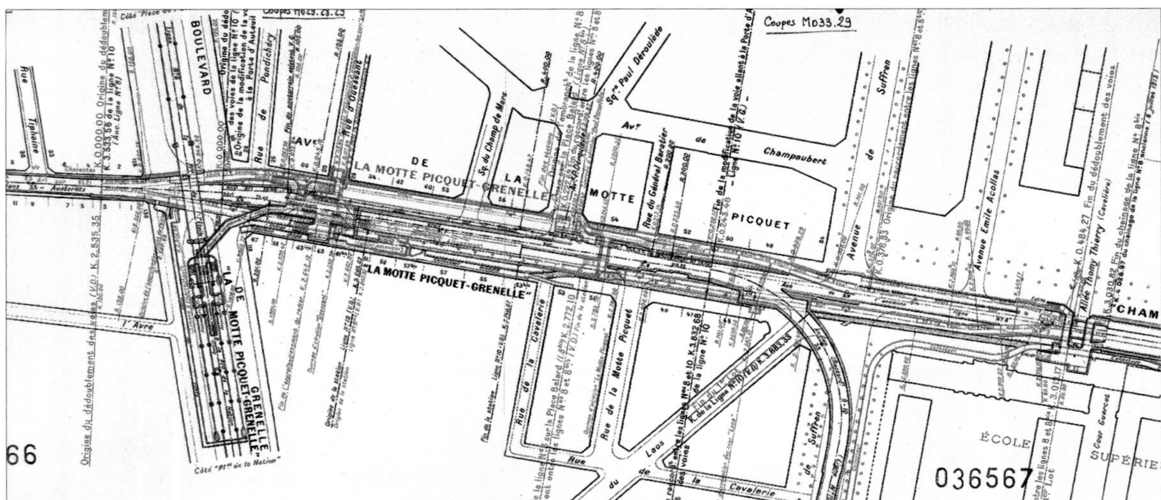

Les abords de La Motte-Picquet – Grenelle, avec la ligne 8 (future ligne 10), au niveau supérieur et l'un des tunnels à voie unique de la future ligne 8, en-dessous.

le principe de lignes circulaires pour les remplacer par des axes traversant Paris de part en part. Désormais, les courts tronçons devaient être raboutés entre eux pour constituer des lignes plus utiles et plus attractives.

C'est dans cet esprit que le conseil municipal décida de réaliser :

• la ligne 14 (C de l'ancien Nord-Sud), non plus entre Porte de Vanves et Bienvenüe, mais en la prolongeant vers Duroc et en

Rames Sprague-Thomson au terminus Charenton – Écoles.

la connectant avec la portion de la ligne 10 Invalides – Duroc ;

• une nouvelle ligne 10 reliant directement Jussieu à Auteuil, par la construction d'un tronçon de jonction entre La Motte-Picquet et Duroc, reliant ainsi la partie est de la ligne 10 (Jussieu – Duroc) à la partie ouest de la ligne 8 (La Motte-Picquet – Auteuil) détachée de cette dernière ;

• une nouvelle ligne 8 ayant son terminus sud-est, non plus à Auteuil mais à Place Balard.

Ainsi, par ces nouvelles dispositions, était mis fin à l'anomalie de l'existence de deux lignes (8 et 9) entre Auteuil et les Grands Boulevards, tout en créant une nouvelle transversale est-ouest sur la rive gauche (L. 10).

Le tronçon La Motte-Picquet – Place Balard est établi sous la rue du Commerce et l'avenue Félix-Faure et comprend quatre stations intermédiaires de 105 m de long. En outre, ce il fut relié à un nouvel atelier d'entretien.

Nous avons vu que la station La Motte-Picquet avait déjà été établie en fonction d'une exploitation de la ligne 8 en fourche. La décision décrite ci-dessus imposa de nouveaux et importants travaux d'aménagement, d'une part pour les raccordements des nouveaux ouvrages souterrains avec les anciens à l'est et à l'ouest de la station, ceci sans interrompre l'exploitation, d'autre part pour les modifications de la station elle-même. La faible largeur restant entre la station ancienne et les immeubles imposa la réalisation d'une station d'un type spécial à quais superposés.

Ainsi, la nouvelle configuration de la station La Motte-Picquet s'établit-elle comme suit :

• l'ancienne station à un quai central encadré de deux voies pour les directions Charenton (L. 8) et Jussieu (L. 10) ;

• la nouvelle station avec, au niveau supérieur, la voie direction Auteuil et au niveau inférieur la voie direction Balard.

L'ouverture du prolongement à Balard et le remaniement des lignes 8 et 10 eut lieu le 27 juillet 1937. La ligne reliait désormais Place Balard à Porte de Charenton.

Ayant été décidé que le métro devait pénétrer en banlieue, le prolongement de la ligne 8 à la Mairie de Charenton fut déclaré d'utilité publique le 24 décembre 1929. Les travaux de ce prolongement de 1 410 m furent entrepris en 1936. De nombreuses carrières abandonnées et non consolidables obligèrent les constructeurs à asseoir les ouvrages sur des puits maçonnés. Deux nouvelles stations furent réalisées : Liberté et Charenton – Écoles, non loin de la mairie. Le prolongement de la ligne 8 fut mis en service le 5 octobre 1942.

Il fallut attendre le début des années 1970 pour que la ligne 8 soit prolongée jusqu'à Créteil, la préfecture du nouveau département du Val-de-Marne. C'est le développement de cette dernière et l'urbanisation croissante des communes de Maisons-Alfort et d'Alfortville qui justifièrent ce prolongement.

Une première étape fut réalisée avec l'ouverture, le 19 septembre 1970, du tronçon Charenton – Écoles – Maisons-Alfort – Stade, long de 2 600 m. Au-delà des voies de garage de l'ancien terminus, le prolongement sort de terre pour franchir l'autoroute A 4 et la Marne grâce à un viaduc biais. Retrouvant le souterrain, il atteint la station Alfort – École Vétérinaire, puis se dirige vers le sud-est en passant sous la route nationale 19, avant d'aboutir au terminus provisoire de Maisons-Alfort – Stade.

Un train à destination de Créteil franchit le viaduc sur la Marne entre Charenton et Maisons-Alfort.

La station Maisons-Alfort – Stade à l'époque où elle était encore le terminus provisoire de la ligne 8.

Étape supplémentaire vers Créteil, le prolongement d'une interstation de 1 100 m jusqu'à Maisons-Alfort – Les Juilliotes fut ouvert au public le 27 avril 1972. Ce nouveau terminus intermédiaire fut doté de trois voies, le prolongement au-delà devant être exploité avec des trains semi-directs, ce qui ne fut finalement pas réalisé. Un peu plus d'un an plus tard, le 24 septembre 1973, la ligne 8 fit un nouveau bond de 960 m avec un tronçon en aérien de trois voies jusqu'à la station Créteil – l'Échat, au centre d'un nouveau quartier alors en cours d'achèvement. Enfin, point d'orgue à l'extension de la ligne 8 à Créteil, la ligne aboutit le 10 septembre 1974 à la station Créteil – Préfecture.

Inauguration du prolongement de la ligne 8 à Maisons-Alfort – Les Juilliottes, en avril 1972.

Mixité des circulations Sprague/MF 67 sur le prolongement de la ligne 8 à Créteil.

Arrivée, à partir de 1980, des nouveaux trains MF 77, ici à la station Lourmel.

Le nouveau tronçon terminal de la ligne 8 se développait sur 1 975 m, entièrement en aérien et en grande partie inséré dans une voie routière express. Il comprenait deux stations à l'air libre : Créteil – Université et Créteil – Préfecture. Ainsi la ligne 8 était, avec 7,5 km, celle du réseau de métro présentant la plus grande longueur en dehors de la ville de Paris. C'était également la première à relier Paris à l'une des villes préfectures des trois nouveaux départements de la proche couronne.

La ligne 8 bénéficia du PCC en 1971 et du pilotage automatique en 1976. À partir de 1975, les MF 67 remplacèrent les rames Sprague et, en 1980, débuta l'équipement de la ligne 8 en nouveau matériel MF 77.

LE PARCOURS

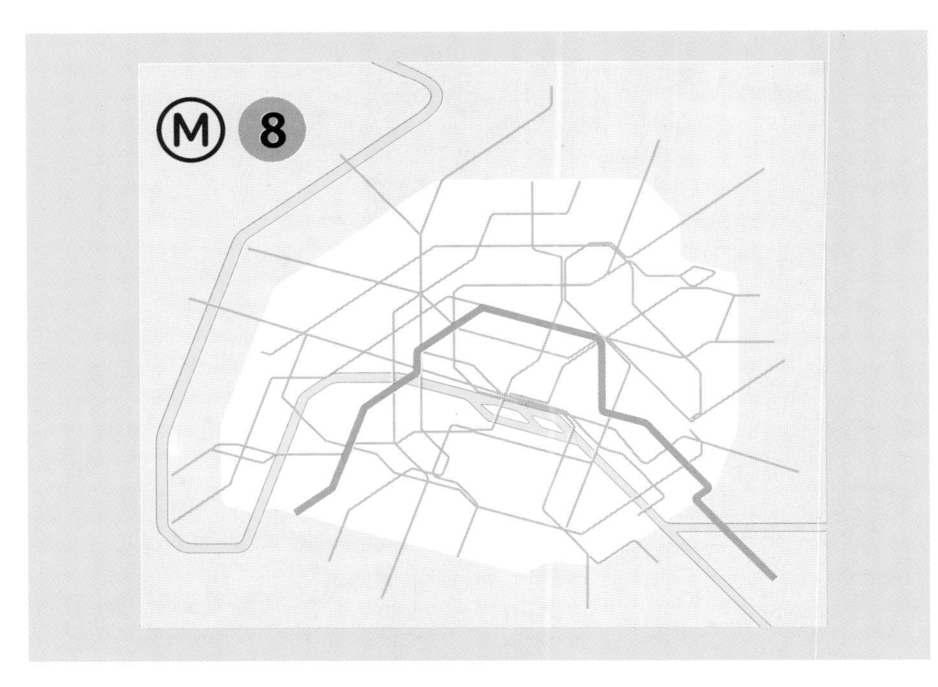

C'est sous l'avenue de la porte de Sèvres dans le XVe arrondissement de Paris et sous les terrains de l'Héliport de Paris, au-delà du viaduc du boulevard périphérique, que se trouvent les installations terminales de la ligne 8 de Place Balard. Elles comprennent trois voies à quai dont une centrale servant aux arrivées et aux départs, complétées en arrière-gare par quatre voies de garage (A, B, C et D).

Après la place Balard, la ligne 8 se place sous l'avenue Félix-Faure, passe sous les deux viaducs de la Petite Ceinture SNCF et dessert la station Lourmel à trois voies à quai dont une sert au raccordement avec l'atelier de maintenance des trains (AMT) de Javel. Celui-ci fut ouvert en 1937 lors du prolongement de la ligne à Balard et reconstruit entre 1977 et 1980 en partie en souterrain. Il couvre une surface

L'atelier de Javel.

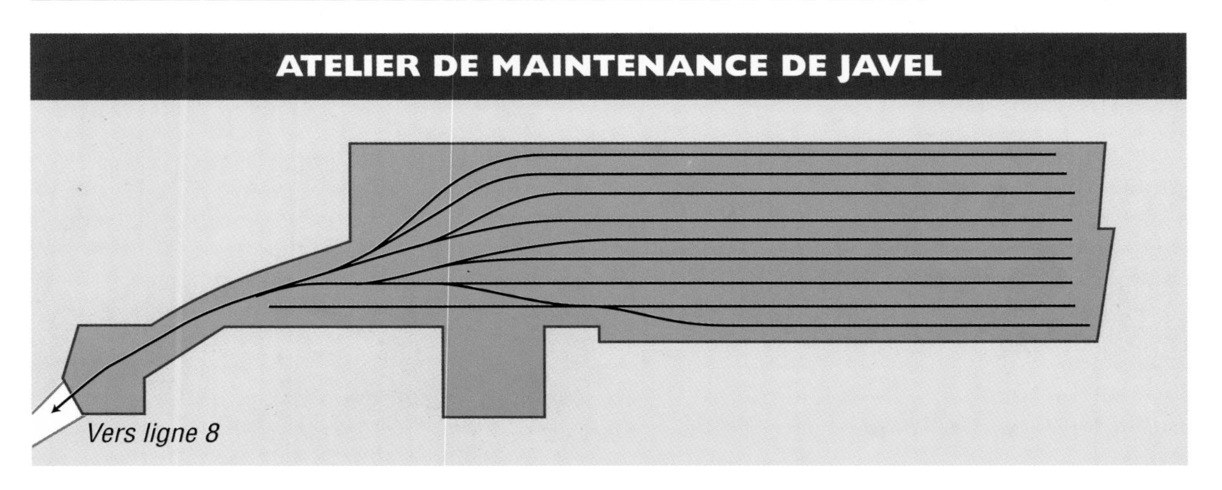

Les voies de garage et la voie « trottoir » du terminus Balard.

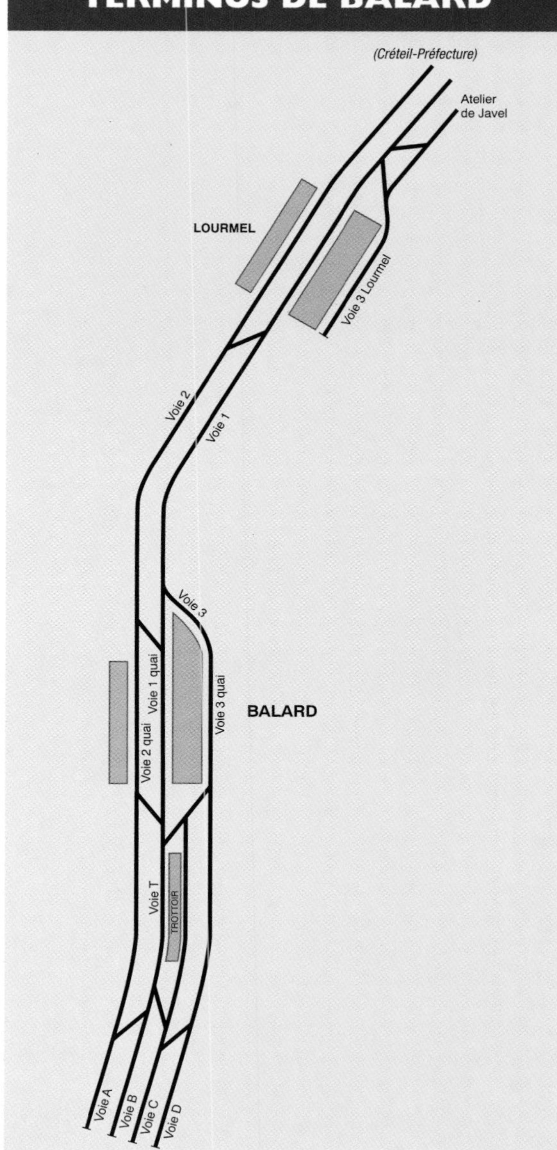

de 9 500 m² dans le XVᵉ arrondissement et est partiellement recouvert d'immeubles.

Toujours sous l'avenue Félix Faure, la ligne 8 dessert Boucicaut et Félix Faure. Après la place portant ce dernier nom, la ligne se positionne sous la rue du Commerce dont l'étroitesse a imposé le décalage des quais de la station Commerce.

À quelques dizaines de mètres de la sortie de cette station, au carrefour de la rue du Commerce et de l'avenue Émile-Zola, le tunnel de la ligne 8 se place sous celui de la ligne 10 dans un ouvrage commun, toujours à cause de l'étroitesse de la voirie, pour atteindre la station La Motte-Picquet – Grenelle (corr. L. 6 et 10). Cette dernière a une configuration particulière, les deux voies de la ligne 8 étant ici séparées pour les raisons historiques exposées plus haut : la voie 1 vers Créteil et la voie 1 de la 10 en direction d'Austerlitz desservent un quai central commun, tandis que la voie 2 (direction Balard) dessert un quai situé sous celui de la voie 2 de la ligne 10.

Pour se retrouver au même niveau sous l'avenue de La Motte-Picquet, les deux voies présentent un profil en rampe de 40 ‰ qui les amène plus près de la surface du sol. On trouve là, à la place de l'ancien tracé, un raccordement avec la ligne 10. Au delà de la station Champs-de-Mars fermée aux voyageurs, ce sont les stations École Militaire et La Tour-Maubourg qui sont desservies. Après cette dernière station comportant un raccordement avec la ligne 13, la ligne 8 décrit une première courbe à droite, puis une seconde à gauche sous l'esplanade des Invalides, tout en amorçant une

Arrêt d'un train de la ligne 8 à La Motte-Picquet–Grenelle; à gauche, on distingue la voie vers Austerlitz de la ligne 10.

descente de 40 ‰ pour passer à la fois sous les voies principales et sous celles de la grande boucle de la ligne 13. Elle atteint alors la station Invalides (corr. L. C du RER et 13 du métro) située, en lisière de l'esplanade, sous la rue de Constantine.

C'est rue Robert-Esnault-Pelterie, après être passée sous la ligne C du RER, que la ligne 8 amorce sa deuxième descente de 40 ‰ sur plus de 200 m afin de passer sous la Seine grâce à un ouvrage foré constitué d'un tube métallique. Dès le passage sous le lit du fleuve, la ligne remonte par un tracé en courbe et en rampe de 35 ‰ pour atteindre, à l'issue d'une longue interstation de 952 m, Concorde (corr. L. 1 et 12), station qui comportait autrefois une troisième voie à quai en impasse. On trouve avant la station Concorde un raccordement avec la ligne 1.

La ligne 8 quitte le sous-sol de la place de la Concorde pour se placer sous la rue Royale et, successivement, descendre pour passer sous le collecteur d'Asnières, remonter pour passer au-dessus de la 12 et atteindre la station Madeleine (corr. L. 12 et 14) sous le boulevard du même nom. Décidément très tourmentée dans ce secteur, la ligne 8, après être passée au-dessus de la ligne 14, descend à nouveau sous le boulevard des Capucines pour passer sous le collecteur de Clichy et atteindre la station Opéra (corr. L. A du RER et L. 3 et 7).

Après cette station, nous retrouvons pour la troisième fois l'ouvrage de franchissement commun aux lignes 3, 7 et 8, ainsi que la ligne A du RER qui passe plus profondément. Poursuivant vers l'est sous les Grands Boule-

Les « dessus » du métro

L'ÉCOLE MILITAIRE

C'est un financier qui propose en 1750 à Louis XV la construction d'un collège destiné à former des officiers issus de la noblesse la moins riche. Les élèves doivent avoir été eux-mêmes fils d'officiers tués ou gravement blessés au service du roi. Le bâtiment doit être aussi prestigieux que l'Hôtel des Invalides.

La construction de ce qu'on appelle alors l'Hôtel royal militaire débute en 1752 sur des terrains achetés aux abbayes de Saint-Germain-des-Prés et de Sainte-Geneviève, d'après un projet de l'architecte Gabriel. À cause des graves difficultés financières de la monarchie, Gabriel doit réduire son projet des deux tiers. L'école ouvre ses portes dès 1760, bien avant la fin des travaux en 1773. Le bâtiment long de 440 m présente sur le Champ-de-Mars sa façade principale. En son centre, on trouve un attique à pilastres corinthiens coiffé d'un dôme quadrangulaire tronqué percé de mansardes. Le Second Empire lui rajoute deux ailes affectées l'une à la cavalerie, l'autre à l'artillerie.

L'école connaît fermetures et réouvertures successives et sert même de dépôt de blé. Une réforme importante autorise la scolarité d'élèves de province. C'est ainsi qu'un certain Napoleone Buonaparte y est accueilli en octobre 1784 et sort un an plus tard avec le grade de sous-lieutenant. Aujourd'hui, l'École militaire accueille, outre une caserne, le Collège interarmées de défense (CID) et l'Institut des hautes études de défense nationale (IHEDN).

Derrière l'École militaire, l'immeuble en Y de l'UNESCO apporte, depuis 1958, une touche de modernisme dans ce quartier « grand siècle ».

Le tube circulaire foré de la traversée sous-fluviale de la ligne 8 entre Invalides et Concorde, dont les voies ballastées étaient alors en cours de renouvellement.

Comme celle de la ligne 1, la station Concorde 8 est à couverture métallique.

Les « dessus » du métro

LA CONCORDE

C'est pour célébrer le rétablissement du roi Louis XV après une maladie, que le prévôt des marchands et les échevins de Paris commandent en 1748 une statue équestre du souverain. L'emplacement choisi est un vaste espace situé hors de Paris, entre le jardin des Tuileries et les Champs-Élysées. Gabriel, le premier architecte du roi, est choisi pour réaliser cette place octogonale entourée de fossés engazonnés que franchissent six ponts de pierre. La statue équestre, réalisée par Bouchardon, trône au centre de la place depuis juin 1763, alors que la place n'est terminée qu'en 1772. À la Révolution, le pont de la Concorde est achevé, reliant la place directement à la rive gauche, et les chevaux de Marly sont installés à l'entrée des Champs-Élysées. La statue de Louis XV est enlevée en août 1792.

Sous le règne de Louis-Philippe, les huit pavillons d'angle reçoivent des statues symbolisant plusieurs grandes villes de France. Et surtout on érige au centre de la place un obélisque rapporté de Louqsor en Egypte. Pesant quelque 220 tonnes, ce magnifique obélisque datant du XIIIe siècle avant J.-C. est encore aujourd'hui le symbole même de la Concorde. Enfin en 1852, les fossés ceinturant la place sont comblés.

De la joie à la peine, la Concorde est un haut lieu des fêtes de l'Ancien Régime et une place sanglante aux heures les plus sombres de la Révolution ; Louis XVI et Marie-Antoinette y sont guillotinés avec quelque 1 000 autres personnes. Sur le côté nord de la place, de part et d'autre de la rue Royale, Gabriel construit deux bâtiments jumeaux fortement inspirés de la colonnade du Louvre. Aujourd'hui, le bâtiment ouest abrite l'Hôtel de Crillon, l'un des plus prestigieux de la capitale, tandis que le bâtiment oriental est occupé par les Services de la Marine nationale.

LES STATIONS DE LA LIGNE 8

(ancien nom entre parenthèses et en italique)

BALARD

Chimiste du XIXe siècle.

LOURMEL

Général tué lors du siège de Sébastopol.

BOUCICAUT

Négociant fondateur du grand magasin « Au Bon Marché », au XIXe siècle.

FÉLIX FAURE

Président de la République de 1895 à 1899.

COMMERCE

Rue du XVe arrondissement de Paris, jadis la plus riche en commerces de la commune de Grenelle.

LA MOTTE-PICQUET – GRENELLE

(avant 1913 La Motte Picquet)
Voir ligne 6.

ÉCOLE MILITAIRE

Édifice construit sur le Champ-de-Mars sous le règne de Louis XV, caserne et école d'enseignement militaire supérieur.

LA TOUR-MAUBOURG

Général sous le Premier Empire, ministre de la Guerre sous Louis XVIII et Gouverneur des Invalides.

INVALIDES

L'Hôtel royal des Invalides, construit par les architectes Bruant et Mansard sur ordre de Louis XIV et destiné à recevoir les militaires invalides, abrite aujourd'hui les cendres de Napoléon Ier et de plusieurs maréchaux.

CONCORDE

Voir ligne 1.

MADELEINE

L'imposant édifice actuel, qui demanda 78 ans de travaux (1764-1842), remplaça une ancienne chapelle dédiée à Marie-Madeleine et plusieurs fois reconstruite.

OPÉRA

Voir ligne 3.

RICHELIEU – DROUOT

1- Cardinal, ministre de Louis XIII.
2- Général qui accompagna Napoléon à l'île d'Elbe.

GRANDS BOULEVARDS

(avant 1998 Rue Montmartre)
Boulevards qui se succèdent de la Madeleine à la République à l'emplacement de l'enceinte de Charles V et des fossés de celle de Louis XIII.

BONNE NOUVELLE

De l'église Notre-Dame-de-Bonne-Nouvelle construite à la demande d'Anne d'Autriche.

STRASBOURG – SAINT-DENIS

Voir ligne 4.

RÉPUBLIQUE

Voir ligne 3.

FILLES DU CALVAIRE

Couvent de Notre-Dame du Calvaire, dit des Filles du Calvaire, fondé par le Père Joseph, éminence grise de Richelieu.

SAINT-SÉBASTIEN – FROISSART

(avant 1933 Saint-Sébastien)
1- Officier romain chrétien persécuté sous l'empereur Dioclétien et mort criblé de flèches.
2- Chroniqueur du XVIe siècle.

CHEMIN VERT

Ancien chemin tracé au travers de jardins maraîchers.

BASTILLE

Voir ligne 1.

LEDRU-ROLLIN

Avocat, ministre de l'Intérieur et député sous la monarchie de Juillet et la IIe République.

FAIDHERBE – CHALIGNY

1- Général, gouverneur du Sénégal au XIXe siècle.
2- Famille de fondeurs lorrains au XVIe et XVIIe siècles.

REUILLY – DIDEROT

Voir ligne 1.

MONTGALLET

Du nom d'un lieu-dit Mangallée, transformé en Mont-Gallet, puis Montgallet.

DAUMESNIL

Voir ligne 6.

MICHEL BIZOT

Général, directeur de Polytechnique, mort à Sébastopol.

PORTE DORÉE

D'une contraction de l'orée du bois de Vincennes.

PORTE DE CHARENTON

De la commune de Charenton.

LIBERTÉ

D'une rue de la Liberté de la commune de Charenton.

CHARENTON – ÉCOLES

Des écoles qui se trouvent à proximité.

ÉCOLE VÉTÉRINAIRE DE MAISONS-ALFORT

De l'Ecole nationale vétérinaire de Maisons-Alfort.

MAISONS-ALFORT – STADE

Du stade de la commune de Maisons-Alfort.

MAISONS-ALFORT – LES JUILLIOTTES

Nom d'un lieu-dit intégré à Maisons-Alfort.

CRÉTEIL – L'ÉCHAT

Nom d'un lieu-dit.

CRÉTEIL – UNIVERSITÉ

Non loin du pôle universitaire de Paris XII.

CRÉTEIL – PRÉFECTURE

À proximité de la Préfecture du département du Val-de-Marne et de l'Hôtel de Ville de Créteil.

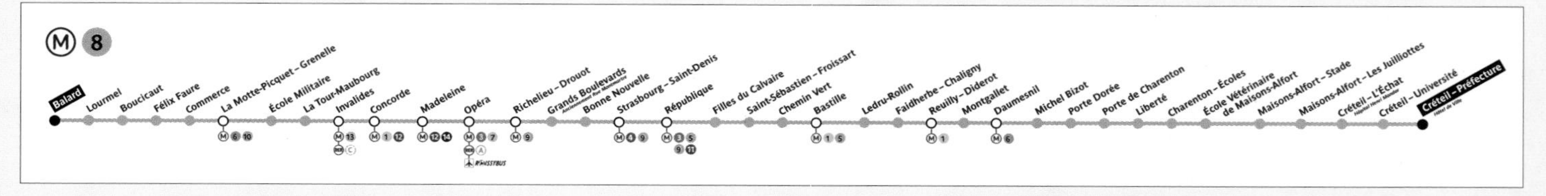

vards, les voies de la ligne 8 atteignent la station Richelieu – Drouot (corr. L. 9). Elles se placent ensuite sous le boulevard Montmartre en compagnie de la ligne 9. Ses deux voies sont alors séparées par un piédroit central avec baies de communication. Un peu plus loin, le tunnel qui les abrite se place au-dessus de celui de la ligne 9 dans l'ouvrage commun. Ce dernier se prolonge sous les boulevards Montmartre, Poissonnière, de Bonne-Nouvelle, Saint-Denis et Saint-Martin. Sont desservies les stations Grands Boulevards (anciennement Rue Montmartre), Bonne Nouvelle et Strasbourg – Saint-Denis (corr. L. 4 et 9). C'est après la fermeture au public de la station Saint-Martin, que les voies de la ligne 8 furent encadrées par celles de la 9 remontées à leur niveau. Ici, se situent un raccordement avec la ligne 5 et un double raccordement entre les deux voies 1 et les deux voies 2 des lignes 8 et 9. La ligne 8 atteint ensuite la station République (corr. L. 3, 5, 9 et 11) avec de part et d'autre les voies et les quais de la ligne 9.

Quittant la place de la République, la ligne 8 s'engage sous le boulevard du Temple, après être passée sur la voie 1 de la ligne 9. Les deux voies principales encadrent ici une, puis deux voies de garage, avant de pénétrer dans la station Filles du Calvaire. Sous le boulevard du même nom, la ligne 8 descend puis remonte rapidement après être passée sous le collecteur du Centre et atteint, sous le boulevard Beaumarchais, les stations Saint-Sébastien – Froissart et Chemin Vert. Une nouvelle pente de 40 ‰ permet à la ligne de passer sous la

Les « dessus » du métro

LA BASTILLE

L'origine de la Bastille remonte à la construction en 1356, par le Prévôt des marchands Étienne Marcel, de l'enceinte de Charles V percée de sept portes sur la rive droite. Celle de Saint-Antoine, sur la route de Vincennes, formait un véritable petit bastion ou « bastille ». À partir de 1370, le roi Charles V en rehausse les tours d'origine et en ajoute deux autres qui flanquent une seconde porte. Afin de protéger à la fois la porte Saint-Antoine qu'il avait fait déplacer, l'enceinte de Charles V et la résidence royale de l'Hôtel Saint-Pol, on érige quatre autres tours rondes de part et d'autre du château initial. Le tout est ceint de solides murs flanqués de fossés dont on peut voir aujourd'hui un vestige sur l'un des quais de la station Bastille 5. L'ensemble est achevé en 1382. La Bastille, citadelle militaire et lieu de détention, devient sous Richelieu une prison d'État en très grande partie réservée aux personnes de qualité qui avaient déplu au souverain. Le 14 juillet 1789, les assiégeants de la forteresse ne trouvent là que sept prisonniers. La Bastille est démolie et, avec les pierres, 83 maquettes de l'édifice sont confectionnées et envoyées aux départements pour y dénoncer « l'horreur du despotisme ».

La place de la Bastille actuelle n'est pas située à l'emplacement de la forteresse, celle-ci étant sur son côté sud-ouest, entre la rue Saint-Antoine et le boulevard Henri IV. En son centre, est érigée en 1840, en mémoire des victimes des Trois Glorieuses de la Révolution de 1830 (27, 28 et 29 juillet), la Colonne de Juillet, dont les 47 m de fonte sont surmontés du Génie de la Liberté. Dans ses soubassements se trouvent les ossements des victimes des Révolutions de 1830 et de 1848. Profondément modifiée par le percement, au XIXe siècle, de la rue de Lyon et du boulevard Henri IV, la place abrite à partir de 1859, et pendant 110 ans, la gare de la Bastille, tête de la ligne de Vincennes. Avec la création du RER, l'édifice est démoli et remplacé en 1989 par l'Opéra de la Bastille de l'architecte Carlos Ott.

Arrêt à Reuilly – Diderot, station de correspondance avec la 1, d'un MF 77 aux coloris actuels de la RATP.

TRANSPARENCES à La Motte-Picquet - Grenelle

Racc. 8/10
Ligne 8
Ligne 10
Coupe
La Motte-Picquet - Grenelle 8 et 10
La Motte-Picquet - Grenelle 6
Ligne 6
Lignes 8 et 10 superposées

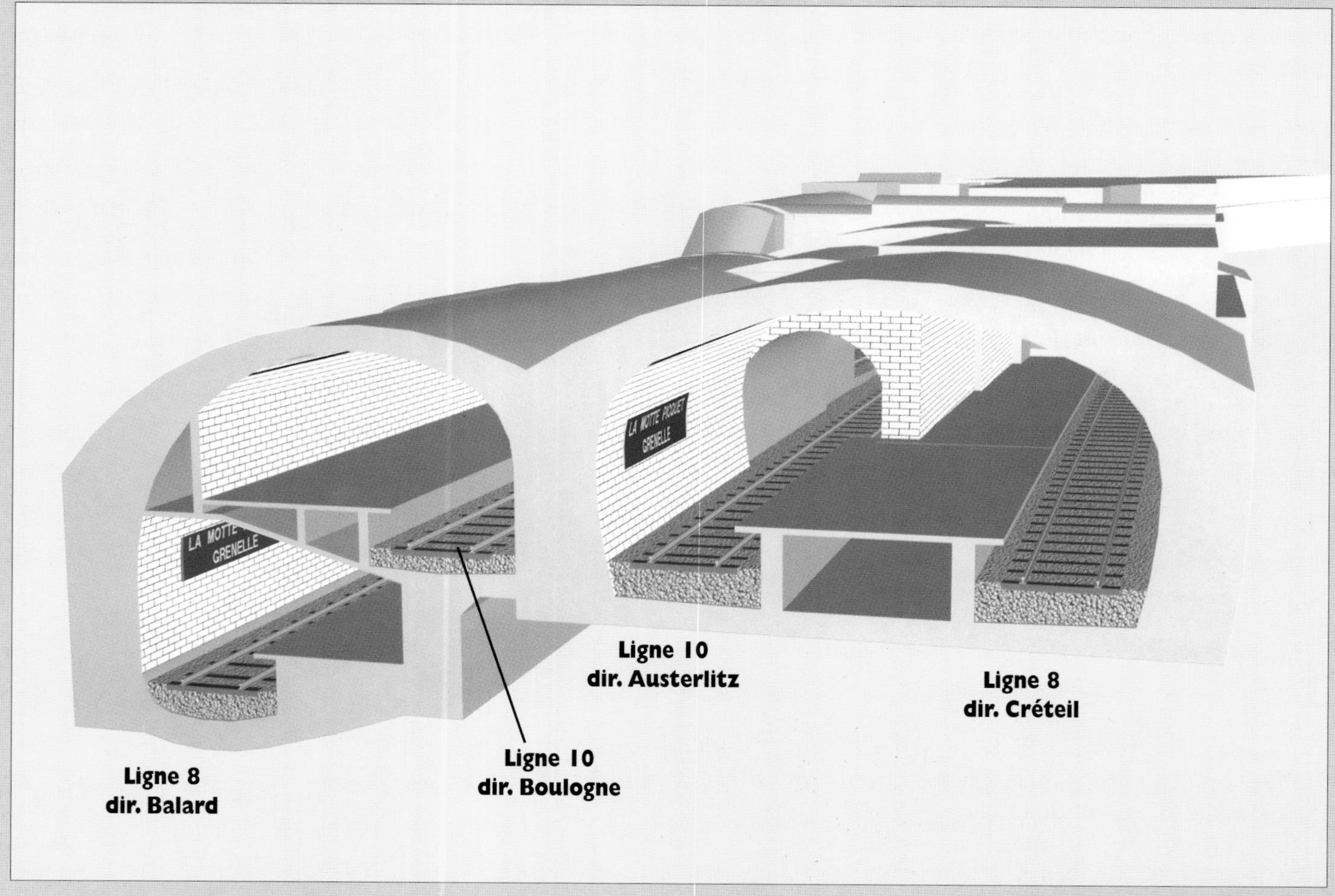

LA MOTTE PICQUET GRENELLE
LA MOTTE GRENELLE
Ligne 10 dir. Austerlitz
Ligne 8 dir. Créteil
Ligne 10 dir. Boulogne
Ligne 8 dir. Balard

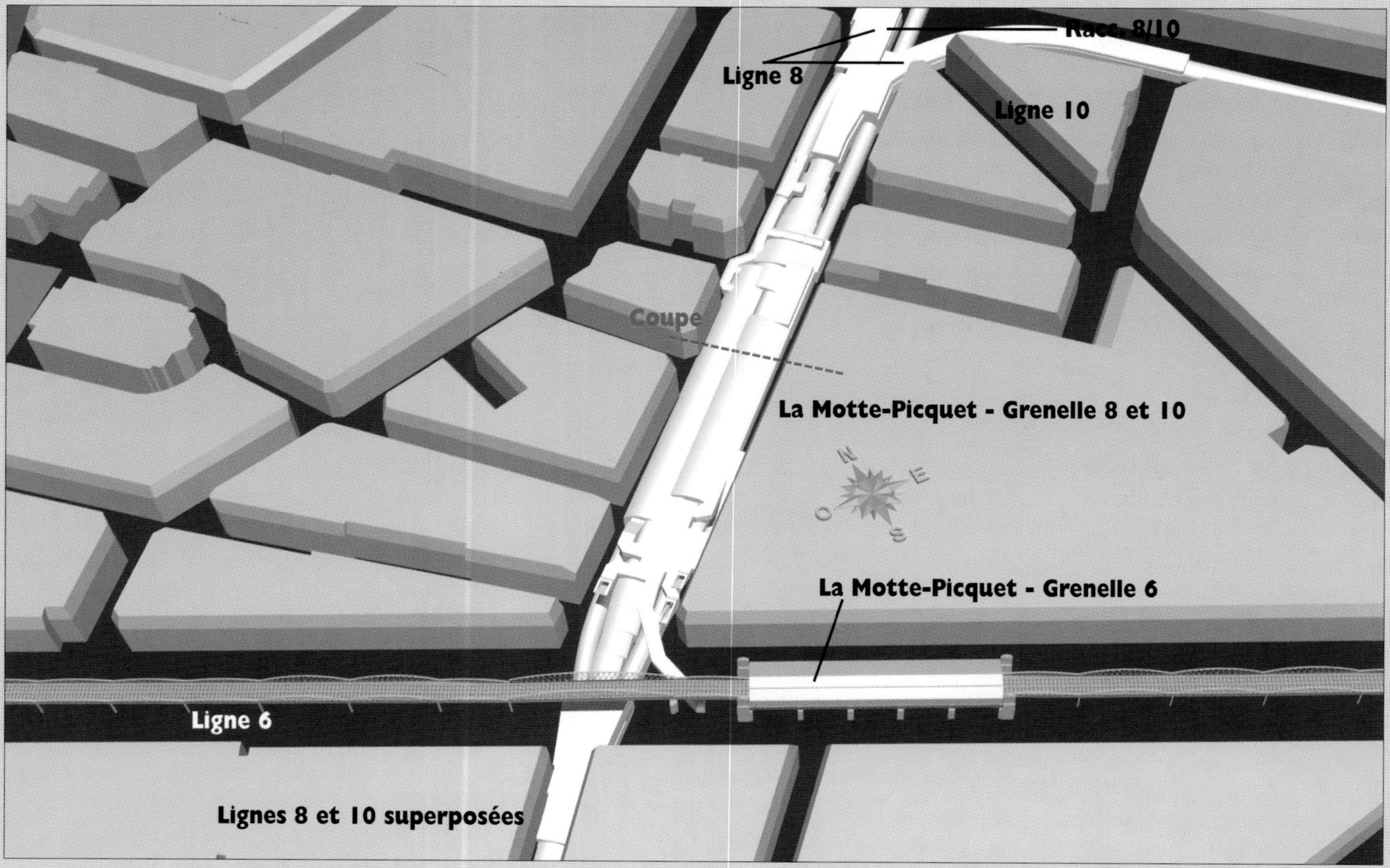

CARTE D'IDENTITÉ DE LA LIGNE 8	
Longueur totale	22,057 km
dont en aérien	2,8 km
Nombre de stations	37
dont aériennes	3
dont correspondances	14
Longueur des stations	de 75 m à 105 m
Longueur moyenne des interstations	613 m
Nombre de trains en ligne à la pointe	51
Nombre de départs (jour ouvrable)	310
Intervalle minimal (jour ouvrable)	2 mn 10
Matériel roulant	MF 77
Nombre de voitures par train	5
Atelier de maintenance	Javel
Atelier de révision	Saint-Ouen

ligne 5 et surtout sous le canal Saint-Martin en amont de la station Bastille (corr. L. 1 et 5).

La ligne 8, après être passée sous le collecteur Roquette, se place sous la rue du Faubourg-Saint-Antoine et dessert les stations Ledru-Rollin et Faidherbe – Chaligny. Dès l'extrémité de la station, une courbe permet à la ligne d'emprunter la rue de Reuilly en se positionnant sous une importante galerie d'eau. Elle croise alors la ligne 1 établie plus près du sol et les deux tunnels de la ligne A du RER forés plus profondément, avant d'atteindre la station Reuilly – Diderot (corr. L. 1).

C'est en rampe de 40 ‰ que la ligne 8 rejoint Montgallet avant de retrouver un profil presque en plan et atteindre, une fois dépassé un raccordement avec la ligne 6, la station Daumesnil (corr. L. 6) sous la place du même nom. Elle poursuit sa route par l'avenue Daumesnil, dessert la station Michel Bizot et, après une courbe de 75 m de rayon, se place sous le boulevard Poniatowski pour atteindre la station Porte Dorée. Après avoir poursuivi sa route sous le boulevard extérieur sur environ 400 m, elle aborde la station Porte de Charenton, ancien terminus qui possède des installations de garage assez importantes. Celles-ci sont disposées, selon un tracé en L, sous le boulevard Poniatowski, l'avenue de la porte de Charenton et le début de la rue de Paris à Charenton dans le Val-de-Marne. Elles comprennent quatre voies à quai et deux voies de garage encadrées par les deux voies principales. Toujours sous la rue de Paris, la ligne 8 dessert la station Liberté, puis Charenton – Écoles. Ce qui fut pendant de longues années le terminus de la ligne possède des installations modestes : deux voies à quai et deux voies de garage dont une en impasse.

Vue aérienne du viaduc permettant à la ligne 8 d'enjamber la Marne et l'autoroute A4.

Poursuivant vers le sud-est, la ligne 8 sort de son souterrain pour franchir la dépression qui accueille la Marne et l'autoroute A4. Elle le fait grâce à deux ouvrages métalliques accolés (un par voie), chacun à quatre travées, longs de 199 m et en pente de 40,14 ‰. Après un parcours aérien de 353 m incluant la partie en viaduc, la ligne 8 retrouve le souterrain.

Elle se place sous l'avenue du Général Leclerc (RN 19) à Maisons-Alfort et dessert les

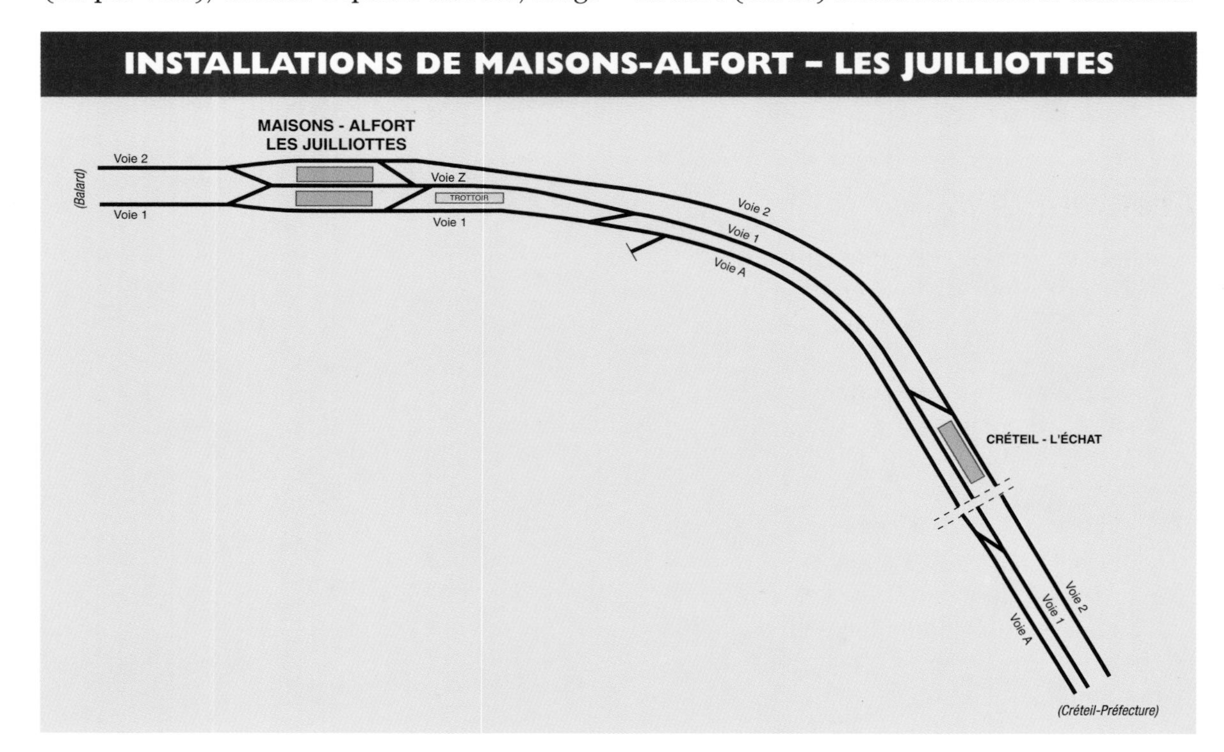

Un MF 77 se dirigeant vers Créteil longe la voie de garage, dans l'interstation Maisons-Alfort – Les Juilliottes – Créteil – L'Échat.

stations École Vétérinaire de Maisons-Alfort, puis, 1 010 m plus loin, Maisons-Alfort – Stade et enfin Maisons-Alfort – Les Juilliottes. Cette dernière station, qui fut un temps terminus intermédiaire, comprend trois voies à quai, dont une centrale servant aux arrivées et aux départs, et une voie de garage longue de 1 100 m.

Peu après, les trois voies de la ligne 8 quittent le territoire de la commune de Maisons-Alfort pour celui de Créteil. Elles abandonnent le tracé de la RN 19, franchissent l'échangeur routier RN 19/A 86 et sortent à l'air libre pour atteindre Créteil – L'Échat, station possédant un quai en îlot entre les deux voies principales.

La ligne continue en surface, au centre de nouveaux quartiers de la préfecture du Val-de-Marne, puis se place entre les deux chaussées de la voie rapide CD 1.

La ligne est ici établie soit en remblai, soit au sol, soit en déblai et atteint la station Créteil – Université qui dispose également d'un quai en îlot. Cette station permet la correspondance avec la ligne de bus en site propre Trans Val-de-Marne.

C'est toujours encadrée par la voie routière rapide que la ligne 8 présente sa plus longue interstation, 1 370 m, pour atteindre le terminus Créteil – Préfecture dont les installations comprennent trois voies desservant deux quais et trois voies de garage.

TERMINUS DE CRÉTEIL

(Balard)
Voie D
Voie 3
Voie 1
Voie 2
CRÉTEIL - PRÉFECTURE
Voie A
Voie T
TROTTOIR
Voie C
Voie A
Voie B
Voie C

Ambiance crépusculaire sur les voies de garage de Créteil – Préfecture.

LIGNE 9

Pont de Sèvres – Mairie de Montreuil

Jumelle de la ligne 8 par son tracé parabolique sud-ouest/sud-est dans Paris, la ligne 9 fut la première du réseau à pousser ses voies en dehors de la capitale pour desservir la proche banlieue. Elle irrigue aujourd'hui, outre Boulogne et Montreuil, le XVIe arrondissement, le quartier des affaires, les Grands Boulevards et l'est parisien.

L'HISTOIRE

Arrêt d'un train à destination de Pont de Sèvres, au terminus intermédiaire de Porte de Montreuil.

Répertoriée sous le nom d'embranchement de la ligne métropolitaine circulaire n° 2 Sud entre Trocadéro et Porte de Saint-Cloud, la ligne fut déclarée d'utilité publique le 31 juillet 1909. Et, dans le cadre du réseau complémentaire, son prolongement à Opéra le fut, lui, le 30 mars 1910. L'objectif était de relier au centre de Paris le XVIe arrondissement étiré entre le bois de Boulogne et la Seine : la ligne 9 constituerait désormais la colonne vertébrale des transports urbains de cette partie de la capitale.

Le « prolongement » à Opéra se rapprochait ensuite de la Seine, puis croisait les Champs-Élysées avant de se diriger vers le boulevard Haussmann et atteindre la station terminale située derrière l'Opéra, à Chaussée d'Antin. Ainsi, cette première partie de la ligne 9 était longue de quelque 9,2 km et desservait 17 stations.

Les travaux

Si dans la partie sud, les travaux ne présentèrent pas de grandes difficultés, il n'en fut pas de même entre Trocadéro et Chaussée d'Antin. C'est sous l'avenue du Trocadéro devenue avenue du Président-Wilson que la ligne rencontra d'anciennes carrières qu'il fallut combler, tandis que, entre l'Alma et le boulevard Haussmann, une succession d'alluvions anciennes ou modernes composées de limons argilo-sableux causa quelques soucis. Dans ces terrains, les tunnels durent être construits selon des types renforcés.

Comme pour les autres lignes, plusieurs ouvrages spéciaux durent être édifiés en certains points particuliers.

L'implantation et la configuration du terminus Porte de Saint-Cloud furent l'objet de nombreux débats et controverses, en raison notamment de l'incontournable présence des fortifications très « protégées » par l'autorité militaire. La solution en boucle ayant été abandonnée, c'est un terminus en tiroir qui fut finalement construit, ménageant ainsi plus facilement la possibilité d'un prolongement dans Boulogne.

Le problème se compliqua lorsqu'on envisagea de desservir le Parc des Princes par une station dénommée Porte Molitor, située sur une voie, dite « voie Murat », reliant la porte d'Auteuil à la porte de Saint-Cloud. Il était prévu que certains trains de la ligne 9 pénètrent sur la ligne 8 (10 actuelle) grâce au raccordement entre les deux lignes à Michel-Ange – Auteuil, desservent la porte d'Auteuil, empruntent la voie Murat, s'arrêtent à la porte Molitor et regagnent la ligne 9 à Porte de Saint-Cloud. Afin d'éviter un cisaillement des voies dans la gare, un saut-de-mouton souterrain fut établi côté Boulogne. La station Porte de Saint-Cloud devant accueillir un grand nombre de trains, il fut décidé de la doter de cinq voies à quai, exemple unique au métro. Nofons que la station Porte d'Auteuil de la ligne 10 comprend trois voies dont une était réservée pour les trains allant à la porte Molitor. Après la réaffirmation du principe d'indépendance totale des lignes, cette exploitation n'eut pas lieu et les accès à la station Porte Molitor ne furent jamais construits et la voie Murat sert de voie de garage.

Enfin, un autre ensemble de voies fut construit entre Porte d'Auteuil et Porte de Saint-Cloud, d'abord pour un garage commun des rames des deux lignes, puis pour leur entretien dans un atelier souterrain ouvert en 1925.

Travaux de construction de la ligne 9 dans les années 1930, entre République et Porte de Montreuil.

La ligne 9 en travaux, aux abords de la station République.

La station Saint-Augustin, quant à elle, fut à l'origine construite à trois voies. Elle devait être en effet le point de départ d'un embranchement vers la porte des Ternes et la porte Maillot. Mais celui-ci fut abandonné et la station fonctionne aujourd'hui comme une station normale à deux voies.

D'autres points particuliers furent traités, notamment le passage sous plusieurs collecteurs, ainsi que le franchissement de plusieurs autres lignes de métro. C'est ainsi que pour ce dernier point le passage de la ligne 9 sous la 3 dans un angle très aigu imposa un dédoublement du tunnel de la 9 du côté ouest de la station Havre – Caumartin.

Mise en service et prolongements

La mise en service de la ligne 9 fut un exercice laborieux à cause de la guerre de 1914, des incertitudes à propos du terminus de Porte de Saint-Cloud et des difficultés financières de la Compagnie du métropolitain. Le premier tronçon ouvert à l'exploitation fut Exelmans – Trocadéro, soit 3,5 km dans le XVIe arrondissement, le 8 novembre 1922. Le 27 mai 1923, le kilométrage était doublé avec l'ouverture du tronçon Trocadéro – Saint-Augustin, la ligne étant prolongée à nouveau le 3 juin jusqu'à Chaussée d'Antin. Il fallut attendre le 26 septembre 1923 pour que la ligne soit exploitée depuis Porte de Saint-Cloud.

C'est dans une dynamique constante d'expansion de son réseau de métro que le conseil municipal de Paris étudia, au début des années 1920, la réalisation complète du réseau complémentaire. Il apparut que le prolongement de la ligne 9 jusqu'à Richelieu – Drouot était indispensable pour faire pénétrer davantage cette ligne de métro au cœur de Paris. Le percement vers l'est du boulevard Haussmann le rendant possible, il fut ouvert le 30 juin 1928.

Le conseil municipal, dans sa séance du 29 décembre 1922, décida, entre autres, de réaliser une ligne reliant Porte de Montreuil à République et de la rabouter à la ligne Porte de Saint-Cloud – Richelieu – Drouot dans un souterrain parallèle à celui de la ligne 8. L'in-

Sous les Grands Boulevards, les lignes 8 et 9 sont superposées ; ici, un poinçonneur pour les deux directions vers l'est.

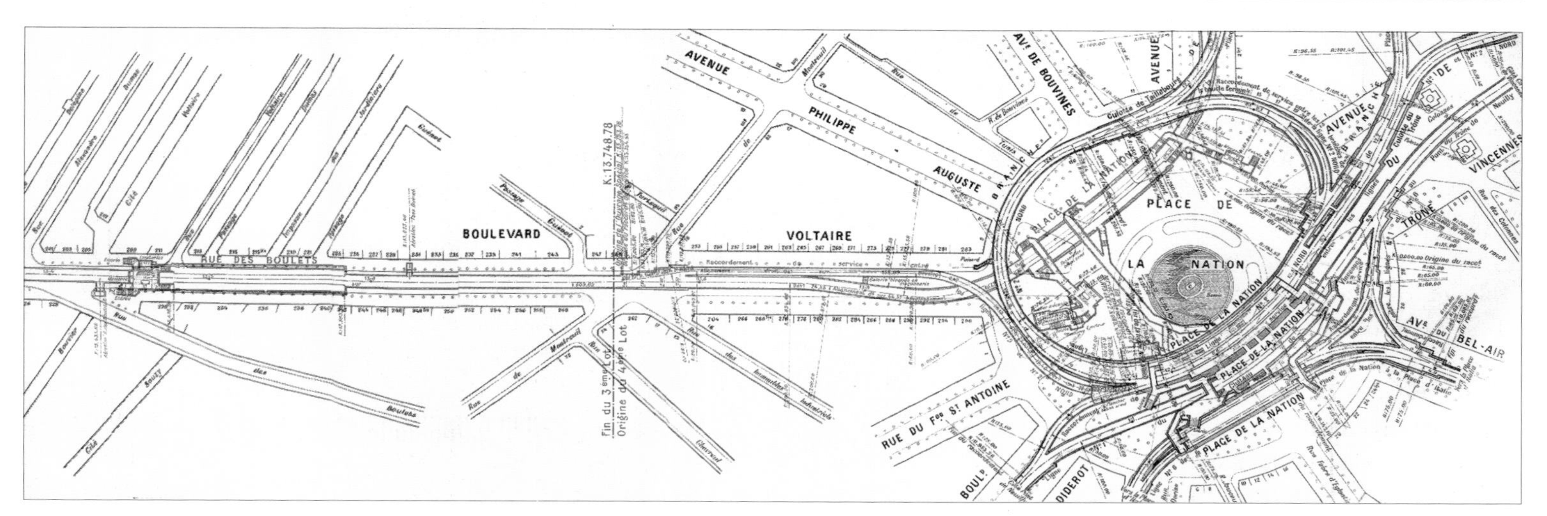

Plan de l'insertion de la ligne 9 dans le complexe de Nation 2.

térêt de cette opération était double : d'abord permettre aux habitants des XIe et XXe arrondissements d'atteindre facilement le centre de Paris, ensuite de créer une nouvelle transversale parabolique sud-ouest/sud-est.

La ligne 9 était établie sous les Grands Boulevards, au niveau inférieur d'un ouvrage commun à deux étages avec la ligne 8, et ce jusqu'à la station Saint-Martin aujourd'hui fermée au public. Après la station République, la 9 filait en ligne droite jusqu'à Nation, traversant en diagonale le XIe arrondissement, puis traversait la partie sud du XXe arrondissement avant d'atteindre Nation, puis Porte de Montreuil.

Bien que les travaux soient terminés jusqu'à Oberkampf dès 1932, mais sur une portion doublant la ligne 8, on attendit le 10 décembre 1933 pour mettre en service la totalité de ce tronçon long de 6 430 m entre Richelieu – Drouot et Porte de Montreuil.

Remise par la Ville de Paris à la CMP, en présence de Fulgence Bienvenüe (au centre, le petit homme à la barbiche blanche portant une canne), du tronçon Richelieu-Drouot – Porte de Montreuil.

L'accès particulier de la station Buzenval dans les années trente.

La convention de 1929, on le sait, prévoyait le prolongement des lignes en banlieue. La ligne 9 allait être la première à pousser ses rails en dehors de Paris. Un décret du 24 décembre 1929 déclara d'utilité publique ses deux prolongements : l'un Porte de Saint-Cloud – Pont de Sèvres, l'autre Porte de Montreuil – Mairie de Montreuil.

Le prolongement jusqu'à Pont de Sèvres à Boulogne-Billancourt fut le premier réalisé. Il poussait le métro à plus de 2 000 m de la capitale et comportait trois nouvelles stations : Marcel Sembat, Billancourt et Pont de Sèvres. Un raccordement de plus de 600 m avec de nouveaux ateliers fut également réalisé. Ce prolongement d'une portée considérable fut mis en service le 3 février 1934 et initialisait la politique de rapprochement entre Paris

Arrêt à Robespierre du train inaugural lors du prolongement de la ligne 9 à Mairie de Montreuil.

La voie d'accès au nouvel atelier de Boulogne.

Les dernières semaines de circulation des trains Sprague-Thomson sur le métro parisien en 1983.

et les communes limitrophes. Le prolongement à Mairie de Montreuil, long de 2 570 m, comportait également trois nouvelles stations à Robespierre, Croix de Chavaux et Mairie de Montreuil. Il fut mis en service le 14octobre 1937.

C'est sur la ligne 9 que roula le dernier train Sprague, le 16 avril 1983, cédant définitivement la place au MF 67 qui était apparu dès 1974.

La ligne fut équipée du PCC en 1970 et du pilotage automatique en 1975.

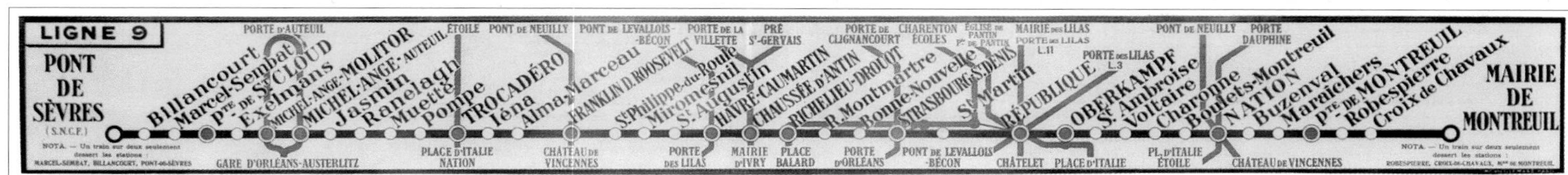

LE PARCOURS

Établies sous l'avenue du Général-Leclerc à Boulogne-Billancourt dans les Hauts-de-Seine, les installations du terminus Pont de Sèvres sont relativement modestes : trois voies à quai, trois courtes voies en tiroir en arrière-gare, dont une avec trottoir de manœuvre, et une voie de garage en impasse en avant-gare. On trouve également de ce côté la voie de raccordement avec l'atelier de Boulogne. Celui-ci, ouvert en 1934 lors du prolongement de la ligne au Pont de Sèvres, assure aujourd'hui la maintenance des MF 67 de la ligne. Après la station Billancourt, la ligne 9 passe au-dessus de cette voie de raccordement et, environ 500 m plus loin, atteint la station Marcel Sembat.

C'est sous l'avenue Édouard-Vaillant que la ligne se dirige vers Paris. Peu avant la limite entre Boulogne et la capitale, les deux voies se séparent pour aborder les installations de Porte de Saint-Cloud dans le XVIe arrondissement. Le schéma montre la complexité du véritable terminus ouest de la ligne 9 avec aujourd'hui quatre voies à quai, plusieurs voies de garage dont une avec trottoir. Pas-

Un MF 67 rénové à l'atelier de Boulogne.

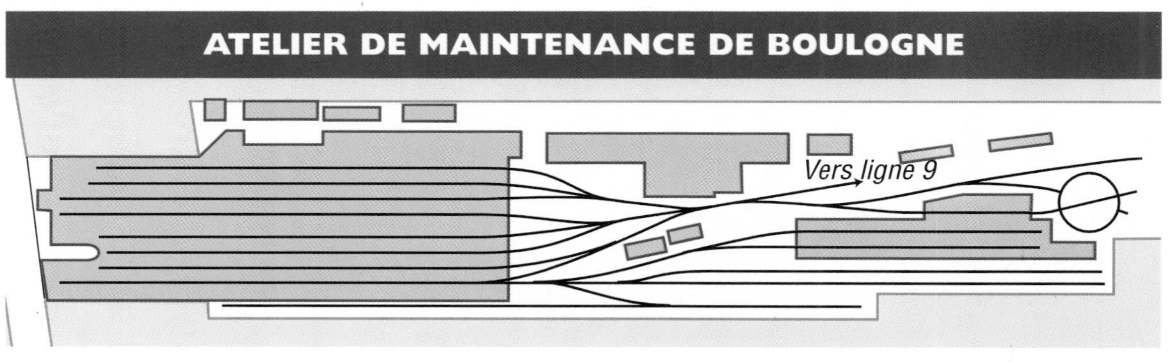

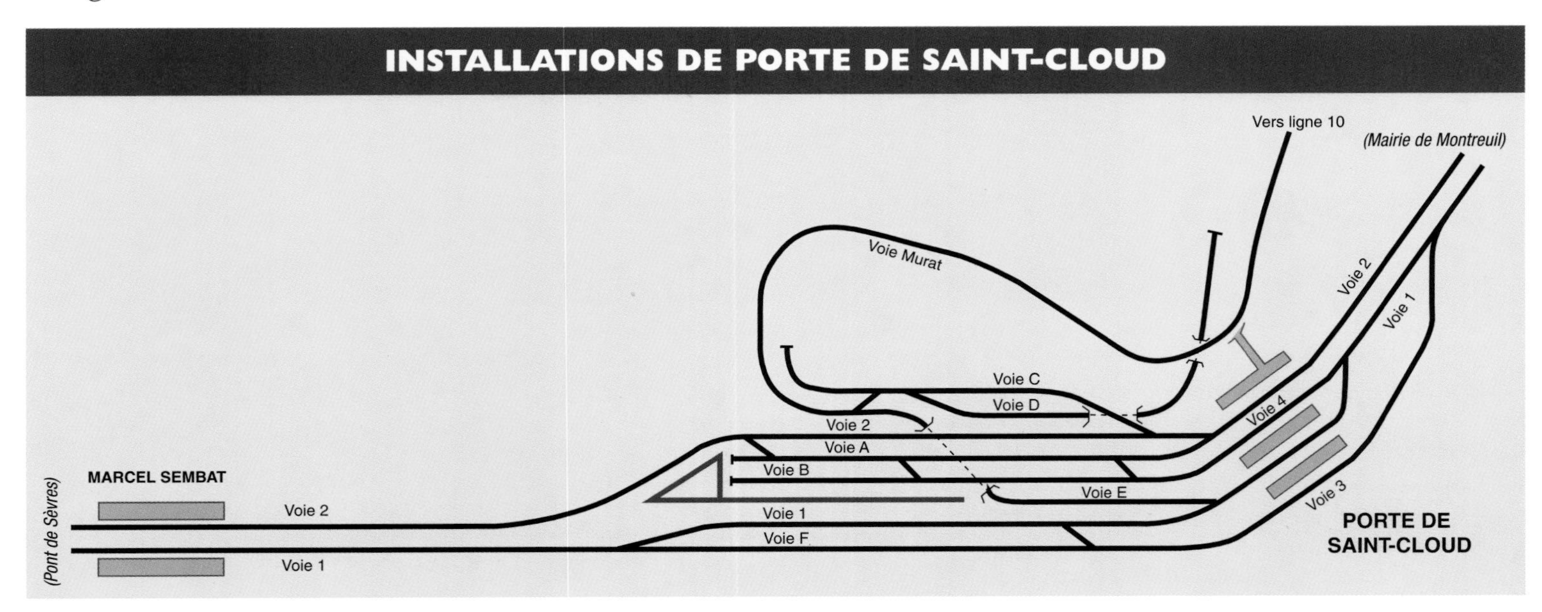

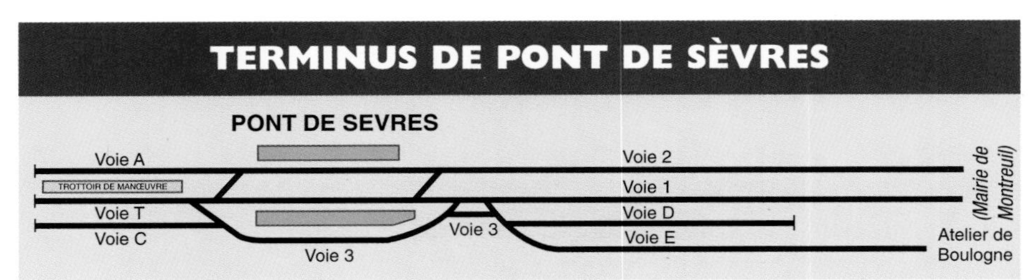

sant sous une partie de ces voies, la « voie Murat » relie le terminus à la boucle de la ligne 10 en passant par la « station » Porte Molitor (Murat). Une autre voie relie la ligne 9 à l'atelier de Saint-Cloud de la ligne 10 (voir cette ligne).

Quittant la place de la porte de Saint-Cloud pour la rue Michel-Ange, la ligne 9 dessert les stations Exelmans et Michel-Ange – Molitor (corr. L. 10). Elle passe sous les voies « sud » de la boucle d'Auteuil de la 10, atteint Michel-Ange – Auteuil (corr. L. 10), puis passe cette fois sous la voie « nord » de ladite boucle avec laquelle elle est raccordée. Établie successivement sous la rue La Fontaine, l'avenue Mozart, la rue de la Pompe et l'avenue Georges-Mandel, la ligne 9 dessert les stations Jasmin, Ranelagh, La Muette (corr. L. C du RER) et, après une longue interstation de 923 m, rue de la Pompe (Georges-Mandel). Après un premier raccordement avec la 6, la ligne 9 atteint Trocadéro (corr. L. 6), via l'avenue du Président-Wilson. Au-delà d'un second raccordement avec la 6, la 9 passe sous cette ligne, puis descend vers Iéna et Alma - Marceau, non loin de la Seine. Grâce à une grande courbe, elle s'en éloigne par l'avenue Montaigne, passe sous le collecteur Marceau et, après une voie d'évitement en impasse, atteint la station Franklin D. Roosevelt (corr. L. 1), malheureusement assez éloignée de celle de la ligne 1, ce qui a entraîné la construction d'un long couloir de correspondance. Sous le rond-point des Champs-

Passage souterrain et accès à la station Alma - Marceau.

LES STATIONS DE LA LIGNE 9

(ancien nom entre parenthèses et en italique)

PONT DE SÈVRES

Pont sur la Seine, en aval de Paris, reliant entre elles les communes de Sèvres et de Boulogne-Billancourt.

BILLANCOURT

Ancien village, aujourd'hui l'un des quartiers les plus connus de Boulogne grâce à Renault.

MARCEL SEMBAT

Homme politique socialiste du début du XXe siècle.

PORTE DE SAINT-CLOUD

De Clodoald, prince mérovingien petit-fils de Clovis réchappé du massacre de sa famille et fondateur d'un monastère.

EXELMANS

Colonel de cavalerie du premier Empire, pair de France, puis maréchal.

MICHEL-ANGE – MOLITOR

1- Illustrissime sculpteur, peintre et architecte italien des XVe et XVIe siècles.
2- Maréchal sous Louis XVIII, qui s'illustra lors de certaines campagnes de l'Empire.

MICHEL-ANGE – AUTEUIL

Nom d'un village rattaché à Paris.

JASMIN

Jacques Boé dit Jasmin, poète d'expression occitane du XIXe siècle.

RANELAGH

À partir de 1774, établissement abritant, sur la pelouse du château de la Muette, une salle de bal avec café, restaurant, concert et spectacle, inspiré d'un kiosque appartenant à lord Ranelagh, pair d'Angleterre.

LA MUETTE

Ancien pavillon de chasse – dont le nom pourrait provenir soit de meute (de chiens) soit de mues (bois de cerfs tombés) –, transformé en petit château au XVIe siècle, propriété du Régent et de la duchesse de Berry, puis de Louis XV, devenu bien national à la Révolution et démoli dans les années 1920.

RUE DE LA POMPE

Pompe qui alimentait en eau le château de la Muette.

TROCADÉRO

Voir ligne 6.

IÉNA

Ville allemande où Napoléon vainquit les Prussiens en 1806.

ALMA – MARCEAU

1- Rivière de Crimée où les Français et les Anglais battirent les Russes en 1854.
2- Général vainqueur des Vendéens en 1793, et des Autrichiens en 1795.

FRANKLIN D. ROOSEVELT

(avant 1942 Rond-Point des Champs-Élysées, puis Marbeuf – Rond-Point des Champs- Élysées jusqu'en 1946)
Voir ligne 1.

SAINT-PHILIPPE-DU-ROULE

Chapelle d'une maladrerie dans un ancien village rattaché à Paris, dédiée à saint Philippe.

MIROMESNIL

Magistrat et garde des Sceaux de Louis XVI.

SAINT-AUGUSTIN

Docteur de l'Église, fils de Sainte-Monique.

HAVRE - CAUMARTIN

Voir ligne 3.

CHAUSSÉE D'ANTIN – LA FAYETTE

Voir ligne 7.

RICHELIEU - DROUOT

Voir ligne 8.

GRANDS BOULEVARDS

(avant 1998 Rue Montmartre)
Voir ligne 8.

BONNE NOUVELLE

Voir ligne 8.

STRASBOURG – SAINT-DENIS

Voir ligne 4.

RÉPUBLIQUE

Voir ligne 3.

OBERKAMPF

Voir ligne 5.

SAINT-AMBROISE

Père, docteur de l'Église latine, né à Trèves, évêque de Milan vers 340, il baptisa saint Augustin.

VOLTAIRE

Écrivain et philosophe du XVIIIe siècle, auteur notamment de poèmes, de contes, d'essais historiques et défenseur des victimes d'erreurs judiciaires.

CHARONNE

Nom d'un village rattaché à Paris .

RUE DES BOULETS

(avant 1998 Boulets – Montreuil)
Nom d'un lieu-dit.

NATION

Voir ligne 1.

BUZENVAL

Nom d'un hameau situé entre Garches et Rueil-Malmaison.

MARAÎCHERS

Qui existaient dans cette partie de Paris dans le XXe arrondissement.

PORTE DE MONTREUIL

Commune de Seine Saint-Denis.

ROBESPIERRE

Avocat et homme politique sous la Révolution, député de la Constituante, puis de la Convention, chef des Montagnards, il gouverne la France à la tête du Comité de salut public mais est guillotiné en 1794.

CROIX DE CHAVAUX

À la croisée de chemins où se trouvait un calvaire et où l'on changeait de chevaux (déformé en chavaux).

MAIRIE DE MONTREUIL

Mairie de cette importante commune de Seine-Saint-Denis.

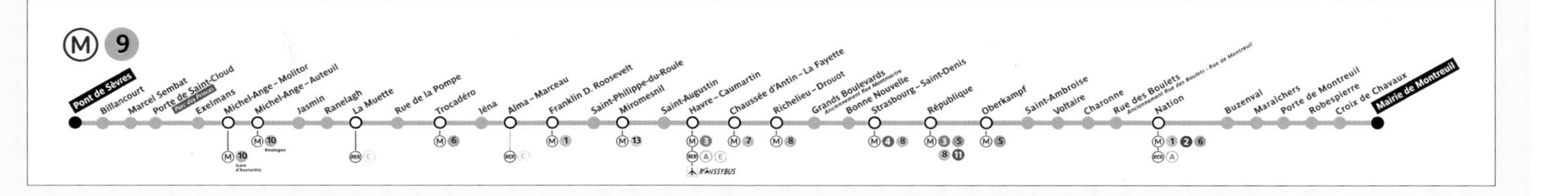

Les « dessus » du métro

LES GRANDS BOULEVARDS

« J'aime flâner sur les Grands Boulevards » chantait Yves Montand. Tous ceux qui comme lui se promènent aujourd'hui sur les huit boulevards qui se succèdent entre la Madeleine et la République le doivent à Louis XIV. C'est en effet en juin 1670, que le roi, ayant mis un terme aux dangers d'invasion aux frontières, ordonne la démolition de ce qui restait de l'enceinte de Charles V pour la remplacer par une promenade bordée d'arbres : le « Nouveau Cours ». Les travaux commencent à l'est (boulevard Saint-Martin actuel) et durent plusieurs années. La porte Saint-Martin date de 1674 et était destinée à célébrer la gloire de Louis XIV. Le boulevard Saint-Denis lui succède vers l'ouest avec la porte Saint-Denis, véritable arc de triomphe à la gloire du roi. Les souverains y font leur entrée solennelle dans Paris après leur sacre en la basilique de Saint-Denis.

Les boulevards Bonne Nouvelle, Poissonnière et Montmartre sont ouverts à la suite d'une prescription de 1676, en 1685 pour les deux premiers et en 1705 pour le troisième. Ils remplacent les fossés, comblés à cette occasion, de l'enceinte de Louis XIII qui n'est démolie qu'en 1754. La même prescription concerne les boulevards des Italiens, des Capucines et de la Madeleine qui sont ouverts entre 1680 et 1705.

C'est à partir du milieu du XVIIIe siècle, mais surtout au XIXe que les Grands Boulevards connaissent leur période faste avec musées, cafés et théâtres. Ne dit-on pas aujourd'hui « théâtre de boulevard » pour bien marquer l'étiquette d'un mode de divertissement nouveau au siècle dernier ? Avec l'installation d'établissements bancaires, puis d'immeubles de bureaux, le quartier des Grands Boulevards mêle aujourd'hui le monde des affaires et celui du spectacle.

Élysées, la 9 passe sous le collecteur Montaigne et la ligne 1, puis atteint Saint-Philippe-du-Roule, via l'avenue Franklin D. Roosevelt, et Miromesnil (corr. L. 13), via la rue La Boétie, cette dernière station étant au-dessus de celle de la ligne 13.

La ligne 9 poursuit sous la rue La Boétie, passe sous le collecteur d'Asnières et atteint Saint-Augustin au débouché du boulevard Haussmann sur la place du même nom, « rejoignant » la ligne A du RER établie profondément sous le boulevard. Elle continue vers l'est et ses deux voies s'écartent pour laisser la place, sur environ 200 m, à un piédroit de soutènement rendu nécessaire par le faible angle de croisement avec la ligne 3. À noter qu'ici la ligne 9 croise également la ligne 12, sans offrir aucune correspondance avec cette dernière, exemple heureusement unique au métro de Paris, si l'on excepte la nouvelle ligne 14. À Havre – Caumartin, la 9 est en correspondance avec la 3 et avec la gare RER d'Auber (L. A).

Toujours sous le boulevard Haussmann, la ligne 9 passe sous le collecteur de Clichy et la voie de raccordement 3/7 avant d'atteindre Chaussée d'Antin, station de correspondance avec la ligne 7 située au-dessus. Plus loin, elle dessert Richelieu – Drouot (corr. L. 8) et s'engage sous le boulevard Montmartre pour se placer au niveau inférieur de l'ouvrage commun 8/9 sous les Grands Boulevards (voir le tracé de le ligne 8). Les stations Grands Boulevards et Bonne Nouvelle sont dépassées et la ligne débouche à Strasbourg – Saint-Denis (corr. L 4 et 8). Après la station Saint-Martin fermée au public, les voies de la ligne 9 se placent de part et d'autre de celles de la 8 au même niveau. Elles sont dans cette même

CARTE D'IDENTITÉ DE LA LIGNE 9	
Longueur totale	19,562 km
dont en aérien	0 km
Nombre de stations	37
dont aériennes	0
dont correspondances	13
Longueur des stations	de 75 m à 105 m
Longueur moyenne des interstations	543 m
Nombre de trains en ligne à la pointe	59
Nombre de départs (jour ouvrable)	363
Intervalle minimal (jour ouvrable)	1 mn 45
Matériel roulant	MF 67
Nombre de voitures par train	5
Atelier de maintenance	Boulogne
Atelier de révision	Choisy

CHANGEMENT DE DÉCOR

Chaussée d'Antin - La Fayette

Financé par les Galeries Lafayette, une fresque en métal peint de Jean-Paul Chambas évoque l'histoire des cultures française et américaine.

configuration dans la station République (corr. L. 3, 5, 8 et 11). Peu après l'extrémité de la station, la ligne 9 passe au-dessus des lignes 3 et 11. Un peu plus loin, sa voie 1 descend pour passer sous les voies de la 8 puis rejoint la voie de sens inverse (V2) à l'entrée du boulevard Voltaire. C'est aussi là que la ligne 9 passe au-dessous de la ligne 5 dont le tracé lui est parallèle jusqu'à Oberkampf (corr. L. 5).

Au croisement du boulevard Voltaire et du boulevard Richard-Lenoir, la ligne 9 passe sous le canal Saint-Martin, lui-même en souterrain, puis dessert les stations établies sous le boulevard Voltaire : Saint-Ambroise, Voltaire (Léon Blum), Charonne et Rue des Boulets. Elle arrive alors aux abords de la station Nation dans un sous-sol encombré par les voies du terminus de la ligne 2. En « amont » de Nation, la 9 passe sous son raccordement avec la ligne 2, sous la boucle terminale de cette dernière et, en « aval », sous une bride de raccordement de cette boucle, puis à nouveau sous cette dernière (branche Taillebourg). Plus loin, la 9 passe une nouvelle fois sous une partie de la boucle terminale de la 2 (branche Charonne) et atteint, par l'étroite

Les « dessus » du métro

LA PLACE DE LA NATION

Le 26 août 1660, le roi Louis XIV et la reine Marie-Thérèse, après avoir été sacrés à Reims, reçoivent l'hommage de la capitale assis sur un « throsne » dressé sur une grande place située sur la route de Paris à Vincennes. Celle-ci prend tout naturellement le nom de place du Trône. Adossée au mur des Fermiers généraux, la place reçoit de l'architecte Ledoux pour la barrière du Trône deux pavillons carrés, édifiés en 1787, de part et d'autre de la route. Ils supportent deux colonnes doriques de 30,5 m de haut dont le piédestal sert alors de bureau d'octroi. En 1845, on les surmonte de statues de Saint Louis et de Philippe-Auguste.
Sous la Révolution, la place est rebaptisée « place du Trône renversé » et la guillotine y fonctionne sans discontinuer : en six semaines, plus de 1 300 personnes y sont exécutées. La place reprend son nom originel en 1805.
C'est en 1880 qu'elle devient place de la Nation, à l'occasion de la fête nationale. En son centre, se trouve un monument de Dalou appelé « Le Triomphe de la République ».

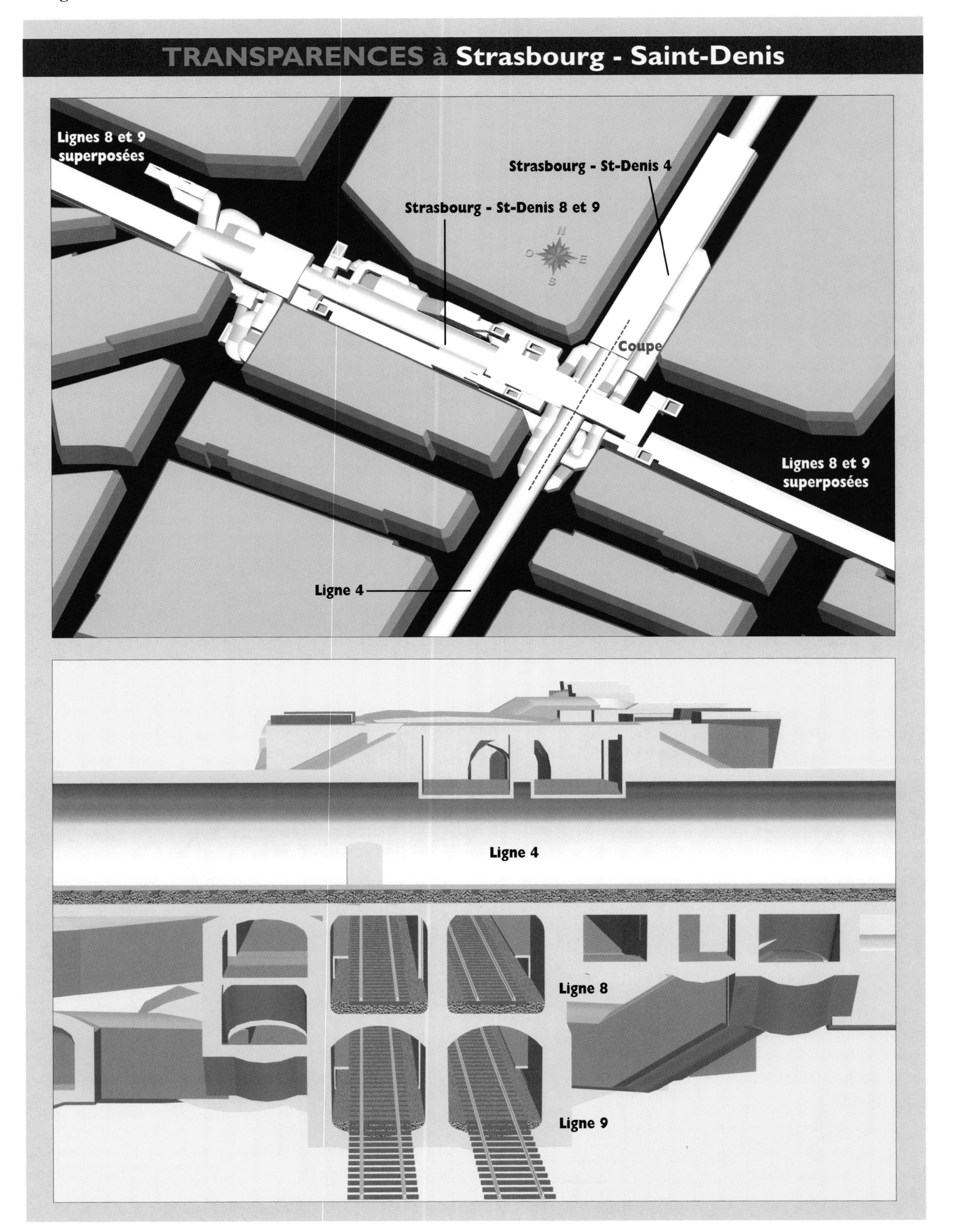
TRANSPARENCES à Strasbourg - Saint-Denis
Lignes 8 et 9 superposées
Strasbourg - St-Denis 4
Strasbourg - St-Denis 8 et 9
N
O
E
S
Coupe
Lignes 8 et 9 superposées
Ligne 4
Ligne 4
Ligne 8
Ligne 9

Un MF 67 rénové lors de son arrêt dans la station Buzenval, non moins rénovée.

Le poste de manœuvres local de Porte de Montreuil contrôlant l'ensemble de cette extrémité de la ligne.

rue Auger, la rue d'Avron pour desservir les stations Buzenval et Maraîchers. Un peu plus loin, elle aborde l'ancien terminus de Porte de Montreuil avec quatre voies à quai et une voie centrale de garage avec trottoir de manœuvre. Cette station possède la plus grande voûte du métro avec 22,50 m d'ouverture.

Quittant la capitale pour Montreuil en Seine-Saint-Denis, la ligne 9 se place sous la rue de Paris et dessert les stations Robespierre puis, environ 900 m plus loin, Croix de Chavaux. Elle s'incurve ensuite vers une direction nord-est pour emprunter le boulevard Rouget-de-l'Isle afin d'atteindre son terminus est à Mairie de Montreuil. La gare dispose seulement de deux voies à quai, mais de trois longues voies de garage dont une avec trottoir de manœuvre.

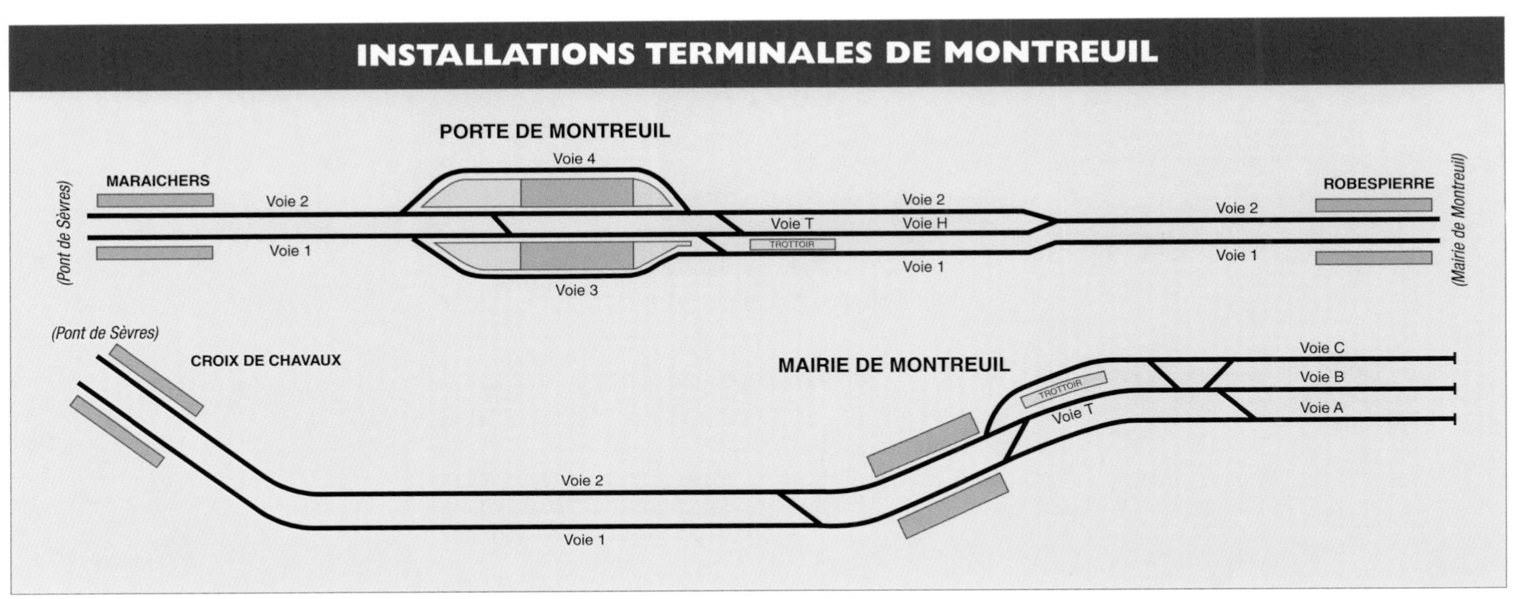

LIGNE 10

Boulogne – Gare d'Austerlitz

Écartelée, remaniée, raboutée, la ligne 10 actuelle ne ressemble en rien à ce qu'elle fut au début du métro parisien. Une partie de son tracé actuel porta un autre numéro, tandis que le nombre 10 fut affecté à certains tronçons qui appartiennent aujourd'hui à d'autres lignes. C'est de nos jours une transversale est-ouest, en très grande partie établie au nord de la rive gauche.

L'HISTOIRE

Le décor quelque peu désuet du terminus Porte d'Auteuil dans les années quarante.

C'est sous le n° 8 que le premier tronçon de la ligne 10 actuelle fut déclaré d'utilité publique le 6 avril 1903, dans le cadre d'une ligne entre Auteuil et Opéra, via La Motte-Picquet.

C'est le parcours entre cette dernière station et Auteuil qui nous intéresse ici.

À l'origine, la ligne devait avoir son origine le long de la gare d'Auteuil – Boulogne, se développer le long des fortifications jusqu'à la porte Molitor, puis pénétrer à l'intérieur de l'enceinte fortifiée et suivre la rue Molitor et la rue Mirabeau jusqu'à la Seine. En 1906, il fut décidé de substituer à ce tracé

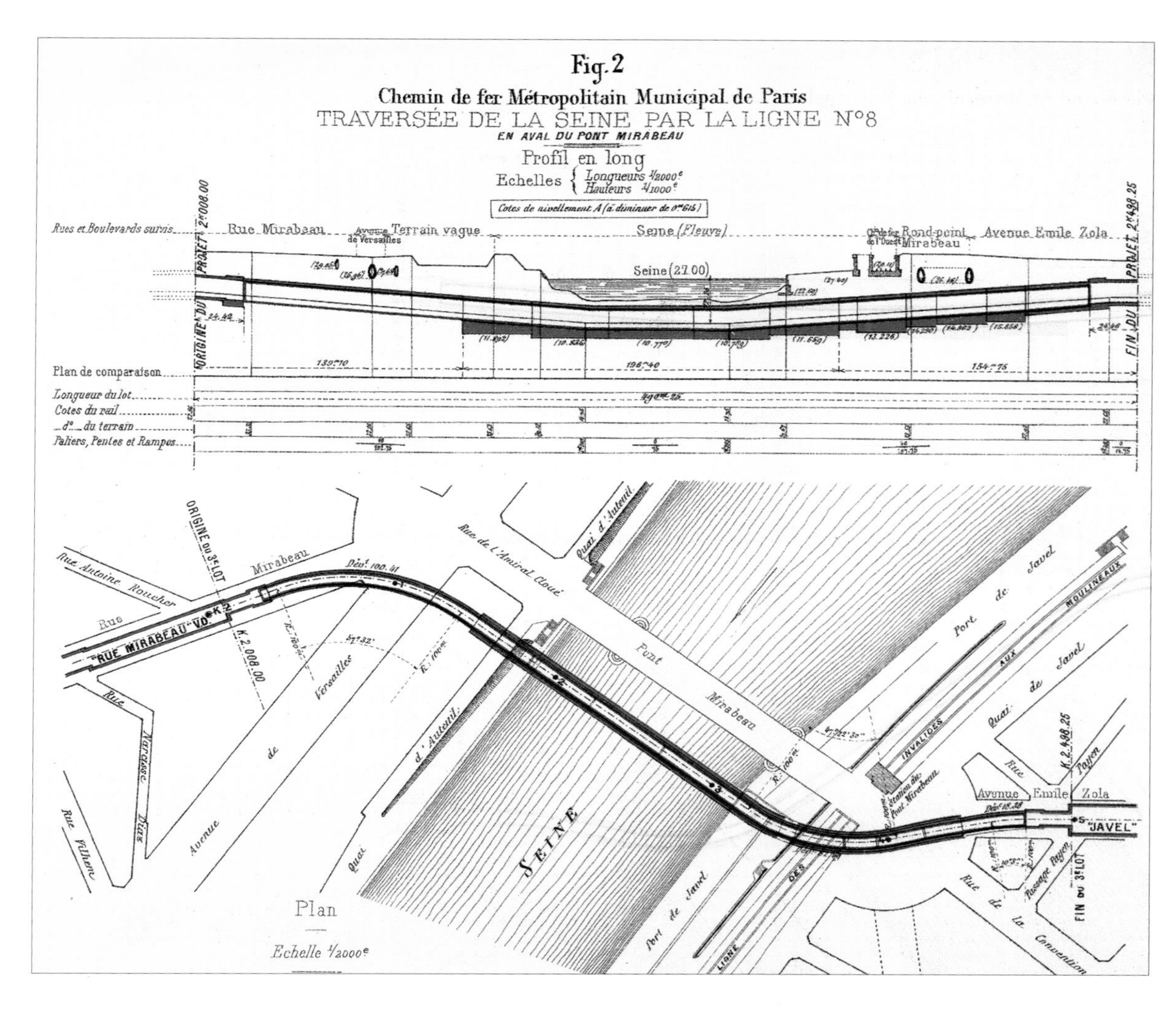

Profil en long et tracé de la traversée sous-fluviale de la ligne 10 entre Mirabeau et Javel. Ci-dessus, la plaque apposée dans le tunnel.

unique un parcours en boucle via les rues Mirabeau, Molitor, d'Auteuil et Wilhem, boucle se fermant à la porte d'Auteuil et empruntée par les trains dans le sens inverse des aiguilles d'une montre. Après réunion des deux branches, la ligne passe sous la Seine en aval du pont Mirabeau et se place sous l'avenue Émile-Zola, avant d'atteindre La Motte-Picquet par un court trajet sous la rue du Commerce.

Les travaux

Les travaux de construction du tronçon Auteuil – La Motte-Picquet comprirent la réalisation des tunnels, des stations parfois d'un type particulier ainsi que d'une traversée sous-fluviale.

Le tunnel courant fut établi à deux voies, sauf dans la boucle où il abrite une voie. Cependant, dans la boucle, deux sections furent construites à double voie : la première, au nord avec le raccordement entre les lignes 9 et 10, la seconde au sud jusqu'à l'amont de la station Chardon-Lagache pour servir de garage.

La terminus de Porte d'Auteuil fut doté de trois voies séparées par deux quais centraux : la première devait servir aux trains venant de la 9, la deuxième aux trains de la ligne 8 (10) proprement dite, la troisième au garage de trains de réserve. En amont de la station, les trois voies furent implantées chacune dans un tunnel afin de ne pas déranger les appuis du viaduc du chemin de fer de Ceinture.

La traversée sous-fluviale s'effectua en aval du pont Mirabeau sur un parcours total de 487,25 m. La ligne venant de la rue Mirabeau plongeait, rive droite, sous l'avenue de Versailles et le quai, avant de s'établir en palier sous le fleuve. Rive gauche, elle remontait sous le port de Javel les voies de la ligne qui aboutissait alors à la gare des Invalides (auj. ligne C du RER) et l'avenue Émile-Zola. La technique utilisée fut celle du fonçage vertical dans le lit de la Seine de cinq caissons métalliques de section ovoïde : deux de rive, deux intermédiaires et un central de 44 m de long. Les travaux durèrent de 1907 à 1913, car ils furent retardés par l'inondation de 1910.

À l'entrée de la boucle d'Auteuil, là où les deux voies profondes se séparaient, la station Mirabeau présentait une configuration particulière et unique au métro. À l'origine, il devait exister deux demi-stations établies l'une sur la voie nord (direction Auteuil), l'autre sur la voie sud (direction Austerlitz). Mais pour ne pas créer de désordre à proximité des fondations de l'église d'Auteuil qui se révélèrent fragiles, la voie nord dut être établie au plus près du sol, donc s'élever rapidement après son passage sous la Seine. Aussi fut-il impossible de placer la demi-station Mirabeau nord « en face » de la demi-station sud, la voie nord étant en rampe de 40 ‰. De ce fait, la station Mirabeau nord fut située à proximité de l'édifice religieux et fut naturellement baptisée « Église d'Auteuil ».

Mise en service, remaniements et prolongements

La portion de ligne Auteuil – Beaugrenelle (auj. Charles Michels) fut mise en service le 30 septembre 1913. Le tronçon Beaugrenelle – Opéra ayant été mis en service deux mois et demi auparavant, la ligne 8 Auteuil – Opéra était ainsi constituée ; elle allait fonctionner sous cette configuration jusqu'en juillet 1937.

Le second tronçon qui fait aujourd'hui partie intégrante de la ligne 10 est celui qui reliait Duroc à Croix-Rouge (station aujourd'hui fermée entre Sèvres – Babylone et Mabillon), inclus dans une ligne portant le numéro 10 entre Invalides et Croix-Rouge. Cette ligne fut, à l'origine, l'un des tronçons de la ligne de 11,7 km concédée à titre définitif en décembre 1907, dite « Ceinture intérieure des Invalides aux Invalides », qui devait se confondre avec la ligne 8 entre Invalides et Opéra sur environ 1 200 m.

À l'origine, le tracé sur la rive gauche qui nous intéresse en partie ici devait passer sous le boulevard Saint-Germain et la rue Saint-Dominique pour relier Odéon aux Invalides. Un nouveau tracé, qui selon le conseil municipal assurait une meilleure desserte, fut adopté en décembre 1907, faisant passer la ligne par la rue du Four, la rue de Sèvres et le boulevard des Invalides, avec un coude très prononcé à Duroc. Le principe d'une ceinture intérieure ayant été remis en cause en octobre 1912, la ligne, portant désormais le n° 10, fut ouverte jusqu'à la station Croix-Rouge le 30 décembre 1923, les travaux ayant été commencés avant la Première Guerre mondiale. Elle devait rejoindre Bastille après avoir traversé la Seine. Ce mouvement qui s'opérait et qui allait s'amplifier marquait un changement dans la politique de constitution du réseau. De l'avis même des membres de la Commission du métropolitain de la Ville de Paris, il s'agissait dorénavant de « substituer aux lignes d'arrondissement ou de quartier des grandes artères transversales ». Ce n'était après tout qu'un retour aux sources.

Poursuivant vers l'est, la ligne 10 fut prolongée jusqu'à Mabillon, le 10 mars 1925 ; puis, établie sous le boulevard Saint-Germain, elle atteignit Odéon le 14 février 1926, où elle offrait une correspondance importante avec la ligne 4.

La progression ne s'arrêta pas là, puisque les ouvrages de la ligne 10 furent construits au-delà en direction de Jussieu. Sous le boulevard Saint-Germain, furent implantées les stations Cluny à trois voies, dont la centrale constitue la tête du raccordement 4/10, et Maubert – Mutualité. Au-delà, la ligne quitte le boulevard Saint-Germain pour la rue Monge, avant d'atteindre la station Cardinal Lemoine. C'est à l'entrée de la rue Monge, à l'extrémité est de Maubert – Mutualité, que se détache, dans un ouvrage spécial, le raccordement à double voie avec la ligne 7. Ce dernier fut utilisé dès le 15 février 1930 par la ligne 10 qui fut ainsi prolongée jusqu'à... Place d'Italie ; elle utilisait provisoirement le tronçon Place Monge – Place d'Italie qui fut rabouté à la ligne 7 après que sa traversée de la Seine soit achevée.

Pendant ce temps se poursuivaient les travaux du tronçon Maubert – Jussieu qui allait permettre la correspondance avec la ligne 7 dans sa configuration définitive. Le tunnel fut

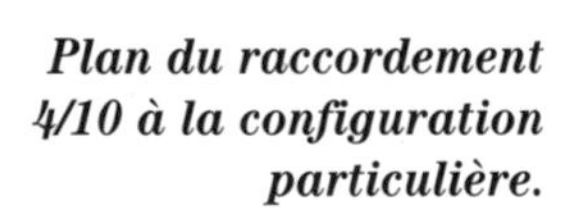
Plan du raccordement 4/10 à la configuration particulière.

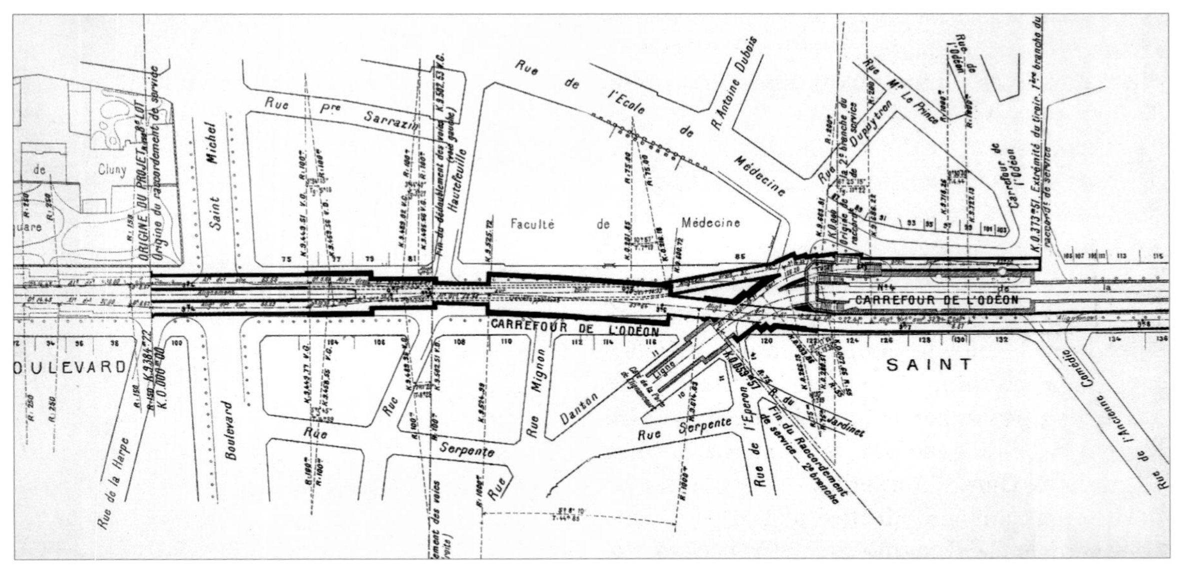

Les deux voies du raccordement 7/10 qui servirent autrefois à mener la ligne 10 à Porte de Choisy.

construit sous la rue des Boulangers pour atteindre Jussieu dans une station accolée à celle de la ligne 7. Le 26 avril 1931, la ligne 10 quittait son parcours provisoire de la ligne 7 pour être exploitée jusqu'à Jussieu, avec ouverture de la station Cardinal Lemoine.

L'exploitation de la ligne 10 entre Invalides et Jussieu allait durer environ 6 ans, jusqu'en 1937. Le conseil municipal avait décidé, dans sa séance du 31 décembre 1930, un profond remaniement des lignes 8, 10 et 14, qui allait donner à la ligne 10 la configuration que nous connaissons aujourd'hui dans Paris. Il fut décidé que :

• la ligne 8 irait à Place Balard, depuis La Motte-Picquet – Grenelle, au lieu de Porte d'Auteuil ;

• la ligne 14 (ancienne ligne C du Nord-Sud à construire) reprendrait le tronçon de la ligne 10 entre Duroc et Invalides pour constituer ainsi une ligne Invalides – Porte de Vanves (aujourd'hui ligne 13).

Ainsi, une nouvelle transversale est-ouest dans cette partie de la capitale pourrait être formée en reliant les deux tronçons, Auteuil – La Motte-Picquet – Grenelle et Jussieu – Duroc, par un nouveau tronçon Duroc – La Motte-Picquet que le conseil municipal approuva le même jour. Comme quelques mois auparavant, ce même Conseil avait décidé de prolonger la ligne 10 à Gare d'Austerlitz, celle-ci devenait donc la ligne Porte d'Auteuil – Gare d'Austerlitz.

Le tronçon La Motte-Picquet – Duroc s'étendait sous l'avenue de Suffren et la rue

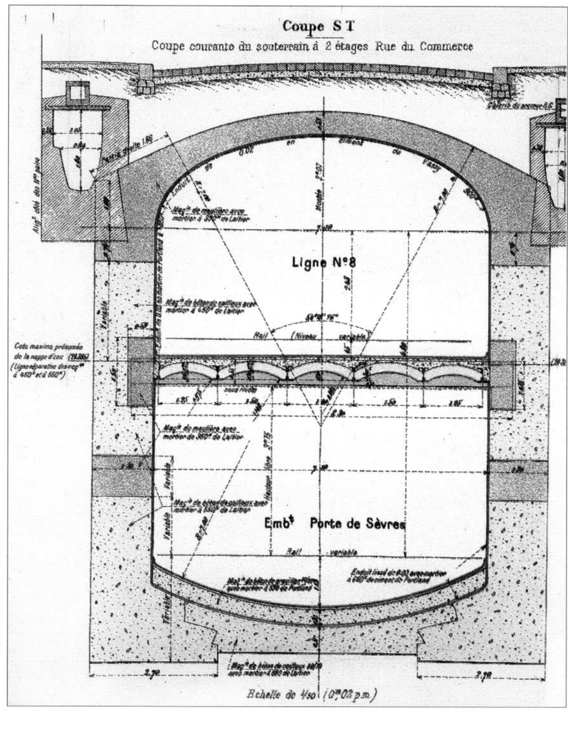

Dessin de l'ouvrage de superposition, sous la rue du Commerce, des lignes 10 actuelle (au niveau supérieur marqué « ligne 8 ») et 8 actuelle (au niveau inférieur marqué « Embt. Porte de Sèvres »).

L'ancien tunnel déferré de la ligne 10 à Duroc, quand celle-ci avait son terminus à Invalides.

de Sèvres. Il comprenait trois nouvelles stations : La Motte-Picquet – Grenelle, Ségur et Duroc, la station préexistante étant réservée à la future ligne 14. D'importants travaux de remaniements furent effectués à La Motte-Picquet – Grenelle : création d'une nouvelle station à deux niveaux ; dissociation de la branche Auteuil et branchement de la ligne vers Balard pour la ligne 8 côté sud ; dissociation de la ligne venant d'Opéra et branchement du tronçon venant de Duroc pour la ligne 10, côté nord. Tandis que l'ensemble des remaniements des lignes 8, 10 et 14 étaient opérés dans la nuit du 26 au 27 juillet 1937, la nouvelle ligne 10 ne prenait corps que deux jours plus tard, le 29 juillet. Un effort particulier d'information fut fait à cette occasion pour rendre plus faciles ces changements d'itinéraires déroutants pour les voyageurs. Ainsi, le réseau de métro de cette partie de Paris prenait une cohérence qui lui faisait défaut, le faible trafic de certains tronçons concernés étant là pour l'attester.

Le prolongement de la ligne de Jussieu à Gare d'Austerlitz fut mis en service le 12 juillet 1939, après des travaux difficiles sous la Halle aux Vins et le quai Saint-Bernard, à proximité de la Seine et du Chemin de fer d'Orléans, qui appartenait désormais à la SNCF.

Les trois voies du terminus Porte d'Auteuil occupées par des trains Sprague-Thomson à quatre voitures.

Stationnement d'un MA dans la station fantôme Porte Molitor.

Un MA rénové assure, au milieu des années soixante-dix, son service au départ du terminus Gare d'Orléans Austerlitz.

Quelque 40 ans plus tard, la ligne 10 allait être à nouveau prolongée en quittant cette fois-ci les limites de Paris pour pénétrer dans la commune de Boulogne-Billancourt qui, il faut le noter, fut ainsi la première et la seule aujourd'hui encore à être desservie par deux lignes de métro. C'est la partie nord de la commune qu'il s'agissait de mieux relier à Paris en créant un nouveau tronçon de près de 2 300 m entre la boucle d'Auteuil et le nouveau terminus Boulogne – Pont de Saint-Cloud avec une nouvelle station intermédiaire à Boulogne – Jean Jaurès. La mise en service fut réalisée en deux étapes : le 3 octobre 1980 jusqu'à Boulogne - Jean Jaurès, le 2 octobre 1981 jusqu'au Pont de Saint-Cloud, la station étant située au carrefour Rhin-et-Danube.

La ligne 10 connut certaines étapes de modernisation avec notamment la mise en service du PCC en 1974. Toutefois, le pilotage automatique n'y fut pas installé, les Sprague-Thomson étant remplacés à partir de 1975 par le Matériel Articulé de la 13 inadapté à cet équipement. Le MA céda complètement sa place au MF 67 en juin 1994.

Les travaux du prolongement de la 10 à Boulogne dans des voiries étroites.

Le tronçon Boulogne – Michel-Ange – Molitor

Prolongée en 1980 et 1981, la ligne 10 a son terminus ouest dans les Hauts-de-Seine à Boulogne – Pont de Saint-Cloud. Les installations situées sous le rond-point Rhin-et-Danube à Boulogne sont très modestes (voir schéma) : deux voies encadrant un quai central servant indifféremment pour les arrivées et les départs. Il n'existe ni arrière-gare, ni voies de garage, ce qui a imposé l'installation de heurtoirs à absorption d'énergie.

La ligne emprunte alors la rue de Paris à Boulogne, puis la rue du Château et dessert la station Boulogne – Jean Jaurès. Elle entame ensuite une longue interstation de près de 1 600 m pour rejoindre Paris et la boucle d'Auteuil, ce qui entraîne à ses abords un dédoublement des voies :

• la voie 1 (direction Austerlitz) descend en pente de 40 ‰ pour passer à la fois sous le boulevard périphérique, les voies d'accès à l'atelier de Saint-Cloud et la « voie Murat » de liaison avec la ligne 9 ; elle remonte ensuite sous la rue Molitor à Paris, à nouveau en rampe de 40 ‰, pour rejoindre la station à quai central Michel-Ange – Molitor (corr. L.9) ;

• la voie 2 (direction Boulogne) se détache de la boucle sous l'avenue du Général-Sarrail, puis, après une courbe en partie sous le périphérique, rejoint la voie de l'autre sens après une rampe de 40 ‰.

La boucle d'Auteuil

C'est au niveau de la station Mirabeau que commence la vaste boucle que décrit la ligne 10 sous le quartier d'Auteuil dans le XVIe arrondissement. Après être passées sous la Seine, les deux voies de la ligne remontent en rampe de 40 ‰ pour aborder la rive droite du fleuve en se plaçant sous la rue Mirabeau. Mais, alors que la voie 1 (direction Austerlitz) retrouve l'horizontalité pour desservir, seule, la station Mirabeau, la voie 2 poursuit sa montée et ne dessert pas la station qui, de ce fait , n'est équipée que d'un seul quai (voir historique).

La voie 2 continue par un ouvrage à voie unique sous les rues Mirabeau et Wilhem et,

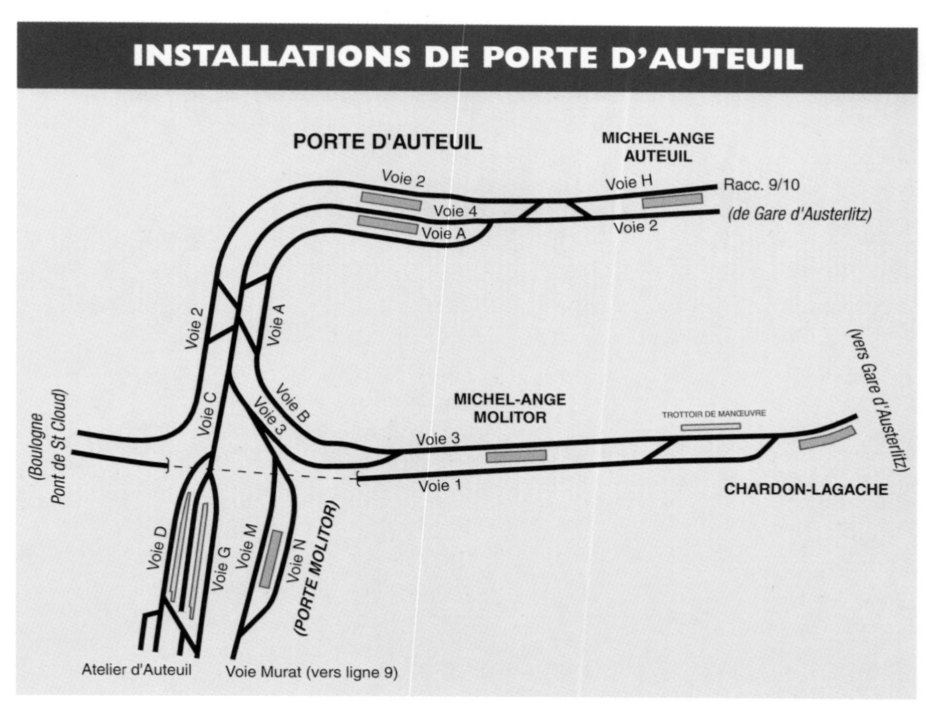

Le poste de manœuvre local de Porte d'Auteuil.

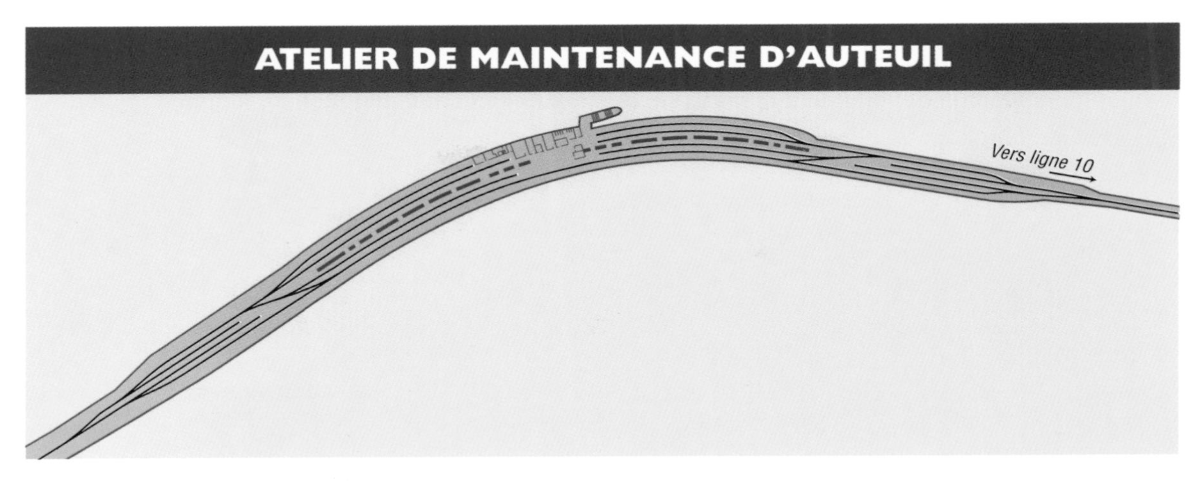

L'une des extrémités de l'atelier souterrain d'Auteuil.

280 m après avoir traversé la station Mirabeau, dessert Église d'Auteuil, station à un seul quai située sous la place d'Auteuil. Elle emprunte ensuite la rue d'Auteuil, passe au-dessus de la ligne 9 et atteint Michel-Ange – Auteuil (corr. L. 9). La station est à quai central encadré par deux voies : la voie 2 de la ligne 10 et une voie de raccordement avec la 9.

Dès la sortie de la station commencent les installations du terminus de Porte d'Auteuil. Les deux voies continuent sous la rue d'Auteuil, l'une d'elles se dédoublant pour former trois voies desservant deux quais. Une vaste courbe place les voies sous l'avenue du Général-Sarrail jusqu'à la place de la porte Molitor. De ce point, l'une des trois voies se dirige vers Boulogne, tandis que les deux autres « reviennent » vers Paris. La voie 3 donne naissance, d'une part à la voie de raccordement avec l'atelier d'entretien de Boulogne et, d'autre part avec la « voie Murat » vers la ligne 9. Ouverts en 1925, les 2 900 m² de l'atelier de maintenance sont entièrement établis en souterrain sous les avenues du Parc-des-Princes et du Général-Sarrail.

Les deux voies venant de Porte d'Auteuil se rejoignent sous la rue Molitor, tandis que la voie 1 venant de Boulogne se joint à elle pour encadrer le quai central de la station Michel-Ange – Molitor (corr. L. 9), après être passée au-dessus de la ligne 9. Ces deux voies n'en forment plus qu'une en amont de la station Chardon-Lagache, à quai unique. Au-delà, la voie 1 retrouve la rue Mirabeau et la station Mirabeau. La boucle est bouclée.

L'atelier d'Auteuil, à l'époque des MA sur la ligne 10.

Les « dessus » du métro

LE FRONT DE SEINE

La plaine de Grenelle est pendant longtemps un espace campagnard avant de devenir, au fil des ans, une zone d'activités industrielles de la proche couronne parisienne. À la fin du XVIIIe siècle la fameuse « eau de Javel » y est produite dans la manufacture du comte d'Artois. En 1860, Grenelle et Vaugirard sont intégrées dans Paris par le préfet Haussmann et, un peu plus tard, la rive gauche est reliée à la rive droite par le viaduc d'Auteuil, le pont Mirabeau, le chemin de fer Saint-Lazare - Invalides ou le pont de Passy. Mais c'est surtout l'installation de la Société d'électricité et des automobiles Mors qui ancre l'industrie dans ce nouvel arrondissement de Paris. D'autant qu'à la suite de difficultés financières, il est décidé d'appeler à la direction de l'usine un jeune polytechnicien nommé André Citroën. Convaincu que la production à la chaîne est la seule efficace, il construit sa propre usine quai de Javel pour fabriquer des obus pendant la Première Guerre mondiale et des automobiles dès la paix signée. Avec l'implantation d'autres usines, le quartier devient l'un des plus industriels de la capitale.

En 1960, la politique de décentralisation et la volonté de la Ville de Paris de réhabiliter certains quartiers entraînent un bouleversement total de l'activité de cette façade du XVe arrondissement sur la Seine. L'opération architecturale et urbanistique de grande envergure fondée sur le principe de la séparation des circulations piétonnes et des voitures commence à prendre forme avec l'ouverture des trois premières constructions dont deux tours d'habitations. Au cours des années suivantes, d'autres tours sont érigées, dont celle de l'hôtel Nikko en 1976 et la toute dernière avec ses formes vitrées biseautées en 1990.

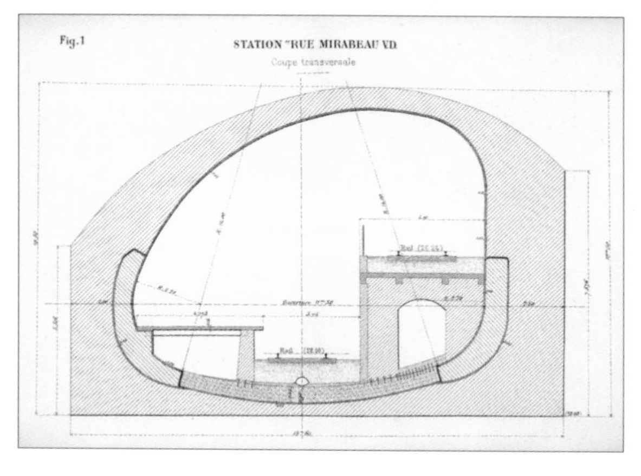

En haut à droite, vue et coupe de la demi-station Mirabeau dans le XVIe arrondissement.

Le tronçon Mirabeau – Austerlitz

La ligne 10 franchit la Seine en aval du pont Mirabeau grâce à cinq caissons. Sur la rive droite, le tunnel est cuvelé, tandis que sur la rive gauche il est constitué par cinq autres caissons foncés dans le sol. La partie en plan sous le fleuve est longue de 85 m. Sur la rive gauche, la ligne remonte en rampe de 40 ‰, pour passer sous la ligne C du RER et sous le quai André-Citroën. Elle atteint ensuite la station Javel – André Citroën (corr. L. C du RER) sous le début de l'avenue Émile-Zola

Affluence à la station de correspondance La Motte-Picquet – Grenelle entre la 10 (train à gauche) et la 8.

LES STATIONS DE LA LIGNE 10

(ancien nom entre parenthèses et en italique)

BOULOGNE – PONT DE SAINT-CLOUD

Pont sur la Seine entre Boulogne et Saint-Cloud.

BOULOGNE – JEAN JAURÈS

Voir ligne 2 pour Jean Jaurès.

PORTE D'AUTEUIL

Ancien village rattaché à Paris.

MICHEL-ANGE – AUTEUIL

Voir ligne 9.

MICHEL-ANGE – MOLITOR

Voir ligne 9.

ÉGLISE D'AUTEUIL

(avant 1921 Wilhem)
Église datant du XIXe siècle, remplaçant celle édifiée au XIe siècle et reconstruite au XIVe.

CHARDON-LAGACHE

Famille de médecins du XIXe siècle, dont l'un des membres fonda une maison de retraite qui porte son nom accolé à celui de jeune fille de sa femme.

MIRABEAU

Homme politique qui, bien que noble, fut élu député du tiers état et plaida pour une monarchie constitutionnelle.

JAVEL

Nom d'un hameau qui s'étirait le long de la Seine où était installée une manufacture produisant des produits d'entretien dont la fameuse « eau de Javel ».

CHARLES MICHELS

(avant 1945 Beaugrenelle)
Militant et député communiste fusillé par les Allemands en 1941.

AVENUE ÉMILE ZOLA

(avant 1937 Commerce)
Écrivain du XIXe siècle, chef de l'école naturaliste, auteur de romans où la description des faits humains et sociaux prend une importance capitale.

LA MOTTE-PICQUET – GRENELLE

(avant 1913 La Motte-Picquet)
Voir ligne 6.

SÉGUR

Famille de militaires et d'historien des XVIIIe et XIXe siècles, dont l'épouse de l'un d'entre eux est la fameuse femme de lettres, la comtesse de Ségur.

DUROC

Général, grand maréchal du palais sous l'Empire.

VANEAU

Élève de Polytechnique, partisan des Emeutiers de la Révolution de 1830, tué rue de Babylone par des gardes suisses.

SÈVRES – BABYLONE

1- De la commune de Sèvres.
2- Ville antique sur l'Euphrate dont les ruines sont à 160 km de Bagdad.

MABILLON

Moine bénédictin du XVIIe siècle, fondateur de la diplomatie.

ODÉON

Voir ligne 4.

CLUNY – LA SORBONNE

1- Hôtel qui abritait jusqu'au XVe siècle les étudiants de la Sorbonne.
2- Établissement d'enseignement théologique fondé par Robert de Sorbon et aujourd'hui siège de plusieurs facultés.

MAUBERT – MUTUALITÉ

1- Place dont le nom est celui, déformé, de Jean Aubert, second abbé de Sainte-Geneviève qui fut un lieu de supplice et d'exécutions à partir du règne de François 1er.
2- Palais construit en 1931 servant à diverses manifestations en liaison avec les mouvements mutualistes.

CARDINAL LEMOINE

Prélât des XIIe et XIVe siècles, légat du pape Boniface VIII en France.

JUSSIEU

Voir ligne 7.

GARE D'AUSTERLITZ

Voir ligne 5.

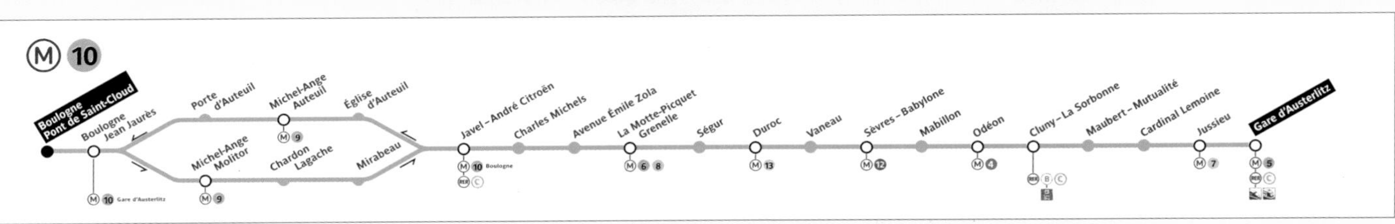

Les « dessus » du métro

LE QUARTIER LATIN

Le quartier compris entre le boulevard Saint-Michel et le Jardin des Plantes, la Seine et le Val-de-Grâce garde encore le souvenir d'un passé religieux et studieux.

Le sacré fait son apparition dès le Ve siècle avec l'abbaye Sainte-Geneviève, la patronne de Paris, fondée sur ordre de Clovis. D'autres églises sont érigées : Saint-Séverin, Saint-Julien-le-Pauvre et Saint-Étienne-du-Mont, l'abbatiale de Port-Royal et celle du Val-de-Grâce, et le premier lieu de culte musulman à Paris, la Mosquée surplombée d'un minaret de 26 m.

Le savoir au Quartier latin, c'est avant tout la Sorbonne fondée par Robert de Sorbon en 1254. Très apprécié de Saint Louis, il donne une grande réputation au premier collège de l'Université de Paris qui finit pourtant par péricliter. Richelieu le réhabilite, mais la Révolution le ferme. Commencée sous Louis XVIII, la rénovation de la Sorbonne prend toute son ampleur sous la IIIe République. Inaugurée en 1901, elle abrite désormais laboratoires, observatoire, bibliothèques et amphithéâtres. Sa chapelle accueille le tombeau de Richelieu, œuvre du sculpteur Girardon.

À côté de la Sorbonne, le Collège de France est une institution d'enseignement laïc et gratuit créé par François Ier.

Afin de rendre grâce à Dieu de l'avoir guéri d'une grave maladie, le roi Louis XV fait bâtir par l'architecte Soufflot une église en forme de croix grecque, Sainte-Geneviève, qui n'est achevée qu'au début de la Révolution de 1789. Elle est alors transformée en mausolée qui doit abriter les grands hommes de la Patrie : le Panthéon. Mais le bâtiment change plusieurs fois de vocation pour enfin devenir, avec le transfert du corps de Victor Hugo, un lieu de repos éternel pour les Grands de la République.

dans le XVe arrondissement. Elle poursuit sous cette artère et dessert les stations Charles Michels et Avenue Émile Zola.

Une courbe de 75 m de rayon place la ligne 10 sous la rue du Commerce, au niveau supérieur de l'ouvrage qu'elle partage avec la 8 jusqu'aux abords de la station La Motte-Picquet – Grenelle (corr. L. 6 et 8). Les deux voies sont ici dédoublées : la voie 1 se plaçant dans la demi-station commune accueillant la voie 1 de la ligne 8, la voie 2 étant au même niveau dans une demi-station à un seul quai latéral. À l'extrémité nord-est de la station, les deux voies se rejoignent en se rapprochant de la surface du sol pour passer au-dessus de la voie 1 de la ligne 8. Elles obliquent alors franchement pour se placer sous l'avenue de Suffren et présenter une déclivité de 40 ‰ afin de passer sous le collecteur Rapp et remonter ensuite jusqu'à la station Ségur.

Entre Cluny et Odéon, la voie de raccordement entre les lignes 4 et 10, ici « encadrée » par les deux voies de la ligne 10 à l'étage supérieur.

Le passage de la ligne 10 au-dessus des voies de la 4, au niveau du raccordement entre les deux lignes.

TRANSPARENCES à Odéon

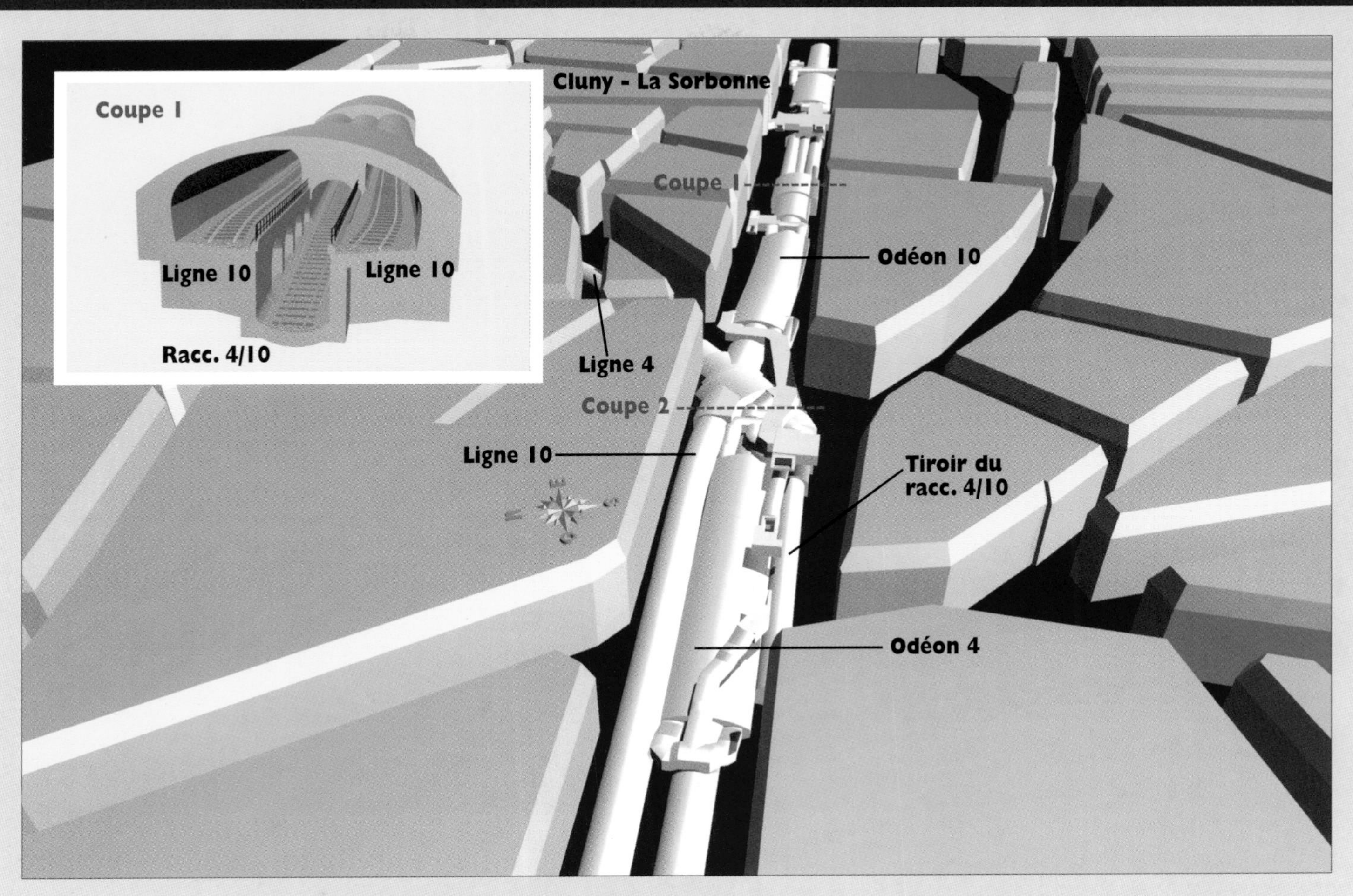

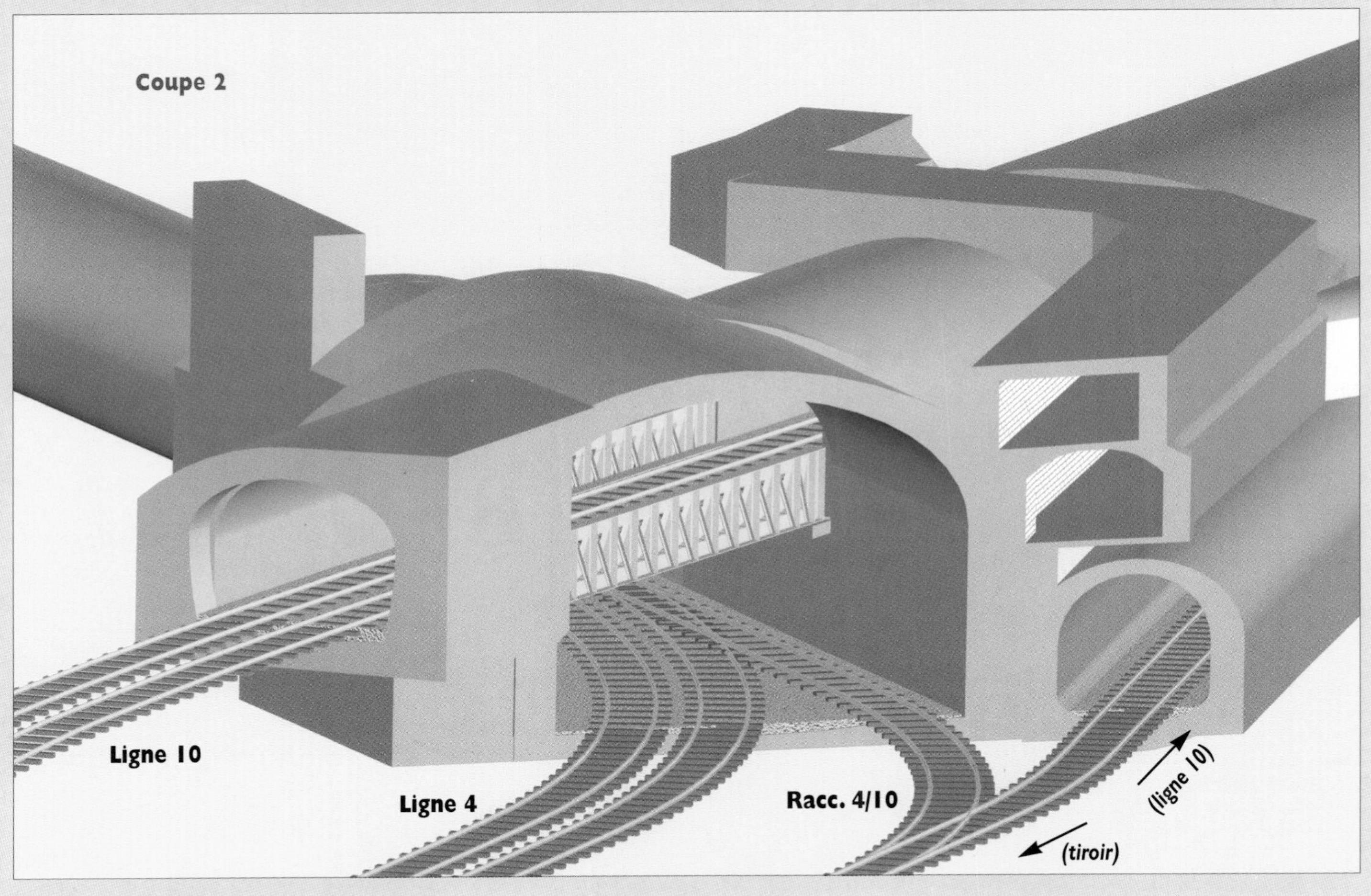

Arrêt d'un MF 67 dans la belle station Cluny – La Sorbonne ; la voie du centre est celle du raccordement 4/10.

Poursuivant sa route, la ligne 10 « frôle » le tronçon aérien de la 6 aux abords de Sèvres – Lecourbe et se dirige, via le boulevard Garibaldi et la rue de Sèvres, vers la station Duroc (corr. L. 13). C'est sous cette dernière rue que la 10 continue sa progression vers l'est pour desservir les stations Vaneau et Sèvres – Babylone (corr. L. 12). Après être passée au-dessus de cette ligne, la 10 traverse la station fermée Croix-Rouge et, via la rue du Four, passe sous la ligne 4 et une voie de garage avant d'atteindre Mabillon. Désormais établie sous le boulevard Saint-Germain, elle passe une deuxième fois sous la ligne 4, mais aussi sous le collecteur de Bièvre, avant de remonter pour croiser une troisième fois – mais par -dessus grâce à un ouvrage métallique – la ligne 4 et arriver à Odéon (corr. L. 4).

C'est dans ce secteur que la tracé de la ligne 10 devient plus complexe. À l'extrémité de la station Odéon, à proximité du croisement avec le boulevard Saint-Michel, les deux voies de la 10 s'écartent pour accueillir celle du raccordement avec la 4 passant sous la voie 1. C'est ainsi qu'il existe trois voies dans le tunnel de cette partie de la ligne 10 qui

CHANGEMENT DE DÉCOR

Cluny - La Sorbonne

La réouverture en 1988 de la station Cluny donna lieu à une redécoration complète de l'ouvrage. La grande voûte qui enjambe les trois voies de la station est décorée d'une reproduction en carreaux de lave émaillée du tableau « Les Oiseaux » de Jean Bazaine et de signatures des personnages célèbres qui fréquentèrent le Quartier latin.

CARTE D'IDENTITÉ DE LA LIGNE 10

Longueur totale	11,712 km
dont en aérien	0 km
Nombre de stations	23
dont aériennes	0
dont correspondances	9
Longueur des stations	de 75 m à 90 m
Longueur moyenne des interstations	613 m
Nombre de trains en ligne à la pointe	22
Nombre de départs (jour ouvrable)	258
Intervalle minimal (jour ouvrable)	3 mn
Matériel roulant	MF 67
Nombre de voitures par train	5
Atelier de maintenance	Auteuil
Atelier de révision	Choisy

dessert ici Cluny – La Sorbonne (corr. L. B du RER). Auparavant, les deux tunnels à une voie de la ligne 10 de part et d'autre du tunnel du raccordement 4/10 ont croisé les tunnels du RER implantés en tréfonds d'immeubles entre le boulevard Saint-Michel et la rue de la Harpe. Ces trois tunnels ont eu leurs radiers renforcés par des berceaux en béton armé supportant les voies pour permettre l'exécution des travaux de construction du RER. Audelà de la station, le raccordement 4/10 se relie aux deux voies de la 10 qui continue sous le boulevard Saint-Germain et atteint la station Maubert – Mutualité. Dès l'issue de la station située sous la place Maubert, la ligne 10 amorce une courbe pour emprunter la rue Monge et ses deux voies se dédoublent pour laisser entre elles un espace réservé au raccordement avec la ligne 7. Celui-ci est également à deux voies, dont une en impasse, et s'enfonce progressivement pour se positionner sous le tunnel de la ligne 10 dont les deux voies à nouveau regroupées montent la rue Monge en rampe de 40 ‰ pour atteindre la station Cardinal Lemoine.

Ayant abandonné le raccordement 7/10 qui reste sous la rue Monge, la ligne 10 présente une courbe qui la fait passer en pente de 40 ‰ sous la rue des Boulangers et sous plusieurs immeubles pour atteindre Jussieu (corr. L. 7). Les deux stations sont côte à côte, les lignes 7 et 10 ayant pendant quelque 350 m des tracés parallèles sous la faculté des Sciences et ce jusqu'au quai Saint-Bernard. Avec une nouvelle courbe prononcée, la 10 abandonne la 7 au-dessus de laquelle elle passe pour se placer sous ledit quai et sous les emprises du Jardin des Plantes. Une série de courbes et contre-courbes amène la ligne 10 à son terminus de Gare d'Austerlitz (corr. L. 5). Les installations du terminus sises sous la cour d'arrivée SNCF pour la station et sous les emprises ferroviaires pour l'arrière-gare sont on ne peut plus modestes : deux voies à quai prolongées par deux voies de garage. Toutefois, signalons que, dans ce cul-de-sac, deux ouvrages de raccordement attendent l'arrivée d'une traversée sous-fluviale, venant du secteur de la gare de Lyon.

TERMINUS D'AUSTERLITZ

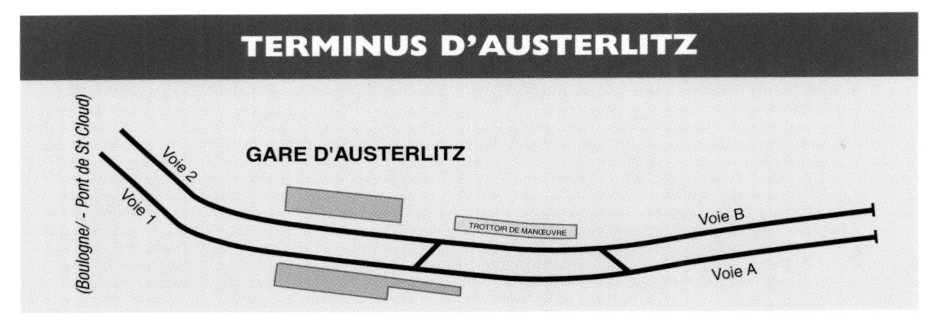

Les « dessus » du métro

LE JARDIN DES PLANTES

Sur la demande de botanistes, le roi Louis XIII crée en 1633 à proximité de Paris, le Jardin royal des Plantes médicinales, où l'on cultive « toutes sortes d'herbes médicinales pour servir ceux qui en auraient besoin ». Il est ouvert au public en 1640. Associé aux frères Jussieu et au naturaliste Daubenton, Buffon qui est son intendant pendant 49 ans étend le jardin jusqu'à la Seine.
En 1793, sous l'impulsion de Lakanal, la Convention décide de conférer au Jardin des Plantes le statut de Muséum national d'histoire naturelle, amplifiant ainsi son rôle de foyer d'enseignement des sciences de la nature. On y trouve aujourd'hui des collections botaniques et horticoles ainsi qu'une ménagerie.

LIGNE 11

Châtelet – Mairie des Lilas

Radiale reliant le centre de Paris à ses quartiers du nord-est, la ligne 11 fut l'une des dernières réalisées dans la capitale. Ligne expérimentale, elle eut le privilège d'être la première à bénéficier de rames sur pneumatiques et à être équipée du pilotage automatique.

L'HISTOIRE

À partir de 1956, les MP 55 prennent la relève des Sprague-Thomson sur la ligne 11.

Dans sa séance du 29 décembre 1922, le conseil municipal adopta la réalisation d'une ligne reliant la porte des Lilas à la République puis à l'Hôtel de Ville et finalement à Châtelet, ligne portant le n° 11. Elle était destinée à remplacer le funiculaire de Belleville et les nombreux autobus qui permettaient les déplacements vers le centre de Paris des habitants des quartiers populaires du nord-est de la capitale, situés de part et d'autre de la limite entre les XIXe et XXe arrondissements. Le terminus de Châtelet se situait sous l'avenue Victoria qui fait face au bâtiment de l'Hôtel de Ville. La ligne se dirigeait ensuite vers la République, puis Belleville et atteignait la porte des Lilas.

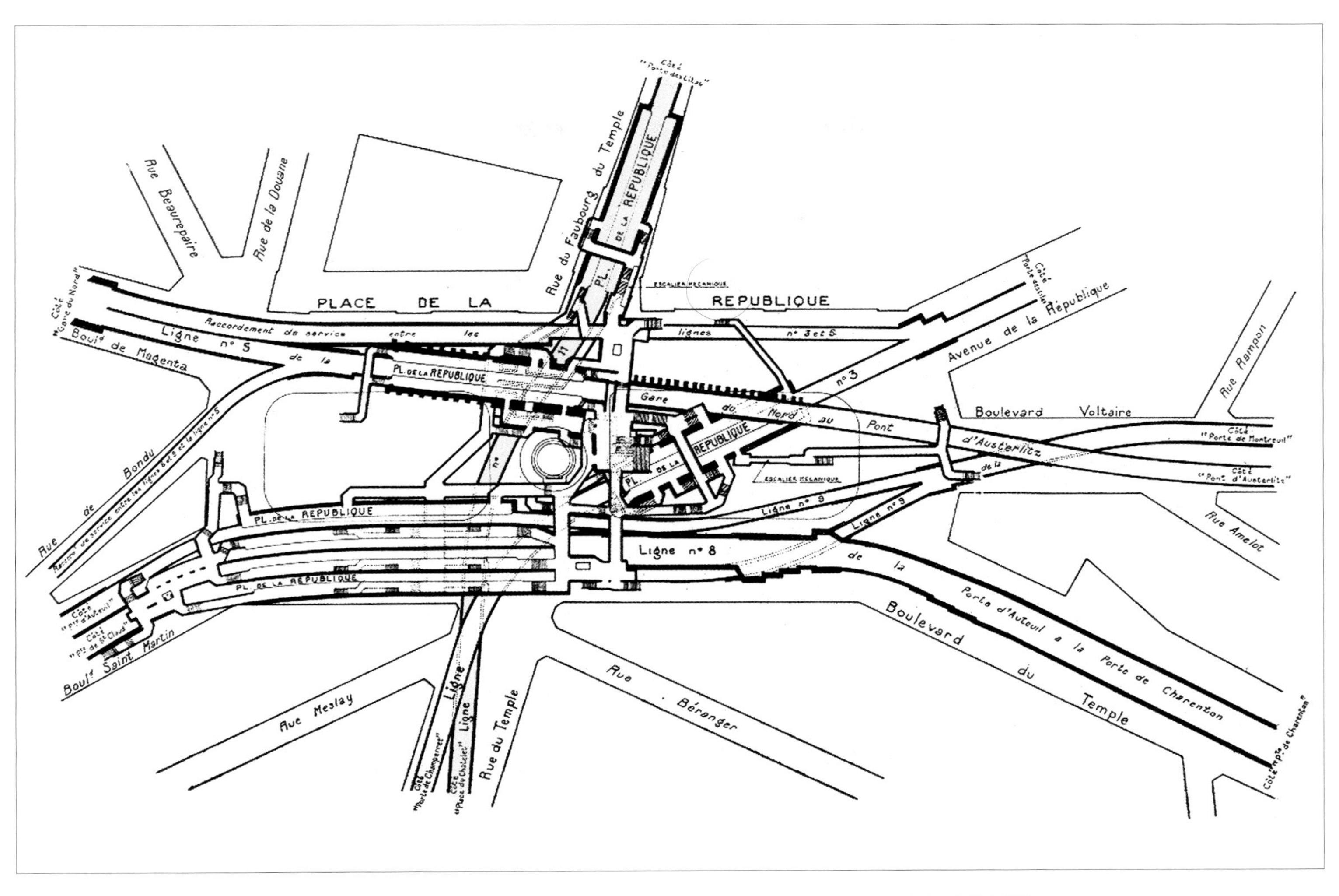

L'insertion de la ligne 11 dans le sous-sol déjà bien occupé de la place de la République.

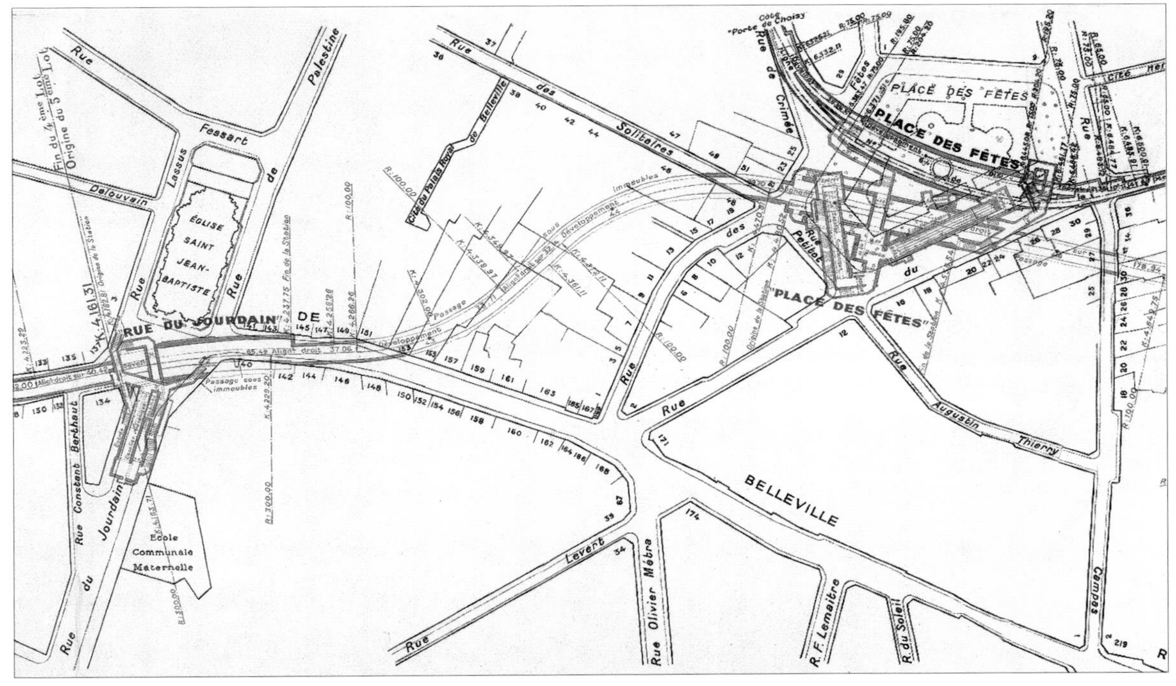

Plan de la 11 aux abords de la station Place des Fêtes ; noter le passage de la ligne en tréfonds d'immeubles.

Les travaux

Les travaux débutèrent en septembre 1931 et se déroulèrent dans des conditions difficiles. La ligne passait en effet sous des rues étroites ou à proximité de fondations d'immeubles, quand ce n'était pas directement sous certains immeubles habités. Il en fut ainsi à l'angle des rues de Rivoli et du Renard et des rues Bailly et de Turbigo. D'autres passages délicats concernèrent le canal Saint-Martin, le collecteur des Coteaux et le Chemin de fer de Ceinture.

La construction des stations Jourdain et Télégraphe fut également assez délicate. La dernière citée, située à une grande profondeur (20 m du sol) possède un piédroit central séparant les deux voies.

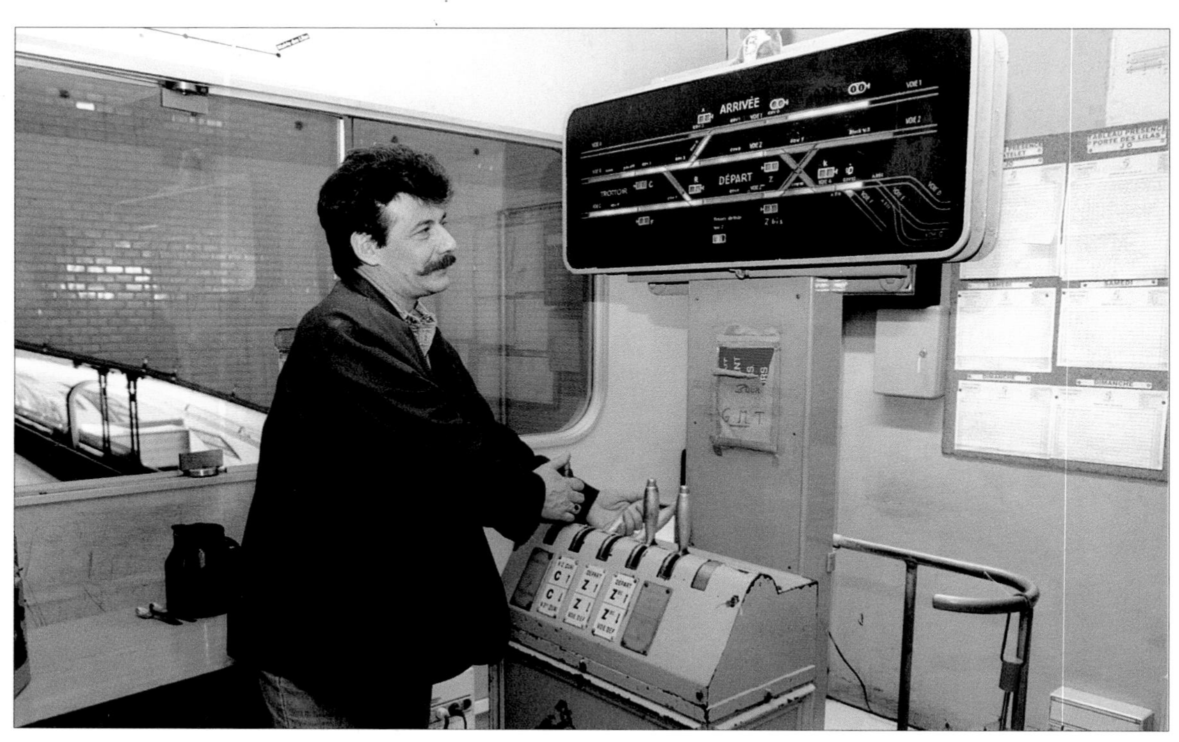

Le vieux poste de manœuvre à leviers de Châtelet.

Affiche annonçant l'arrivée sur la ligne 11 des trains sur pneu MP 55.

Mise en service et prolongement

Longue de 5 500 m avec 12 stations, la ligne 11 fut mise en service le 28 avril 1935 entre Châtelet et Porte des Lilas, seule porte de Paris à disposer de deux lignes de métro, la ligne 3 (aujourd'hui, 3 bis) et la ligne 11. Son prolongement jusqu'au fort de Noisy fut déclaré d'utilité publique en décembre 1929. Toutefois, la ligne ne fut prolongée que jusqu'à Mairie des Lilas, le 17 février 1937, avec report du terminus dans l'unique nouvelle station située au cœur de la commune.

La ligne 11 fut la première à être dotée d'un matériel roulant sur pneu. En effet, c'est le 13 novembre 1956 qu'eut lieu la première circulation du MP 55 avec des voyageurs. Il a circulé sur la ligne jusqu'en janvier 1999, remplacé par des MP 59. En 1967, la 11 fut équipée du PCC et du pilotage automatique qui connut là sa première application.

Un MP 55 en livrée d'origine arborant le logo RATP de l'époque, au terminus de Châtelet.

LE PARCOURS

C'est à Châtelet (corr. lignes A, B et D du RER et 1, 4, 7 et 14 du métro) au cœur de Paris, dans un environnement souterrain particulièrement encombré par les tunnels du RER et différents collecteurs, que la ligne 11 a son terminus sud. Établies sous l'avenue Victoria qui fait face à l'Hôtel de Ville, les installations sont ici relativement importantes (voir schéma) : trois voies à quai au-dessous desquelles passe la ligne 14, trois voies de garage en arrière-gare dont une avec trottoir de manœuvre auxquelles il faut rajouter un deuxième ouvrage en cul-de-sac à trois voies raccordé en avant-gare. À la sortie de la station, une première courbe place la ligne sous la rue de la Coutellerie, puis une seconde la positionne, après être passée sous la ligne 1, sous la rue du Renard où est établie la station Hôtel-de-Ville (corr. L. 1).

La ligne « remonte » alors cette rue, puis la rue Beaubourg, pour desservir la station Rambuteau. Après avoir dépassé son raccordement avec la 3, la ligne 11 amorce une nouvelle courbe, sous laquelle passe ledit raccordement, courbe qui lui fait côtoyer cette même ligne 3 sous la rue Réaumur et atteindre la station Arts et Métiers (corr. L. 3). Après une quatrième courbe, la ligne se dirige, via la rue du Temple jusqu'à la station République (corr. L. 3, 5, 8 et 9). Sous la place de la République, la ligne 11 passe en-dessous des quatre lignes citées et sous plusieurs raccordements de service ; la station elle-même est située sous la rue du Faubourg-du-Temple.

Alors que, dans cette première partie du tracé, la ligne 11 avait un profil relativement plat, tout va changer ensuite. C'est en effet

Le terminus de Châtelet, avec, à droite, le début du faisceau de garage à trois voies.

Les « dessus » du métro

CHÂTELET

La place du Châtelet est située sensiblement à l'emplacement du Grand Châtelet, château fort (d'où son nom) érigé en 1130 à la place d'une grosse tour qui défendait le Grand-Pont (Pont-au-Change). Après la construction de l'enceinte de Philippe-Auguste, cette défense devient inutile et l'édifice abrite le siège de la prévôté de Paris et une prison. Il est par la suite remanié et restauré à plusieurs reprises. Sous la Révolution, la prévôté est supprimée et le Grand Châtelet démoli à partir de 1802. Une place le remplace, transformée à son tour lors du percement du boulevard de Sébastopol en 1855. En son centre, on trouve une fontaine de 22 m de haut, dite « fontaine aux Palmiers », qui glorifie les victoires de Napoléon Ier. Aujourd'hui, deux théâtres jumeaux construits par Davioud, flanquent la place : à l'est le Théâtre de la Ville (ex-Sarah Bernhardt), à l'ouest le Théâtre musical de Paris.

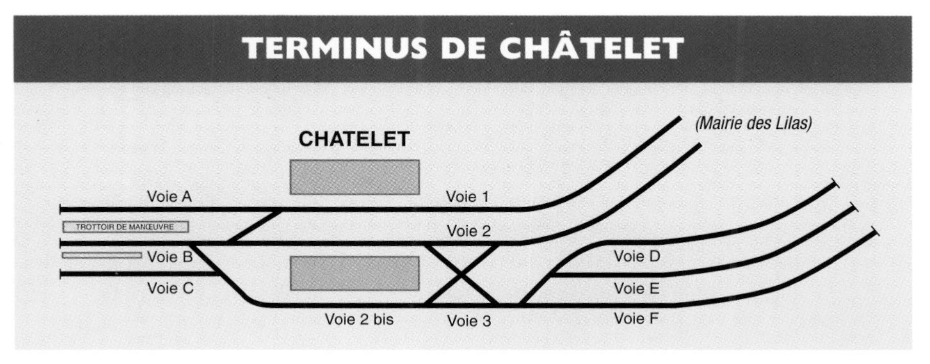

Depuis 1999, la ligne 11 est dotée exclusivement de MP 59 rénovés.

dès son passage sous le canal Saint-Martin que la 11, construite là sous un important égout, commence à monter en rampe de 40 ‰ pour desservir les stations Goncourt et Belleville (corr. L. 2). Après être passée sous la ligne 2, la 11 continue de monter sous la rue de Belleville en rampe de 40 ‰ et avec un tracé tortueux, pour atteindre les profondes stations Pyrénées après une longue interstation de près de 700 m, puis Jourdain, après être passée sous la Petite Ceinture construite ici très à l'intérieur de Paris. En passant en tréfonds d'immeubles, la ligne 11 atteint la station Place des Fêtes (corr. L. 7 bis), puis toujours en tréfonds d'immeubles, Télégraphe, station profonde à deux voies séparées par un piédroit en raison de la nature du sous-sol.

Ayant retrouvé la rue de Belleville, la ligne avec un profil désormais plus sage atteint Porte des Lilas située sous l'avenue de la porte des Lilas. La station est sise au-dessus des ouvrages de la « voie des Fêtes » et de la « voie navette » et de la boucle terminale de la 3 bis. Elle dispose de trois voies à quai et d'une voie de garage centrale avec trottoir de manœuvre.

Quelque 300 m plus loin, la ligne 11 quitte Paris pour la commune des Lilas en Seine-Saint-Denis et, via la rue de Paris, atteint son terminus nord-est de Mairie des Lilas. Ce dernier est à deux voies à quai qui se prolongent par deux courtes voies de garages dont une avec trottoir. Les voies continuent au-delà pour constituer l'atelier de mainteance de la ligne 11. Ouvert en 1937, ce petit atelier de 2 000 m² est entièrement souterrain. Il a été modernisé en 1955 pour recevoir le MP 55 maintenant disparu. Il faut noter que, la ligne 11 n'étant reliée à aucune autre ligne sur pneus, les matériels devant être amenés à l'atelier de révision des MP de Fontenay doivent être équipés de bogies d'acheminement permettant la circulation sur voies « fer ». Un ascenseur donnant directement sur la chaussée extérieure permet depuis 1995 l'approvisionnement de l'atelier en bogies idoines.

Les « dessus » du métro

L'HÔTEL DE VILLE

L'administration municipale de Paris date du roi Saint Louis. À partir de 1246, les bourgeois désignent les échevins qui les représentent auprès du pouvoir central. Leur chef est le prévôt des marchands. Le plus connu est, en 1355, Étienne Marcel qui installe l'administration municipale dans la maison aux Piliers sur la place de Grève. Cet emplacement qui descendait en pente douce vers la Seine, telle une grève, est pendant longtemps le lieu des exécutions publiques.
En 1553, ce premier Hôtel de Ville est remplacé par un nouvel édifice de style Renaissance. Il est agrandi en 1803 et en 1837. Le 24 mai 1871, les insurgés de la Commune incendient le bâtiment qui brûle totalement.
L'Hôtel de Ville actuel est construit sur des plans de Ballu et Deperthes, de 1873 à 1883. Son style Renaissance, son plan et son aspect général rappellent le bâtiment qu'il remplace. Il dispose de façades principales de 143 m de long et latérales de 80 m. Un campanile de 50 m de haut surplombe l'ensemble. La décoration intérieure reflète les fastes de la IIIe République triomphante.

TRANSPARENCES à Place des Fêtes

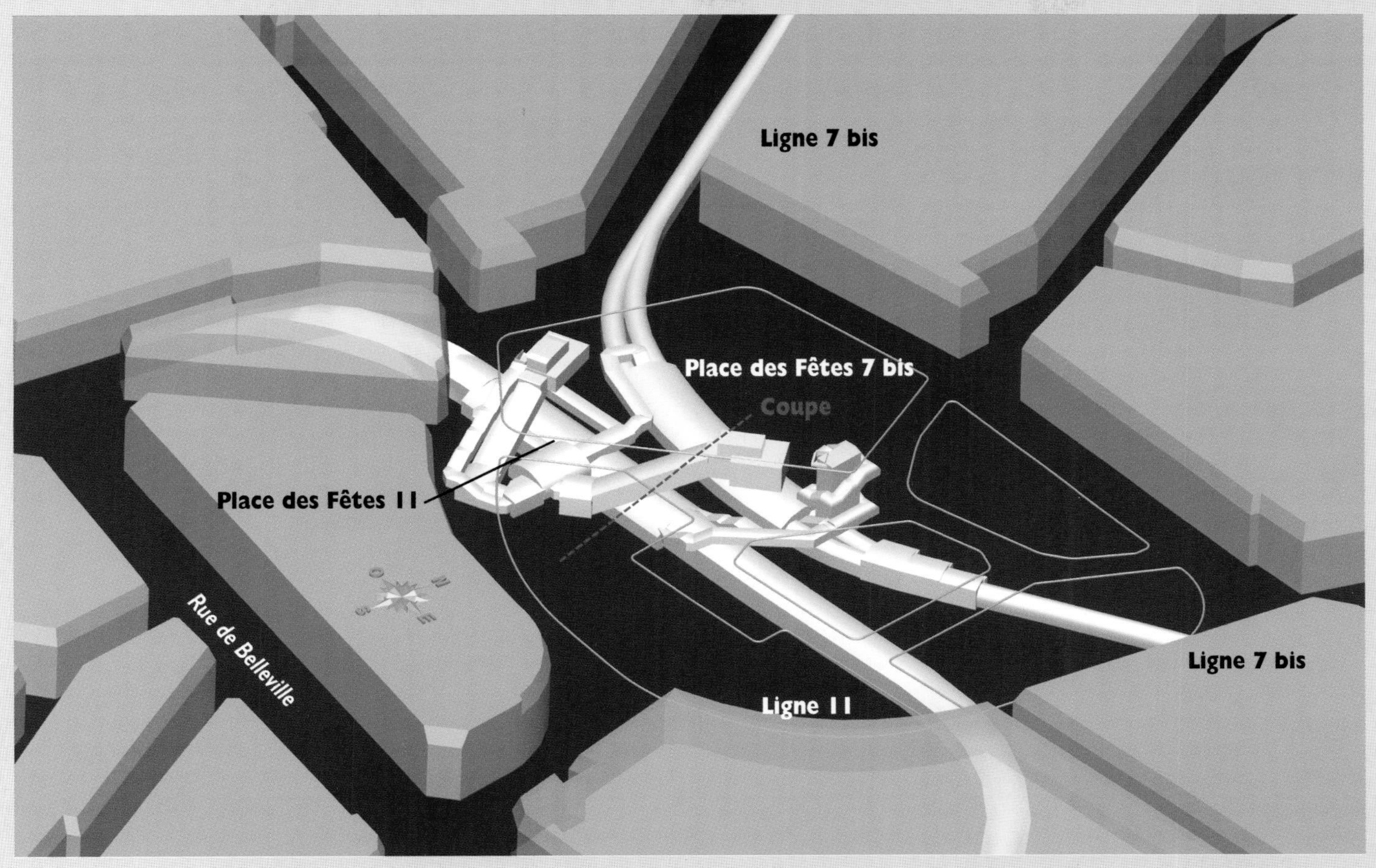

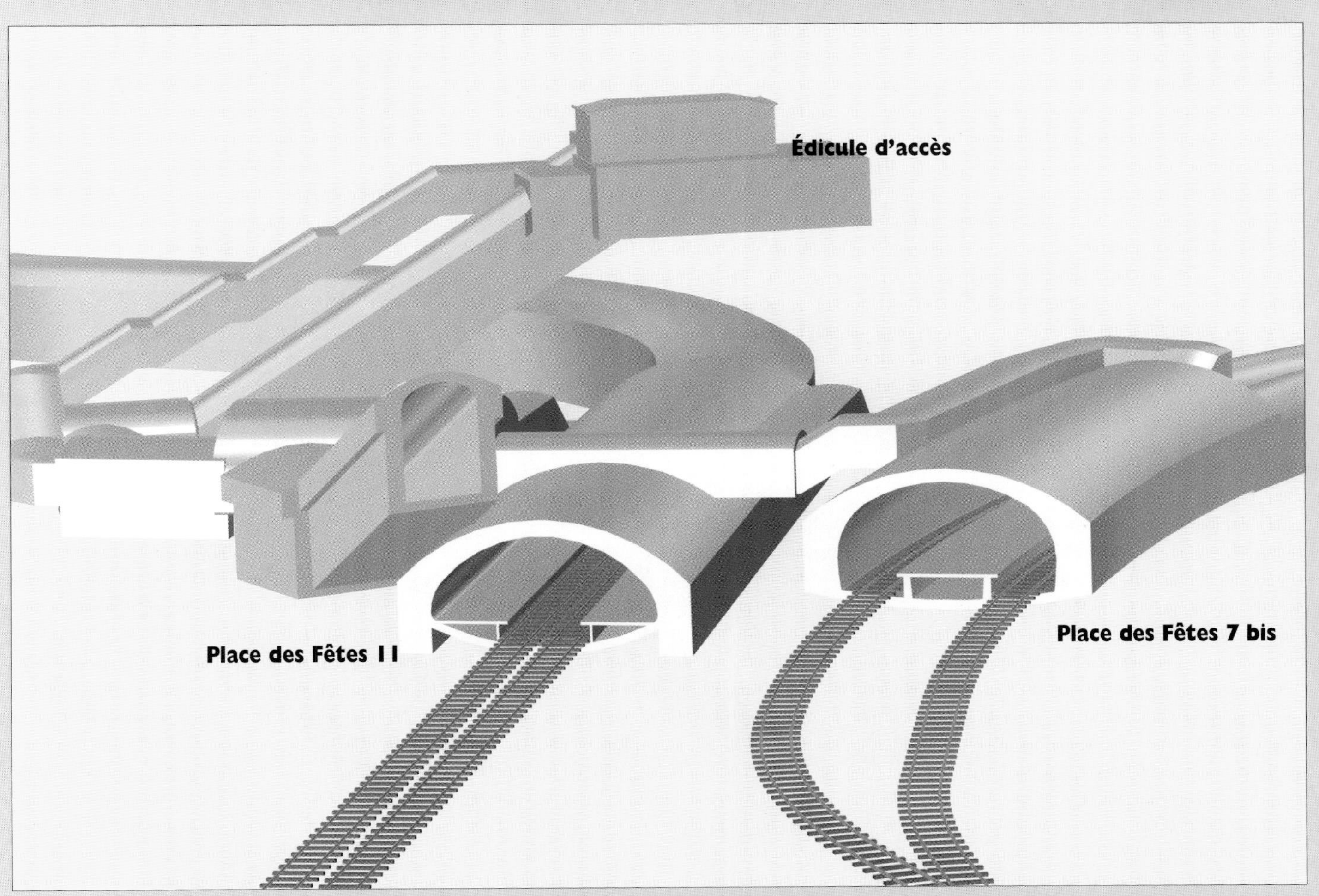

LES STATIONS DE LA LIGNE 11

CHÂTELET
Voir ligne 1.

HÔTEL DE VILLE
Voir ligne 1.

RAMBUTEAU
Préfet de la Seine au XIXe siècle qui entreprit d'importants travaux de rénovation dans la capitale.

ARTS ET MÉTIERS
Voir ligne 3.

RÉPUBLIQUE
Voir ligne 3.

GONCOURT
Famille d'écrivains du XIXe siècle dont l'un des membres réunit un cercle d'amis à l'origine de l'Académie Goncourt.

BELLEVILLE
Voir ligne 2.

PYRÉNÉES
Chaîne de montagnes servant de frontière entre la France et l'Espagne.

JOURDAIN
Fleuve de Palestine prenant sa source au Liban et se jetant dans la mer Morte, frontière naturelle entre Israël et la Jordanie.

PLACE DES FÊTES
Voir ligne 7 bis.

TÉLÉGRAPHE
C'est sur ce point culminant de la colline de Belleville à l'est de Paris que Claude Chappe expérimenta son système télégraphique pendant la Révolution de 1789.

PORTE DES LILAS
Voir ligne 3 bis.

MAIRIE DES LILAS
Hôtel de ville de cette commune de l'est parisien où se trouvaient autrefois de nombreux jardins.

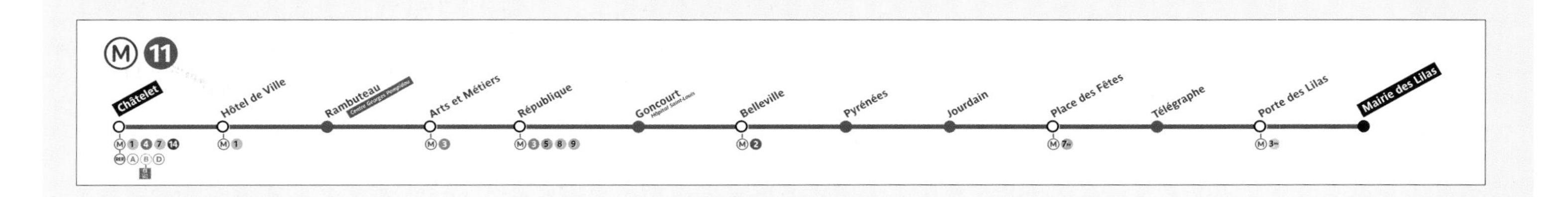

CHANGEMENT DE DÉCOR

Arts et Métiers

Imaginé par le dessinateur de bandes dessinées François Schuiten, le décor des quais de cette station met en scène le Musée des arts et métiers. Dans une ambiance de Nautilus, les parois sont recouverts de plaques de cuivre rivetées et percées de hublots-vitrines.

CARTE D'IDENTITÉ DE LA LIGNE 11

Longueur totale	6,286 km
dont en aérien	0 km
Nombre de stations	13
dont aériennes	0
dont correspondances	7
Longueur des stations	75 m
Longueur moyenne des interstations	524 m
Nombre de trains en ligne à la pointe	18
Nombre de départs (jour ouvrable)	329
Intervalle minimal (jour ouvrable)	2 mn 05
Matériel roulant	MP 59
Nombre de voitures par train	4
Atelier de maintenance	Lilas
Atelier de révision	Fontenay

L'atelier de maintenance souterrain des Lilas.

ATELIER DE MAINTENANCE DES LILAS

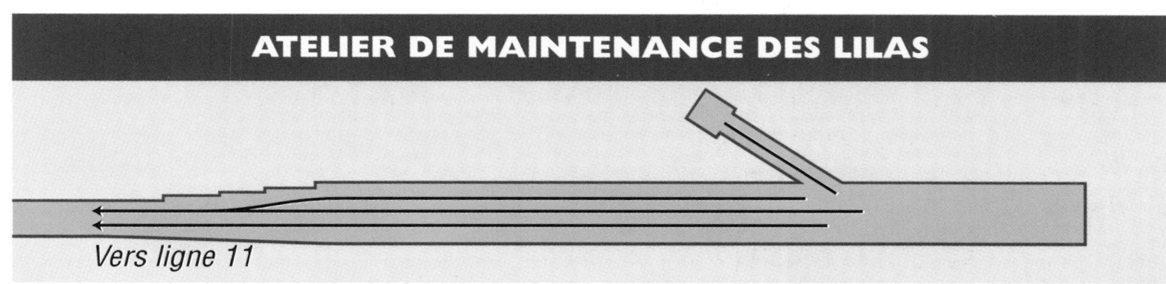

TERMINUS DE MAIRIE DES LILAS

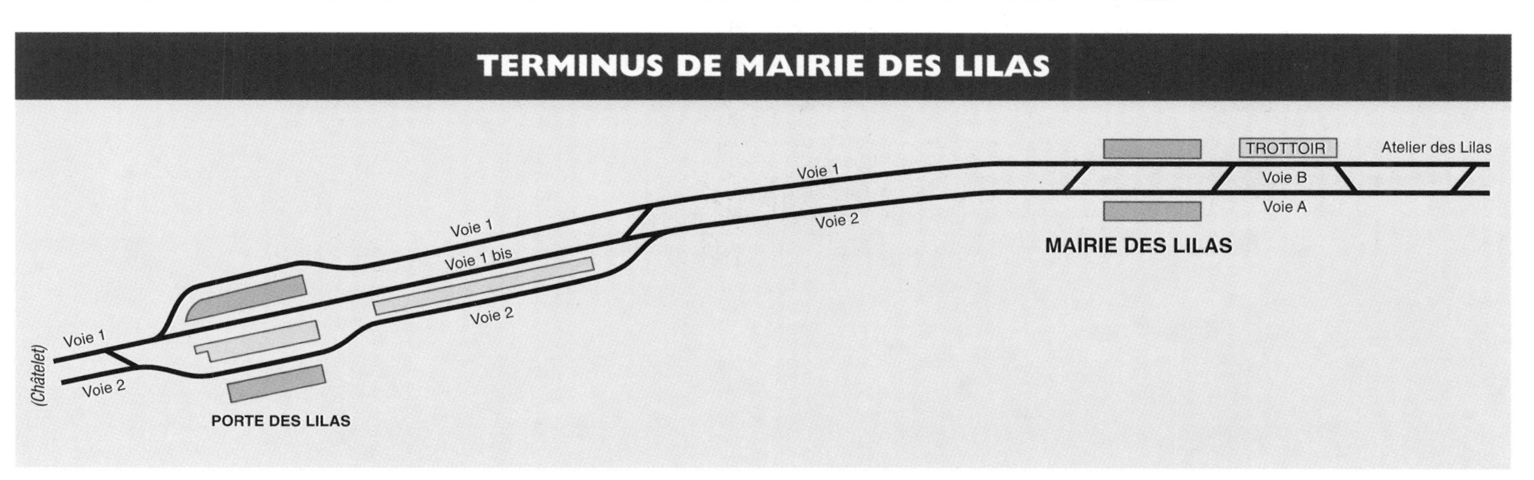

LIGNE 12

Porte de la Chapelle – Mairie d'Issy

Première ligne d'un réseau qui en comportait trois, la ligne A du « Nord-Sud » devait, par son tracé et ses caractéristiques, se distinguer de celles du métro de Paris. Mais la réalité dépassa rarement les ambitions de ses concepteurs et aujourd'hui, malgré quelques différences de style, les lignes 12 et 13 (13 + ancienne 14) sont à l'image de l'ensemble du réseau de la RATP.

L'HISTOIRE

Une rame Sprague à la station Saint-Lazare, alors en décoration Nord-Sud, et dotée d'énormes supports métalliques pour le fil aérien qui alimentait les motrices en 600 V.

C'est en 1887 que l'ingénieur Berlier proposa l'établissement d'un tramway tubulaire entre les bois de Boulogne et de Vincennes. La Ville de Paris lui accorda la concession mais, faute d'argent, le projet ne fut pas réalisé. Déçu mais persévérant, l'ingénieur Berlier, associé à un sieur Janicot, proposa à nouveau en 1901 son chemin de fer tubulaire inspiré du *tube* de Londres, c'est-à-dire établi à grande profondeur dans deux tunnels séparés. Frappé par la lacune qui existait dans les relations entre les deux rives de la Seine, il proposa de relier Montmartre à Montparnasse. Intéressée, la ville lui accorda la concession le 28 décembre 1901, mais en demandant que la ligne soit prolongée jusqu'à la porte de Versailles d'une part et de Saint-Lazare à la porte de Saint-Ouen d'autre part. Dans l'intervalle, en 1902, la Société du Chemin de fer électrique souterrain Nord-Sud de

Paris avait été créée. Finalement, la concession porta sur :

- une ligne A allant de la porte de Versailles à Jules Joffrin, soit 10 800 m ;
- une ligne B allant de la gare Saint-Lazare à la porte de Saint-Ouen, soit 2 650 m.

Cette concession différait sensiblement de celle accordée à la Compagnie du métropolitain de Paris. Ainsi, l'ensemble des travaux de construction étaient à la charge du Nord-Sud, alors que la CMP n'était en charge que de ceux des superstructures, la construction étant confiée à la Ville de Paris.

La loi du 3 avril 1905 déclara « d'utilité publique, à titre d'intérêt local, l'établissement, dans Paris, d'un chemin de fer à traction électrique, destiné au transport des voyageurs et de leurs bagages à main, de Montmartre (place des Abbesses) à Montparnasse (boulevard Edgar-Quinet) [...] », soit 6,2 km. En juillet de la même année, une nouvelle loi vint compléter la concession par la déclaration d'utilité publique d'une ligne B Saint-Lazare - Porte de Saint-Ouen (2,9 km) et du prolongement de la ligne A de la gare Montparnasse à la porte de Versailles (3,1 km). D'autres tronçons furent déclarés d'utilité publique pour établir les trois lignes A, B et C prévues : avril 1908 pour Abbesses – Jules Joffrin (1,3 km), juin 1909 pour La Fourche – Porte de Clichy (1,4 km), janvier 1912 pour Jules Joffrin – Porte de la Chapelle (2,1 km), juillet 1912 enfin pour Gare Montparnasse – Porte de Vanves (2,7 km).

La ligne qui nous intéresse ici avait son terminus à la porte de Versailles, à l'extrémité de la rue de Vaugirard dans le XVe arrondissement. Elle se dirigeait ensuite vers Montparnasse et atteignait, via le boulevard Raspail, le faubourg Saint-Germain avant de franchir la Seine en souterrain et déboucher sous la place de la Concorde. Elle poursuivait vers le nord pour desservir la Madeleine et la gare Saint-Lazare et enfin aboutir place Pigalle. De là, elle remontait ensuite sous la butte Montmartre et atteignait la station Jules Joffrin, son terminus de l'époque.

Les travaux

Le projet Berlier prévoyait la construction d'une ligne de métro à grande profondeur pour s'affranchir du croisement de canalisations de toutes sortes. Toutefois, la composition du sous-sol parisien empêcha l'enfoncement des ouvrages dans le sol – solution d'ailleurs très critiquée par Bienvenüe – et c'est une ligne située au plus près de la surface qui fut finalement construite grâce aux procédés traditionnels du métropolitain. Néanmoins, sous la butte Montmartre, la ligne fut établie à grande profondeur, de 23 m à 56 m sous la surface du sol et en tréfonds d'immeubles.

Les ouvrages étaient du même type que ceux du métropolitain. Cependant, les parois au-dessus des quais des stations étaient verticales et non plus courbes.

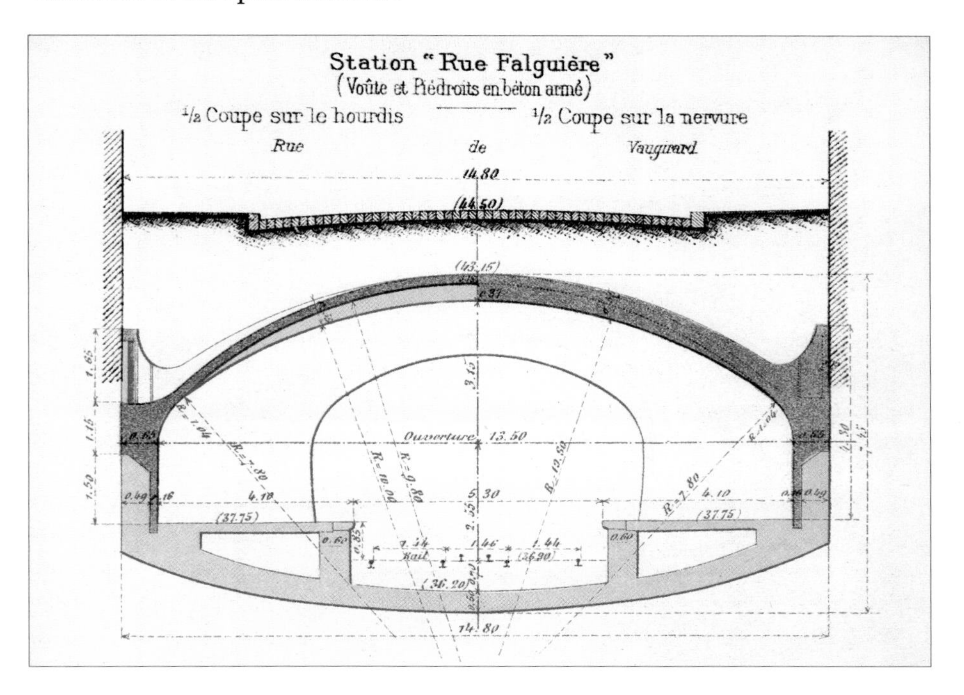

Coupe d'une station Nord-Sud dont les piédroits sont verticaux, contrairement à ceux, elliptiques, des stations de la CMP.

Les noms des stations furent écrits en lettres énormes et les cadres publicitaires étaient en céramique de couleur bistre pour les stations ordinaires et de couleur verte pour les stations de correspondance, à l'exception de la station Madeleine qui était en bleu.

Un exemple de nom de station du Nord-Sud, incorporé dans la faïence.

La construction de la ligne 12 rencontra des difficultés toutes particulières à la traversée de la Seine et sous la butte Montmartre.

La traversée de la Seine se situait en amont du pont de la Concorde, entre les stations Concorde et Chambre des Députés (aujourd'hui, Assemblée Nationale) distantes de 671 m. La solution retenue fut celle de deux tubes de section circulaire d'un diamètre intérieur de 5 m, constitués de voussoirs en fonte. Ces tubes ne furent pas établis parallèlement, leur entraxe variant de 5,80 m à 18,60 m. Les rampes de part et d'autre de l'ouvrage étaient respectivement de 35 ‰ rive droite et 40 ‰ rive gauche. Les travaux furent réalisés entre juillet 1907 et juillet 1909.

La portion de ligne comprise entre les stations Notre-Dame-de-Lorette et Jules Joffrin comprenait plusieurs ouvrages spéciaux

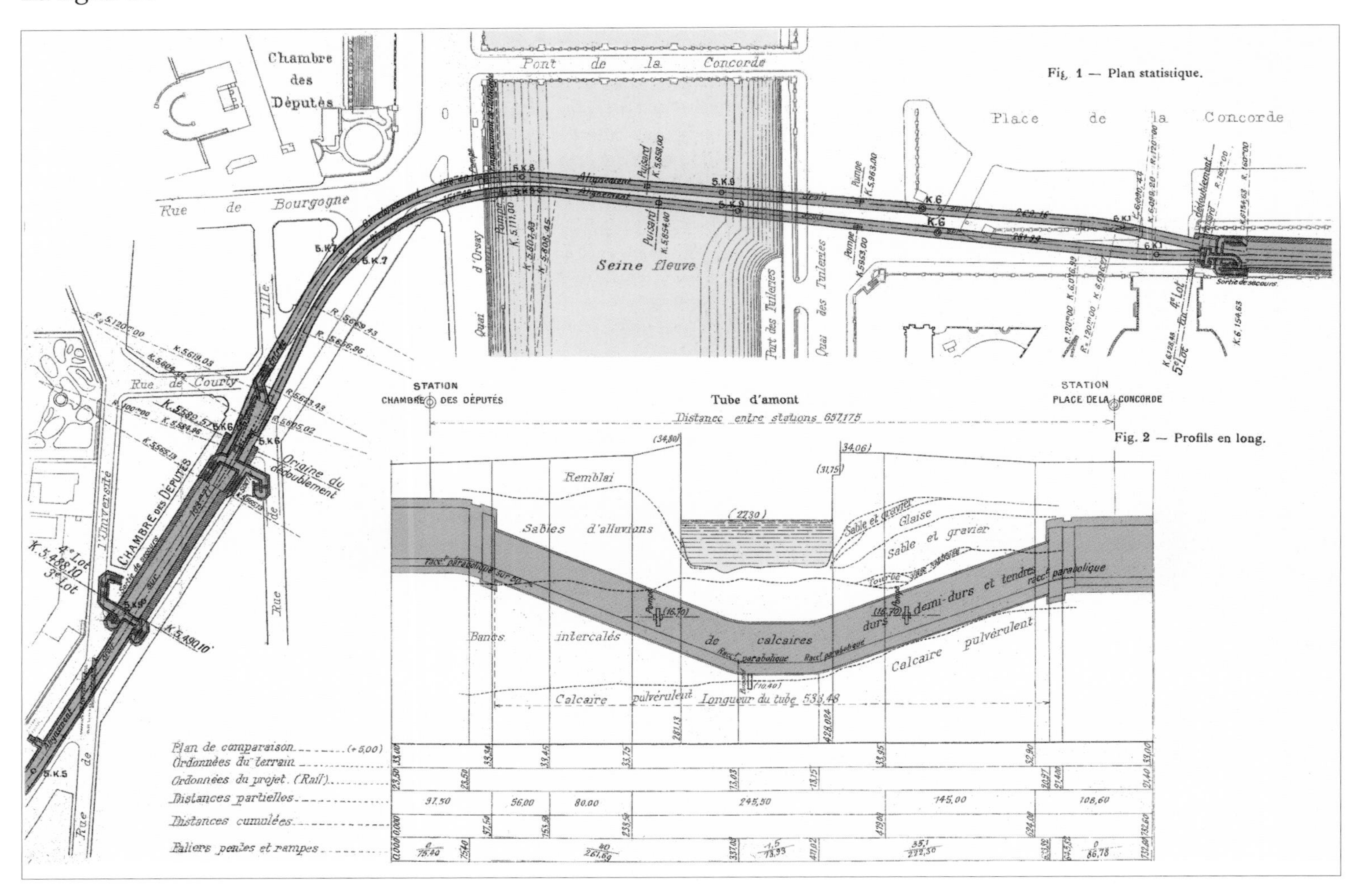

Tracé et coupe de la traversée sous-fluviale de la ligne 12 avec ses deux tunnels à voie unique.

Vue des travaux de percement de l'un des tunnels circulaires de la traversée sous-fluviale.

imposés notamment par le relief de la butte, autrefois siège d'exploitation de carrières de gypse. Située en partie sous l'hôtel Thiers et en raison de l'étroitesse de la rue Notre-Dame-de-Lorette, la station Saint-Georges fut dédoublée. Dès la sortie de la station Pigalle, la ligne montait pour atteindre la station Abbesses, d'un type spécial sans piédroit, située à près de 30 m sous le niveau du sol. Elle fut reliée à la surface par deux puits, l'un contenant deux escaliers hélicoïdaux et l'autre des ascenseurs. C'est entre les stations Abbesses et

La ligne 12, son personnel et ses rames gris et bleu ; noter l'horloge au centre de la voûte, typique du Nord-Sud.

La fameuse « rotonde » de la station Saint-Lazare, côté rue d'Amsterdam.

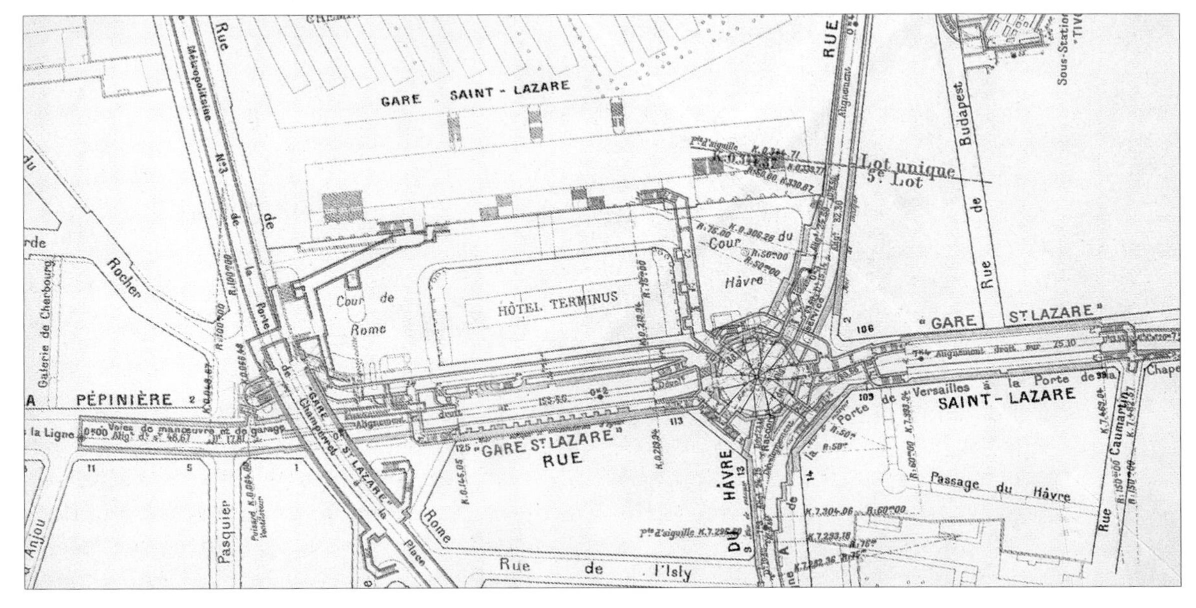

Plan des stations des lignes A et B du Nord-Sud à Saint-Lazare, avec la rotonde.

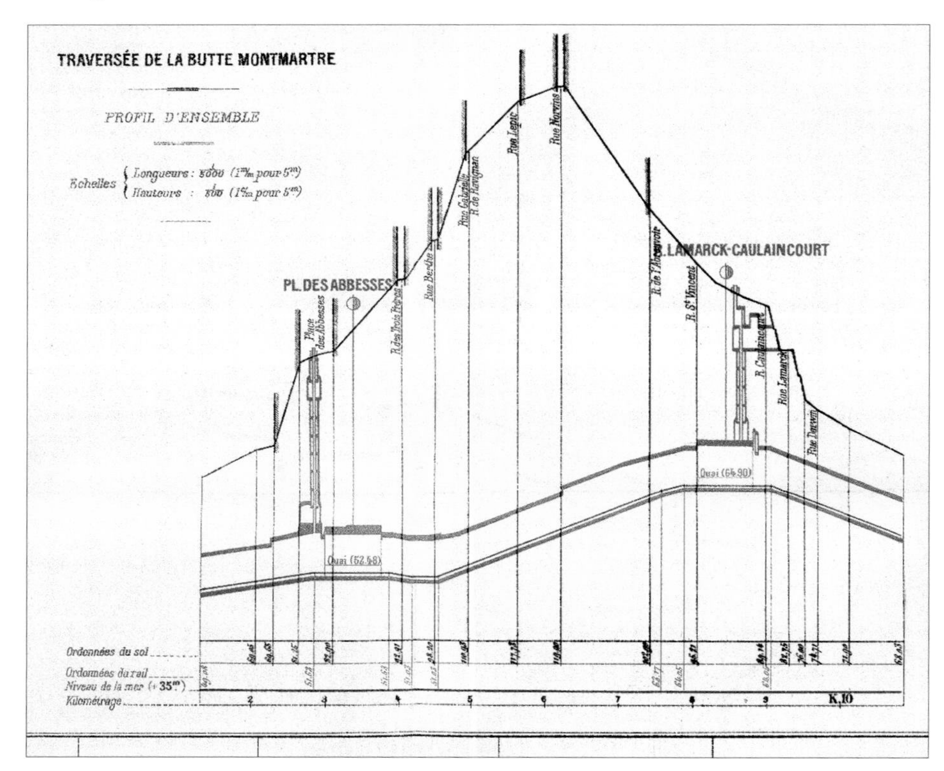

Profil en long de la ligne 12 à son passage sous la butte Montmartre, avec deux stations profondes à Abbesses et Lamarck-Caulaincourt.

Lamarck – Caulaincourt que la ligne 12 fut enfouie au plus profond du sol. Elle remontait en rampe de 40 ‰ pour rejoindre cette dernière station, point culminant de la ligne 12, sise à 24 m sous le niveau de la rue. Ici encore, on trouvait deux puits abritant escaliers et ascenseurs.

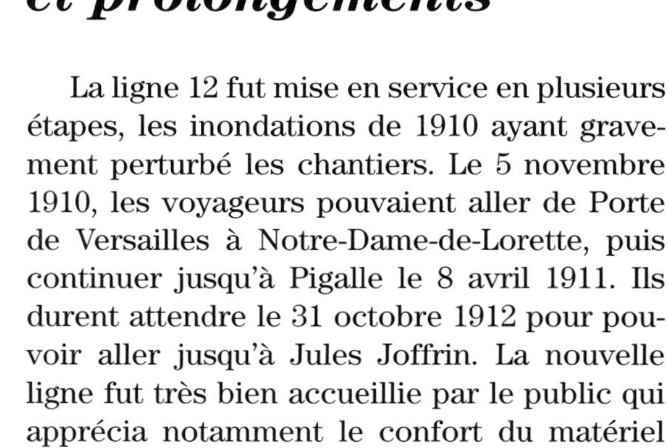

Mises en service et prolongements

La ligne 12 fut mise en service en plusieurs étapes, les inondations de 1910 ayant gravement perturbé les chantiers. Le 5 novembre 1910, les voyageurs pouvaient aller de Porte de Versailles à Notre-Dame-de-Lorette, puis continuer jusqu'à Pigalle le 8 avril 1911. Ils durent attendre le 31 octobre 1912 pour pouvoir aller jusqu'à Jules Joffrin. La nouvelle ligne fut très bien accueillie par le public qui apprécia notamment le confort du matériel roulant, par ailleurs peint dans des teintes

Peu avant son ouverture, la station Petits Ménages (du nom d'une maison de retraite située à proximité), devenue aujourd'hui Corentin Celton.

La station Saint-Lazare rénovée où ont disparu les grands supports métalliques.

La grande voûte de l'ancienne station Porte de Versailles abrite aujourd'hui 4 voies, dont 2 de garage.

Depuis 1977, les MF 67 roulent sur la ligne 12.

gris bleuté plus agréables que le brun foncé du métropolitain.

C'est auparavant, en janvier 1912, que le tronçon Jules Joffrin – Porte de la Chapelle avait été déclaré d'utilité publique. Le tracé, long de 2 km, faisait passer la ligne sous la rue Ordener, sous la tranchée du Chemin de fer du Nord puis, après un brusque coude, sous la rue de la Chapelle pour atteindre la porte de la Chapelle. Les travaux débutèrent en septembre 1912 et le prolongement fut ouvert en pleine guerre, le 23 août 1916.

Décidé en 1929 en même temps que plusieurs autres, le prolongement de la ligne 12 à Mairie d'Issy fut construit sans difficulté particulière et inauguré le 24 mars 1934 : 1 500 m supplémentaires pour le réseau de la CMP qui, dès 1930, avait absorbé la Compagnie du Nord-Sud. Il est à noter que ce prolongement a entraîné le déplacement de la station Porte de Versailles vers la banlieue et la création de deux demi-stations décalées en plan d'une quarantaine de mètres.

Les très appréciées rames Sprague-Thomson du Nord-Sud furent peu à peu remplacées par des rames Sprague du métro dans les années 1970. En 1977, les premiers MF 67 firent leur apparition en même temps qu'était mis en service le pilotage automatique. Le PCC, lui, était opérationnel sur la 12 depuis 1971.

LE PARCOURS

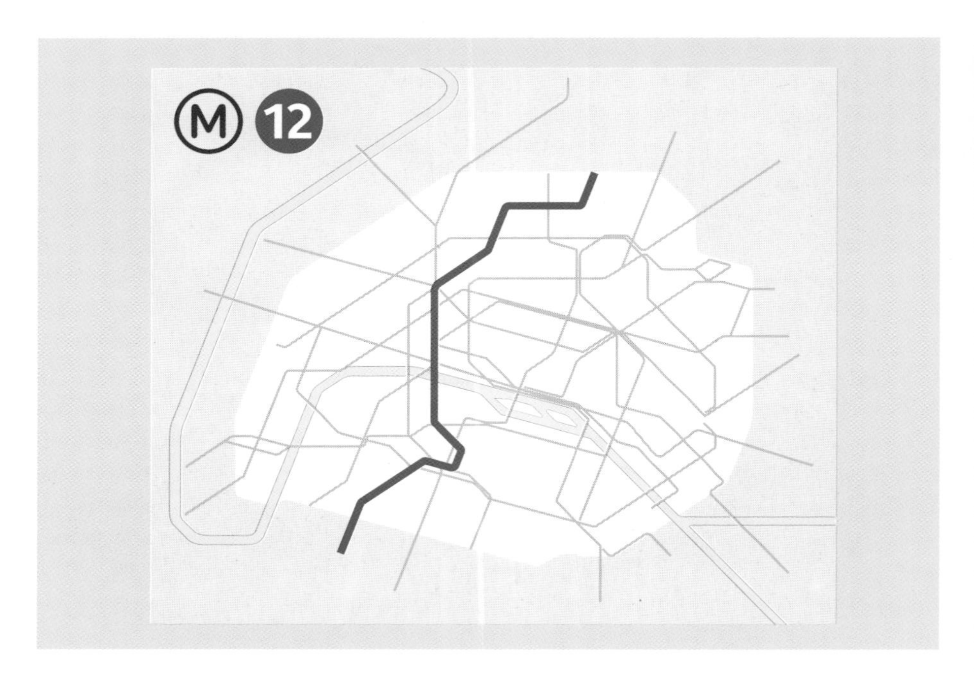

Le tracé de la ligne 12 commence à Issy-les-Moulineaux dans le département des Hauts-de-Seine. Les installations du terminus Mairie d'Issy, situées sous l'avenue Victor-Cresson, se composent de deux voies à quai et de trois voies de garage dont une avec trottoir de manœuvre. La ligne dessert une seconde station – Corentin Celton (anciennement, Petits-Ménages) – sur le territoire de cette commune du sud-ouest parisien avant de pénétrer dans le XVe arrondissement de Paris par l'avenue Ernest-Renan. Elle aborde alors les installations de Porte de Versailles, principal point d'exploitation au sud de la ligne, situées en partie sous la rue de Vaugirard.

Le nouveau guichet de vente de Porte de Versailles.

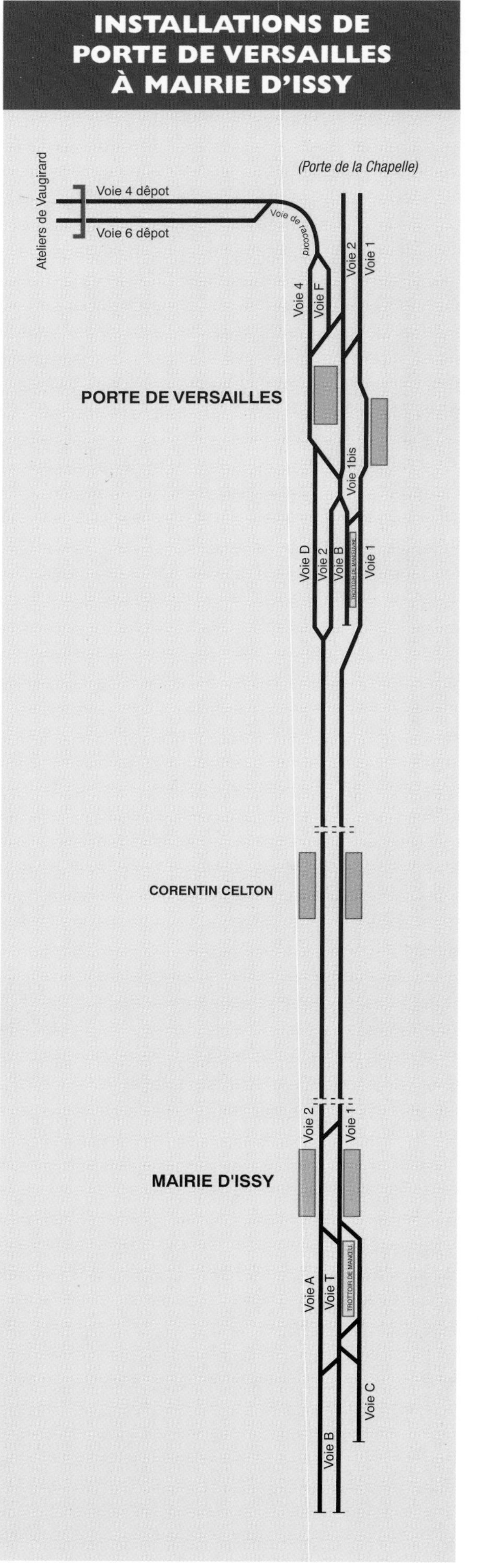

Celles-ci comprennent :

• côté sud, les deux voies principales et deux voies de garage dont une avec trottoir ;

• trois voies à quai, dont une servant surtout de voie de garage ;

• côté nord, les deux voies principales et deux voies de garage donnant accès à la voie reliant l'atelier d'entretien de Vaugirard, l'ouvrage renfermant ces quatre voies est l'ancienne station Porte de Versailles d'avant le prolongement en banlieue.

Les ateliers de Vaugirard comptent parmi les plus importants du métro dans Paris intramuros. Situés dans le XVe arrondissement, ils couvrent une superficie de 22 600 m². Ouvert en 1910 par la Compagnie du Nord-Sud, l'établissement fut modernisé à plusieurs reprises. Il assure aujourd'hui à la fois la maintenance des MF 67 de la ligne 12 et la révision des véhicules auxiliaires du métro.

C'est sous la rue de Vaugirard, la plus longue rue de la capitale, et par un tracé étonnamment sinueux que la ligne 12 traverse le XVe arrondissement de Paris et dessert successivement les stations Convention, Vaugirard, Volontaires, Pasteur (corr. L. 6), où elle passe sous la ligne 6, et Falguière. Du fait de l'étroitesse de la rue de Vaugirard,

La configuration particulière de l'actuelle station Porte de Versailles à quais décalés.

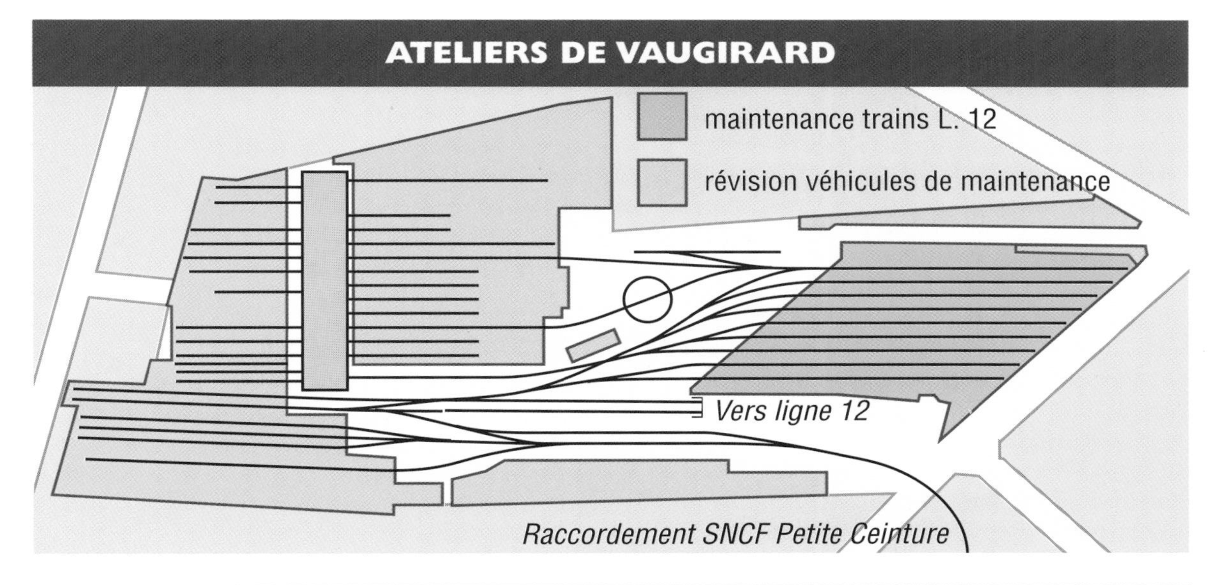

L'atelier de maintenance de Vaugirard.

Les « dessus » du métro

L'ASSEMBLÉE NATIONALE

Le Palais-Bourbon, construit pour Louise-Françoise de Bourbon, fille légitimée de Louis XIV et de la duchesse de Montespan, sur les conseils du marquis de Lassay est terminé en 1728. Après la mort de la duchesse, il est racheté par Louis XV en 1756. En 1764, il est à nouveau vendu au prince de Condé qui lui donne un aspect néoclassique.
La Révolution confisque le palais et, en 1798, y installe le Conseil des Cinq-Cents. En 1806, Napoléon achevant l'aménagement de la place de la Concorde, ordonne de plaquer sur le Palais-Bourbon une façade à colonnade afin de faire pendant à la Madeleine. La Restauration rend le palais au prince de Condé. À sa mort en 1818, son fils le loue à l'État qui devient, à partir de 1827, propriétaire d'une partie des bâtiments pour que les députés puissent continuer à y siéger. L'architecte Joly remplace l'ancienne salle des séances par l'hémicycle actuel. À la mort du duc d'Aumale, héritier du prince de Condé, le reste des bâtiments, dont l'hôtel de Lassay, est racheté par l'État. Le Palais-Bourbon est aujourd'hui le siège de l'Assemblée nationale dont le président a sa résidence dans l'Hôtel de Lassay.

Les « dessus » du métro

LE MUSÉE D'ORSAY

Il s'en faut de peu pour que le musée d'Orsay ne soit pas là où il est installé : dans une gare. En effet, dans les années 1960, la démolition de la gare SNCF d'Orsay avait été programmée. À une époque où l'on se soucie peu de conserver le patrimoine historique, il faut faire table rase du passé. La démolition des halles de Baltard vient réveiller les consciences et sauve la gare d'Orsay. Le bâtiment dû à l'architecte Laloux datait de 1900, année de l'Exposition universelle, où la compagnie du Paris-Orléans prolonge ses lignes au cœur de Paris. Depuis 1939, la gare n'est desservie que par des trains de banlieue ; l'espace sous son immense voûte métallique est donc libéré.
Après son classement comme monument historique en 1978, la gare abrite des activités aussi diverses que les ventes aux enchères ou le théâtre.

les stations Pasteur, Volontaires et Falguière ont des piédroits (ainsi qu'une voûte pour les deux dernières) en béton armé.

La ligne aborde alors, grâce à une courbe de 150 m de rayon, le boulevard du Montparnasse, passe au-dessus de la ligne 13 à laquelle elle est raccordée et atteint la station Montparnasse – Bienvenüe (corr. L. 4, 6 et 13).

Les panneaux directionnels à la voûte : une exclusivité du Nord-Sud.

Après un raccordement avec la 4, la ligne 12 passe peu après sous cette dernière et s'incurve à nouveau pour se placer sous la rue Stanislas. Après une seconde courbe plus serrée, la ligne se positionne sous le boulevard Raspail pour reprendre la direction du nord qu'elle avait provisoirement abandonné dans le quartier Montparnasse. Elle dessert la station Notre-Dame-des-Champs et entame son unique et long tronçon en alignement (1 274 m). Peu avant la station Rennes, elle passe une nouvelle fois sous la ligne 4, puis après un passage en « cuvette », passe par-dessus la ligne 10 et atteint Sèvres – Babylone (corr. L. 10). Après la station Rue du Bac, la ligne se place sous le boulevard Saint-Germain et dessert Solférino et, après avoir dépassé le collecteur de l'Université, Assemblée Nationale.

Il s'agit maintenant pour la ligne 12 de passer sous la Seine afin de gagner la rive droite. Elle descend donc en courbe et en pente de 40 ‰, les deux voies occupant chacune un tunnel à voie unique constitué d'un tube métallique composé de voussoirs en fonte. Elle croise alors la ligne C du RER, puis remonte en rampe de 35,1 ‰ pour aborder la station Concorde (corr. L. 1 et 8). Après être passée sous la 1, la 12 parcourt, par un tracé incroyablement sinueux, la rue Saint-Florentin sous le collecteur du même nom et la rue Richepanse pour atteindre Madeleine (corr. L. 8 et 14), station elle-même en courbe.

Continuant vers le nord de la capitale, la ligne 12 passe au-dessus de la ligne 14 et se place sous la rue Tronchet en un tracé où la ligne droite est une fois encore quasi absente. Au carrefour du boulevard Haussmann et des rues Tronchet et du Havre, elle croise les lignes 3 et 9 avant de remonter cette dernière rue pour dépasser son raccordement avec la 13 et atteindre la station Saint-Lazare (corr. SNCF, L. E du RER et L. 3 et 13 du métro), après une courbe serrée de 60 m de rayon qui la met dans une orientation est-ouest, sous la rue Saint-Lazare. Le tracé sinueux se poursuit sous cette rue et celle de Châteaudun où la ligne 12 dessert les stations Trinité, avec une voie de garage centrale en impasse pouvant servir pour un service provisoire, et Notre-Dame-de-Lorette.

La ligne 12 change alors brutalement de direction. Grâce à une première courbe de seulement 50 m de rayon, elle se place sous la rue Fléchier pour amorcer sa montée vers Montmartre. Une seconde courbe de 50 m de rayon, la place cette fois-ci sous la rue Notre-Dame-de-Lorette qu'elle remonte en rampe de 40 ‰ jusqu'à la station Saint-Georges dont les deux voies sont séparées par un piédroit. *(suite page 302)*

LES STATIONS DE LA LIGNE 12

(ancien nom entre parenthèses et en italique)

PORTE DE LA CHAPELLE

D'un ancien village au nord de Paris où se trouvait l'église Saint-Bernard-de-la Chapelle.

MARX DORMOY

(avant 1946 Torcy)
Homme politique, maire de Montluçon, député puis sénateur, ministre du Front populaire, assassiné en 1941 à Montélimar.

MARCADET – POISSONNIERS

(avant 1931 Poissonniers)
Voir ligne 4.

JULES JOFFRIN

Au XIXe siècle, conseiller municipal et député du XVIIIe arrondissement de Paris.

LAMARCK – CAULAINCOURT

1- Naturaliste et professeur au Muséum d'Histoire naturelle de la fin du XIXe siècle, fondateur des théories de la génération spontanée et du transformisme.
2- Général, ambassadeur et ministre de Napoléon.

ABBESSES

Évoque les abbesses de l'abbaye bénédictine des Dames de Montmartre.

PIGALLE

Voir ligne 2.

SAINT-GEORGES

Martyr du IVe siècle qui, selon la légende, terrassa un dragon pour délivrer une princesse.

NOTRE-DAME-DE-LORETTE

Église parisienne construite au XIXe siècle dédiée à la Vierge Marie qui serait apparue en Italie à Loreto.

TRINITÉ

Église consacrée à la Trinité chrétienne (le Père, le Fils et le Saint-Esprit).

SAINT-LAZARE

Voir ligne 3.

MADELEINE

Voir ligne 8.

CONCORDE

Voir ligne 1.

ASSEMBLÉE NATIONALE

(avant 1990 Chambre des Députés)
L'une des deux composantes du Parlement (avec le Sénat) qui siège au Palais-Bourbon.

SOLFÉRINO

Ville d'Italie où, en 1859, les troupes de Napoléon III soutenant le Piémont remportèrent une victoire sur les Autrichiens.

RUE DU BAC

Partie terminale de l'itinéraire, provenant des carrières de Vaugirard et aboutissant à un bac sur la Seine, qui servait à l'acheminement des pierres destinées à la construction du château des Tuileries.

SÈVRES – BABYLONE

(avant 1923 Sèvres - Croix Rouge)
Voir ligne 10.

RENNES

La rue de Rennes aboutissait à l'ancienne gare Montparnasse d'où partaient les trains pour la capitale de la Bretagne.

NOTRE-DAME-DES-CHAMPS

Nom qui rappelle la chapelle d'un ancien prieuré carmélite établi au milieu d'un grand nombre de jardins.

MONTPARNASSE – BIENVENÜE

(avant 1942 Montparnasse)
Voir ligne 4.

FALGUIÈRE

Peintre et sculpteur du XIXe siècle.

PASTEUR

Voir ligne 6.

VOLONTAIRES

Impasse qui fut volontairement prolongée et transformée en ruelle par ses habitants en 1822 et baptisée « Volontaires » pour rendre hommage aux soldats de l'an II.

VAUGIRARD

Nom d'un ancien village rattaché à Paris.

CONVENTION

Assemblée révolutionnaire qui siégea de septembre 1792 à octobre 1795, abolit la royauté et proclama la république.

PORTE DE VERSAILLES

Porte qui s'ouvrait sur la route menant à cette ville.

CORENTIN CELTON

(avant 1945 Petits-Ménages)
Résistant fusillé en 1945 par les Allemands.

MAIRIE D'ISSY

Hôtel de ville d'Issy-les-Moulineaux au sud-ouest de Paris .

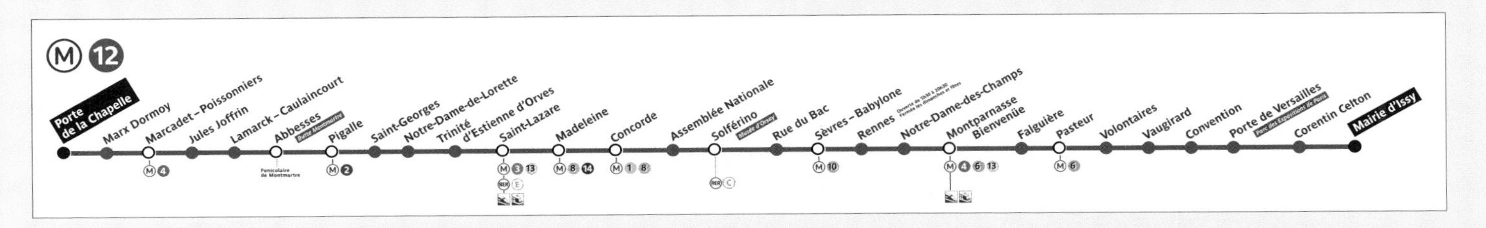

CHANGEMENT DE DÉCOR

Assemblée Nationale

Décor de papier pour cette station qui dessert le Palais-Bourbon. Jean-Charles Blais a conçu des affiches illustrées par des silhouettes des représentants du peuple à la Chambre des Députés, l'ancien nom de la station. Suivant le calendrier des sessions, les affiches changent de motifs.

Concorde

Sur une idée de Françoise Schein, toute la surface de la voûte et des parois de la station est tapissée de carreaux de céramique blanche formant un gigantesque puzzle supportant la Déclaration des Droits de l'Homme et du Citoyen.

La rotonde de Saint-Lazare aujourd'hui.

TRANSPARENCES à Abbesses

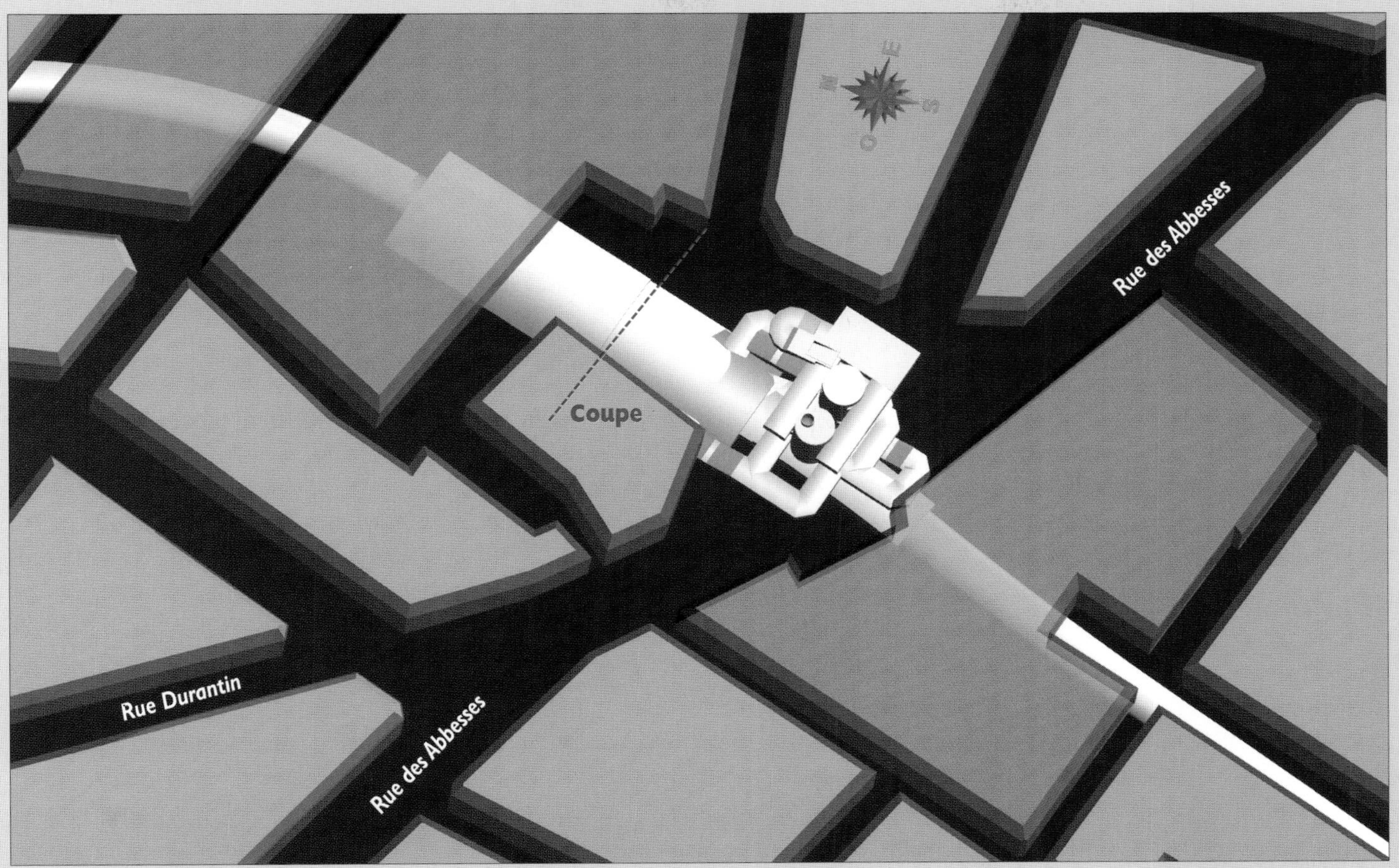

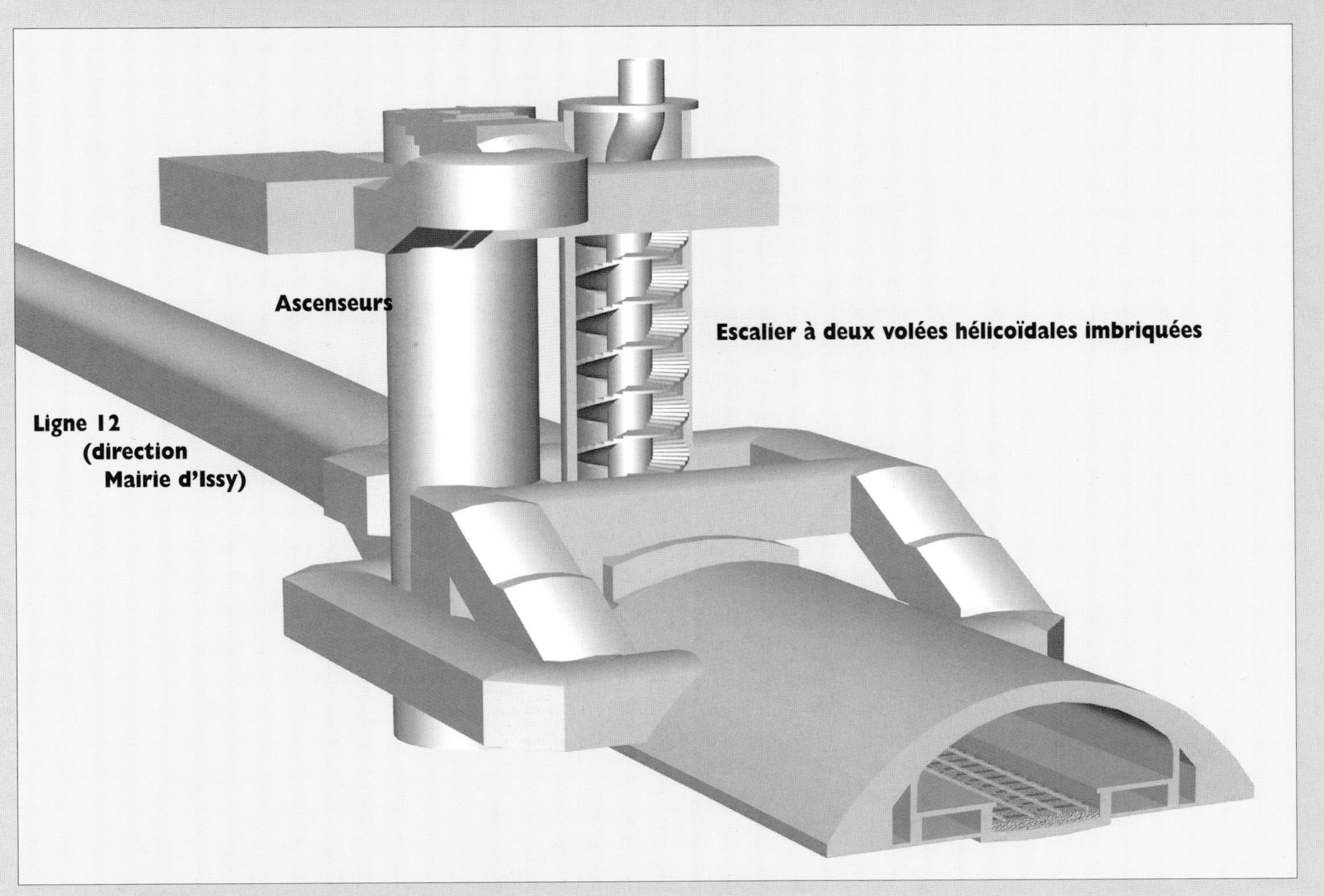

CARTE D'IDENTITÉ DE LA LIGNE 12	
Longueur totale	13,888 km
dont en aérien	0 km
Nombre de stations	28
dont aériennes	0
dont correspondances	8
Longueur des stations	de 75 m à 100 m
Longueur moyenne des interstations	514 m
Nombre de trains en ligne à la pointe	34
Nombre de départs (jour ouvrable)	305
Intervalle minimal (jour ouvrable)	2 mn 20
Matériel roulant	MF 67
Nombre de voitures par train	5
Atelier de maintenance	Vaugirard
Atelier de révision	Choisy

Dès la sortie de cette station, la ligne continue son ascension sous les rues Henri-Monnier et Frochot pour atteindre la station Pigalle (corr. L. 2) établie sous la ligne 2 et un collecteur d'égouts.

Nous sommes maintenant au pied de la butte Montmartre, la ligne 12 va encore monter, mais cependant beaucoup moins que la surface du sol. Le résultat est que les prochaines stations sont établies à grande profondeur. Il en est ainsi d'Abbesses et de Lamarck – Caulaincourt, point le plus élevé de la ligne atteint après un parcours sous de nombreux immeubles de ce quartier pittoresque du XVIIIe arrondissement de Paris. De l'autre côté de la butte, la ligne 12 amorce alors une descente en pente de 40 ‰, notamment sous la rue Duhesme. C'est sous la rue Ordener que se trouve la station Jules Joffrin, la ligne ayant une nouvelle fois changé de direction. Elle continue de descendre pour passer sous la ligne 4, avant de remonter pour desservir Marcadet – Poissonniers (corr. L. 4).

La ligne 12 assagit ensuite son tracé et son profil pour passer sous les voies SNCF de la région Nord, mais par pour longtemps, car elle tourne brusquement une dernière fois par une courbe de 50 m de rayon pour se placer définitivement en direction du nord sous la rue de La Chapelle et desservir la station Marx

Direction Montmartre.

L'édicule Guimard de la station Hôtel de Ville, implanté malencontreusement sur un accès à une station de l'ancien Nord-Sud.

Dormoy. Encore quelques sinuosités, décidément inévitables, et une descente de 26 ‰, et la ligne 12 atteint son terminus septentrional à Porte de la Chapelle. Ses installations comportent trois voies desservies par deux quais encadrant la voie centrale, puis en arrière-gare, quatre voies de garage, dont une avec trottoir de manœuvre ; les deux voies centrales sont prolongées grâce à un tunnel à deux voies dépassant les limites des anciennes fortifications.

TERMINUS DE PORTE DE LA CHAPELLE

Voie C
Voie B
Voie D
TROTTOIR DE MANŒUVRE
Voie A
Voie T
Voie 3
PORTE DE LA CHAPELLE
Voie 2
Voie 1
(Mairie d'Issy)

Les « dessus » du métro

MONTMARTRE

Alors que dès l'Antiquité elle abrite un sanctuaire, la butte où l'on pense que Saint-Denis est mort devient le Mont des Martyrs (Montmartre). La butte fut jadis une colline verdoyante au sommet de laquelle se trouvait un petit village auquel on accédait par des chemins escarpés.

Plusieurs projets grandioses sont imaginés pour transformer Montmartre en immense nécropole ou pour y ériger temple ou colonnes glorifiant l'Empire napoléonien. Dans les petites maisons – on pense que la butte ne pourrait supporter de grandes constructions en raison de son sous-sol truffé de carrières – s'installent au XIXe siècle de nombreux artistes, musiciens, peintres, poètes. De la place des Abbesses à la place du Tertre en passant par le marché Saint-Pierre ou le Moulin-Rouge, la butte Montmartre offre l'image d'un quartier à la fois touristique et « en marge », culturel et canaille.

Et que serait Montmartre sans la basilique du Sacré-Cœur ? Après la chute du second Empire et le choc de la Commune, le pouvoir politique décide la construction, financée par une souscription publique, d'un édifice religieux dédié au Sacré-Cœur afin d'expier les fautes qui ont conduit à ces désastres. L'architecte Abadie remporte le concours et la première pierre est posée en juin 1875 par l'archevêque de Paris. Le sous-sol de la butte rend difficiles les travaux de construction de cet édifice qui doit être soutenu par 83 piliers ancrés très profondément. Après Abadie et pendant 40 ans, plusieurs architectes se relaient. La basilique est en effet consacrée en 1919, l'intérieur étant inauguré dès juin 1891. Ce dernier présente un chœur dont la voûte est recouverte d'une mosaïque de 475 m^2. Avec son dôme de 83 m de haut et son campanile de 94 m, la basilique du Sacré-Cœur est aujourd'hui l'un des principaux repères visuels de la capitale.

LIGNE 13

Châtillon - Montrouge – Asnières - Gennevilliers/Saint-Denis

Comme d'autres, la ligne 13 actuelle a connu bien des vicissitudes. Destinée à « remplacer » l'une des lignes nord-sud du RER figurant au Schéma directeur d'aménagement et d'urbanisme de la région parisiennne de 1965, elle a été créée en reliant entre elles deux lignes de l'ancienne Compagnie du Nord-Sud qui semblaient disposées à ne jamais se rencontrer et qui, pour l'une d'entre elles, aurait pu même ne pas exister.

L'HISTOIRE

Un matériel articulé à Carrefour Pleyel.

C'est le 19 juillet 1905 que fut déclarée d'utilité publique la ligne B du Nord-Sud entre la gare Saint-Lazare et la porte de Saint-Ouen, soit 2 900 m. L'embranchement prévu vers la porte de Clichy fut, lui, déclaré d'utilité publique, le 11 juin 1909. La correspondance entre les lignes A et B se situait à Saint-Lazare.

La ligne avait son origine sous la rue Saint-Lazare, en face de l'hôtel Terminus placé devant la gare. Dès la sortie de la station, elle tournait vers le nord pour emprunter la rue d'Amsterdam en rampe de 35 ou 40 ‰ jusqu'à la place de Clichy. De là, elle était établie sous l'avenue de Clichy jusqu'à la station La Fourche. Continuant alors sous l'avenue de Saint-Ouen, la ligne B descendait vers la porte du même nom où se trouvait le terminus. La branche vers la porte de Clichy se détachait au nord de la station La Fourche et descendait l'avenue de Clichy jusqu'à la porte du même nom où était établi un terminus en boucle.

Les travaux

Plusieurs ouvrages spéciaux furent construits, rendus nécessaires par des configurations particulières, comme par exemple pour le franchissement du collecteur de Clichy au niveau de son croisement avec le Chemin de fer de ceinture au terminus en boucle de Porte de Clichy.

La station Liège fut construite avec des quais décalés en raison de la largueur insuffisante de la rue d'Amsterdam qui n'est que de 12 m alors que 13,5 m auraient été nécessaires. Les deux demi-stations furent disposées de part et d'autre du carrefour Amsterdam/Liège. Quant à la séparation/réunion des branches Saint-Ouen et Clichy aux abords de la station La Fourche, elle entraîna la réalisation d'un ouvrage évitant le croisement à niveau des deux itinéraires, toujours dangereux et peu pratique. La station elle-même fut établie sur deux niveaux : une station supérieure de configuration standard contenant un quai pour les deux directions vers le nord et un quai recevant les trains venant de la porte de Clichy, une demi-station inférieure recevant les trains provenant de la porte de Saint-Ouen.

Mises en service, remaniements et prolongements

C'est la ligne Saint-Lazare – Porte de Saint-Ouen qui fut mise en service la première, le 26 février 1911. Près d'un an plus tard, le 20 janvier 1912, la branche de Porte de Clichy était ouverte, les trains allant alors, depuis La Fourche, alternativement vers les portes de Saint-Ouen ou de Clichy.

La seconde partie de la ligne 13 actuelle dont il nous faut traiter ici se situait entre Invalides et Duroc. À l'origine, ce tronçon faisait partie de la ligne portant le n° 10 qui reliait Invalides à Croix-Rouge, via Duroc. Destinée tout d'abord à composer une partie de la ligne dite de « Ceinture intérieure »,

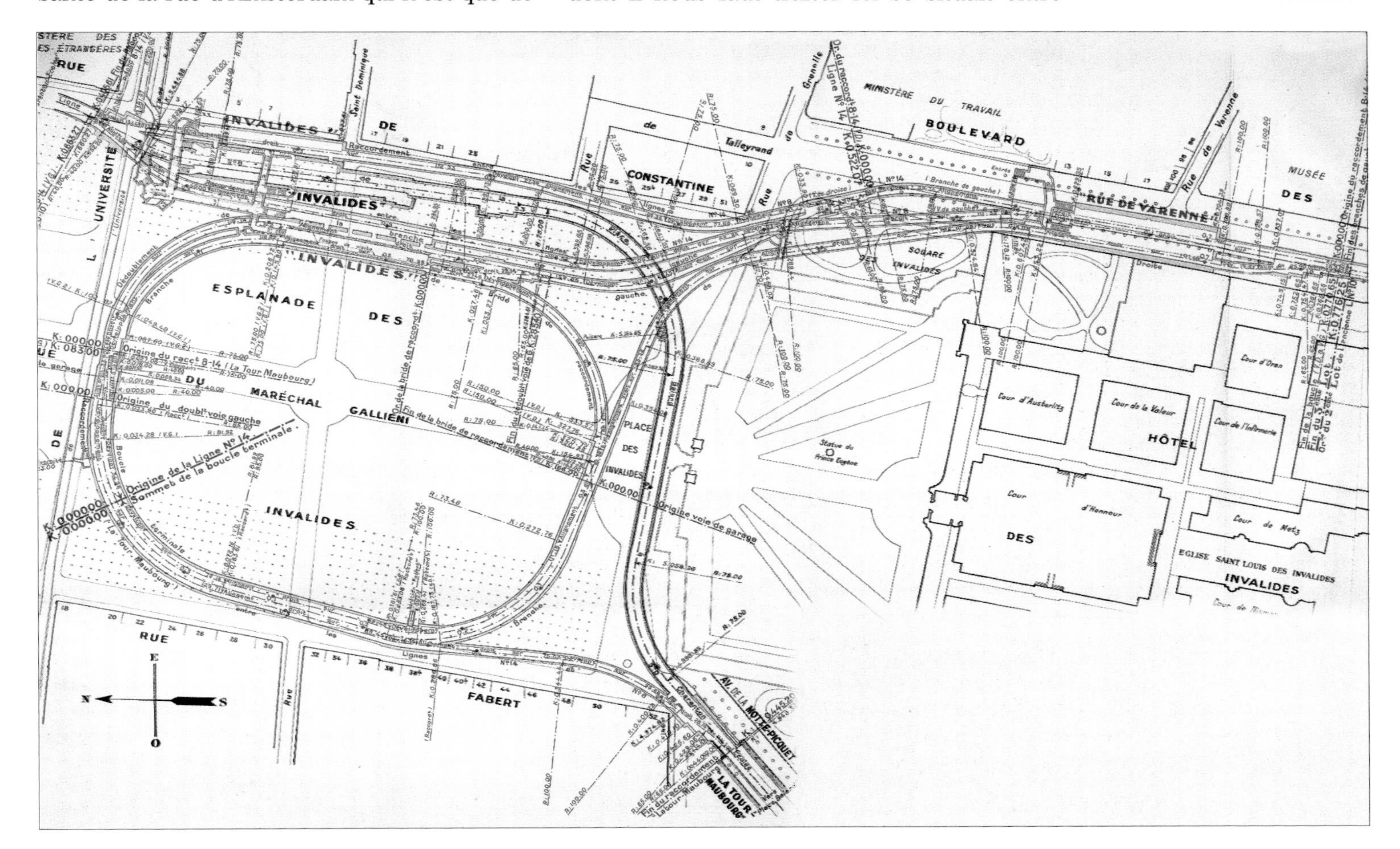

Plan du terminus de l'ancienne ligne 14 à Invalides.

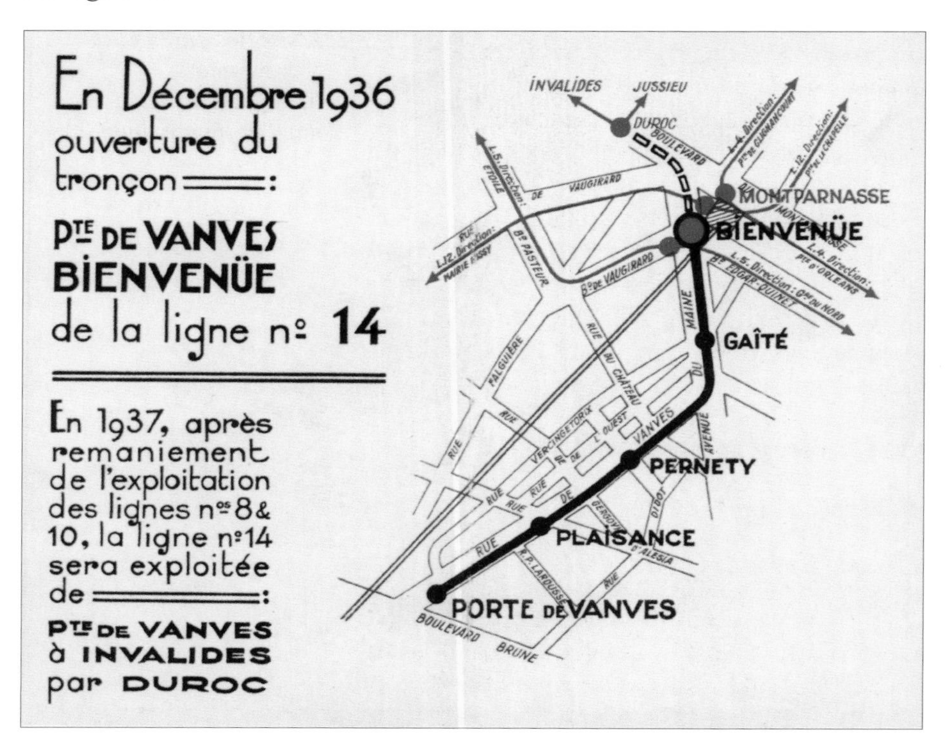

Le prospectus annonçant l'ouverture de l'ancienne ligne 14, qui n'aura lieu en réalité qu'en janvier 1937.

en communauté de voies avec la ligne 8 entre Invalides et Opéra, elle ne remplit cependant pas cette fonction, après la remise en cause de son principe par le conseil municipal en octobre 1912. Néanmoins, on construisit, malgré les protestations de certains conseillers, un vaste ensemble comprenant boucle de retournement et voies de raccordement avec la ligne 8 ainsi que les stations et accès permettant l'exploitation primitivement envisagée. L'une de ces voies partait de la station Varenne, ce qui explique sa configuration actuelle à trois voies. On verra plus loin que cet ensemble fut remanié lors de la jonction des lignes 13 et 14. La ligne 10 fut inaugurée le 30 septembre 1923 et ne connut qu'un très faible trafic.

La partie méridionale de la ligne 13 actuelle fut à l'origine la ligne 14, ancienne ligne C du Nord-Sud entre la porte de Vanves et Montparnasse, déclarée d'utilité publique en juillet 1912. Ici comme ailleurs, les idées d'origine évoluèrent en raison de faits nouveaux, et le projet fut modifié. Le terminus situé sous la rue de l'Arrivée était très étriqué et peu pratique. Par ailleurs, l'absorption du Nord-Sud par la CMP en 1930 supprima l'utilité d'un raccordement entre les lignes A et C et poussa à envisager un nouveau tracé plus avantageux. C'est ainsi que germa l'idée de prolonger la ligne plus avant dans Paris et de la raccorder à la ligne 10 à Duroc, pour créer ainsi une ligne n° 14 entre Invalides et Porte de Vanves. La ligne 10 originelle perdrait donc son coude

La jeunesse attend avec impatience l'ouverture de la ligne 14.

Inauguration de l'ancienne ligne 14 jusqu'à la station Bienvenüe en janvier 1937.

L'une des rares vues d'une rame Sprague-Thomson sur l'ancienne ligne 14.

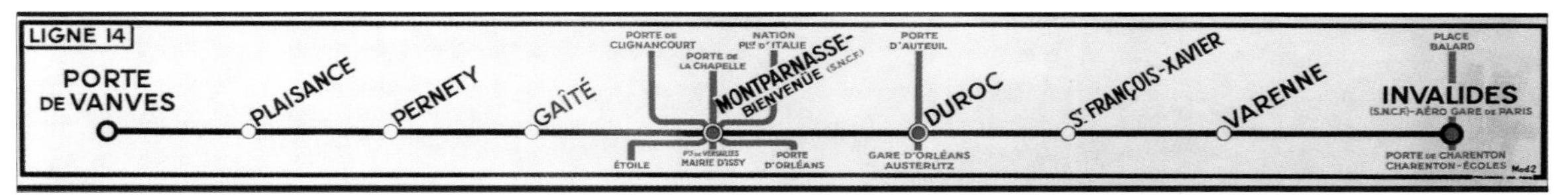

prononcé de Duroc et se raccorderait au tronçon La Motte-Picquet – Auteuil, moyennant la réalisation du tronçon manquant entre Duroc et La Motte-Picquet, la ligne 8 étant envoyée à Place Balard. Ces dispositions furent entérinées par le conseil municipal le 9 décembre 1932.

À partir de la porte de Vanves, la ligne 14 fut établie sous la rue Raymond Losserand jusqu'à l'avenue du Maine. Elle croisait la ligne 5 (auj. 6) à la station dénommée Bienvenüe en mémoire de l'éminent ingénieur qui décéda en août 1936. Ce tronçon, long de 2 300 m desservait cinq stations. Un long couloir de correspondance fut construit entre la station Montparnasse des lignes 4 et 12 située devant l'ancienne gare et la station Bienvenüe des lignes 6 et 14, créant ainsi une seule et même station dénommée tout naturellement Montparnasse – Bienvenüe. Au-delà, la ligne continuait jusqu'à Duroc où elle se raccordait à l'ancienne ligne n° 10. Le 27 juillet 1937, les trains de la ligne 14 reliaient la porte de Vanves aux Invalides, tandis que la ligne 10 reliait désormais Auteuil au Quartier latin.

La situation avec, d'une part une ligne 13 venant du nord et aboutissant à Saint-Lazare et, d'autre part une ligne 14 venant du sud et qui s'achevait à Invalides, allait durer des décennies. Ce n'est qu'au milieu des années 1970 qu'elles seront réunies en une grande transversale nord-sud. Auparavant, la ligne 13 fut prolongée une première fois en banlieue nord. C'est dans le cadre du « Plan des grands travaux contre le chômage en Région parisienne » que fut entrepris un prolongement de 3 km entre Porte de Saint-Ouen et Carrefour Pleyel. Interrompus par la guerre, les travaux ne redémarrèrent qu'à la fin de 1944. Ce prolongement comprenait trois nouvelles stations : Garibaldi, Mairie de Saint- Ouen et Carrefour Pleyel. À cette occasion, un nouveau matériel, le Matériel Articulé, allait faire son apparition et amorcer le remplacement des rames Sprague. Ce prolongement, qui était le deuxième de l'après-guerre, fut mis en service le 30 juin 1952.

Le milieu des années 1970 fut une période capitale pour la ligne 13. La décision de

La modernité de l'ancienne ligne 13, avec ce nouveau matériel articulé.

Un MF 67 à la station Miromesnil, sur la nouvelle ligne 13.

L'affiche du prolongement de la ligne 13 à Saint-Denis Basilique.

« remplacer » l'une des lignes nord-sud du RER prévue par le Schéma directeur de 1965 par une nouvelle transversale en métro entre les rives droite et gauche de la Seine allait entraîner la réunion des lignes 13 et 14. Ce nouvel axe fut par ailleurs prolongé au nord et au sud, faisant ainsi de la nouvelle ligne 13 l'une des plus longues du réseau de métro.

C'est en plusieurs étapes que s'opéra la jonction des lignes 13 et 14, le point d'orgue étant la traversée sous-fluviale.

Le 27 juin 1973, la ligne 13 était prolongée de Saint-Lazare à Miromesnil, en correspondance avec la ligne 9 et, le 18 février 1975, elle atteignait Champs-Élysées – Clemenceau, permettant une correspondance très utile avec la ligne 1.

En 1976, tandis que se terminaient les travaux de jonction, la ligne 13 était prolongée, le 20 mai, au nord de Carrefour Pleyel jusqu'à Saint-Denis Basilique avec une station intermédiaire.

La jonction des anciennes lignes 13 et 14 ne fut possible que grâce à la réalisation d'une traversée sous-fluviale, la sixième du métro parisien, entre les stations Champs-Élysées – Clemenceau et Invalides, en amont du pont Alexandre III, non loin de celle, beaucoup plus ancienne, de la ligne 8.

Les ouvrages réalisés mesurent 433 m, dont 129 sous la Seine. Le passage sous le fleuve, en légère pente et en courbe de 900 m de rayon, se fit au moyen de quatre caissons préfabriqués et échoués au fond d'une souille (fouille) draguée à partir de la surface.

Côté rive gauche, la ligne remonte en rampe de 27 ‰, passe sous la gare SNCF et l'aérogare des Invalides, avant de rejoindre les ouvrages de la ligne 14.

REMANIEMENT DES INSTALLATIONS D'INVALIDES

INVALIDES
INVALIDES
quais « morts »
Ligne 14
Ligne 8
anciens raccordements ligne 8 / ligne 14
Ligne 8
LA TOUR-MAUBOURG
Ligne 14
VARENNE
Situation avant travaux

Nouvelle ligne 13
INVALIDES 13
INVALIDES 8
quai « mort »
Nouvelle ligne 13
Ligne 8
Nouveaux quais
Ligne 8
LA TOUR-MAUBOURG
VARENNE
Nouvelle ligne 13
Situation après jonction (1976)

Travaux de remaniement de l'ancien terminus Invalides, lors de la jonction 13/14.

À gauche, l'un des caissons de la traversée sous-fluviale de la nouvelle ligne 13, avant son fonçage.

À l'occasion de la fusion des lignes 13 et 14, un profond remaniement des installations du complexe d'Invalides eut lieu, notamment par la transformation de la gare terminale de la ligne 14 en station de passage.

Le schéma indique la situation du complexe d'Invalides avant et après les travaux de jonction. La nouvelle ligne 13 fut mise en service le 9 novembre 1976.

Deux nouveaux prolongements en banlieue allaient concerner la ligne 13, à ses extrémités sud et nord. Au sud, la ligne fut prolongée, le 9 novembre 1976, de 2 700 m

Juxtaposition des emprises ferroviaires RATP et SNCF sur le prolongement de la ligne 13 au sud.

Les travaux de réalisation du viaduc de la ligne 13 au-dessus de la Seine, en banlieue nord-ouest.

entre Porte de Vanves et Châtillon – Montrouge, en utilisant le côté est du talus SNCF qui sert aujourd'hui à la ligne du TGV Atlantique.

Au nord, la branche de la porte de Clichy fut prolongée, le 9 mai 1980, de 3 200 m jusqu'à la station Gabriel Péri – Asnières – Gennevilliers, en desservant au passage la station Mairie de Clichy.

Après de nombreuses et houleuses discussions, c'est finalement une solution aérienne qui fut choisie pour le franchissement de la Seine entre Clichy et Asnières, en amont immédiat du pont de Clichy.

Enfin, le 25 mai 1998, la ligne 13 fut à nouveau prolongée de 1 300 m pour desservir l'université de Saint-Denis.

Le remplacement des rames Sprague-Thomson sur les anciennes lignes 13 et 14 se fit en deux étapes :

Les courbes et contre-courbes en rampe sévère pour l'accès à ce même viaduc.

Vue aérienne du viaduc de la ligne 13 enjambant la Seine entre Asnières - Gennevilliers et Clichy.

• sur la courte ligne 13, à partir de 1952, par les nouveaux Matériels Articulés ceux-ci quittant la ligne à la fin de l'année 1974 pour être reversés progressivement, après une profonde rénovation, sur la ligne 10 ;

• sur la ligne 14, peu avant la jonction 13/14, par des MF 67.

La nouvelle ligne 13 fut donc exploitée, dès son ouverture en 1976, avec des rames MF 67. À partir de 1978, son prestige lui valut d'être la première à recevoir des MF 77.

En ce qui concerne l'exploitation, la ligne fut équipée du PCC en 1974 et du pilotage automatique en 1977.

L'architecture moderne du nouveau terminus Saint-Denis Université.

LE PARCOURS

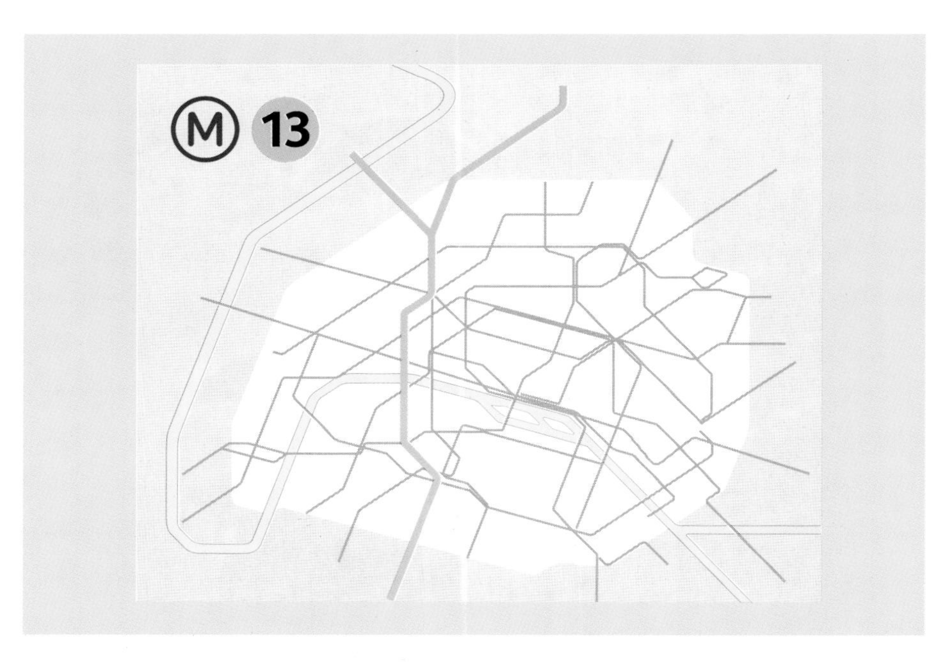

Comme pour la ligne 8 à Créteil, c'est à l'air libre que sont implantées les installations terminales de la ligne 13 à Châtillon – Montrouge dans les Hauts-de-Seine. Situées le long de la ligne SNCF du TGV Atlantique, elles comprennent trois voies à quai et trois longues voies de garage en arrière-gare, dont une avec trottoir de manœuvre, toutes reliées au nouvel atelier (voir plus loin). Toujours en aérien le long de la plate-forme SNCF, la ligne dessert ensuite Malakoff – Rue Étienne Dolet. Poursuivant sa route, la ligne 13 quitte l'air libre pour s'engouffrer sous terre par une trémie en pente de 41 ‰ et arriver à Malakoff – Plateau de Vanves.

Plus loin, afin de passer sous la tranchée qui abrite le boulevard périphérique,

Vue du nouvel atelier de Châtillon-Bagneux.

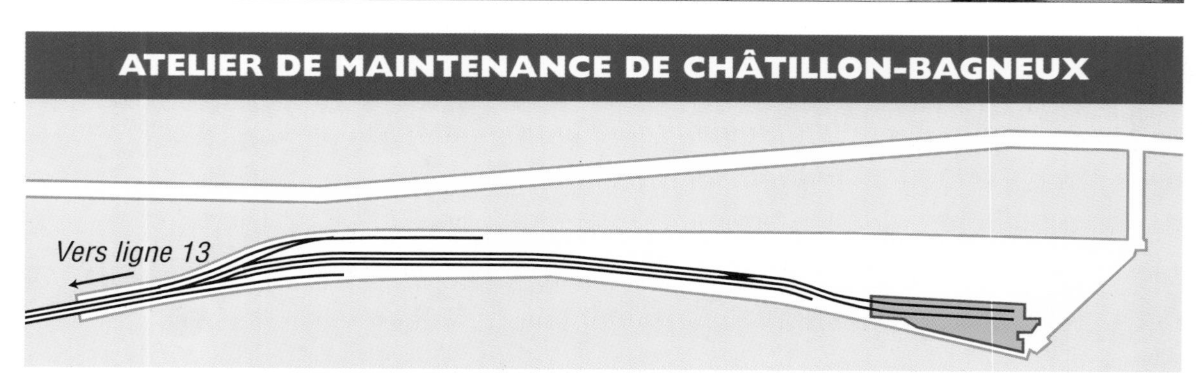

TERMINUS DE CHÂTILLON - MONTROUGE

(Gabriel Péri - Asnières - Gennevilliers)

Voie 2
Voie 1
Voie 3
CHÂTILLON - MONTROUGE
Voie T
TROTTOIR DE MANŒUVRE
Voie A
Voie B
Voie C
TROTTOIR
TROTTOIR
Voie B
Voie B
Voie D
Voie E
Voie C
Voie 1 du site de maintenance
Voie 2 du site de maintenance

la ligne 13 descend en pente de 40 ‰, puis remonte pour franchir la limite du XIVe arrondissement et atteindre l'ancien terminus de Porte de Vanves où l'on trouve une voie de garage en impasse. C'est d'abord la rue Raymond-Losserand qui accueille la 13 pour desservir successivement les stations Plaisance et Pernety, puis l'avenue du Maine sous laquelle se trouve la station Gaîté.

En haut, un TGV Atlantique dépasse un MF 67 garé à Châtillon-Montrouge.

Ci-dessus, les garages de Châtillon-Montrouge.

L'intermodalité au terminus de Châtillon-Montrouge.

L'entrée de la station Pernety est située dans un immeuble.

Les « dessus » du métro

MONTPARNASSE

Ce sont probablement les propos ironiques d'étudiants à propos d'un immense tas de gravois situé à l'emplacement du boulevard Montparnasse actuel et disparaissant lors de son percement en 1761, qui donnent naissance, au XVIIe siècle, à l'appellation Mont Parnasse.

À la fin du XVIIIe siècle, cette artère est un lieu de rendez-vous champêtre et élégant. Au siècle suivant, l'urbanisation se développe et les premières personnalités s'y installent. Ainsi, on peut voir des écrivains comme Victor Hugo ou Sainte-Beuve, le sculpteur Bartholdi et beaucoup d'autres artistes.

Le XIXe siècle est aussi celui de la création du cimetière qui s'appelle alors du Midi et de la première gare de chemin de fer. Le cimetière est créé en 1824 et agrandi quelques années plus tard ; il accueille les dépouilles de nombreux artistes parmi lesquels Charles Baudelaire.

La gare Montparnasse primitive, alors en dehors de Paris, ouvre en septembre 1840. L'embarcadère est agrandi entre 1848 et 1852 afin d'accueillir un trafic toujours plus important. Le bâtiment est alors déplacé vers le nord-est pour se situer face à la rue de Rennes. Il est encore agrandi à la fin de ce siècle-là. En 1930, deux gares annexes sont construites en retrait par rapport à la gare principale (avenue du Maine et rue du départ), cette dernière étant réservée au trafic banlieue. Mais l'opération la plus spectaculaire est le remplacement des anciens bâtiments par un ensemble moderne et unique à nouveau reporté avenue du Maine. L'espace libéré par la gare banlieue est aujourd'hui occupé par la tour Montparnasse abritant 58 étages sur 200 m de haut.

Jadis lieu de la gaieté, de la fête, de la bohème et du cinéma, Montparnasse est aujourd'hui un quartier toujours empreint de modernité à l'exemple de la fondation Cartier pour l'Art contemporain de l'architecte Jean Nouvel.

Après être passée sous la ligne 6, la ligne 13 aborde l'importante station Montparnasse – Bienvenüe (corr. SNCF et L. 4, 6 et 12). Ensuite, la ligne 13 passe sous la 12 avant de rejoindre le boulevard du Montparnasse, puis de passer sous la 10 et d'atteindre Duroc (corr. L. 10), sous le boulevard des Invalides. Plus loin, deux autres stations sont situées sous cette même artère, Saint-François-Xavier et Varenne, cette dernière étant à trois voies à quai dont une de raccordement au site de garage de la grande boucle d'Invalides.

La vaste boucle terminale de l'ancienne ligne 14 (Invalides – Porte de Vanves), disposée sous l'esplanade, est aujourd'hui un important complexe de garage au centre de la ligne 13, exemple unique au métro de Paris. Elle comprend une, deux, puis trois voies de garage et un raccordement avec la ligne 8 en direction de La Tour-Maubourg. La station Invalides (corr. L. C du RER et 8 du métro) proprement dite, également placée sous l'esplanade, se compose d'une station à quai central desservi par la voie en direction de Châtillon – Montrouge et une voie de garage appartenant à la boucle et d'une demi-station pour la voie en direction du nord.

La jonction des anciennes lignes 13 et 14 a entraîné un nouveau passage sous-fluvial réalisé par fonçage de plusieurs caissons dans le lit de la Seine. Ce franchissement s'opère d'abord par une descente en pente de 40 ‰, puis par une remontée rive droite avec une rampe moins forte (31,36 ‰) sous

INSTALLATIONS D'INVALIDES

(Saint-Denis / Asnières - Gennevilliers)
Voie B
Voie R2
Voie C1
Voie E
Voie D
Voie C
Voie 4
Voie 2
Voie 1
INVALIDES
Voie R1
Vers ligne 8
Voie F
Voie 2
Voie 4
VARENNE
Voie 1
(Châtillon - Montrouge)

Les « dessus » du métro

LES INVALIDES

C'est Louis XIV qui prend la décision de faire construire un hôtel où tous les soldats invalides seraient entretenus aux frais du royaume. L'emplacement se situe en dehors de Paris, dans la plaine de Grenelle. La première pierre est posée en novembre 1671, l'ensemble étant achevé en 1706. Dès 1676, les pensionnaires peuvent s'y installer, alors que les travaux ne sont pas encore terminés.
L'ensemble monumental, construit par l'architecte Libéral Bruant, comprend de nombreux bâtiments et plusieurs cours intérieures. L'entrée de l'esplanade donne sur la grande cour d'honneur au fond de laquelle on trouve la façade principale de l'église Saint-Louis-des-Invalides (ou chapelle des Soldats), oeuvre de Jules Hardouin-Mansart, jadis réservée aux officiers, aux soldats invalides et au personnel de l'administration. Le chœur de l'église est commun avec celui de l'église du Dôme qui, elle, était réservée au roi et à sa famille. Le dôme, haut de 105 m, est constitué de deux coupoles intérieures dont la plus basse est décorée de peintures réalisées par plusieurs artistes entre 1702 et 1706. La coupole extérieure est traditionnellement et périodiquement dorée.
Aujourd'hui, le dôme abrite la dépouille de Napoléon Ier ramenée de Sainte-Hélène en décembre 1840 et déposée dans une chapelle de l'église du Dôme en février 1841. En avril 1861, elle est déposée solennellement dans son nouveau tombeau, œuvre de Visconti, placé dans une nouvelle crypte circulaire ouverte sous la coupole de la même église.
Au fil des années, les musées et les bureaux militaires prennent de plus en plus de place au détriment de l'hébergement des invalides. Aujourd'hui, ces derniers ne dépassent pas la centaine.

Rames MF 77 garées sur les voies du complexe d'Invalides.

CARTE D'IDENTITÉ DE LA LIGNE 13	
Longueur totale	22,5 km
dont en aérien	2,4 km
Nombre de stations	30
dont aériennes	2
dont correspondances	8
Longueur des stations	de 75 m à 110 m
Longueur moyenne des interstations	743 m
Nombre de trains en ligne à la pointe	50
Nombre de départs (jour ouvrable)	408
Intervalle minimal (jour ouvrable)	1 mn 45
Matériel roulant	MF 77
Nombre de voitures par train	5
Ateliers de maintenance	Pleyel et Châtillon
Atelier de révision	Saint-Ouen

L'une des cinquante rames en circulation aux heures de pointe sur la ligne 13.

La bifurcation de La Fourche, avec, à gauche, les deux voies de la branche vers Asnières-Gennevilliers, et à droite, la voie vers Saint-Denis.

l'avenue Winston-Churchill. La station Champs-Élysées – Clemenceau permet la correspondance avec la ligne 1, située juste au-dessus.

Le tracé de la ligne 13 dans cette partie du VIIIe arrondissement est assez tourmenté en raison de la configuration des voiries. La ligne passe sous les avenues Matignon et Percier pour atteindre Miromesnil (corr. L. 9). Une vaste courbe positionne alors la 13 sous le boulevard Haussmann en croisant la ligne A du RER. C'est ensuite par les rues de la Pépinière et Saint-Lazare que la ligne 13 atteint la station Saint-Lazare (corr. SNCF, L. E du RER et L. 3 et 12 du métro), après être

TRANSPARENCES à La Fourche

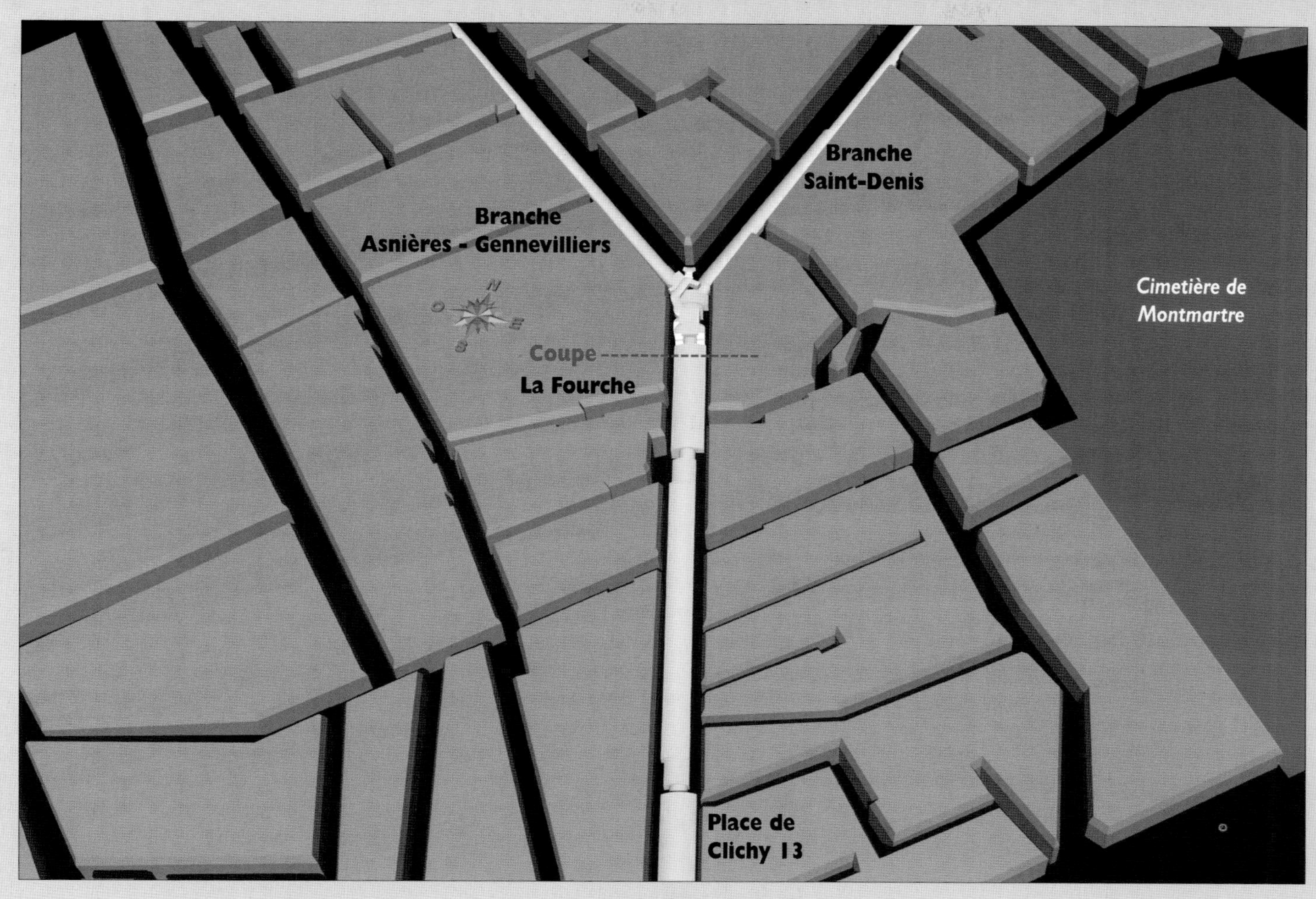

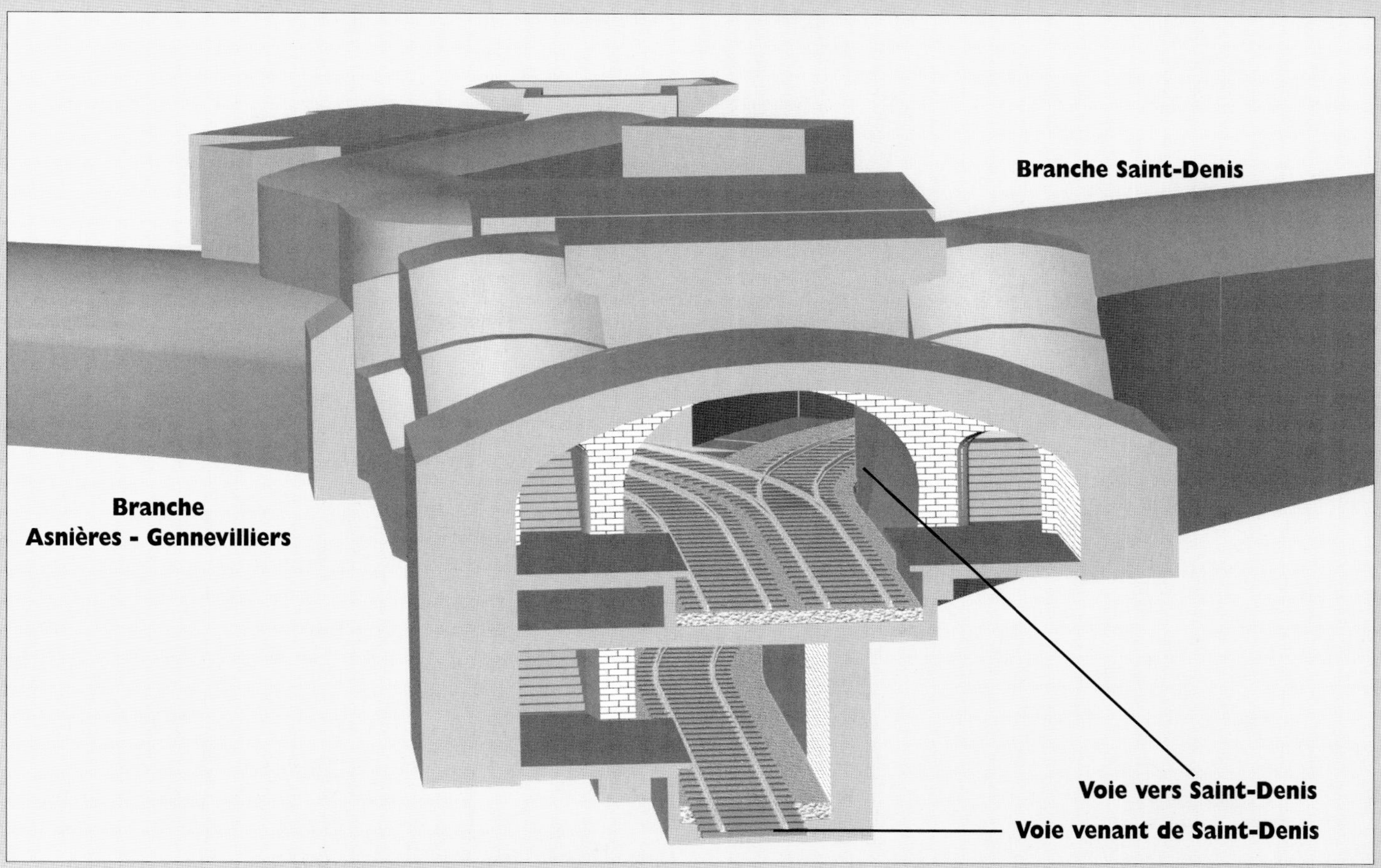

LES STATIONS DE LA LIGNE 13

(ancien nom entre parenthèses et en italique)

CHÂTILLON – MONTROUGE

Deux communes de la proche banlieue sud de Paris.

MALAKOFF – RUE ÉTIENNE DOLET

1- Commune de la banlieue sud.
2- Imprimeur et humaniste du XVIe siècle brûlé pour ses opinions hérétiques.

MALAKOFF – PLATEAU DE VANVES

Station jouxtant la ligne SNCF du réseau Montparnasse en limite de la commune de Vanves.

PORTE DE VANVES

L'une des portes de Paris, donnant accès à la commune de Vanves.

PLAISANCE

D'un ancien hameau rattaché à Paris.

PERNETY

Général des XVIIIe et XIXe siècles.

GAÎTÉ

Rue où étaient concentrés bals, restaurants, théâtres, etc.

MONTPARNASSE – BIENVENÜE

(avant 1942 Bienvenüe)
Voir ligne 4.

DUROC

Voir ligne 10.

SAINT-FRANÇOIS-XAVIER

Jésuite espagnol du XVe siècle qui évangélisa l'Inde et le Japon.

VARENNE

Déformation du mot « garenne » ou terrain inculte.

INVALIDES

Voir ligne 8.

CHAMPS-ÉLYSÉES – CLEMENCEAU

(avant 1931 Champs-Elysées)
Voir ligne 1.

MIROMESNIL

Voir ligne 9.

SAINT-LAZARE

Voir ligne 3.

LIÉGE

(avant 1914 Berlin)
Importante ville de Belgique sur la Meuse, patrie de César Franck.

PLACE DE CLICHY

Voir ligne 2.

LA FOURCHE

Configuration de la voirie en forme de fourche vers, d'une part, la porte de Clichy et, d'autre part, la porte de Saint-Ouen.

BRANCHE EST :

GUY MÔQUET

(avant 1912 Marcadet, 1912, puis Marcadet – Balagny jusqu'en 1946)
Étudiant, fils d'un député communiste, arrêté par les Allemands en 1940 pour avoir manifesté contre l'occupant et le régime de Vichy et fusillé en 1941.

PORTE DE SAINT-OUEN

Porte donnant accès à la commune de Saint-Ouen.

GARIBALDI

Patriote italien du XIXe siècle qui lutta pour l'unification de l'Italie.

MAIRIE DE SAINT-OUEN

Hôtel de ville de cette commune de la banlieue nord-ouest dont le nom consacre un évêque de Rouen du VIIe siècle, chancelier de Dagobert 1er.

CARREFOUR PLEYEL

Compositeur autrichien aux XVIII-XIXe siècles qui fonda une fabrique de pianos à Paris.

SAINT-DENIS – PORTE DE PARIS

Porte donnant accès vers Paris de cette importante commune de Seine-Saint-Denis, au nord de Paris .

BASILIQUE DE SAINT-DENIS

Église abbatiale datant du XIIIe siècle, cathédrale depuis les années 1960, qui abritent les sépultures des rois de France.

SAINT-DENIS – UNIVERSITÉ

Université de Paris VIII

BRANCHE OUEST

BROCHANT

Géologue du XIXe siècle, membre de l'Académie des Sciences.

PORTE DE CLICHY

Porte donnant accès à cette commune.

MAIRIE DE CLICHY

Hôtel de ville de cette commune des Hauts-de-Seine.

GABRIEL PÉRI – ASNIÈRES – GENNEVILLIERS

Député communiste et journaliste à *l'Humanité*, fusillé par les Allemands.

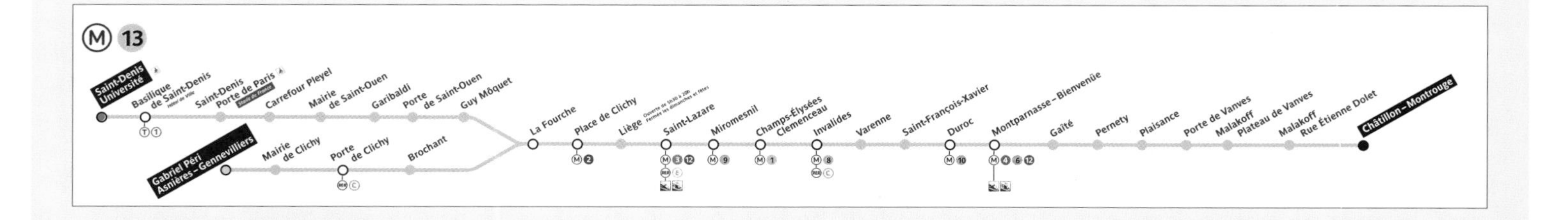

INSTALLATIONS DE CARREFOUR PLEYEL À SAINT-DENIS - UNIVERSITÉ

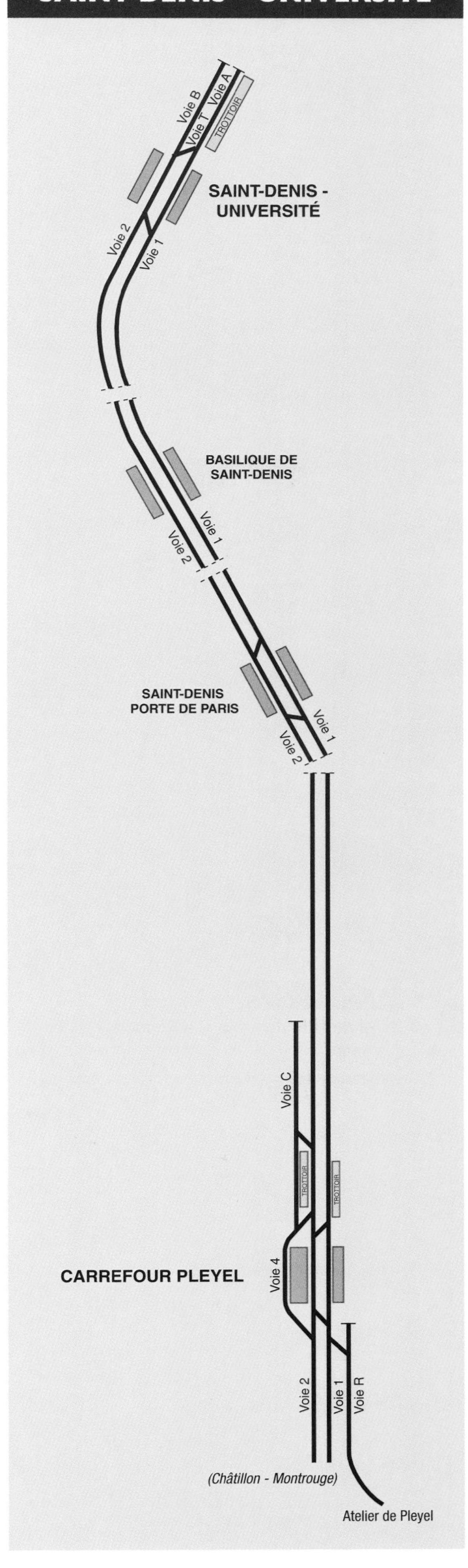

passée sous la 3. Afin de remonter vers le nord, la ligne 13 quitte la rue Saint-Lazare pour se placer sous la rue d'Amsterdam après une courbe de 75 m de rayon. Elle est raccordée là à la ligne 12. Une rampe de 30 puis 40 ‰ est nécessaire pour atteindre Liège, dont les deux quais sont décalés en raison de l'étroitesse de la rue d'Amsterdam sous laquelle elle est placée, puis Place de Clichy (corr. L. 2), après une rampe de 32,3 ‰.

Déjà située sous l'avenue de Clichy, la ligne, après une courte interstation de 290 m, atteint La Fourche, station de bifurcation des branches Asnières – Gennevilliers et Saint-Denis. La configuration de la ligne est ici particulière (voir schéma) :

- la divergence des voies 1 se fait à la sortie de la station côté nord ;
- la convergence des voies 2 se fait à l'entrée de Place Clichy ;
- la station La Fourche est à deux niveaux, le quai de la branche Saint-Denis étant placé sous celui de la voie 2 en provenance d'Asnières – Gennevilliers.

La branche Saint-Denis

Elle débute sous l'avenue de Saint-Ouen – la voie 2 se séparant de la voie 1 pour passer sous les deux voies de la branche Asnières – Gennevilliers – et amorce immédiatement sa descente vers la station Guy Môquet (anciennement Marcadet – Balagny), avant de passer sous la Petite Ceinture SNCF et atteindre

Les « dessus » du métro

LA BASILIQUE SAINT-DENIS

Dès le Moyen Âge, la petite ville de Saint-Denis est célèbre par son abbaye qui s'est développée autour d'une église datant du Ve siècle qui abrite le tombeau de saint Denis. Le roi mérovingien Dagobert y est inhumé en 639. Ce sont les Carolingiens qui confirment la destinée royale du lieu, grâce à l'abbé Suger qui obtient du roi Louis VI le Gros, dont il est aussi le conseiller écouté, que les rois de France reposent en paix dans un édifice reconstruit en pur style gothique.

Pendant la Révolution, l'église est saccagée et les dépouilles royales jetées dans des fosses communes. Louis XVIII les fait réintégrer dans l'église, y compris les corps de Louis XVI et de la reine Marie-Antoinette. L'édifice est restauré au XIXe siècle pendant de nombreuses années, notamment par Viollet-le-Duc.

CHANGEMENT DE DÉCOR

Liège

Cette station à quais décalés possède des piédroits dont les cadres publicitaires reproduisent en céramique des photographies de la Province de Liège, en bichromie bleue pour l'un et en couleur pour l'autre.

Basilique de Saint-Denis

Les parois verticales des quais ont reçu un décor monumental intégrant des vitrines et des « vitraux » qui reproduisent gravures, photos, moulages des vestiges de la basilique de Saint-Denis.

Porte de Saint-Ouen. Après avoir dépassé deux voies de garage en impasse inversées (appareils de voie pris en talon), la ligne 13 quitte l'avenue de la porte de Saint-Ouen à Paris et pénètre à Saint-Ouen en Seine-Saint-Denis par l'avenue Gabriel-Péri afin de desservir la station Garibaldi. Plus loin, la ligne 13 dessert Mairie de Saint-Ouen et poursuit sa route sous les boulevards Jean-Jaurès à Saint-Ouen et Anatole-France à Saint-Denis. Elle aborde alors l'ancien terminus Carrefour Pleyel, station à trois voies à quai et une voie de garage avec trottoir.

En avant de la station se trouve la voie de raccordement avec l'atelier de maintenance (AMT) de Pleyel. Cet atelier a été ouvert en 1969 sur la commune de Saint-Denis en même temps que le dépôt d'autobus. Auparavant, les trains de la courte ligne 13 étaient entretenus à l'atelier de la 12 à Vaugirard. Bien que l'AMT de Pleyel ait été associé au centre de dépannage d'Invalides, ce dernier difficile d'exploitation en raison de son implantation dans un site de garages encombré, il est apparu que, pour accroître la fiabilité du matériel MF 77 de la ligne 13 et donc son exploitation, un nouveau site d'entretien devait être créé. Aussi un nouvel atelier de proximité à deux voies seulement a-t-il été ouvert en 1998 sur un terrain « prolongeant » le terminus de Châtillon – Montrouge, à cheval sur les communes de Châtillon et de Bagneux. Une très longue interstation de 1 580 m en partie sous le boulevard Anatole-France et en partie en tréfonds d'immeubles, amène la ligne 13 à la station Saint-Denis – Porte de Paris. Elle était passée auparavant sous les voies SNCF du Nord et sous le canal Saint-Denis qui relie celui de l'Ourcq à la Seine. La rue de la Légion-d'Honneur accueille ensuite la ligne 13 qui atteint la station Basilique de Saint-Denis (corr. L. T1).

La ligne 13 se prolonge ensuite, son profil s'abaissant de 9 ‰, en direction du nord-est

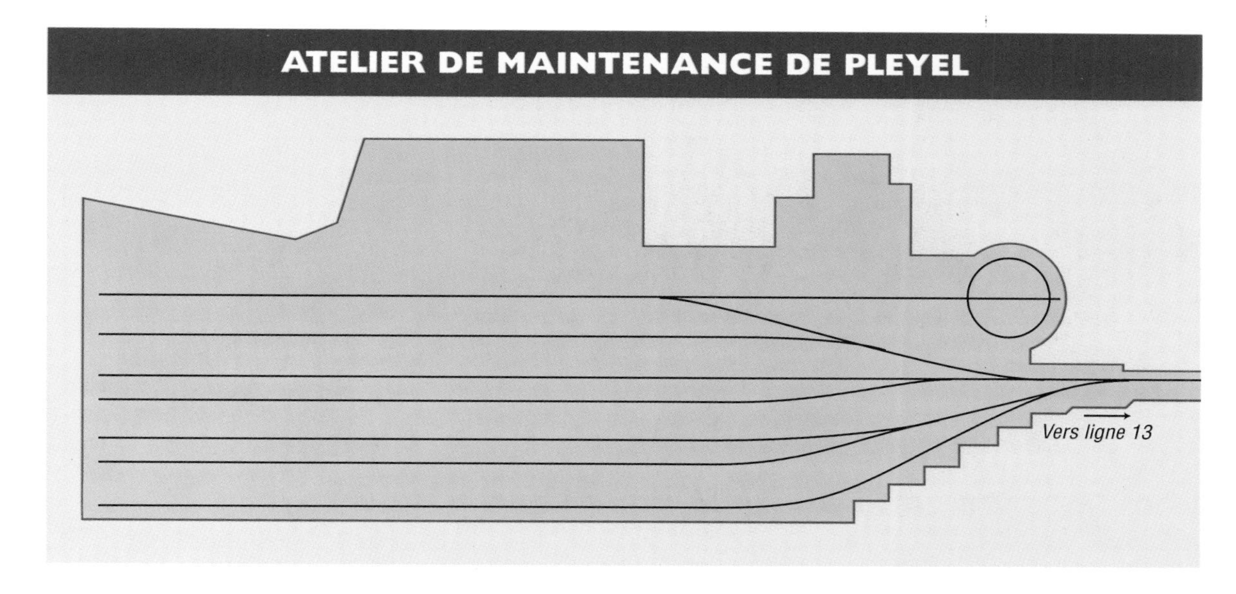

sensiblement jusqu'au carrefour du boulevard Jean-Moulin avec les boulevards de la Commune-de-Paris et Félix-Faure. Là, elle s'incurve ensuite vers le nord grâce à une courbe de 270 m de rayon et passe sous les emprises de la Cité Paul Langevin. Retrouvant un tracé droit, elle monte en rampe de 33 ‰ et passe sous plusieurs ensembles scolaires. La ligne change à nouveau de direction avec une courbe de 200 m de rayon ; elle est alors très près du sol, à tel point qu'au niveau de l'échangeur RN1/Avenue de Stalingrad la partie supérieure du souterrain émerge à l'air libre, ce qui a nécessité la réalisation d'une butte paysagère de couverture. Toujours très près du sol, la ligne 13 retrouve la rectitude le long de l'avenue de Stalingrad et aborde les installations du terminus à deux voies de Saint-Denis – Université comprenant la gare voyageurs à deux voies et un ouvrage d'arrière-gare également à deux voies. Une gare routière complète l'ensemble des installations.

La branche Asnières – Gennevilliers

Les deux voies de cette branche empruntent l'avenue de Clichy et amorcent une descente en pente de 40 ‰ pour atteindre la station Brochant au-dessus du collecteur de Clichy. La ligne 13 poursuit sa route et aborde l'ancien terminus de Porte de Clichy (corr. L. C du RER). Les installations simples (voir schéma) comportent une demi-station à quai latéral sur chaque côté de la boucle aujourd'hui inutilisée par les trains avec voyageurs. Les deux voies alors dédoublées se rejoignent sous la rue du 8 mai 1945 à Clichy dans les Hauts-de-Seine. La ligne continue vers le nord-ouest sous cette rue, puis sous la rue Martre et dessert la station Mairie de Clichy.

Le franchissement de la Seine entre Clichy et Asnières se fait par un viaduc en béton de 412 m de long jouxtant le pont de Clichy. Pour y accéder, côté Clichy, la ligne 13 présente sur près de 490 m une rampe de 50 ‰, la plus forte du métro de Paris pour une ligne à roulement « fer » et, qui plus est, en courbes et contre-courbes. Côté rive gauche, la ligne 13 présente une déclivité de moindre valeur – 41 ‰ – pour retrouver le souterrain placé au centre de la RN 310. Le terminus Gabriel Péri – Asnières – Gennevilliers est atteint, une centaine de mètres après l'entrée du souterrain, à 1 756 m de la station précédente. Les installations sont ici simples : deux voies à quai et deux voies de garage dont une avec trottoir.

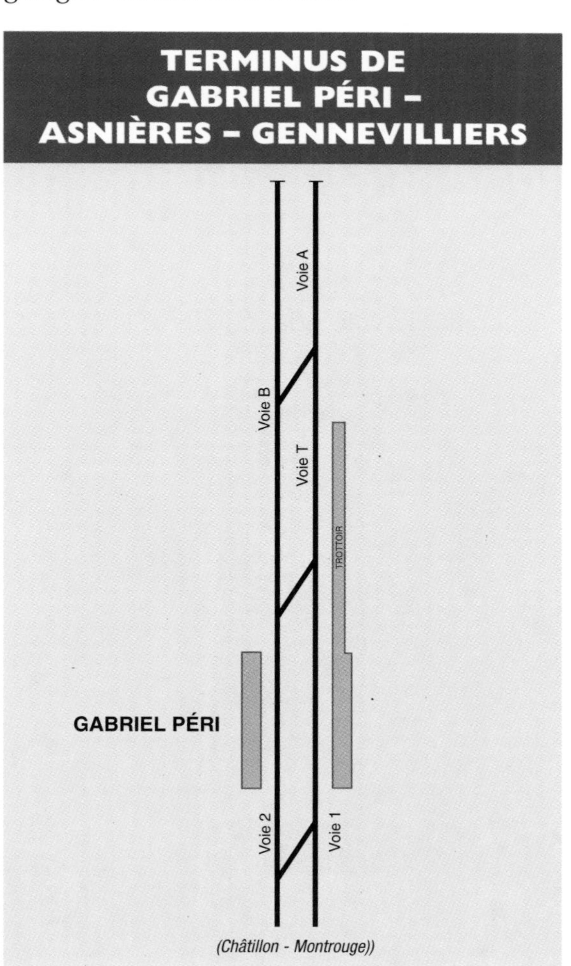

LIGNE 14

Madeleine – Bibliothèque

Après la disparition de l'ancienne ligne 14 (Invalides – Porte de Vanves), à la suite de sa jonction avec la ligne 13 en novembre 1976, le numéro 14 a été tout naturellement attribué à la nouvelle ligne dont le nom de projet était Météor. Entièrement automatique, elle marque aujourd'hui le passage du métro d'une génération à une autre.

L'HISTOIRE

Le PCC de la ligne 14 à Bercy.

L'idée de créer une nouvelle ligne partit du constat que la paralysie menaçait le tronçon central de la ligne A du RER ; celle-ci en effet remplissait au-delà de toutes les espérances son rôle d'axe de délestage du métro dont certaines lignes, notamment la ligne 1, étaient, dans les années 1960-1970, saturées aux heures de pointe. Il fallait donc rattraper le décalage entre l'offre et une demande toujours croissante. Dans une première étape, alors qu'est engagée une vaste réflexion sur ce problème, la mise en place du système SACEM permettant, à partir de septembre 1989, un resserrement des intervalles apporta une bouffée d'oxygène, mais le remède s'avéra insuffisant. Des solutions « lourdes » devaient donc être envisagées.

En 1987, parmi d'autres projets, la RATP proposa la réalisation d'une ligne de METro Est-Ouest Rapide (METEOR) destinée à la fois à décharger la ligne A et à mieux desservir le XIIIe arrondissement de Paris. Le tracé se développait entre Maison Blanche au sud et Porte Maillot à l'ouest, via Gare de Lyon, Châtelet et Saint-Lazare et « collait » le tronçon central de la ligne A au plus près. Un second tracé, dénommé METEOR 2, atteignait Saint-Lazare en passant, après Gare de Lyon, par République, Gare de l'Est, Gare du Nord et Chaussée d'Antin. S'écartant de fait de la ligne A, il apparut moins intéressant pour sa décharge. Aussi, la RATP revint-elle vers le tracé initial par Châtelet. La SNCF, de son côté, proposait la création d'une nouvelle ligne de RER baptisée EOLE (Est Ouest Liaison Express). Elle consiste à prolonger dans Paris jusqu'à une gare souterraine à Saint-Lazare les lignes de la banlieue est, dont une croise l'une des branches la ligne A du RER (branche Chessy).

Après d'âpres discussions dans lesquelles le PDG de la RATP mit toute son énergie, le gouvernement décida, en octobre 1989, de réaliser Météor et EOLE, et aussi l'interconnexion de la ligne D avec les lignes de la banlieue Sud-Est, via Châtelet – Les Halles. Il s'agissait d'apporter une réponse globale satisfaisant les objectifs de décharge de certains axes de RER, mais aussi de métro, et d'amélioration des dessertes de certains secteurs de Paris et de la banlieue. Le Syndicat des transports parisiens prit le projet en considération et le conseil d'administration de la RATP adopta le schéma de principe de la ligne Météor ZAC de Tolbiac – Saint-Lazare en novembre de la même année.

Les décisions étant prises, il ne restait plus qu'à construire une ligne entièrement nouvelle dans son gros œuvre, dans ses installations techniques, dans son matériel roulant automatique et dans sa gestion quotidienne. Vaste tâche que la direction de la RATP considérait comme une mission valorisante pour tous les agents, à une époque où l'entreprise affichait une nouvelle modernité du service public.

À Gare de Lyon, coupe montrant l'insertion de la ligne 14 sous la rue de Bercy, entre la Maison de la RATP et la gare RER.

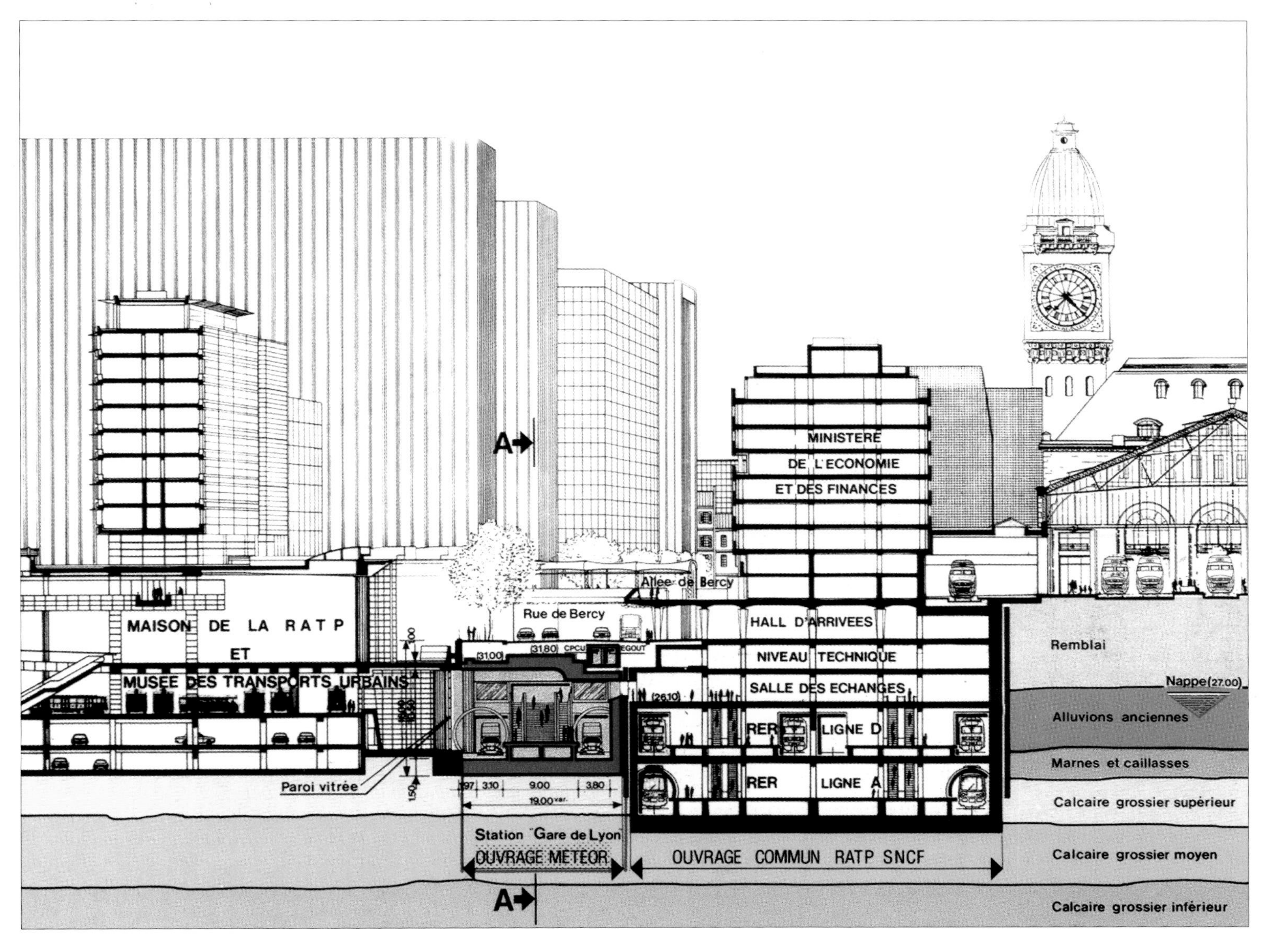

Le tunnelier « Sandrine » à la fin de son montage.

Le poste de pilotage du tunnelier.

Arrivée du tunnelier dans la station Pyramides.

Pose d'un voussoir du tunnel circulaire.

Les travaux

Afin d'affiner et de compléter les informations en sa possession sur le sous-sol, la RATP entama dès 1991 une campagne d'essais grâce à plusieurs puits de reconnaissance. Forte de son expérience dans le domaine des travaux souterrains, la RATP choisit plusieurs méthodes d'exécution en fonction des particularités locales. Les ouvrages furent implantés en majorité dans les couches de calcaire grossier ou de marnes et caillasses.

Le tunnel à deux voies de 4 550 m de long entre l'arrière-gare de Madeleine et le port de l'Arsenal (boulevard de la Bastille) fut creusé par le tunnelier « Sandrine », énorme machine de 80 m de long, dont 11 m pour le seul bouclier, pesant 1 100 t et capable de percer un tunnel de 8,60 m de diamètre. L'engin construit en grande partie en Allemagne commença son œuvre en septembre 1993. Fonctionnant 24 h/24 pendant cinq jours par semaine, les 54 molettes et les 110 couteaux d'abattage creusèrent en moyenne 350 m par mois. De ce fait, malgré quelques aléas, le tunnelier fut démonté en août 1995 après 22 mois de travaux.

Entre le port de l'Arsenal et l'extrémité sud de la ligne et la future station Olympiades servant provisoirement de site de maintenance, le tunnel fut creusé selon les méthodes traditionnelles semi-mécanisées. En effet, la nature moins bonne des terrains traversés et la géographie complexe de la ligne aux abords de la gare de Lyon (proximité des tunnels de la D et station à quai central) et de Bercy (raccordement avec la ligne 6), rendirent impossible l'usage du tunnelier, la traversée sous-fluviale apparaissant comme un

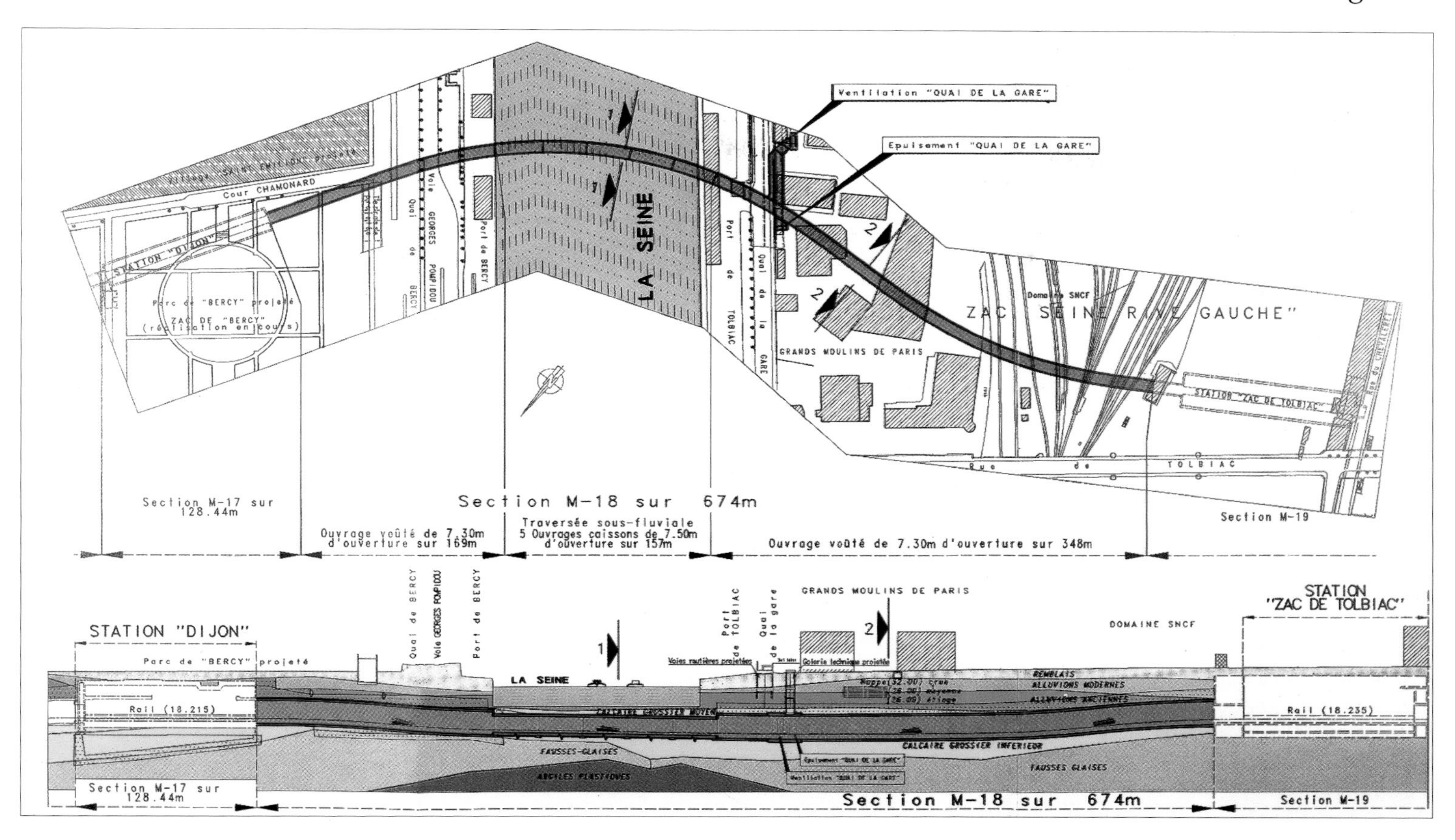

élément supplémentaire de dissuasion. La traversée sous-fluviale se situe en amont du pont de Tolbiac entre les XIIe et XIIIe arrondissements. Elle est constituée de quatre caissons en béton précontraint qui furent immergés dans le lit de la Seine en 1994.

Après la réalisation des travaux de génie civil, ceux de pose de voie eurent lieu entre mars 1995 et mars 1997. C'est à cette époque-là qu'arriva en ligne le premier train MP 89.

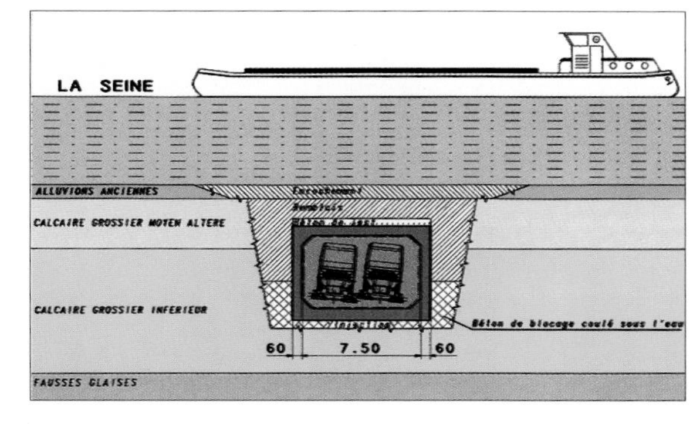

Plan et coupes de la traversée sous-fluviale de la ligne 14 en amont du pont de Tolbiac.

Fonçage dans le lit de la Seine de l'un des quatre caissons de la traversée sous-fluviale.

Plusieurs rames effectuaient déjà depuis mai 1995 des tests sur la base d'essai de la Petite Ceinture. En mai 1997, la zone sud de la ligne Météor était mise sous tension et les essais en ligne purent commencer. Ils étaient étendus à l'ensemble de la ligne à la fin de la même année. Les stations enfin furent aménagées en dernier, entre janvier 1997 et octobre 1998, mois de la mise en service de la ligne 14.

Fin des travaux d'équipement de la ligne 14 ; noter les voussoirs de formes variées constituant le tunnel.

La station terminale Bibliothèque, lors du début des essais en ligne des trains MP 89.

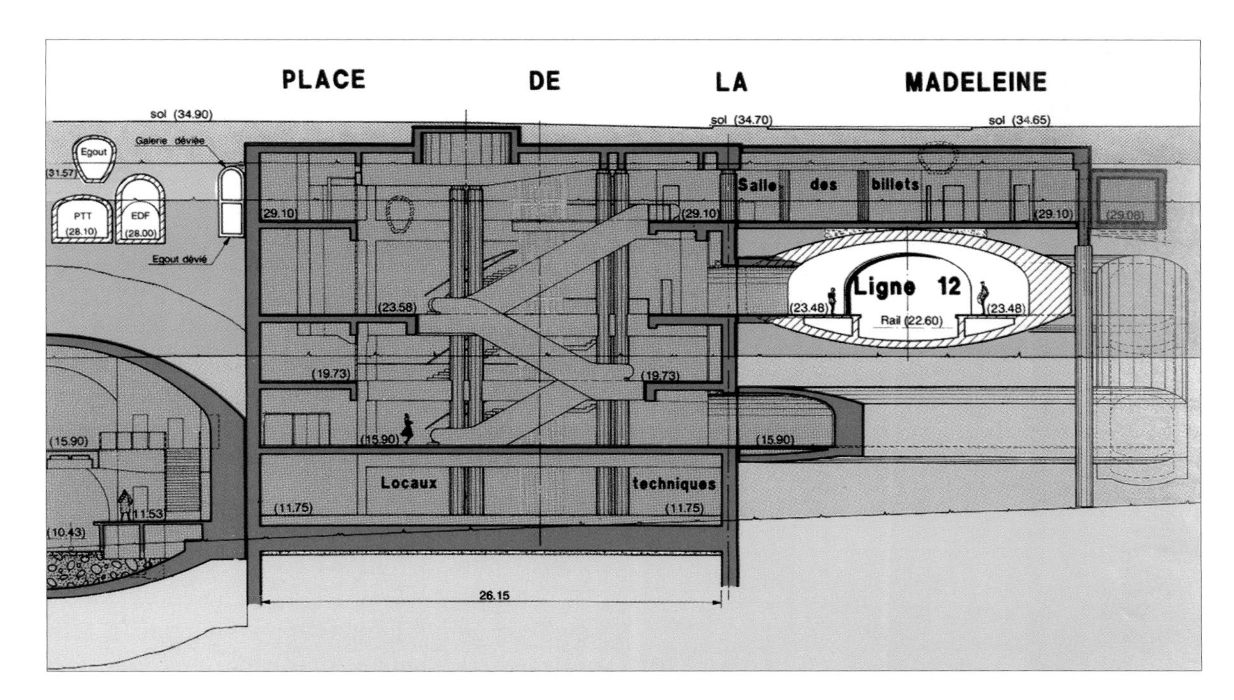

Coupe des installations d'accès et de correspondance entre les lignes 12 et 14, à Madeleine.

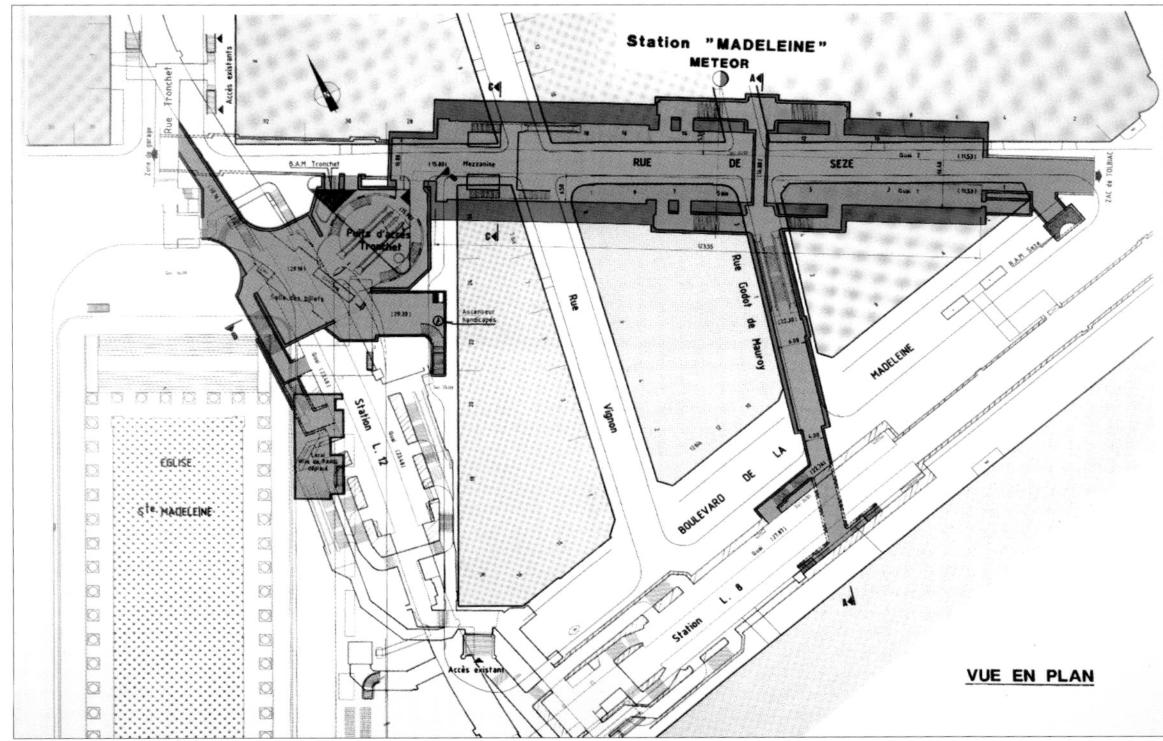

Plan de la station Madeleine 14, placée en partie sous les immeubles.

Coupe montrant le positionnement de la station Châtelet 14 par rapport aux stations des lignes 1 et 4.

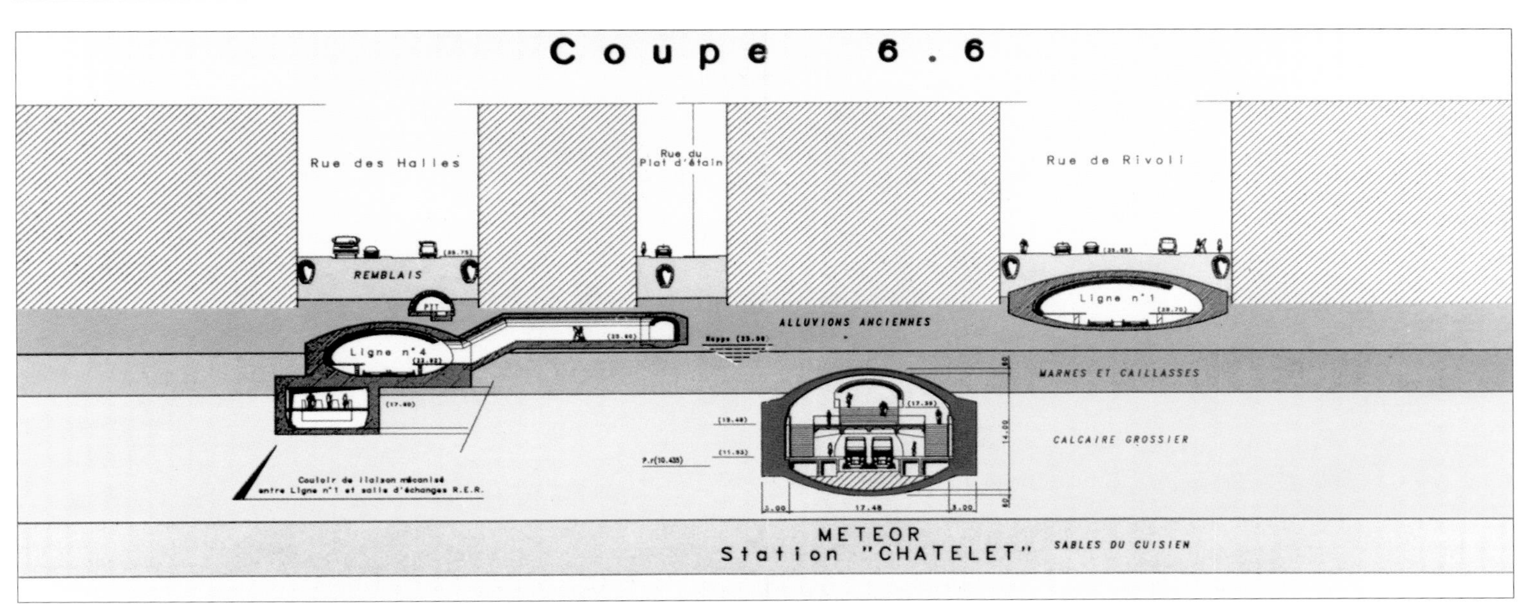

LE PARCOURS

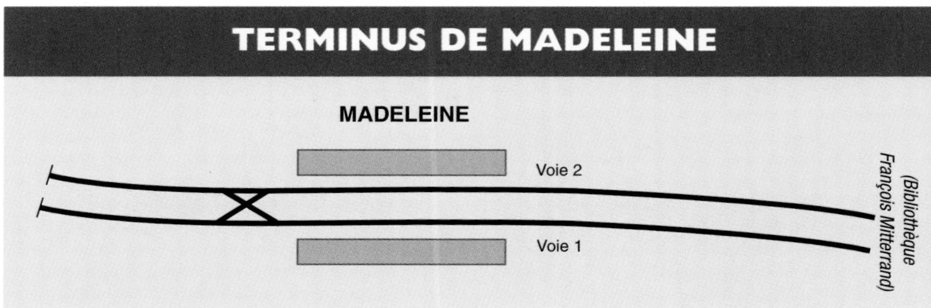

Les ouvrages de la quatorzième ligne de métro, connu sous le nom de projet Météor, commencent dans le VIIIe arrondissement de Paris, quelque 600 m en amont du terminus provisoire de Madeleine. L'extrémité du tunnel se place à l'aplomb du boulevard Haussmann sous lequel sont établies les lignes 12 du métro et A du RER. Lors de son prolongement à Saint-Lazare, la ligne 14 sera placée entre ces deux lignes.

La ligne, tracée en courbe de rayons variables et en pente, est établie en tréfonds d'immeubles et croise de nombreuses rues. Au droit de l'église de la Madeleine et de la rue Tronchet, elle passe sous la ligne 12, suit un tracé rectiligne et un profil plan pour desservir la station Madeleine (corr. L. 8 et 12). L'ouvrage est placé sous l'étroite rue de Mèze et les immeubles encadrants.

Dès l'extrémité de la station, la ligne 14 s'enfonce encore davantage dans le sous-sol parisien grâce à une courte pente de 40 ‰, passe sous la ligne 8 au droit du boulevard des Capucines et se dirige vers l'ouest, toujours en tréfonds d'immeubles. Elle remonte alors en rampe de 45 ‰ pour croiser en un angle très fermé l'avenue de l'Opéra où elle aborde la station Pyramides donnant corres-

La correspondance entre les lignes 12 et 14 à Madeleine.

pondance avec la ligne 7 disposée à faible profondeur sous la voirie. Cette première interstation est longue de 794 m d'axe en axe.

L'interstation suivante, longue de 1 096 m, est établie en courbe de 653 m de rayon et contre-courbe de 570 m de rayon et en forme de légère cuvette afin de permettre à la ligne 14 de passer sous un parc de stationnement souterrain de plusieurs étages. La station Châtelet est placée naturellement en tréfonds d'immeubles dans l'angle formé par les rues de Rivoli et des Halles sous lesquelles sont respectivement placées les lignes 1 et 4 du métro. La ligne 14 donne ici correspondance, d'une part aux lignes A, B et D du RER, d'autre part aux lignes 1, 4, 7 et 11 du métro.

C'est dans un environnement souterrain extraordinairement dense en ouvrages de tous genres que se faufile la ligne 14 pour sa plus longue interstation (2 784 m) proche de la rectitude. Se rapprochant de la Seine, elle passe successivement sous la ligne 1 et la ligne 4, sous le terminus Châtelet de la ligne 11, au-dessus des deux tunnels de la ligne B du RER et enfin par deux fois sous la ligne 7. Elle est désormais établie entre cette dernière et le tunnel sud de la ligne D du RER. Le tracé « hésite » entre le sous-sol des quais de Seine et les tréfonds d'immeubles et croise à nouveau à deux reprises le tunnel de la ligne 7 qui lui est pourtant quasi parallèle.

Les « dessus » du métro

LA MADELEINE

La construction de l'église de la Madeleine est décidée par le roi Louis XV qui en pose la première pierre en 1764. Elle doit achever les travaux d'embellissement de ce nouveau quartier de Paris dont le point d'orgue est l'aménagement de l'actuelle place de la Concorde. La rue Royale doit donc être « fermée » par la silhouette majestueuse de l'édifice religieux qui fait pendant au Palais-Bourbon.

L'histoire de la construction de la Madeleine est très mouvementée. L'architecte d'origine, Contant d'Ivry, avait imaginé un bâtiment en forme de croix latine. À sa mort en 1777, le projet est modifié pour concevoir une église en forme de croix grecque avec dôme. La Révolution arrête carrément les travaux. Napoléon abandonne le projet d'un édifice religieux pour ordonner en 1806 la construction d'un temple à la gloire de la Grande Armée, confiée à l'architecte Vignon.

Le roi Louis XVIII, confirmant Vignon dans sa tâche, décide cependant que le bâtiment sera religieux et se présentera sous l'aspect d'un temple grec de dimensions généreuses : 108 m sur 43 m. L'extérieur comporte 52 colonnes corinthiennes hautes de 19,50 m et ne possède ni clocher qui puisse évoquer une église, ni croix. L'immense fronton sculpté de la façade sud représente sainte Madeleine aux pieds de Jésus-Christ. La porte haute de plus de 10 m et large de 5 m est à doubles vantaux de bronze ornés de bas-reliefs. L'intérieur de la nef possède trois coupoles aplaties. La consécration de l'église de la Madeleine a lieu en 1845, trois ans après son achèvement.

Vue plongeante de la station Châtelet, avec sa voûte de grande hauteur.

CARTE D'IDENTITÉ DE LA LIGNE 14	
Longueur totale	7,022 km
dont en aérien	0 km
Nombre de stations	7
dont aériennes	0
dont correspondances	5
Longueur des stations	120 m
Longueur moyenne des interstations	1 242 m
Nombre de trains en ligne à la pointe	9
Nombre de départs (jour ouvrable)	358
Intervalle minimal (jour ouvrable)	2 mn
Matériel roulant	MP 89
Nombre de voitures par train	6
Atelier de maintenance	Olympiades
Atelier de révision	Fontenay

La serre de Gare de Lyon.

Après être passée sous la ligne 5 et le canal Saint-Martin au bassin de l'Arsenal et sur le tunnel sud de la ligne A du RER, la ligne 14 remonte pour aborder, en compagnie de la ligne D du RER, la zone du complexe de Gare de Lyon établie sous la rue de Bercy. La station, accolée à la gare souterraine abritant le RER, est à quai central et donne correspondance aux lignes SNCF, aux lignes A et D du RER, ainsi qu'à la ligne 1 du métro.

L'interstation suivante, longue de 621,5 m, a la particularité d'avoir le seul raccordement de la ligne 14 avec une autre ligne de métro, la 6 en l'occurrence. Quelques mètres plus à l'est, après être passée sous cette dernière, elle aborde la station Bercy qui permet les

La station Gare de Lyon à quai central.

TRANSPARENCES à Cour Saint-Émilion

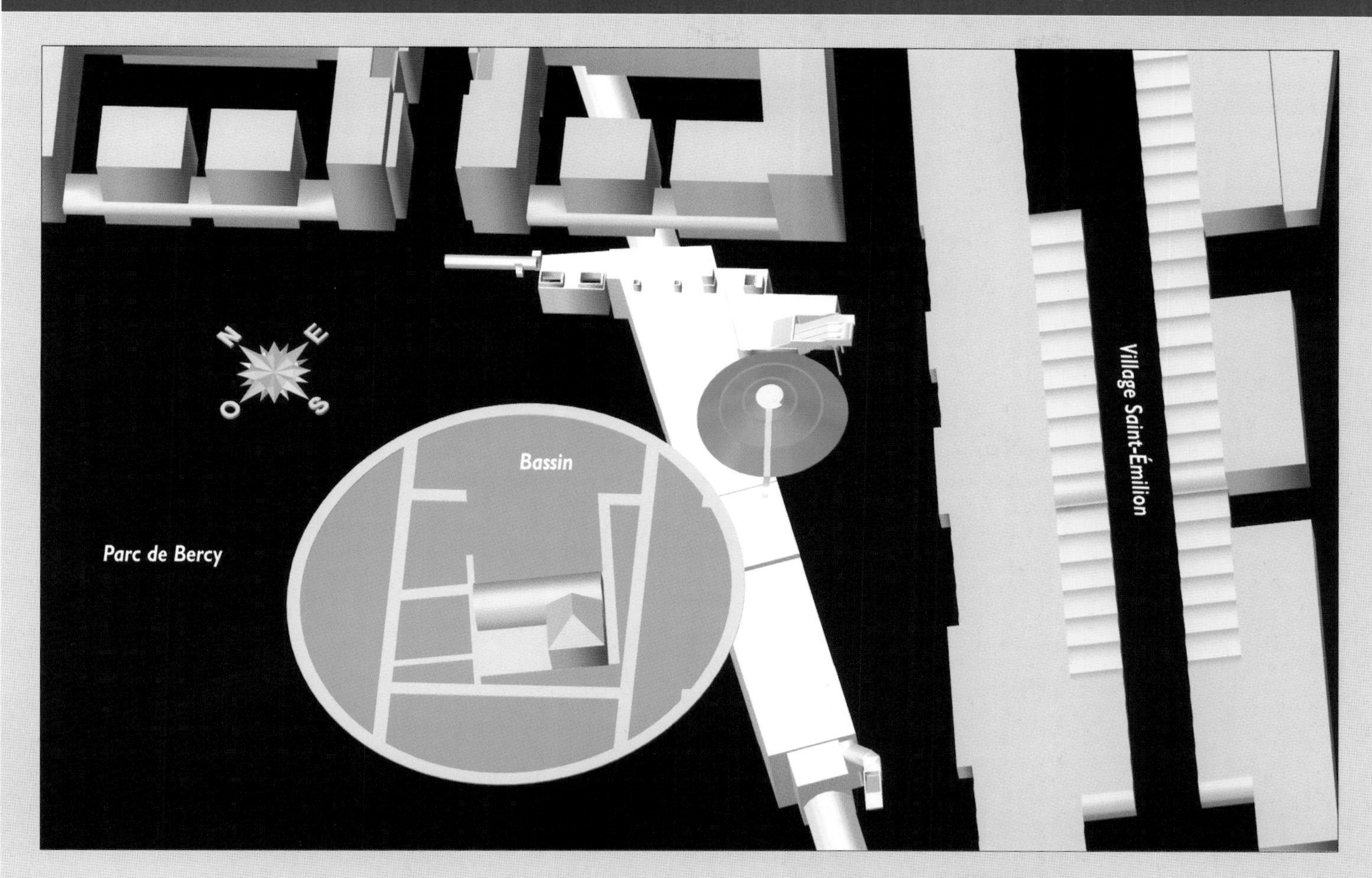

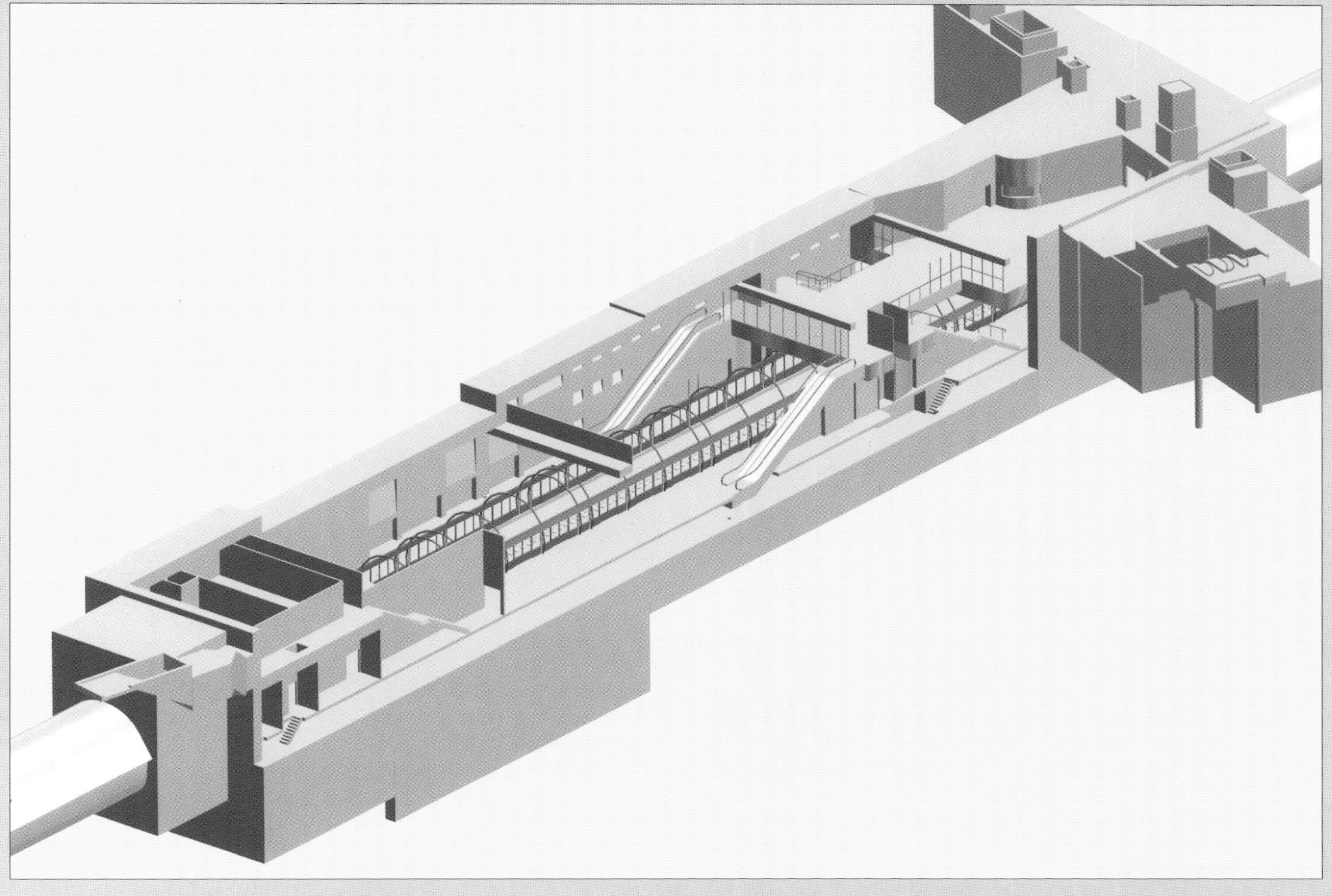

LES STATIONS DE LA LIGNE 14

MADELEINE
Voir ligne 8.

PYRAMIDES
Voir ligne 7.

CHÂTELET
Voir ligne 1.

GARE DE LYON
Voir ligne 1.

BERCY
Voir ligne 6.

COUR SAINT-ÉMILION
Voie des anciens entrepôts vinicoles de Bercy.

BIBLIOTHÈQUE FRANÇOIS MITTERRAND
Nouvelle Bibliothèque nationale, baptisée du nom d'un ancien président de la République.

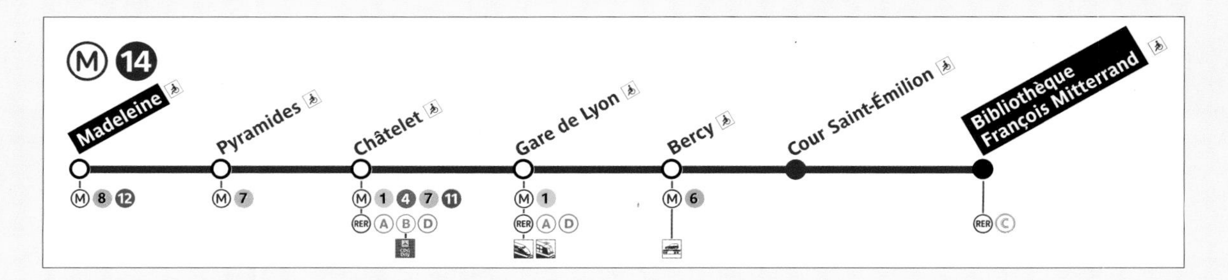

Les portes palières de la station Bercy.

correspondances avec ladite ligne. La ligne 14 s'enfonce ensuite (pente de 41,66 ‰) pour passer sous les emprises de la gare de Paris-Bercy, puis s'incurve franchement dans une direction nord-est/sud-ouest, avant de remonter en rampe de 50 ‰ pour atteindre la station Cour Saint-Emilion implantée au cœur d'un nouveau quartier.

La ligne 14 s'enfonce à nouveau plus profondément (pente de 28 ‰) pour passer sous la Seine grâce à quatre caissons qui furent immergés dans le lit du fleuve. Côté rive gauche (XIIIe arr.), elle remonte ensuite légèrement, puis d'une manière plus accentuée, par une rampe de 40 ‰, pour atteindre la vaste station terminale de Bibliothèque François Mitterrand. Celle-ci est établie en partie sous les emprises SNCF de l'avant-gare d'Austerlitz où est prévue une correspondance avec la ligne C du RER.

Les « dessus » du métro

BERCY

Dotant la capitale d'une grande salle polyvalente, sportive et culturelle, grâce à ses aménagements intérieurs modulaires, le Palais omnisports de Paris-Bercy est inauguré en 1984. Pouvant accueillir 17 000 personnes, le POPB a apporté et apporte toujours aujourd'hui à l'est de la capitale un foyer d'animation de premier plan. Il occupe la partie nord des anciens entrepôts vinicoles de Bercy qui s'étendaient sur 35 ha entre le boulevard de Bercy et les boulevards extérieurs et destinés maintenant à devenir un immense parc. C'est justement en « prolongement » de ce dernier que le POPB fut conçu par les architectes qui imaginèrent ses façades en pans inclinés engazonnés.

Deux vues de l'atelier de maintenance de Tolbiac - Nationale.

Les ouvrages de la ligne 14 se poursuivent encore sur 764 m pour aboutir à la future station Olympiades établie sous la rue de Tolbiac. Cette dernière sert provisoirement de site de maintenance de proximité pour la ligne 14, en attendant, à plus long terme, l'ouverture d'un nouvel atelier dans la banlieue nord-ouest.

Lorsqu'aura lieu l'ouverture au public de la station Olympiades, l'atelier pourrait être déplacé et installé dans le tunnel du prolongement à venir vers le sud.

TERMINUS BIBLIOTHÈQUE FRANÇOIS MITTERRAND

Atelier
Voie 1
Voie 2
(Madeleine)
BIBLIOTHÈQUE
FRANÇOIS MITTERRAND

ATELIER DE MAINTENANCE DE TOLBIAC - NATIONALE

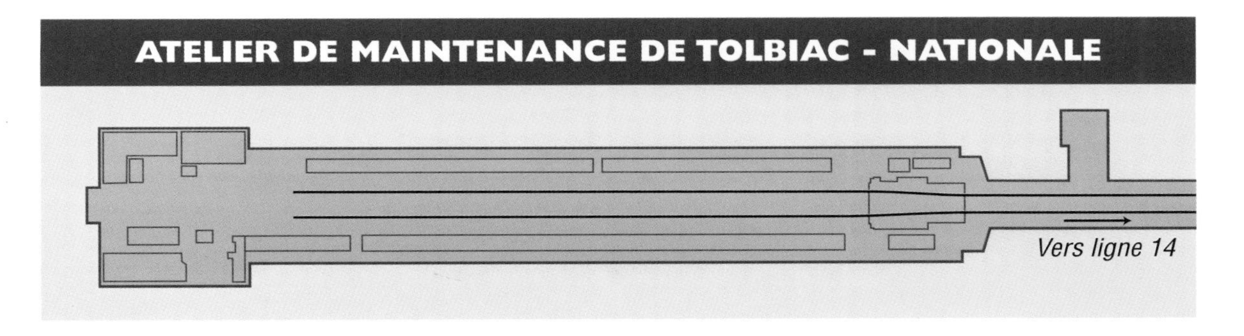

ANNEXE I

Dates d'ouverture des lignes

M 1

19 juillet 1900 :	Porte de Vincennes - Porte Maillot
24 mars 1934 :	Porte de Vincennes - Château de Vincennes
29 avril 1937 :	Porte Maillot (nouvelle) - Pont de Neuilly
1er avril 1992 :	Pont de Neuilly - La Défense (Grande Arche)

M 2

13 décembre 1900 :	Porte Dauphine - Étoile
7 octobre 1902 :	Étoile - Anvers
31 janvier 1903 :	Anvers - Rue de Bagnolet (auj. Alexandre Dumas)
2 avril 1903 :	Rue de Bagnolet - Nation

M 3 3bis

10 octobre 1904 :	Villiers - Père Lachaise
25 janvier 1905 :	Père Lachaise - Gambetta
23 mai 1910 :	Villiers - Péreire
15 février 1911 :	Péreire - Porte de Champerret
27 novembre 1921 :	Gambetta - Porte des Lilas
24 septembre 1937 :	Porte de Champerret - Pont de Levallois
2 avril 1971 :	Gambetta - Gallieni

M 4

21 avril 1908 :	Porte de Clignancourt - Châtelet
30 octobre 1909 :	Porte d'Orléans - Raspail
9 janvier 1910 :	Raspail - Châtelet

M 5

2 juin 1906 :	Place d'Italie - Gare d'Orléans (auj. Austerlitz)
14 juillet 1906 :	Gare d'Orléans - Place Mazas (auj. Quai de la Rapée)
17 décembre 1906 :	Gare d'Orléans - Lancry (auj. Jacques Bonsergent)
15 novembre 1907 :	Lancry - Gare du Nord
12 octobre 1942 :	Gare du Nord - Eglise de Pantin
25 avril 1985 :	Eglise de Pantin - Bobigny Pablo Picasso

M 6

(à l'époque ligne n° 5)

2 octobre 1900 :	Étoile - Trocadéro
6 novembre 1903 :	Trocadéro - Passy
24 avril 1906 :	Passy - Place d'Italie

(sous le n° 6 directement)

1er mars 1909 :	Nation - Place d'Italie

M 7 7bis

5 novembre 1910 :	Porte de la Villette - Opéra
18 janvier 1911 :	Louis Blanc - Pré Saint-Gervais
1er juillet 1916 :	Opéra - Palais Royal
16 avril 1926 :	Palais Royal - Pont Marie
3 juin 1930 :	Pont Marie - Pont Sully (auj. Sully-Morland)
26 avril 1931 :	Pont Sully - Porte d'Ivry
1er mai 1946 :	Porte d'Ivry - Mairie d'Ivry
4 octobre 1979 :	Porte de la Villette - Fort d'Aubervilliers
10 décembre 1982 :	Maison Blanche - Le Kremlin Bicêtre
28 février 1985 :	Le Kremlin Bicêtre - Villejuif Louis Aragon
6 mai 1987 :	Fort d'Aubervilliers - La Courneuve

Ⓜ 8

13 juillet 1913 :	Opéra - La Motte Picquet Grenelle - (Beaugrenelle)
30 juin 1928 :	Opéra - Richelieu Drouot
5 mai 1931 :	Richelieu Drouot - Porte de Charenton
27 juillet 1937 :	La Motte Picquet Grenelle - Balard
5 octobre 1942 :	Porte de Charenton - Charenton-Écoles
19 septembre 1970 :	Charenton-Ecoles - Maisons-Alfort Stade
27 avril 1972 :	Maisons-Alfort Stade - Maisons-Alfort Les Juilliottes
24 septembre 1973 :	Maisons-Alfort Les Juilliottes - Créteil l'Échat
10 septembre 1974 :	Créteil l'Échat - Créteil Préfecture

Ⓜ 9

8 novembre 1922 :	Exelmans - Trocadéro
27 mai 1923 :	Trocadéro - Saint-Augustin
3 juin 1923 :	Saint-Augustin - Chaussée d'Antin
29 septembre 1923 :	Exelmans - Porte de Saint-Cloud
30 juin 1928 :	Chaussée d'Antin - Richelieu Drouot
10 décembre 1933 :	Richelieu Drouot - Porte de Montreuil
3 février 1934 :	Porte de Saint-Cloud - Pont de Sèvres
14 octobre 1937 :	Porte de Montreuil - Mairie de Montreuil

Ⓜ 10

13 juillet 1913 :	(Opéra) - La Motte Picquet Grenelle - Beaugrenelle (auj. Ch. Michels)
30 septembre 1913 :	Beaugrenelle - Porte d'Auteuil
30 décembre 1923 :	(Invalides) - Duroc - Croix Rouge
10 mars 1925 :	Croix Rouge - Mabillon
14 février 1926 :	Mabillon - Odéon
15 février 1930 :	Odéon - Cardinal Lemoine - (Place d'Italie)
26 avril 1931 :	Cardinal Lemoine - Jussieu
12 juillet 1939 :	Jussieu - Gare d'Austerlitz
3 octobre 1980 :	Porte d'Auteuil - Boulogne Jean Jaurès
2 octobre 1981 :	Boulogne Jean Jaurès - Boulogne Pont de Saint-Cloud

Ⓜ 11

28 avril 1935 :	Châtelet - Porte des Lilas
17 février 1937 :	Porte des Lilas - Mairie des Lilas

Ⓜ 12

5 novembre 1910 :	Porte de Versailles - Notre-Dame-de-Lorette
8 avril 1911 :	Notre-Dame-de-Lorette - Pigalle
31 octobre 1912 :	Pigalle - Jules-Joffrin
23 août 1916 :	Jules-Joffrin - Porte de la Chapelle
24 mars 1934 :	Porte de Versailles (déplacée) - Mairie d'Issy

Ⓜ 13

(avec ancienne ligne 14)

26 février 1911 :	Saint-Lazare - Porte de Saint-Ouen
20 janvier 1912 :	La Fourche - Porte de Clichy
21 janvier 1937 :	Porte de Vanves - Bienvenüe
27 juillet 1937 :	Bienvenüe - Invalides
30 juin 1952 :	Porte de Saint-Ouen - Carrefour Pleyel
27 juin 1973 :	Saint-Lazare - Miromesnil
18 février 1975 :	Miromesnil - Champs-Elysées Clemenceau
20 mai 1976 :	Carrefour Pleyel - Saint-Denis Basilique
9 novembre 1976 :	Champs-Elysées Clemenceau - Invalides (jonction 13/14)
9 novembre 1976 :	Porte de Vanves - Châtillon-Montrouge
9 mai 1980 :	Porte de Clichy - Gabriel Péri Asnières-Gennevilliers
25 mai 1998 :	Saint-Denis Basilique - Université de Saint-Denis

Ⓜ 14

15 octobre 1998 :	Madeleine - Bibliothèque François Mitterrand

ANNEXE 2

Plan des voies

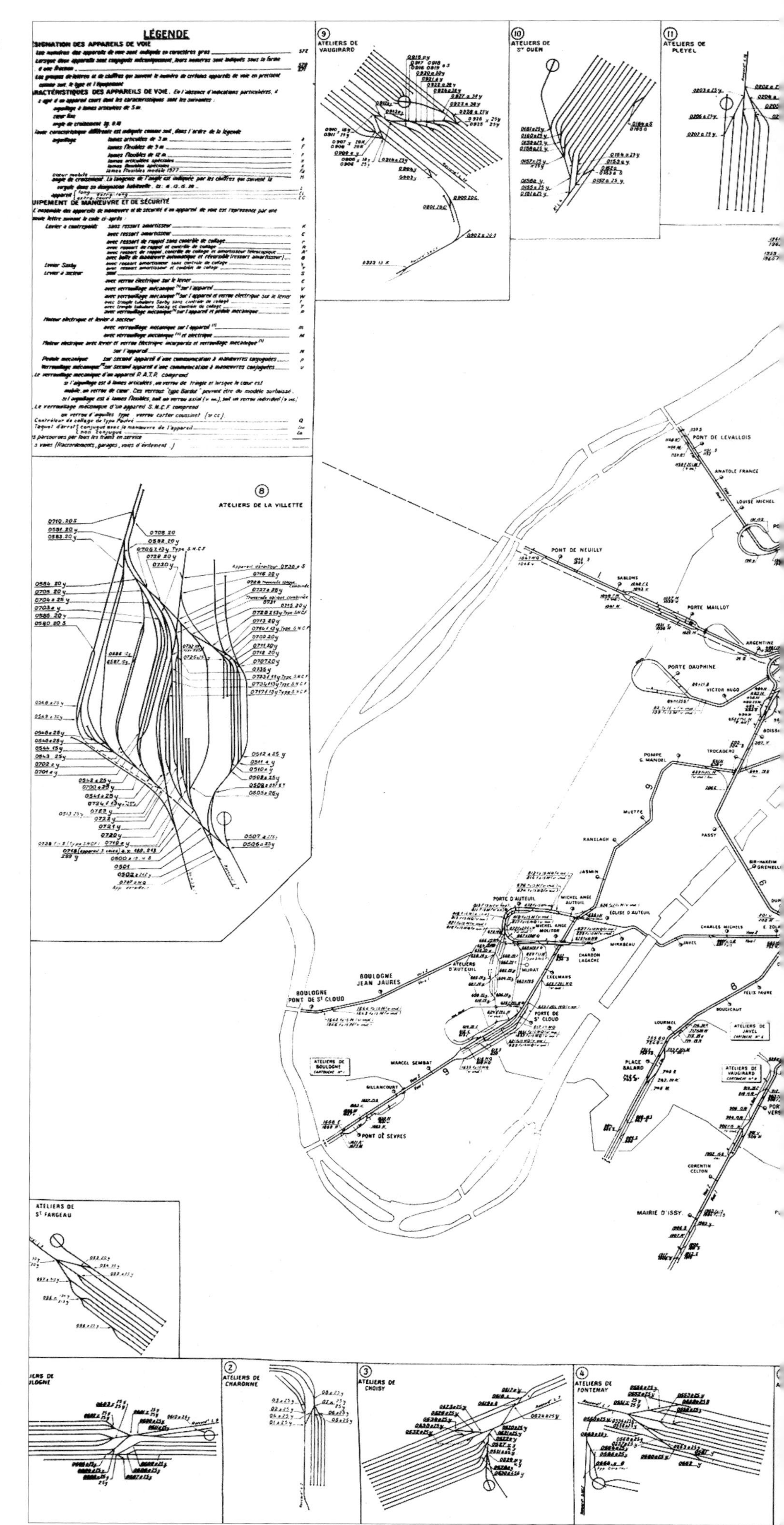

Plan schématique des voies du métro de Paris (mise à jour du 1er août 1985).

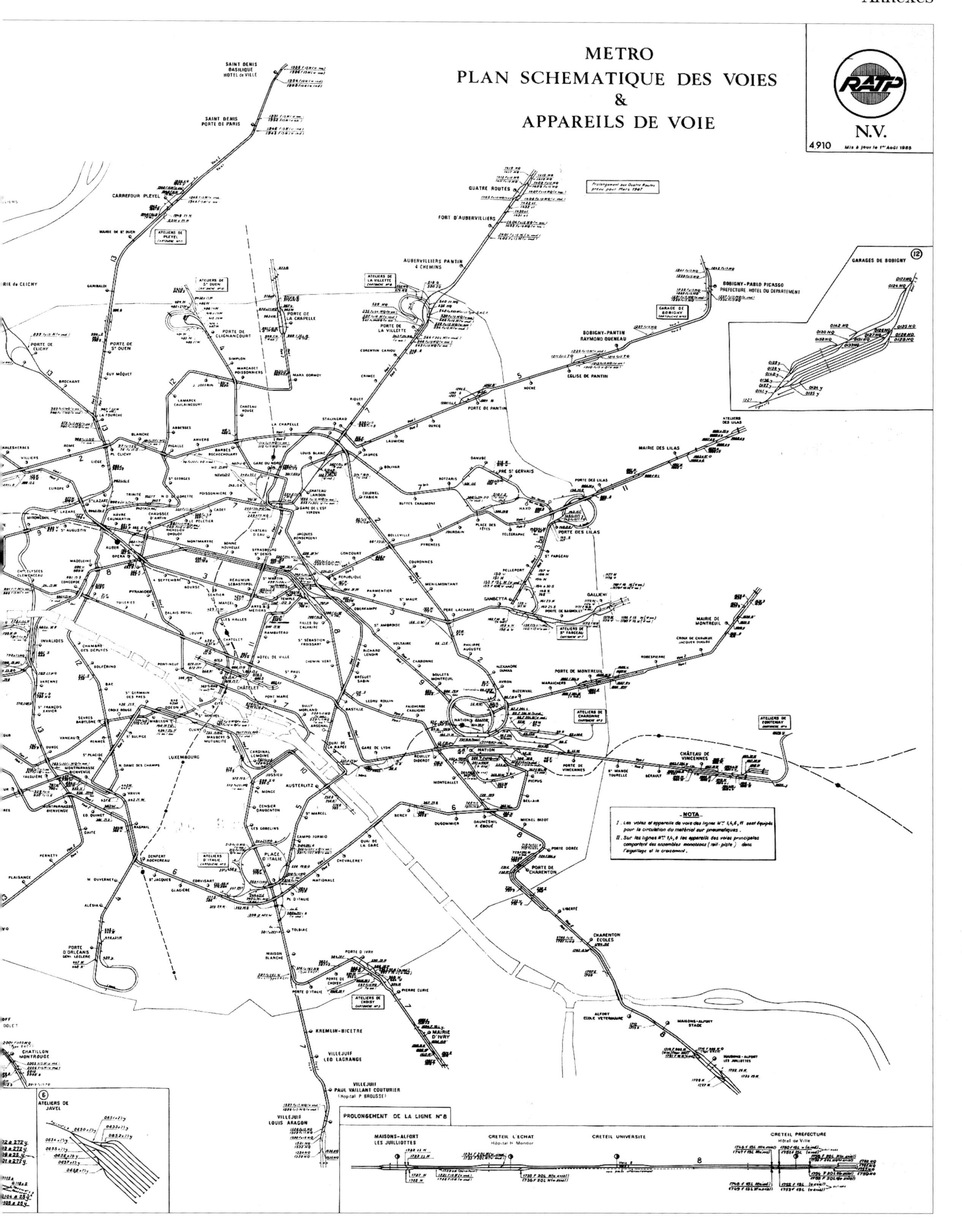
METRO
PLAN SCHEMATIQUE DES VOIES
&
APPAREILS DE VOIE
RATP
N.V.
4.910
NOTA
I. Les voies et appareils de voie des lignes N° 1, 4, 6, 11 sont équipés pour la circulation du matériel sur pneumatiques.
II. Sur les lignes N° 1, 4, 6 les appareils des voies principales comportent des ensembles monoblocs (rail-piste) dans l'aiguillage et le croisement.
SAINT DENIS BASILIQUE HOTEL de VILLE
SAINT DENIS PORTE DE PARIS
CARREFOUR PLEYEL
QUATRE ROUTES
FORT D'AUBERVILLIERS
AUBERVILLIERS PANTIN 4 CHEMINS
BOBIGNY-PABLO PICASSO PREFECTURE HOTEL DU DEPARTEMENT
GARAGES DE BOBIGNY
BOBIGNY-PANTIN RAYMOND QUENEAU
EGLISE DE PANTIN
HOCHE
PORTE DE PANTIN
MAIRIE DES LILAS
PORTE DES LILAS
GALLIENI
MAIRIE DE MONTREUIL
CROIX DE CHAVAUX
ROBESPIERRE
PORTE DE MONTREUIL
NATION
CHÂTEAU DE VINCENNES
S[T] MANDÉ TOURELLE
BÉRAULT
PORTE DE VINCENNES
PORTE DORÉE
PORTE DE CHARENTON
LIBERTÉ
CHARENTON ÉCOLES
ALFORT ÉCOLE VÉTÉRINAIRE
MAISONS-ALFORT STADE
MAIRIE D'IVRY
KREMLIN-BICETRE
VILLEJUIF LEO LAGRANGE
VILLEJUIF PAUL VAILLANT COUTURIER
VILLEJUIF LOUIS ARAGON
PORTE D'ITALIE
PLACE D'ITALIE
DENFERT ROCHEREAU
PORTE D'ORLEANS
CHATILLON MONTROUGE
ATELIERS DE JAVEL
PROLONGEMENT DE LA LIGNE N° 8
MAISONS-ALFORT LES JUILLIOTTES
CRETEIL L'ECHAT
CRETEIL UNIVERSITE
CRETEIL PREFECTURE

ANNEXE 3

Les chiffres clés

LA RATP EN 1998

Quatre réseaux :

métro	211,3 km
RER	115,1 km
bus	2 750 km
tramway	20 km
S'y ajoute le métro automatique Orlyval	*7,2 km*

38 500 agents dont :
- 9 400 au métro
- 2 900 au RER
- 12 400 au bus

2,4 milliards de voyages dont :
- 1,16 au métro
- 0,370 au RER
- 0,850 au bus

12,7 milliards de francs de recettes du trafic dont 8,6 milliards de recettes directes répartis en :
- 3,1 provenant de la vente des billets
- 5 provenant de la vente d'abonnements

4,6 milliards d'investissements dont :
- 1,72 de commandes de matériel roulant
- 0,680 d'extension du réseau
- 1,2 de modernisation et commande de gros matériels
- 0,835 d'amélioration de l'exploitation

LE MÉTRO EN 1998

14 lignes (+ 2 lignes courtes)
211,3 km dont 167,6 dans Paris
297 stations nominales pour 380 points d'arrêt
3 569 voitures au parc, dont :
- 1 077 voitures sur pneu (+ 16 voitures pour Orlyval)
- 2 492 voitures fer moderne

9 426 agents dont quelque 2 600 conducteurs
1,16 milliard de voyageurs transportés

NOMBRE DE VOYAGEURS TRANSPORTÉS ANNUELLEMENT

Année	Voyageurs	Année	Voyageurs
1900	17 660 000	1950	1 129 363 000
1901	55 882 000	1951	1 031 680 000
1902	72 183 000	1952	1 070 050 000
1903	118 202 000	1953	1 028 406 000
1904	140 247 000	1954	1 068 133 000
1905	178 785 000	1955	1 078 167 000
1906	201 248 000	1956	1 114 896 000
1907	239 154 000	1957	1 124 218 000
1908	282 427 000	1958	1 160 807 000
1909	314 757 000	1959	1 158 991 000
1910	317 854 000	1960	1 166 132 000
1911	428 832 000	1961	1 113 260 000
1912	452 112 000	1962	1 130 134 000
1913	467 472 000	1963	1 182 464 000
1914	396 816 000	1964	1 186 624 000
1915	408 075 000	1965	1 201 517 000
1916	497 172 000	1966	1 188 904 000
1917	588 257 000	1967	1 172 000 000
1918	610 069 000	1968	1 087 000 000
1919	726 540 000	1969	1 122 400 000
1920	688 296 000	1970	1 128 300 000
1921	637 536 000	1971	1 076 600 000
1922	678 674 000	1972	1 110 300 000
1923	704 768 000	1973	1 097 300 000
1924	740 367 000	1974(1)	1 107 700 000
1925	793 776 000		1 042 500 000
1926	796 026 000	1975	1 055 400 000
1927	791 905 000	1976	1 050 100 000
1928	818 336 000	1977	1 080 700 000
1929	856 504 000	1978	1 103 500 000
1930	887 901 000	1979	1 107 100 000
1931	929 004 000	1980	1 093 900 000
1932	863 652 000	1981	1 109 500 000
1933	838 320 000	1982	1 130 000 000
1934	851 989 000	1983	1 156 000 000
1935	831 248 000	1984	1 177 000 000
1936	815 528 000	1985	1 177 100 000
1937	840 644 000	1986	1 166 000 000
1938	760 657 000	1987	1 199 000 000
1939	649 551 000	1988	1 235 000 000
1940	650 051 000	1989	1 224 000 000
1941	1 035 124 000	1990	1 226 000 000
1942	1 239 493 000	1991	1 199 000 000
1943	1 320 430 000	1992	1 201 000 000
1944	1 112 029 000	1993	1 177 000 000
1945	1 508 146 000	1994	1 170 000 000
1946	1 598 398 000	1995	1 029 000 000
1947	1 453 071 000	1996	1 091 600 000
1948	1 389 045 000	1997	1 115 900 000
1949	1 246 836 000	1998	1 155 700 000

(1) : changement de mode de calcul en 1974, en raison du passage du contrôle manuel au contrôle magnétique.

CLASSEMENT PAR ORDRE DÉCROISSANT DE TRAFIC DES LIGNES DU MÉTRO		
Rang	N° de ligne	Trafic annuel
1	1	139 578 469
2	4	135 669 382
3	7	111 074 607
4	9	105 996 146
5	13	89 993 250
6	6	89 634 045
7	3	83 301 431
8	2	80 947 524
9	8	80 345 692
10	5	74 730 341
11	12	67 546 620
12	10	38 832 337
13	11	35 525 570
14	7 bis	3 889 114
15	3 bis	1 949 408
Pour mémoire		
	14	*3 512 314*

TRAFIC JOURNALIER MOYEN PAR LIGNE			
Ligne	Jour ouvrable	Samedi	Dimanche
1	488 408	332 258	214 098
2	266 383	204 077	130 715
3	310 969	174 073	91268
3 bis	6 885	4 285	2 309
4	463 974	361 313	209 955
5	265 648	161 250	109 564
6	309 260	199 685	123 319
7	398 975	260 033	156 850
7 bis	15055	8 214	5 205
8	289 895	185 212	105 537
9	377 700	242 798	140 647
10	148 613	104 041	53051
11	122 977	97047	55548
12	245 364	162 937	93866
13	337 413	205 223	127 062
14	55311	31966	25847

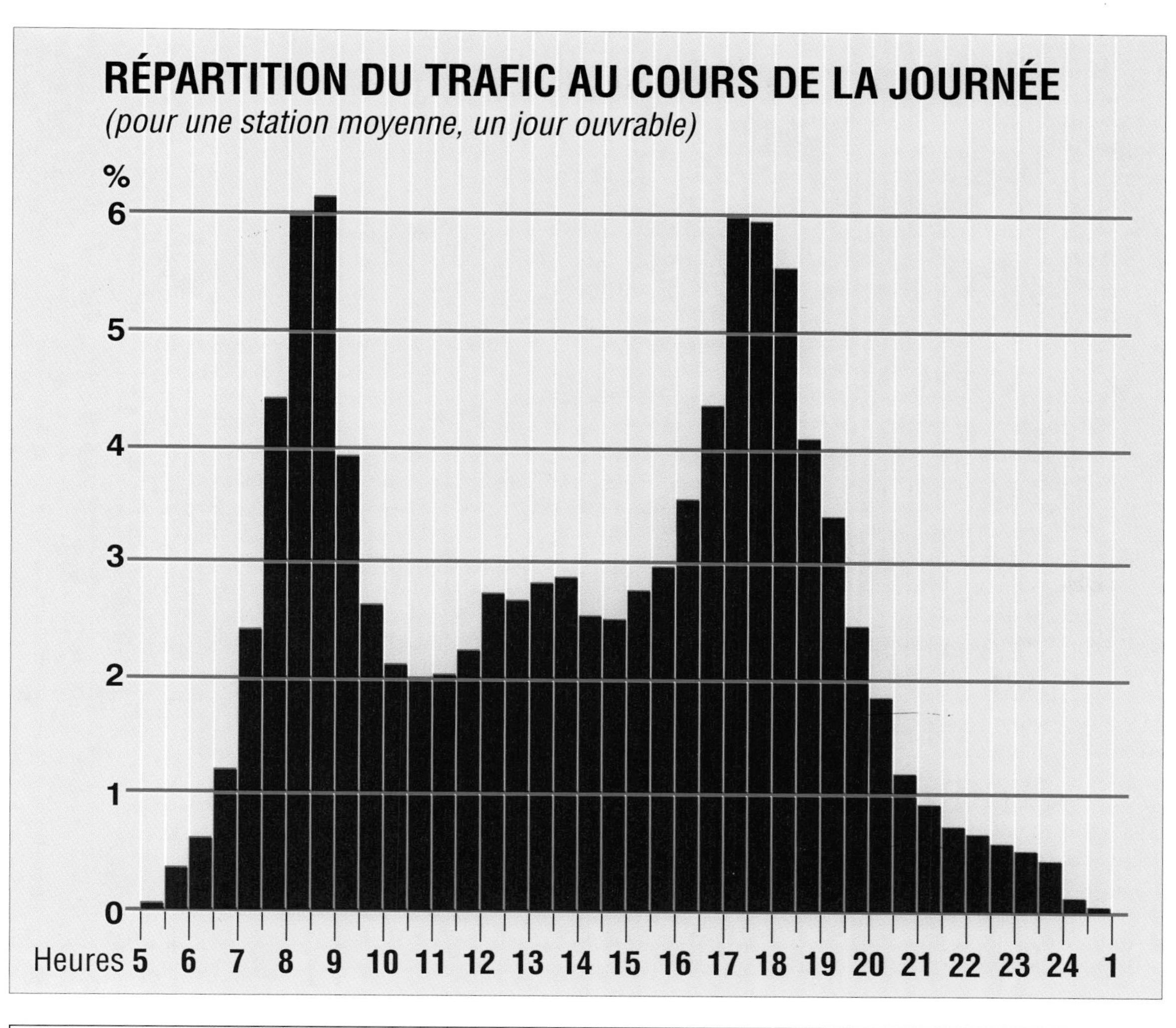

LE MATÉRIEL ROULANT DU MÉTRO

Type	Nombre de rames	Lignes
Matériel fer (MF)		
MF 67	293	2, 3, 3 bis, 5, 9, 10 et 12
MF 77	195	7, 8 et 13
MF 88	9	7 bis
Matériel pneu (MP)		
MP 59	87	1, 4 et 11
MP 73	47	6
MP 89 CC	39	1
MP 89 CA	18	14

TRAFICS ANNUEL ET JOURNALIER DES 30 PREMIÈRES STATIONS							
				Détail des pointes			
Rang	Stations	Total annuel	Trafic par jour ouvrable en décembre	Heure la plus chargée en matinée	Nombre de voyageurs	Heure la plus chargée en soirée	Nombre de voyageurs
1	SAINT-LAZARE	27 480 728	110 682	08h00 09h00	21 616	17h30 18h30	10 439
2	MONTPARNASSE-B.	26 782 875	92 309	08h00 09h00	12 516	17h10 18h10	9 770
3	GARE DU NORD	26 768 921	89 278	07h50 08h50	16 397	17h20 18h20	7 001
4	GARE DE L'EST	21 478 672	78 841	08h00 09h00	17 815	17h20 18h20	5 003
5	GARE DE LYON	14 473 976	59 121	08h10 09h10	8 133	17h00 18h00	4 918
6	RÉPUBLIQUE	14 299 030	53 637	08h10 09h10	3 676	17h30 18h30	6 942
7	F.-D. ROOSEVELT	12 251 878	41 309	11h00 12h00	1 466	17h30 18h30	6 254
8	CHÂTELET	11 803 496	39 146	11h00 12h00	1 728	17h10 18h10	5 125
9	OPÉRA	11 644 390	41 262	11h00 12h00	1 693	17h30 18h30	6 517
10	PLACE D'ITALIE	11 195 402	37 587	08h00 09h00	4 006	16h50 17h50	4 546
11	LES HALLES	11 041 761	38 580	11h00 12h00	1 284	17h20 18h20	6 353
12	BASTILLE	10 878 527	37 287	08h10 09h10	2 383	17h10 18h10	4 320
13	HÔTEL DE VILLE	10 573 025	36 979	11h00 12h00	1 720	17h00 18h00	5 035
14	PALAIS-ROYAL	9 294 328	26 068	10h50 11h50	1 260	17h10 18h10	3 519
15	GRANDE ARCHE	9 280 458	38 469	08h10 09h10	4 605	17h40 18h40	4 851
16	GARE D'AUSTERLITZ	8 732 109	29 548	08h00 09h00	6 712	17h40 18h40	2 297
17	SAINT-MICHEL	8 635 435	26 905	08h00 09h00	2 966	17h00 18h00	2 545
18	BARBÈS-ROCH.	8 599 298	27 800	11h00 12h00	1 585	17h00 18h00	3 528
19	BELLEVILLE	8 449 853	27 144	08h00 09h00	3 158	16h40 17h40	2 348
20	STRAS.-ST-DENIS	8 288 822	28 783	08h10 09h10	1 452	17h30 18h30	4 096
21	CDG - ÉTOILE	8 195 488	24 883	08h10 09h10	1 235	18h00 19h00	3 375
22	ESPLANADE	7 797 045	34 343	08h10 09h10	1 859	17h30 18h30	7 925
23	PORTE D'ORLÉANS	7 353 119	26 708	07h50 08h50	3 787	17h00 18h00	3 100

Rang	Stations	Total annuel	Trafic par jour ouvrable en décembre	Détail des pointes			
				Heure la plus chargée en matinée	Nombre de voyageurs	Heure la plus chargée en soirée	Nombre de voyageurs
24	CHAUSSÉE D'ANTIN	7336889	30702	11h00 12h00	1228	17h30 18h30	5135
25	P. DE CLIGNANCOURT	7324052	22581	08h00 09h00	2146	17h00 18h00	2791
26	NATION	7295348	26623	08h00 09h00	3115	17h10 18h10	2701
27	PLACE DE CLICHY	7237830	24935	08h20 09h20	2487	17h00 18h00	2488
28	PORTE MAILLOT	6700983	26713	08h10 09h10	4163	17h30 18h30	2763
29	TROCADÉRO	6522262	18028	08h10 09h10	1153	17h10 18h10	2539
30	CONCORDE	6514851	19953	11h00 12h00	940	17h40 18h40	2967
Pour mémoire, la dernière du classement :							
297	ÉGLISE D'AUTEUIL	133981	527	07h50 08h50	47	16h20 17h20	68

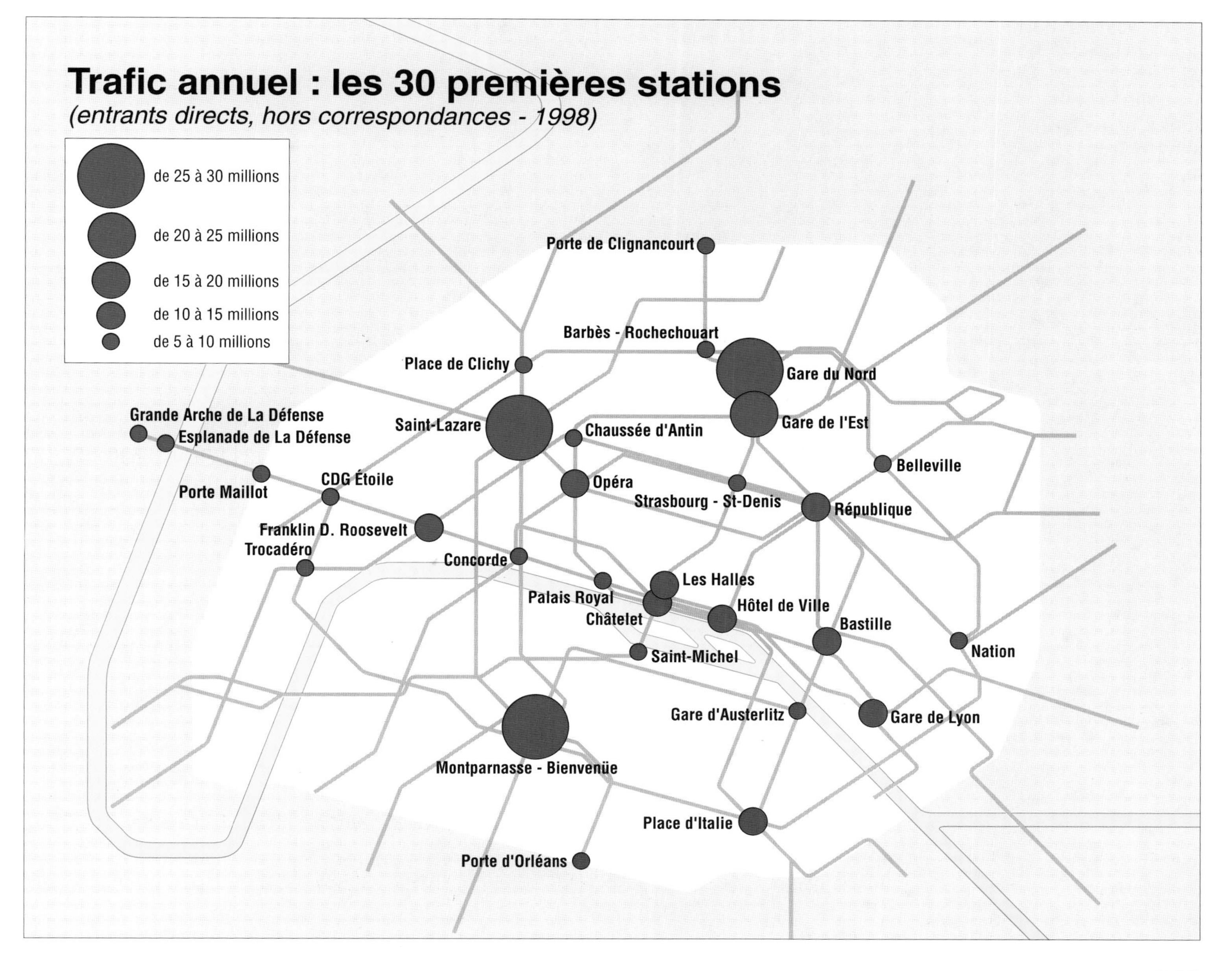

ANNEXE 4

Les grands ateliers

Atelier et Parc de La Villette

Principales activités : fabrication d'appareils de voie, usinage de rails, fabrication de traverses, maintenance des matériels roulants d'entretien des voies (trémies à ballast et autres wagons, dégarnisseuse, train aspirateur, train meuleur, voiture de contrôle de la géométrie de la voie, etc.).

Deux vues des ateliers de La Villette : ci-dessus, un tracteur Sprague sur la plaque tournante (au fond, le tunnel d'accès à la ligne 7) et, ci-contre, les trains de travaux de nuit prêts au départ en fin de soirée.

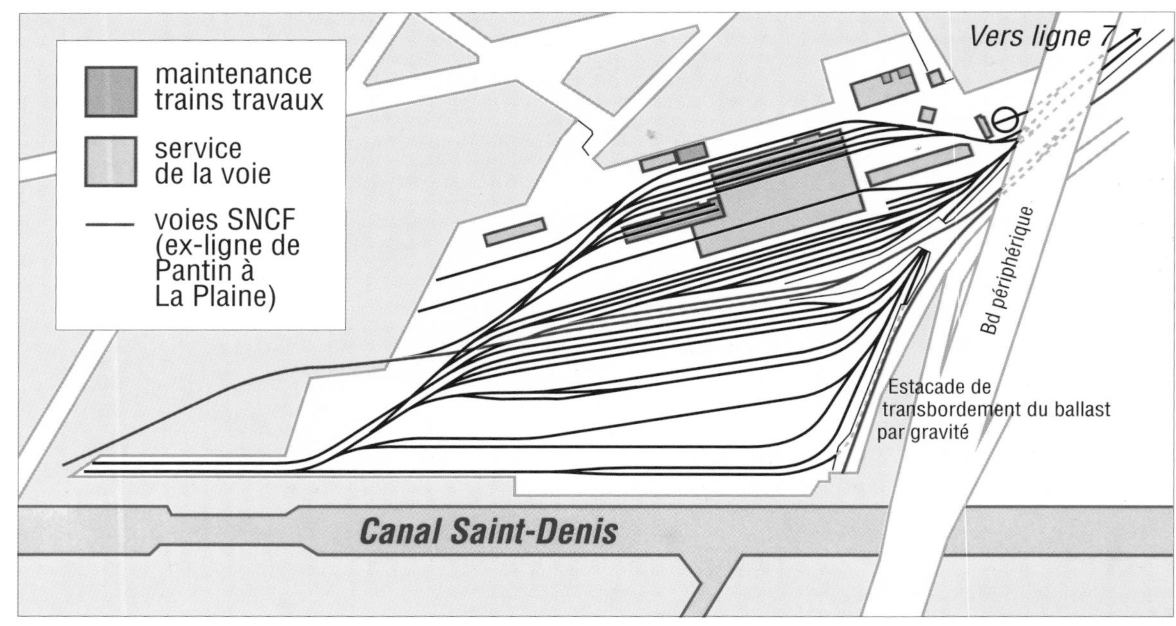

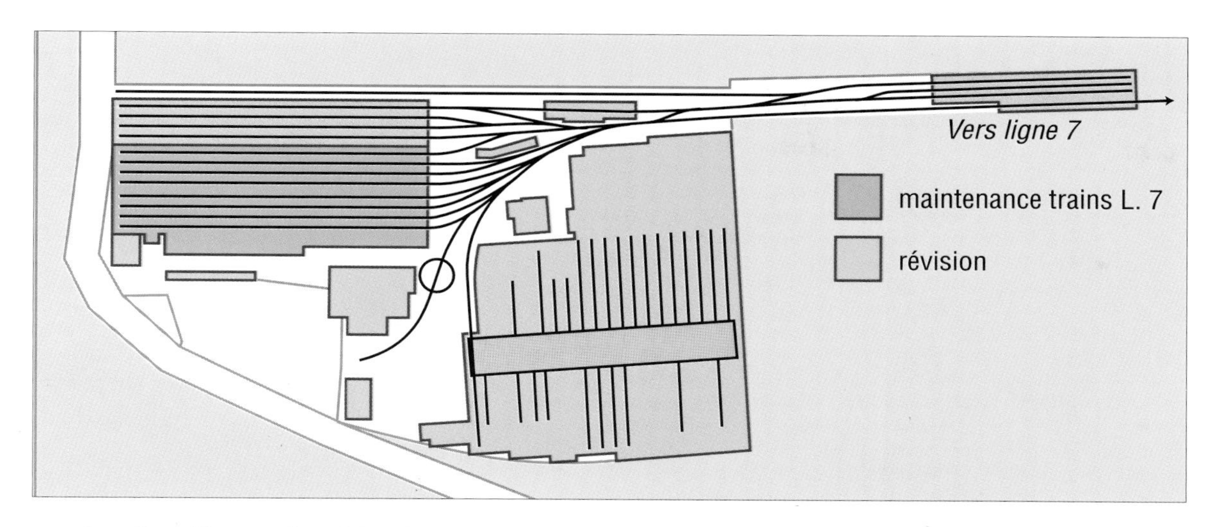

Ateliers de Choisy

- Révision des trains MF 67, MF 88 et des rames de tramway des lignes T1 et T2.
- Maintenance des trains de la ligne 7.

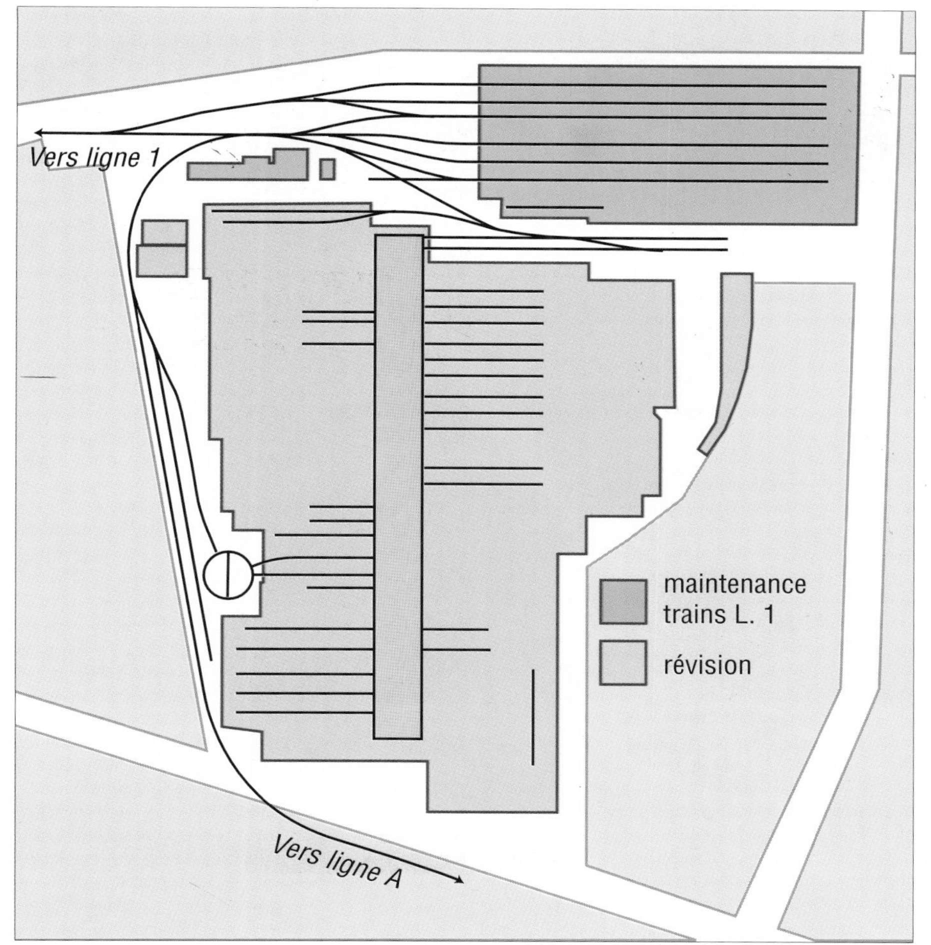

Ateliers de Fontenay

- Révision des trains MP 59, MP 73 et MP 89.
- Révision centralisée batteries, bobinages, peinture
- Maintenance des trains de la ligne 1.

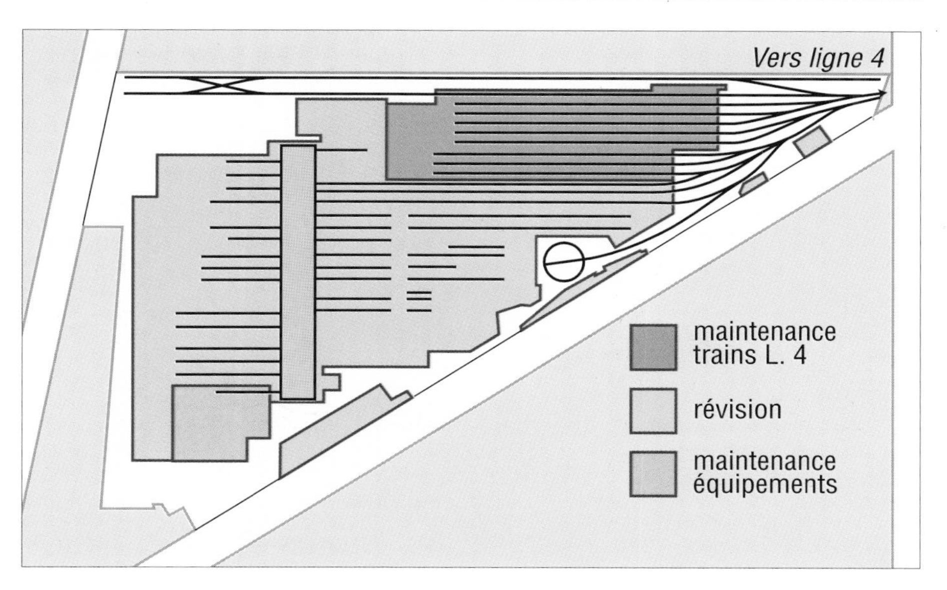

Ateliers de Saint-Ouen

- Révision des trains MF 77.
- Maintenance des équipements électroniques.
- Maintenance des trains de la ligne 4.

ANNEXE 5

Le matériel auxiliaire

Deux générations de tracteurs de trains de travaux à La Villette : un tracteur Sprague à gauche et deux tracteurs à marche autonome (TMA) à droite.

Un TMA, engin à accumulateurs pouvant circuler lorsque le courant de traction est coupé, ici en pousse d'un train de RVB sur la ligne 12.

Une image du passé : deux tracteurs Sprague ex-Nord-Sud, lors des travaux du prolongement de la ligne 8 à Créteil.

L'unité centrale du « train aspirateur » chargé du nettoyage superficiel (enlèvement des immondices) des voies en période nocturne.

Voiture soudure pour la voie.

Un tracteur Sprague aux nouvelles couleurs du parc de service.

ANNEXE 5

Diagrammes du matériel roulant

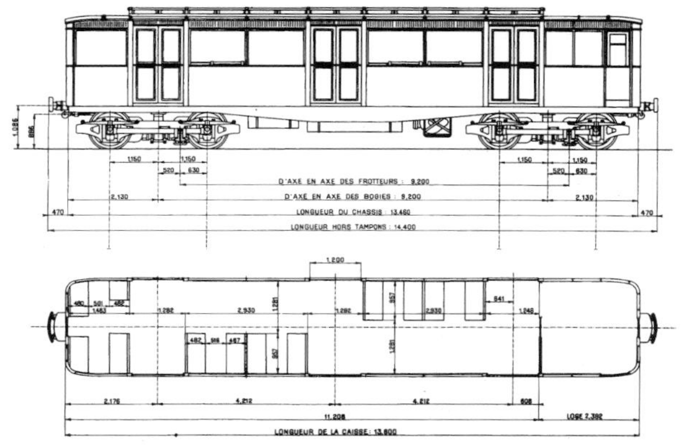

Motrice Sprague-Thomson « grande loge » du Nord-Sud

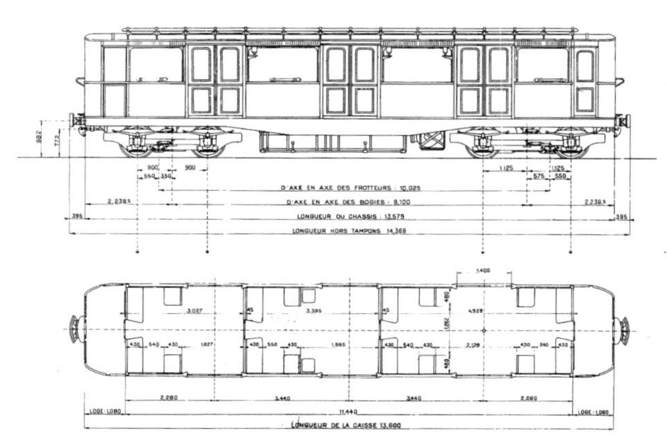

Motrice à 2 loges

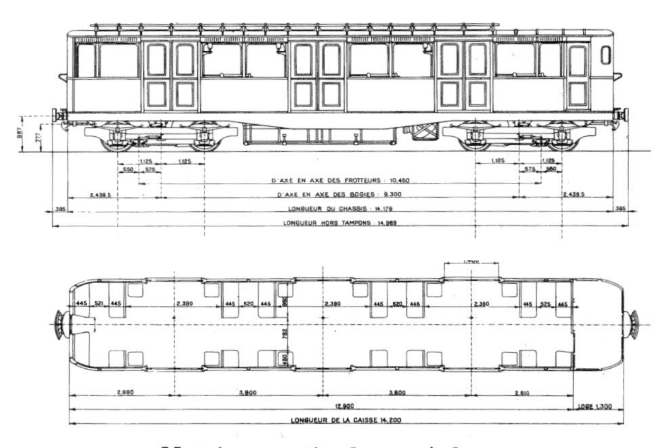

Motrice « petite loge » à 3 portes

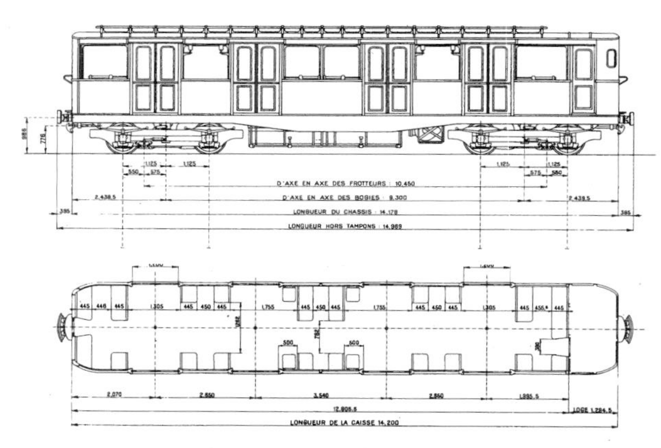

Motrice « petite loge » à 4 portes

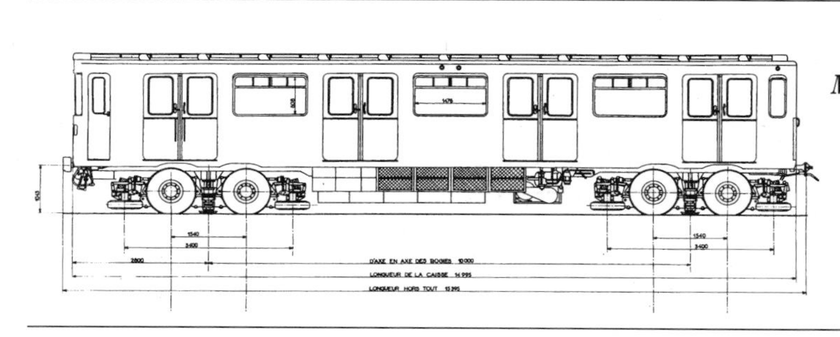

MP 55

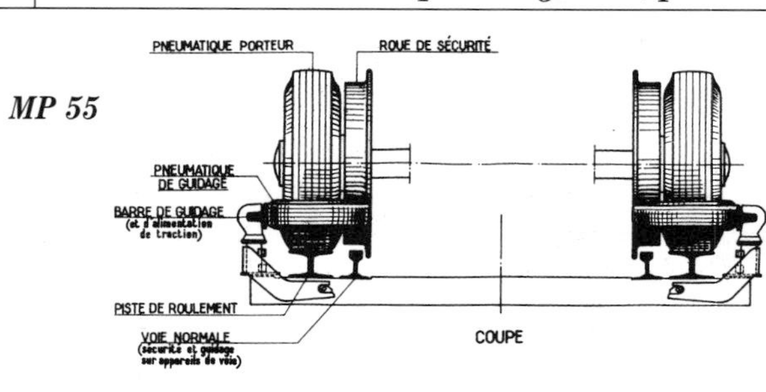

Principe du roulement du matériel sur pneu

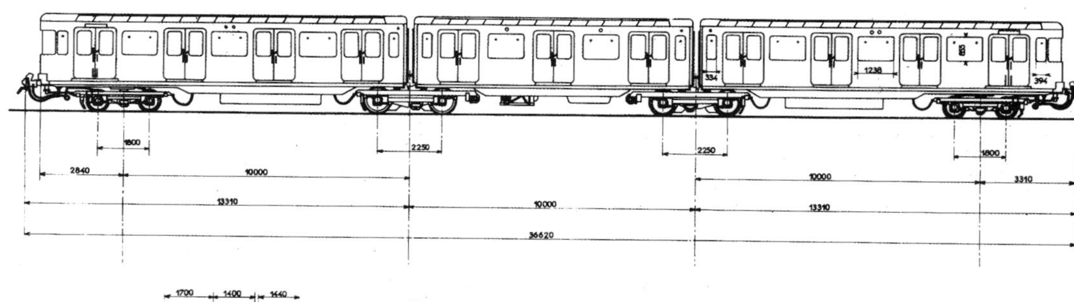

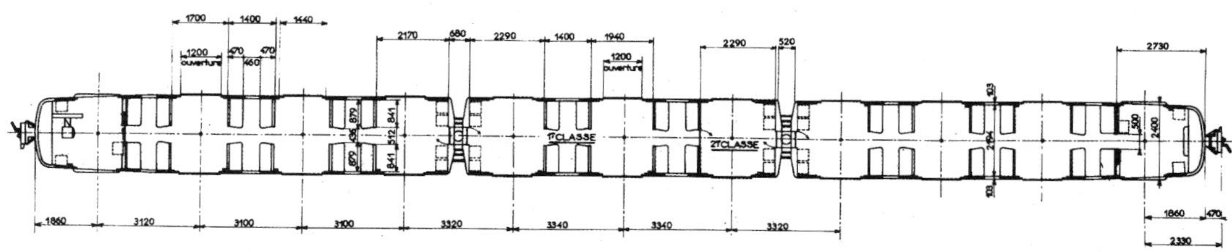

Matériel articulé

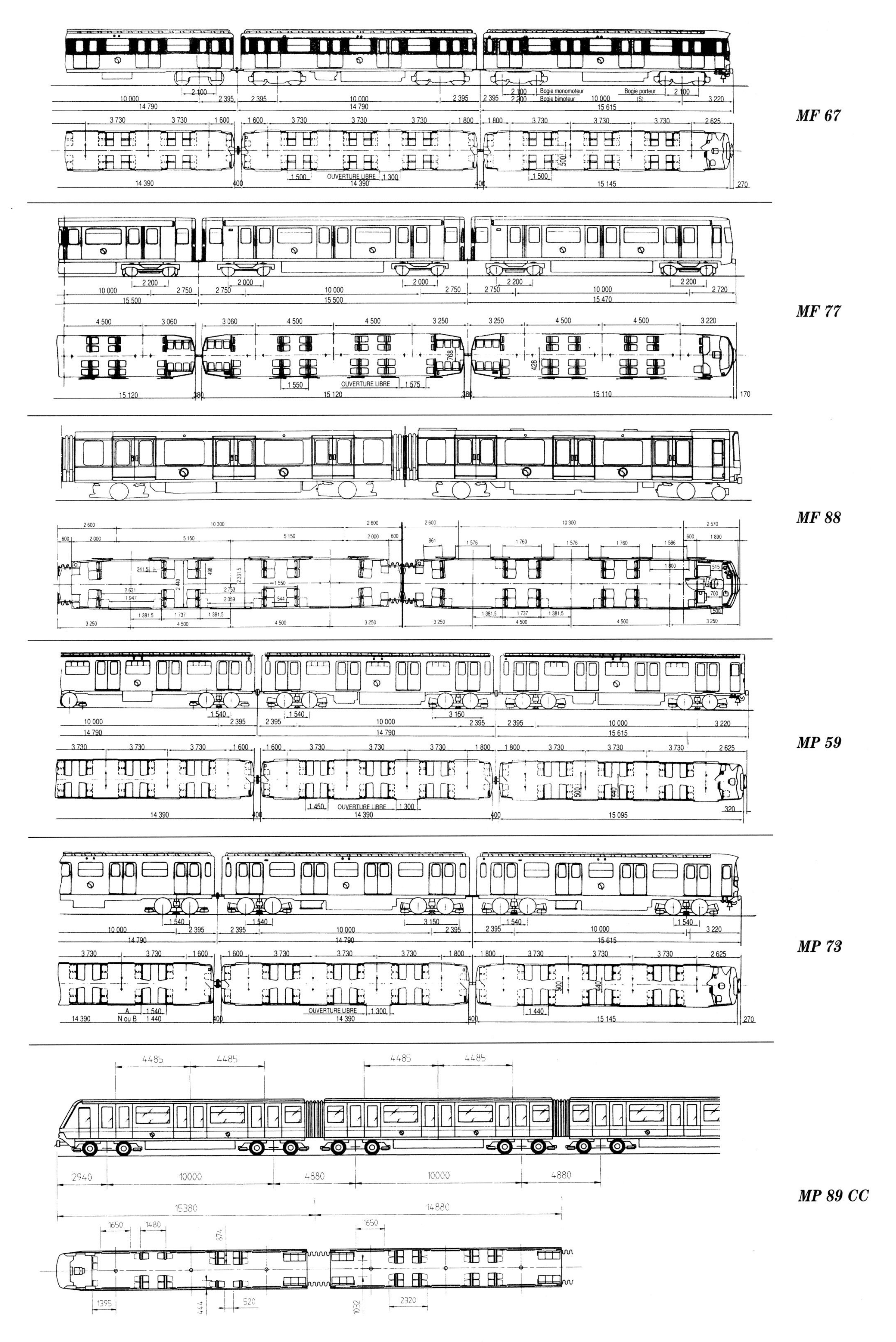
MF 67
MF 77
MF 88
MP 59
MP 73
MP 89 CC

BIBLIOGRAPHIE SOMMAIRE

OUVRAGES

A. Dumas — *Le chemin de fer métropolitain de Paris*, Le Génie Civil, Ch. Béranger, éditeur, Paris 1901.

J. Hervieu — *Le chemin de fer métropolitain de Paris*, Librairie polytechnique, Ch. Béranger, éditeur, Paris 1903.

P. Révérard — *Des conditions d'exploitation du chemin de fer métropolitain de Paris*, Arthur Rousseau, éditeur, Paris, 1905.

L. Biette — *Les chemins de fer urbains parisiens*, Encyclopédie du Génie Civil et des travaux publics, Paris, 1928.

J. Robert — *Notre métro*, 2e édition, Paris, 1983.

M. Margairaz — *Histoire de la RATP*, Albin Michel, Paris, 1989.

B. Sirand-Pugnet — *De la grand-mère à Météor*, ID Editions, Paris, 1997.

C. Berton et A. Ossadzow — *Fulgence Bienvenüe et la construction du métropolitain de Paris*, Presses de l'ENPC, Paris, 1998.

PUBLICATIONS DIVERSES

Guimard, catalogue, Réunion des musées nationaux, Paris, 1992.

Le Patrimoine de la RATP, Flohic Editions, Charenton-le-Pont, 1996.

Métro-Cité, Le chemin de fer métropolitain à la conquête de Paris 1871-1945, Paris Musées, Paris, 1997.

Rapports du Conseil municipal de Paris.

Comptes rendus des assemblées générales de la CMP et du Nord-Sud.

REVUES

Le Génie Civil, la Revue générale des chemins de fer, La Vie du Rail, les Annales des Ponts et Chaussées.

SOURCES DES ILLUSTRATIONS

Les illustrations de cet ouvrage proviennent des fonds de la RATP et des Archives de la Ville de Paris, sauf les photos suivantes :
Jacques Andreu : 198h, 310h. Agence France presse : 134h. Daniel Bouilleau : 93h et b. Chagnaud : 178/179. Design Avant Première : 109b. HDW : 324h. Collection Yvonne Kappès-Grangé : 21h. Guy Laforgerie : 134b, 184h, 244h, 245m, 272h. Photothèque La Vie du Rail : 8, 9h, 73h (C. Besnard), 99h (Fénino), 106h (JC. Roca), 107h (C. Besnard), 132h (coll. Wright), 153m (Tomasini), 168b (L. Pilloux), 208b (O. Perelle), 293b. René Minoli : 97b, 143h et b, 156h, 158hg, 161h et b, 170bg, 170h, 171b, 172h, 175, 186b, 199m, 204h et b, 205h, 216b, 237, 248b, 264, 267h, 278m, 298m, 314b, 329h, 332b. Dominique Paris : 249bg, 277, 286h, 291, 297h, 298b, 302. Julian Pépinster : 44h, 95h et b, 104, 249h, 269, 272b, 275h, 278b, 344h et b, 346b, 347mh, mb et b. Jean Robert : 99m. Jean Tricoire : 4e de couverture, 4, 137hd, 188hg, 190hg, 218b, 219h, 233b, 249bg, 276hg, 281, 315h. Roger-Viollet : 10h, 152b.

Les photographes RATP qui ont participé à l'ouvrage sont : J-F. Mauboussin (dont la 1ère de couverture), B. Marguerite, B. Chabrol, D. Dupuy, D. Jackson, D. Sutton, R. Roy, C. Ardaillon, G. Dumax, J-M. Carrier, J. Thibaut, R. Minoli, E. Gaston, M-A. Collet, X. Kocon.

Les pages « Transparences » ont été conçues au sein de l'entité Systèmes d'informations opérationnels de la direction des Infrastructures et aménagements (ITA) de la RATP. Équipe de réalisation : Michel Fercocq et Hervé O'Neil, assistés par Alcide Grialou, en collaboration avec Roger Maltère, Maurice Larret et Jean-Claude Ragaz. Les maquettes numériques et les images ont été créées à l'aide du logiciel CATIA de la société Dassault Systèmes.

Les dessins des ateliers ont été réalisés par Isabelle Turbin, de l'unité Ingénierie de maintenance, environnement et qualité (groupe de soutien) du département du Matériel roulant ferroviaire de la RATP.

Les dessins des matériels roulants et des terminus ont été réalisés par l'agence Phénomène.

REMERCIEMENTS

L'auteur remercie toutes celles et tous ceux qui, dans les différents services de la RATP, ont bien voulu l'aider à être le plus complet et le plus proche de la vérité possible.

SOMMAIRE

Imprimè en Italie par Rotolito
en novembre 2000